中国文物志

可移动文物编　I

青铜器　陶瓷器

中国文物志编纂委员会　编

董保华　总编纂

董琦　副总编纂

文物出版社

图书在版编目（CIP）数据

中国文物志．可移动文物编／中国文物志编纂委员
会编；董保华总编纂．—北京：文物出版社，2024.3
ISBN 978-7-5010-7099-2

Ⅰ．①中… Ⅱ．①中… ②董… Ⅲ．①文物-汇编-
中国 Ⅳ．① K87

中国版本图书馆 CIP 数据核字（2021）第 117173 号

中国文物志·可移动文物编

编　　者：中国文物志编纂委员会
总 编 纂：董保华
副总编纂：董　琦

封面题签：苏士澍
责任编辑：孙　霞　张晓曦　安艳娇
责任印制：张道奇
封面设计：谭德毅

出版发行：文物出版社
社　　址：北京市东城区东直门内北小街2号楼
邮　　编：100007
网　　址：http://www.wenwu.com
经　　销：新华书店
印　　刷：文物出版社印刷厂有限公司
开　　本：889毫米×1194毫米　1/16
印　　张：156.25
版　　次：2024年3月第1版
印　　次：2024年3月第1次印刷
书　　号：ISBN 978-7-5010-7099-2
定　　价：1420.00元（全四册）

《中国文物志》编委会

主 任

励小捷 刘玉珠

顾 问

吕济民 张德勤 张文彬 单霁翔 谢辰生
郑欣淼 吕章申 王春法 王旭东

常务副主任

董保华 顾玉才 关 强

副 主 任

童明康 顾玉才 宋新潮
刘曙光 胡 冰 关 强

编委会委员

（以姓氏拼音为序）

安泳锝 蔡小莉 曾建勇 曾颖如 柴晓明 陈 红 陈 瑶
陈爱兰 陈成军 陈名杰 陈培军 陈文宝 陈永志 陈远平
褚晓波 丁 辉 丁新权 段 勇 段天玲 冯乃恩 傅柒生
顾 航 郭俊英 何长风 胡劲军 解 冰 金旭东 黎朝斌
李 游 李耀申 梁 刚 梁立刚 刘 洋 刘谨胜 刘铭威
刘润民 刘世忠 柳 河 柳士发 龙家有 娄 玮 陆 琼
罗 静 马玉萍 孟祥武 宁虹雯 牛 军 桑 布 盛春寿
舒 琳 舒小峰 司才仁 宋宏伟 孙旭光 谭 平 唐 炜

田　凯　王　军　王　磊　王　琼　王　毅　王红光　王建武
王卫东　王晓江　王勇强　卫　忠　吴东风　吴晓林　谢日万
幸　军　熊正益　徐恒秋　徐琳琳　闫亚林　杨德聪　张　勇
张金宁　张立方　张自成　赵　荣　周魁英　朱晓东

特邀专家

田　嘉　齐家璐

编委会办公室

主　任

董保华　顾玉才　关　强

常务副主任

张自成

副主任

李　游　解　冰　陈　红　朱晓东　陆　琼

秘书处

许海意　孙　霞　张晓曦　孙漪娜　王　媛
胡奥千　王海东　马丽萍　周小玮　沈　骞

撰稿团队

总编纂

董保华

副总编纂

张自成　李　季　刘小和　董　琦

黄　元　乔　梁　何　洪

本编副总编纂

董　琦

审稿专家

初稿撰写与审核

第一章　青铜器

负责人：闫　志

撰　稿：闫　志　翟胜利　于成龙　曹　斌　郭长波　丁燕杰

第二章　陶瓷器

负责人：张　燕　杨桂梅

撰　稿：宾　娟　蔡路武　常海波　陈惠荣　陈　洁　陈　闽　陈明良　陈　新
　　　　陈颖贤　程慧宁　丁　莉　都惜青　杜会平　杜　文　杜赟清　段少京
　　　　方昭远　冯　远　冯泽洲　佛　音　高　奥　高　洁　高英爽　勾海燕
　　　　郭东慧　郭红波　韩　倩　胡　狄　胡在强　黄　峰　黄朴华　张永珍
　　　　黄卫文　黄雪峰　黄　燕　江　屿　蒋　群　景献慧　寇克红　赖金明
　　　　雷　静　李　兵　李彩霞　李佳颖　李　娟　李丽雅　李　琳　李书谦
　　　　李文涓　李文艳　李　湘　厉晋春　梁绮虹　梁咏涛　刘　东　刘冬媚
　　　　刘金成　刘　焰　刘叶枝　卢治萍　罗　琳　吕成龙　马建东　马　健
　　　　马文娇　欧阳霞　裴亚静　彭　涛　乔　岳　秦造垣　邱晓勇　沙梅真
　　　　施　兰　宋　敏　宋少维　谭杨吉　唐凛然　田　力　田蔚恩　童志军
　　　　王爱国　王成科　王纯婧　王　菲　王　静　王小琴　王　欣　王延丹
　　　　王　玥　魏华光　魏杨菁　翁　蓓　吴海红　吴新会　吴自荣　伍显军
　　　　肖　晖　肖　婷　徐　巍　徐效慧　徐　缨　许高哲　许倪恒　宣鼎文
　　　　杨桂梅　杨海鹏　杨海涛　杨　韬　杨晓瑞　叶宝平　尹夏清　余朝婷
　　　　袁兴钱　张博程　张海博　张海军　张洪林　张胡玲　张惠敏　张　剑
　　　　张俊民　张　米　张　琴　张　燕　张志升　赵菲菲　赵　巍　赵学锋
　　　　郑承燕　郑园平　周　浩　朱承山　朱歌敏　朱建中　朱　敏　朱杨晓
　　　　庄志军

第三章　玉石器

负责人：孙庆伟　曹芳芳

第四章　金银器

负责人：赵　永

第五章　书法绘画

　　　　　　负责人：海国林

　　　　　　撰　稿：海国林　朱秋丽　张默涵　赵　坤　綦小骐

第六章　石雕与文字石刻

　　　　　　负责人：王永红

　　　　　　撰　稿：王永红　佟春燕

第七章　甲骨简牍、文献文书、符节印信

　　　　　　负责人：于成龙

第八章　钱币、漆木器、文房用具及其他（杂项类）

　　　　　　负责人：王俪阎

　　　　　　撰　稿：王俪阎　佟春燕　刘远洋　陈　畅　聂　菲

第九章　近现代文物

　　　　　　负责人：安　莉

　　　　　　撰　稿：安　莉　孙成智　马　冀

第十章　旧石器时代人类化石与文化遗存

　　　　　　负责人：高　星

通稿秘书

沈　骞　胡奥千　王海东

不忘来时路　扬帆新征程

历史是现实的源头活水。习近平总书记指出，历史是最好的教科书。以史为鉴，可以知兴亡之根本，可以察民心之所盼，可以明资政之方略。一切向前走，都不能忘记走过的路；走得再远、走到再光辉的未来，也不能忘记走过的过去，不能忘记为什么出发。不忘来时的路，才能走好前行的路。学习、总结历史对党和国家事业改革发展重要作用如此，对行业和区域的改革发展重要作用亦如此。

编志修史是中华民族悠久的历史文化传统。新中国成立后，党和国家高度重视社会主义新方志的编修工作。早在六十多年前，王冶秋局长就提出过编修中国文物志的设想。改革开放后，国家先后启动了两轮新方志编修，一些省市地方志或在资源卷中记述文物资源，或设置文资源分卷。近年来，部分省市县三级文物部门，根据工作需要陆续编修了一些区域性文物资源志，有关行业协会、文博机构相继推出了工作年鉴、博物馆志等志书类出版物。所有这些，都为中国文物志的编修做了业务储备和人才准备。在这种背景下，不少领导、专家先后提出过编修国家级文物志的设想和建议。

习近平总书记对文物工作发表了系列重要论述，作出系列重要指示批示，就我国考古最新发现及其意义、深化中华文明探源工程和用好红色资源、赓续红色血脉等主持中央政治局集体学习，多次考察文物博物馆单位，要求加大文物和文化遗产保护力度，用好考古和历史研究成果，让文物活起来，走出一条符合国情的文物保护利用之路，正确反映中华民族文明史，推出一批研究成果。进入新时代，党和国家前所未有重视关怀文物工作，事业体系逐步健全，专业队伍不断壮大，重要成果层出不穷，学术研究和技术发展水平持续提高，国际学术话语权明显提升，社会关注度、参与度空前高涨。

国家文物局因时应势，2014 年起组织编纂《中国文物志》。各地文物部门、文博单位和有关高校、科研机构积极参与，文博专家、方志专家悉心指导。总编纂董保华同志组织带领数百人的编纂团队青灯黄卷，孜孜以求，爬梳剔抉，删繁就简，钩沉拾遗，披沙拣金，历经七年的不懈努力，呈现出一部资料翔实、内容丰富、记述有序的大型志书——《中国文物志》。

修志为用，存史资政。《中国文物志》系统反映了我国文物资源状况和重要价值，翔实记述了我国文物工作的发展历程和文物事业的辉煌成果，生动呈现了一代代文物工作者不畏艰辛、筚路蓝缕、求真务实、守正创新的精神风貌。翻阅厚厚的志稿，深感七十余年来文物事业因应时代之需、人民之需，伴随着中华民族从站起来、富起来到强起来的历史飞跃，从配合重要基础建设艰难启程时的"重点保护、重点发掘""既对基本建设有利，又对文物保护有利"，到适应改革开放不断深入、经济社会高速发展形势的"保护为主、抢救第一、加强管理、合理利用"，再到新时代以来贯彻新发展理念、构建新发展格局、推进高质量发展的"保护第一、加强管理、挖掘价值、有效利用、让文物活起来"，走过非凡的发展历程。文物法律法规体系逐步形成并日趋完善，财政投入持续加大，文物资源管理质效大幅提升，文物保护力度明显加强，博物馆公共文化服务效能充分彰显，文物考古研究阐释不断深化，文物领域科技支撑能力有力提升，文物国际交流合作持续拓展，文物传播力影响力显著增强，中国特色文物保护利用之路正越走越宽。

彰往而察来。《中国文物志》即将出版，回望事业发展历程，我们深知文物作为国家文明"金色名片"的重要性，更感文物工作职责使命之光荣。殷切希望广大文物工作者学好用好《中国文物志》，传承好、发扬好事业发展宝贵经验，汲取智慧，深刻把握文物事业发展规律，切实增强文物工作者的历史使命感和责任感。学习先辈择一事、终一生奋斗精神，坚守使命，甘于奉献，求真务实，激发创新创造活力，全力推进新时代文物保护利用工作。做好志书宣传，利用新媒体多渠道充分挖掘文物和文化遗产的多重价值，传播更多承载中华文化、中国精神的价值符号和文化产品，增强全社会文物保护意识，营造发展传承中华文明的浓厚氛围。不忘来时路，扬帆新征程，为全面建设社会主义文化强国、实现中华民族伟大复兴而团结奋斗。

文化和旅游部副部长、国家文物局局长　李群

2023 年 10 月

谨终如始　善作善成

　　盛世修典，鉴往知来。为深入贯彻习近平总书记关于文物工作重要论述和重要指示批示精神，全面落实国务院第五次全国地方志会议精神和《全国地方志事业发展规划纲要（2015—2020年）》部署，2014年6月，国家文物局正式启动《中国文物志》编纂工作。

　　2015年，《中国文物志》编纂工作全面展开。国家文物局高度重视，将《中国文物志》编纂工作纳入《国家文物事业发展"十三五"规划》和年度工作重点，定期听取工作汇报、部署推进编纂工作。局机关各司室主动协调、指导相关志稿内容设置和修改。全国文博单位鼎力支持，积极提供资料，确定撰稿人员，确保撰稿质效。文物出版社作为项目承担单位，切实加强管理，做好各项保障工作。

　　编纂委员会办公室和编纂团队紧紧依靠国家文物局及有关文博单位、各地文物部门和相关高等院校、科研院所，充分发挥文博专家和方志专家作用，克服专职人员不足、撰稿人员分散、资料基础薄弱等困难，根据章节内容细分撰稿任务，形成责任清单；编制撰写说明，明确撰稿要求；创新推进形式，组织审稿专家与撰稿人对接研讨，及时发现解决问题、督促进度；聘请文博专家审改专业内容、方志专家统顺体例，切实保障志稿质量。

　　编纂团队始终坚持大局意识、正确导向，重大问题及时向国家文物局请示汇报，确保志书的国家高度和专业水准；始终坚持精品意识、质量优先，严格按照志书编纂体例要求，组织撰写，确保志书稿件统一规范；始终坚持守正创新、突出特色，创设"管理编"记述文物工作的艰辛历程，创设"事业编"记述文物事业的发展成就；始终坚持勤俭节约、严格管理，确保编纂工作规范推进。

　　"无冥冥之志者，无昭昭之明；无惛惛之事者，无赫赫之功。"总编纂董保华同志带领编纂团队秉持初心、甘于奉献，组织数百名专业人员撰写初稿、百余名专家审改稿件，经过七年艰辛努力，圆满完成了包括总述、大事记、不可移动文物编、可移动文物编、文物管理编、文物事业编、人物传、文献辑存8个部类16分册1200多万字、7000余张图片的大型国家志书——

《中国文物志》的编纂工作。

2021年3月，国家文物局组织完成了《中国文物志》书稿的终审。事非经过不知难。一路相伴走来，我们深切体会编纂工作筚路蓝缕的艰辛、善作善成的坚忍和文稿告竣后的喜悦。衷心祝贺《中国文物志》付梓出版！

值此全面建设社会主义现代化国家开启新征程、向第二个百年奋斗目标进军的重要历史节点，《中国文物志》的出版，必将能够发挥为党立言、为国存史、为民修志的作用，为推动新时代文物事业发展、建设社会主义文化强国做出应有贡献。

国家文物局原局长　刘玉珠

2023年10月

修志存史　正当其时

　　官修志书是中华民族悠久的文化传统。新中国成立以来，党和政府十分重视志书编修工作，党和国家领导人多次倡导、指导志书编修工作。改革开放以来，国务院颁布《地方志工作条例》，先后启动了两轮新志书编修工作。2014 年 2 月 25 日，习近平总书记在首都博物馆考察时明确要求："要在展览的同时高度重视修史修志，让文物说话，把历史智慧告诉人们，激发我们的民族自豪感和自信心，坚定全体人民振兴中华、实现中国梦的信心和决心。"同年 4 月 19 日，国务院召开第五次全国地方志工作会议，会议强调要把地方志作为重要的文化基础事业切实抓好。

　　国家文物局认真贯彻落实习近平总书记重要指示和第五次全国地方志工作会议精神，决定组织编纂《中国文物志》，立足行业、面向社会、服务公众，全面反映我国文物资源状况，翔实记述文物事业发展历程。2014 年 6 月，国家文物局设立中国文物志编纂委员会及其办公室，特聘编委会顾问和指导专家，组建编纂团队，聘任董保华同志为总编纂。同年 7 月 21 日，中国文物志编纂委员会第一次全体会议召开，确立《中国文物志》行业志书的基本定位及内容框架，明确记述地域范围和记述时限，并作出工作部署，要求各省级文物行政部门、各参编单位加强组织领导、强化责任落实，把《中国文物志》作为文物事业发展的重大文化典籍工程抓实抓好。编纂工作正式启动。

　　编纂委员会办公室依托文物出版社组建秘书处，承担组织协调和相关保障工作；依照文物资源、文物管理、文物事业等各编内容设置，结合资料基础和工作实际，以订单形式向参编单位搜集资料，开展业务培训，明确编撰要求，组织初稿撰写；建章立制，规范管理，保障编纂工作有效运行。

　　经过七年编纂、两年编校，《中国文物志》付梓在即，可喜可贺。全书体大虑周、内容丰富，见物见事见人，是文物行业老、中、青三代学者的智慧荟萃与精神传承，对于存史资鉴、探究文物事业改革发展规律、弘扬传承中华优秀传统文化具有重要而深远的意义。

值此新的历史起点、开启新的百年征程之际,《中国文物志》的编纂出版正当其时,必将在加强文物保护利用、推动文物事业高质量发展中发挥独特作用!

原文化部副部长、国家文物局原局长　励小捷

2023 年 10 月

《中国文物志》凡例

一、指导思想

本志编纂坚持以毛泽东思想、邓小平理论、"三个代表"重要思想、科学发展观、习近平新时代中国特色社会主义思想为指导，运用辩证唯物主义和历史唯物主义的观点方法，客观记述中华人民共和国境内文物资源状况和文物管理、文物事业的历史与现状，发展与变化。为经济社会提供资政存史的国情资料，为人民群众提供爱国主义和革命传统教育的人文素材。

二、主体内容

本志以文物资源状况和文物管理工作、文物事业发展为主体内容。全书共设《总述》《大事记》《不可移动文物编》《可移动文物编》《文物管理编》《文物事业编》《人物传》《文献辑存》八个部分。

三、记述时限

本志记述时间范围，上限不限，下限截至 2017 年 12 月 31 日，重点反映 1949 年中华人民共和国成立以来文物资源的变化，以及文物管理和文物事业的发展历程。

四、记述范围

本志记述中华人民共和国境内（不包括香港、澳门特别行政区及台湾地区）的文物资源、文物管理与文物事业，以及对文物事业有突出贡献的已故人物。并辑存重要文献。

五、体裁结构

本志体裁形式为述、记、志、传、图、表、录七种体裁，以志为主。为增强志书的整体性，全志设总述，篇设综述，章设简述。图与表，随文插入相关章节。

本志采用大编体式，主体为篇章结构，设置篇、章、节、目四个层次，个别章依据记述需要，可增设子目层次。本志采用语体文、记叙体。

六、编纂原则

本志总述、综述采用述议结合的记述方法；大事记采用编年体记述方法；主体志坚持横分门类，纵述史实，详近略远，述而不论的原则；人物传坚持生不立传的原则；文献辑存采用分类以时为序收录原文的做法。

七、行文规则

记述语言要求朴实、简洁、流畅。标题做到简短精练、题盖文意。

文字书写一律以 1964 年中国文字改革委员会规定的《简化字总表》和文化部、文字改革委员会联合发布的《第一批异体字整理表》为准。志稿中的古籍引文和姓氏、地名、专用名，如果简化后容易引起误解或失去原意的，可以仍用繁体字或异体字。

本志执行 2011 年 12 月中华人民共和国国家质量监督检验检疫总局和中国国家标准化管理委员会发布的中华人民共和国标准《标点符号用法》（GB/T 15834—2011）。

本志使用的数据，以国家统计部门公布的法定数据为准。统计部门没有统计的，可采用文物主管部门的统计数据。数字书写，以中华人民共和国国家标准《出版物上数字用法的规定》（GB/T 15835—2011）为准。

本志使用的量、单位及名称，原则采用国家法定计量和单位名称、符号，以 1993 年国家技术监督局公布的中华人民共和国国家标准《量和单位》（GB 3100～3102—93）为准。

称谓要简洁明确。志稿行文，一般使用第三人称。机构名称、人员身份等术语，第一次出现可使用全称，并括注简称，以后出现时均使用简称。地名一律使用现行标准地名。

清代以前要使用历史纪年，并括注公元纪年。民国时期要使用民国纪年，并括注公元纪年。1949 年中华人民共和国成立以后，一律使用公元纪年。时间一律写具体的年、月、日，不使用不确切的时间概念。

外国的国名、地名、人名、党派、机构、团体、报刊等译名，以新华通讯社的译名为准，如无，则用国内通用译名，并在第一次出现时，在其后用括号标注外文名称。

八、资料使用

本志资料，均来自历史档案和各级文物管理部门提供的文字资料及社会调查、座谈会等口碑资料，经考证后入志，一般不注明出处。特定事物或尚属存疑的，采用夹注和页末注。

本书编纂说明

一、《可移动文物编》是《中国文物志》主体志的资源部分之一，重点记述具有代表性的珍贵的可移动文物资源，以点带面反映全国可移动文物资源整体状况及其价值。

二、本编章节设置，由编委会办公室拟定，报国家文物局批准后确定。

三、本编参照第一次全国可移动文物普查文物分类原则，依据器物材质、内容、时代等价值所在，分设"青铜器""陶瓷器""玉石器""金银器""书法绘画""石雕与文字石刻""甲骨简牍、文献文书、符节印信""钱币、漆木器、文房用具及其他（杂项类）""近现代文物""旧石器时代人类化石与文化遗存"十章。

四、章下依据文物功用、器形、所载内容、制作方式等设节。"青铜器"章设 10 节，"陶瓷器"章设 9 节；"玉石器"章设 6 节；"金银器"章设 6 节；"书法绘画"章设 4 节；"石雕与文字石刻"章设 3 节；"甲骨简牍、文献文书、符节印信"章设 9 节；"钱币、漆木器、文房用具及其他（杂项类）"章设 3 节；"近现代文物"章设 2 节；"旧石器时代人类化石与文化遗存"章设 2 节。

五、本编代表性文物条目，主要由中国国家博物馆专家为主的撰稿团队，依据"文物调查及数据库管理系统建设"项目成果，兼顾近年重要考古发现出土重要文物，以资源价值为核心，兼顾类别、时代、地域、基础资料等因素，遴选出来的。后经省（自治区、直辖市）文物行政管理部门审核，报国家文物局最终审定的。

六、本编条目记述，围绕价值记述代表性文物的基本信息、本体现状、历史文化内涵、价值以及收藏地等信息。其中，为尊重学术研究成果，并尽可能多地反映文物历史文化内涵，原文照录了部分文物的铭文、题字释读，不再统一断句和转为简体字。

七、本编图片，由初稿撰写审核负责人组织搜集和文物收藏单位提供，并经编委会办公室组织专家评审后报国家文物局批准。图片分别为相关文物的全图或局部图，并排在相应条目内，统一没加图片说明。

八、本编稿件，主要依托各地公布的文物基础资料，参考文物考古研究最新成果，由撰稿团队按照编委会办公室的要求统一撰写（部分资料初稿由各地文博单位提供），各章撰稿负责人组织梳理后，由文博专家审订专业内容，方志专家审订体例行文，经各省（自治区、直辖市）文物行政管理部门审核后形成评审稿件；编委会办公室组织初、复审，国家文物局组织终审，编委会办公室根据审稿意见修改后形成最终稿。

九、各节内文物条目排列，以时为序；个别节为综合多类文物，则先按类别排序，同一类别文物条目再以时为序排列。

十、囿于编纂水平有限等原因，志稿中难免存在个别信息不够准确、个别条目体量不均衡等问题，恳请方家不吝赐教。

总 目 录

本册目录

第二节　酒器

第六节 兵器

第二章 陶瓷器

第一节 陶器皿

第四节 陶塑及其他

第六节 白釉、青白釉瓷器

第七节　黑釉、褐釉、酱釉、花釉瓷器

第八节　颜色釉瓷器

第九节　彩绘瓷器

综　述

可移动文物是指人类社会历史进程中遗留下来的，由人类创造的或与人类活动有关的，具有历史、艺术、科学等价值的可移动的文化遗物。可移动文物是文物资源的重要组成部分。

2012～2016年，国务院统一部署开展了第一次全国可移动文物普查。普查范围是中国境内（不包括港澳台地区）各级国家机关、事业单位、国有企业和国有控股企业、中国人民解放军和武警部队等各类国有单位收藏保管的可移动文物。截至2016年10月31日，普查统计的全国国有可移动文物共计108154907件/套。其中按照普查统一标准登录文物完整信息的为26610907件/套，实际数量64073178件。可移动文物等级区分为珍贵文物和一般文物，其中珍贵文物又分为一级文物、二级文物和三级文物。中国执行文物的评定标准是文化部1987年制订的《文物藏品定级标准》。2001年4月9日，文化部第19号令发布施行修订的《文物藏品定级标准》。《文物藏品定级标准》是根据《中华人民共和国文物保护法》和《中华人民共和国文物保护法实施细则》有关规则制订的。《文物藏品定级标准》指出：具有特别重要历史、艺术、科学价值的代表性文物为一级

文物。全国共登录珍贵文物3856268件，其中一级文物218911件，二级文物551192件，三级文物3086165件。

《第一次全国可移动文物普查工作报告》将可移动文物分为35个类别：玉石器、宝石；陶器；瓷器；铜器；金银器；铁器、其他金属器；漆器；雕塑、造像；石器、石刻、砖瓦；书法、绘画；文具；甲骨；玺印符牌；钱币；牙骨角器；竹木雕；家具；珐琅器；织绣；古籍图书；碑帖拓本；武器；邮品；文件、宣传品；档案文书；名人遗物；玻璃器；乐器、法器；皮革；音像制品；票据；交通、运输工具；度量衡器；标本、化石；其他。据《第一次全国可移动文物普查工作报告》中统计，珍贵文物中，数量最多的五个类别是：钱币558247件，数量占比14.48％；陶器465340件，数量占比12.07％；书法、绘画393109件，数量占比10.19％；瓷器381260件，数量占比9.89％；古籍图书263745件，数量占比6.84％。以上五个类别合计2061701件，占珍贵文物总量的53.46％。使用考古学年代和中国历史学年代登录的珍贵文物，数量最多的五个年代分别是：清代1287939件，

数量占比38.27%；民国355468件，数量占比10.56%；汉代354683件，数量占比10.54%；明代300032件，数量占比8.91%；宋代275881件，数量占比8.2%。以上五个年代合计2574003件，数量占比76.48%。可移动文物数量最多五个省（直辖市）是：北京市11615758件，数量占比18.13%；陕西省7748750件，数量占比12.09%；山东省5580463件，数量占比8.71%；河南省4783457件，数量占比7.47%；山西省3220550件，数量占比5.03%。以上五省（直辖市）合计32948978件，占可移动文物总量的51.42%。

本编在《第一次全国可移动文物普查工作报告》的基础上，主要记述国家一级文物（或尚未定级，但已达到一级文物标准的珍贵文物）的资源。选取范围包括馆藏一级文物、近现代重大事件的相关文物、近三十年来重大考古发现的典型文物，特别是截至成稿时考古新发现的典型文物。考虑到中国文化的传统，本编选取入志的3355件文物中，数量最多的五个类别是：青铜器399件，陶瓷器479件，玉石器371件，金银器260件，书法绘画410件，以上五个类别合计1919件。同时，各类文物的选取兼顾了不同时代的代表性。中国地域辽阔，文物的选取要体现均衡性，本编各类文物的选取兼顾了不同省份与不同文化区域。另外，考虑到《中国文物志》的整体性，凡《中国文物志》记述的重大事件、重大遗址，其中相关的典型文物要有所选取，有所呼应。根据志书门类齐全、不缺要项的要求，主要依据《第一次全国可移动文物普查工作报告》中可移动文物类别标准，限于篇幅，本编合并设置十章，涵盖上述35个类别可移动文物。

人类最早利用天然铜制作工具，大约发生在公元前9000年的安纳托利亚半岛。考古学家在土耳其东南部的萨吕约遗址发现了最早的铜管。此时的铜制品主要是通过打磨制成。自公元前6000年起，安纳托利亚半岛和西亚开始用冶炼技术提取红铜。伊朗高原于公元前5000年左右发明了砷青铜。至公元前3000年，西亚到东南亚普遍出现锡青铜。中国境内最早的铜制品出自陕西渭南和临潼的两处仰韶文化遗址。经鉴定，这两处遗址出土的铜片和铜笄，属于铜锌合金的黄铜。山东胶县三里河龙山文化遗址也出土有黄铜制品。关于中国青铜器起源的最新研究成果表明，新疆东部的哈密天山北麓发现了公元前2000年左右的锡青铜，甘肃的马家窑文化、齐家文化，青海的四坝文化，发现了砷青铜。地处中原地区的二里头文化，则出土了与青铜冶炼相关的器物、遗迹现象。新疆和甘青地区较早的青铜文化遗址，出土的青铜器大多是刀、镜、铜泡、锥等工具和装饰品，其中的有銎斧明显带有中亚草原文化因素，可能与中亚草原文化的传播有关；二里头遗址则出土青铜兵器和容器，可以看作是青铜冶铸技术在中原地区的技术革新与创造。在此后的很长一段时间内，中国的青铜冶铸技术始终保持着创新和领先的状态。中国古代青铜艺术，成为中国古代最为辉煌灿烂的文化瑰宝，它集绘画、书法、雕刻之大成，具有鲜明的时代特征。在世界文明古国中，古代中国尤以青铜文明著称。中国古代青铜器的数量之多、种类之盛、铸造之精，为其他文明所罕见。本次收录的青铜器，绝大部分属于中国青铜时代的器物，少量延伸至明清时期。关于青铜时代，大多数学者比较倾向于认为，二里头文化时期是中国青铜时代的开端。由于战国时期铁器冶炼技术的高度发展，铁质农具、工具开始普遍使用，因而学术界将中国青铜时代的下限定在公元前5世纪至前4世纪中叶，即战国早期。在中国的青铜时代，青铜并不主要用于生产工具，甚至在早期也不多用于兵器，而是大量应用于以熔铜为主体的礼器铸造。本次收录的青铜器，主要以中国青铜时代为主，考虑到后世青铜器仍然在宗教、国家礼制层面占有重要地位，所以也选取了两汉时期至明清时期的部分青铜制品。为使读者对某件青铜器的重要意义有全面的了解，本编"青铜器"章简要介绍了相关青铜器铭文。

陶瓷是人类通过化学变化改变物体的自然性质，使之成为新物体（人造物体）的一种创造活动。中国是世界上制造陶器最早的国家之一，早在距今1万年前，中国的先民已开始制作并使用陶器，广西桂林甑皮岩、江西万年仙人洞等地出土了这一时期的陶器。新石器时代的早中期，人们一般采用手工制陶方法，分为捏塑法、泥片贴塑法、泥条盘筑法和模具成型法。仰韶文化流行红陶和彩陶，鱼鸟纹细颈壶、鹿纹彩陶盆等代表了新石器时代的彩陶工艺。新石器时代晚期，人们发明了轮制法，使用陶轮制造陶器。龙山文化遗址中出土了大量用陶轮制出的单色、无彩的新型陶器，以黑色为主，胎薄如蛋壳，故称为"蛋壳陶"，此类陶器代表了龙山文化时期陶器制作的最高水平。商代，制陶技术有了新的突破，出现了印纹硬陶和原始瓷器。印纹硬陶的烧制温度较一

般陶器为高，其胎质多呈灰色。原始瓷器是用高岭土制成的，烧成温度在1200℃以上，质地坚硬，吸水性弱，器外涂青绿色釉，已具备了瓷器的基本特征。原始瓷经过商至西汉一千多年的发展，质量和产量都有了明显的提高。东汉时期，青瓷烧制技术趋于成熟。浙江东部就是当时的青瓷著名产地。三国两晋南北朝的三百余年间，中国青瓷的烧制进入重要的发展时期，制瓷区域由南方扩大至北方，逐渐形成南北两大系统。除青釉外，这一时期还烧有黄釉、酱釉、黑釉和褐釉等瓷器。特别是最迟在6世纪前期，北方烧制出白瓷，是制瓷技术的又一突破。白瓷的出现为后世的青花、釉里红、五彩、斗彩和粉彩等彩瓷的出现准备了条件。隋唐五代时期，中国瓷器的生产进入了一个重要的转折时期。南方越窑的青瓷和北方邢窑的白瓷代表了这一时期瓷器烧制技术的最高成就。青瓷中尤以秘色瓷为精品，有的瓷器上加银扣或金银装饰，十分华丽。邢窑白瓷如雪似银，纯净高贵。色彩斑斓、绚丽多姿的三彩釉陶，则以其丰富的釉彩显示出盛唐文化的风貌。宋元两代是中国制造瓷器的辉煌时期。宋代诸窑产品各具特色，其中钧窑、汝窑、哥窑、官窑、定窑是其代表，称为"五大名窑"。元代运用釉下彩制成的青花、釉里红瓷器，在瓷器制造史上占有重要位置。明清两代制瓷技术进一步发展，景德镇已成为中国制瓷业中心，拥有众多的民窑和官办御窑，并形成整套的制瓷工艺流程。作为世界上发明瓷器最早的国家，瓷器的发明是中国对世界物质文明的重大贡献。自汉唐以来，中国的瓷器源源不断地销往国外，其制作技术亦随之传遍世界各

地，对世界人民的生活产生了一定的影响。中国古代陶瓷器的品种之丰富、形式之多样、影响之深远，贯穿于中华文明的发展进程。由上可见，陶器与瓷器合并为一章，有其内在的合理因素。

古代中国、墨西哥玛雅文化、新西兰毛利人文化是世界玉文化的三大地区。中华民族从远古就钟情于美石，黑龙江饶河小南山遗址的考古发掘成果显示，早在9000年前，中国已经发现了玉器，并开始形成了独特的玉文化。至距今8000年的兴隆洼文化时期，玉器使用逐渐增多，越来越具有规模化和系统化。兴隆洼先民已经形成了较规范的用玉制度。中国新石器时代中晚期，是中国玉器史上第一个用玉高峰。辽河流域以动物造型为显著特征的红山玉器，长江流域以玉钺、龟甲、猪首飞鹰为代表的凌家滩玉器，江浙地区以琮、璧、钺为代表的良渚玉器，反映出史前玉器从装饰到礼玉的重大发展。进入夏商周三代，玉器成为等级和礼制的典型代表之一。二里头文化时期的玉器以牙璋、长条形大刀、柄形器、玉钺、玉璧环等为代表，其中牙璋输出到中原以外的地区，对中国早期国家的发展起到了重要作用。商代除了礼仪用玉，装饰类玉器也有很大的发展。随着西周礼制日臻增多与完善，玉器的使用更加广泛。根据考古和文献资料，周人在朝聘、会盟、祭祀、丧葬、货贿、服饰、交易以至服食中均需用玉。周共王时期，新出现了华丽无比的组玉佩，与丧葬有关的成套饰棺用玉、玉覆面、玉琀、玉握的使用也更加齐备，整个丧葬用玉已经系统化、制度化。这种状况一直延续至春秋战国之际。春秋战国时期，出现了以孔子为首的儒家学派提出"玉德"理论，以玉比德，赋玉以德，将玉之特征与人的道德品质及学识修养相结合，确立了玉器的人性化特征。从此以后，在漫长的两千多年历史中，玉德融入了中华民族的血脉，成为中华文化中的基因。秦汉时期，铁器的普遍使用使制玉工具得到升级，制玉工艺有一个较大的提高，促使玉器在汉代蔚为大观，达到中国早期玉器使用的第二个高峰。魏晋时期以后，唐代玉器以玉玺、玉腰带、玉册板、玉佩最具特色，对后世玉器的发展产生了重要影响。由于帝王的提倡，金石考古之风盛行，宋代出现了中国历史上第一次仿古玉器的高潮，出现了最早的玉器考证著作——《考古图》，开创了对传世玉器、出土玉器实物进行著录研究的新天地。宋代出现的大量花鸟玉器与辽金元民族风俗和狩猎生活为题材的春水秋山玉，是宋元时期玉器的典型风格。清代的乾隆皇帝酷爱玉器，和田玉料大量输入中原，玉器制造业得到空前的发展，形成了中国古代玉器史上最后的高峰。玉文化作为中华文明的重要组成部分，影响至今。玉，在古人眼中其实就是一种美石，玉器与石器合并为一章，可见两者互为影响的发展脉络。

金银稀少而珍贵，硬度适中，延展性好，易捶打成形，色泽亮丽，且不因氧化变色。自从人类发现、认识了金银之后，就将其加工成为各种金银制品。这些金银制品在人类社会生活中的经济、政治、外交等多方面发挥了重要的作用，并成为财富、权力的象征和货币流通的价值尺度。除遗留下来的明清宫廷用品外，大量的古代金银器主要来自考古发掘，这些精美的器物不仅丰富着对中国古代艺术、工艺的认识，也为古代金银器的研究提供了丰富的资料。以时代顺序排列，可以了解其发展和演变的状况。以器物形制划分，可以了解不同器物的使用方式。以文化板块论，可以看出地理环境及生业模式对金银制品的影响。中国遗存最早的金银制品是距今四千多年的甘肃玉门火烧沟出土金耳环、金鼻饰等饰品。春秋以前，金银制品主要是缺少纹饰的小件饰品或附着于其他器物上的装饰件。春秋战国时期，金银饰品逐渐增多，分布区域也明显扩大。战国时期的曾侯乙墓出土了大量的金器皿，是战国时期金银器发展的重要标志。秦汉金银饰品比先秦更加精美。由于丝绸之路的开通，中国金银工艺受到了西方的影响，出现了炸珠、掐丝、累丝等新工艺。魏晋时期，随着中西交流的繁盛，西方金银器大量进入中国，东罗马酒神纹鎏金银盘、鎏金狩猎纹银盘等即其中的精品。西方的金银制作工艺和纹饰传入中国，极大地促进了中国金银制品的发展。唐代工匠们融会贯通，汲取外来文化的长处，创造了具有本民族特色的器物。以陕西西安何家村窖藏、陕西扶风法门寺唐塔地宫、江苏镇江丁卯桥窖藏出土的大量金银器物为代表。四川彭州金银器窖藏则集中体现了宋代金银器的整体风貌。另外，中国古代宗教用器及丧葬用器中也有数量众多的金银制品。数千年来，人们一直将金与银作为贵金属，金器与银器合并为一章，可以说是顺理成章。

中国书法绘画是独步于世界的艺术奇葩，是中华文明的优秀传统文化。中国书法和绘画艺术源远流长，在发展中相互借鉴，形成了许多共同的审美意趣和精神追求，在文人的广泛参与过程中，建立了一种书中有画、画中有书的"书画同源"理论话语。书法与绘画合并为一章，是文化史的自然选择。以书法为例，《晋书·王羲之传》中记载庾信曾言："吾昔有伯英章草十纸，过江颠狈，遂乃亡失，常叹妙迹永绝。"汉字是中华民族祖先在生活中创造的文字，是中国文化的重要组成部分。在汉字音、形、意等要素逐步确立的同时，汉字书写的艺术性也逐渐被古人重视。在中国的古代书法中，书家、书论、书迹是不可分割的三部分，其中书家是书法创作的主体。中国历史上出现了众多书家，如秦李斯，东汉蔡邕，东晋王羲之、王献之父子，唐"楷书四家"、孙过庭、释怀素，"宋四家"，元赵孟頫，明董其昌，清王文治、康有为等，他们对于书法艺术的发展有着不同程度的贡献，他们的理念与作品，至今都是理解书法的必由之路。在唐代以前，中国绘画将人物画放在主要地位。先秦的人物画，以湖南长沙陈家大山和子弹库两座楚墓中的帛画为代表。魏晋时期，出现了顾恺之为代表的一批人物画画家。唐代以吴道子、韩滉、张萱、周昉等人为代表，进一步发展了人物画水平。同时，中国画中最具特色的山水画，已经从人物画的装饰中脱离开来，成为独立的画科。隋展子虔的《游春图》，可以作为早期山水画的代表。经过五代与北宋的巨变，中国绘画进入了成熟时代，出现了"荆关董巨"、范宽、郭熙、王希孟等伟大画家。以钱选与"元四家"黄公望、倪瓒、王蒙、吴镇为代表，元代的山水画完成诗书画的统一，画史也迎来了文人画的时代。明末董其昌、八大山人，清初石涛，再次把传统山水画的艺术性发挥到了新的高度。壁画是人类最古老的绘画形式之一，中国旧石器时代的内蒙古阴山岩画、新石器时代云南沧源岩画，可以作为中国早期壁画的代表。秦汉时期的壁画已相当成熟，西汉时期的河南洛阳卜千秋墓壁画、东汉时期的山西平陆枣园汉墓壁画《山水图》，是这一时期的代表。以长乐公主和执失奉节的墓葬壁画，懿德太子、章怀太子和永泰公主三处皇家墓葬壁画为代表，展现了唐代墓室壁画的艺术高度。元代的山西芮城永乐宫壁画《朝元图》，规模宏大，描绘人物众多，为存世古代道教壁画之最。西藏布达拉宫灵塔殿东的集会大殿绘有《五世达赖见顺治图》，以连环画的手法成功处理了众多的人物和丰富的活动，堪称清代壁画的杰作。中国版画的起源，可以追溯到商周时期的刻符图形。隋唐时期，雕版印刷术成熟并得到大规模的应用，版画应运而生。中国遗存最早的有款刻年月的版画，是举世闻名的咸通本《金刚般若波罗蜜经》卷首图，根据题记，作于唐咸通九年（868年）。宋代遗存的精品版画有《灵山说法图》等。辽代套色漏印彩色版《南无释迦牟尼佛像》是中国出现得最早的彩色套印版画，在世界文化史上有极其重要的地位。明清时期，出现了多达六种颜色的套印技术及饾版和拱花技术，以明刻《萝轩变古笺谱》（1626年）、《十竹斋笺谱》（1644年），清刻《芥子园画传》（1622～1722年）为代表。

石刻是中国文物中数量较多的一个门类。中国石雕艺术历史悠久。内蒙古阴山一万年前的史前石雕岩画大角鹿和鸵鸟图是早期石雕艺术作品的代表。先民们掌握了线刻雕凿碾磨切割的技巧，运用到岩画的制作上。除了阴山岩画外，连云港将军山岩画、甘肃黑山石刻、新疆阿尔泰岩画，都是闻名遐迩的石雕艺术作品。公元前6000年，内蒙古林西白音长汗女神像是中国境内发现最早的女神像。从白音长汗女神像、后台子女神像到东山嘴女神像、牛梁河女神像，前后经历了两三千年的时间。河南安阳殷墟妇好墓和四川成都金沙遗址出土的跪坐石人像，以及殷墟妇好墓出土的后辛石牛，则是商代石刻技法的代表作。汉代石雕艺术以陵墓神道石雕和题材纷繁的汉画像石为代表，出现众多巍峨而立的大型石雕作品。保存至今最古老的陵墓石雕，是西汉武帝茂陵陪葬墓霍去病墓前的石刻，有立马、卧马、卧虎、卧象、卧牛等，皆以石料原状，因材就势，用极简练的手法，以浮雕或线刻略施雕琢而就，形象古拙。北魏孝庄皇帝静陵前的石翁仲，是难得的收藏于博物馆的魏晋时期的可移动石雕文物，它继承了东汉时的石人形制，并为唐代所沿袭。收藏于博物馆中唐代动物石雕的珍品，以献陵石犀、昭陵六骏、昭陵石狮为代表。东汉时期，佛教造像艺术传入中国。山东青州博物馆收藏的东魏贴金彩绘佛菩萨三尊像、北齐贴金彩绘佛立像，是这类造像的代表作。墓祠墓室装饰石雕即画像石，是中国古代石雕艺术的一个重要方面，尤以汉代最为突出。汉画像石产生于西汉中期，至西汉晚期得到迅速发展，东汉中期以后达到其繁盛期。汉代画像石主要分布于四个大区：河南南阳、鄂北；山东、苏北及皖北；四川；陕北、晋西地区。汉代画像石的内容可谓千姿百态，从人们日常起居、衣食住行、饮酒作乐、生产劳作、杂技百戏到历史故事、神话传说，无一不备。遍览汉代画像石艺术，犹如翻开一本卷帙浩繁的汉代百科图典。中国石质棺椁的出现是在新石器时代，而棺椁上出现画像，从文献上看最早可能是在春秋战国，今天所见到的实物，以汉代为最早。汉代画像石棺主要出土于四川、重庆一带，石棺上以符号式、图像象征式的手法，表达了汉代人升仙的思想。文字石刻包括摩崖刻石、碑、墓志、刻经及石经幢。摩崖石刻以秦琅琊刻石残石为代表。碑的起源最早可上溯到周代，或立于宗庙、祠堂门前的石块，用以祭祀；或竖在墓穴四角用以安放棺木。汉代出现了刻有墓主姓名、生平及生卒年月的墓碑，也有立在道旁或通衢中，用以记事的记事功德碑。西汉时期碑刻多为小篆和隶书并用时期，至东汉则以隶书为主，篆书多用于碑额。唐代树碑兴盛，功臣显贵墓前都有高大墓碑，家庙多有庙碑，寺庙及佛塔都有碑。墓志的出现和碑有渊源关系。墓碑、墓志的基本功能是记述死者生平，即首先叙述死者的籍贯、家谱世系，次叙生平事迹、官职履历并颂扬其政绩德行。相比墓碑而言，墓志一般形体较小，随墓主的棺柩一起入葬土中，墓志形制多为方形，盖多盝顶，志、盖各一，称之为一合，盖刻名称，身刻志文。魏晋时期，由于禁碑制度严酷，碑的形式不适于在墓中使用，促使小型的埋入地下的长方形及方形墓志迅速发展。石刻经典包括儒家经典、佛教经典和道教经典，其中以儒家经典刻石的文化意义最大。从东汉的熹平石经、三国魏正始石经，到唐、五代、宋、清各代曾多次刊刻石经。中国古代儒家经典之所以能完好地流传至今，在很大程度上要

归功于各地碑林中的石经石刻。经幢是在唐代开始兴起的一种佛教装饰石刻。由于它有祈求福祉、消除罪业的意义，所以用途逐渐扩大，由寺院发展到墓地与墓葬中。

第七章至第十章的文物分类与前六章的设置依据不同，或将多类不同的文物合并在一章中介绍，如第七章、第八章；或将某一历史发展阶段作为一章，介绍该历史发展阶段方方面面的珍贵文物，如第九章、第十章。中国文字是中华文明的重要载体，是中华文明的重要组成部分。汉字，是世界上最古老的文字之一，自成体系，使用时间最长。第七章"甲骨、简牍、文献文书、符节印信"，以中国新石器时代众多遗址出土的陶器、石器、骨器及龟甲上的单体刻画符号为线索，探索汉字的起源。中国最早的成熟文字是商代甲骨文。清光绪二十五年（1899年）发现的商代甲骨文，是商人的占卜记录、记事刻辞、表谱刻辞与习刻，因刻龟甲、兽骨而得名，为这一时期历史研究最重要的可信史料。简牍以战国时期楚简时代最早。与简牍并行，帛书在战国时期即已存在，汉代尤为流行。汉代用纸书写已深入日常生活，历代文书多记载当时具体事件之原委，史料价值极高。两汉之际，佛教传入中国，抄写及刊印的纸本佛经，历代不绝，成为独立的文物门类。北宋时期，人们已经使用纸张摹拓铭刻文字，保存了古代中国不同时期的字体。战国中期秦放马滩木板地图，是已知中国古代的最早地图，也是已知世界最早的实物地图。中国古代"舆图"绘制久远，在典籍中别为一类。古代中国历朝重视历书之制，西汉宣帝地节元年（前69年）《太初历》木简册，是当时

最先进的历法。从甲骨刻辞到简牍、帛书、符节、印信、经本、文书、碑帖拓本、文献、舆书、历史、买地券、铭旌等门类中，分类选取的珍贵文物，涵盖了中国文字源流发展史的方方面面。中国古代使用货币历史四千多年，从天然贝发展到金属铸币。铜贝是最早的金属铸币，商至战国时期铸币形制多源自生产工具，有贝、布、刀、圜钱、方孔圆钱等几种。从秦始皇统一中国开始，圆形方孔钱成为铸币的基本形式。秦至隋，钱文以"半两""五铢"为主，出现国号加年号、吉语等具特殊意义的钱文；唐以后钱文以年号加"×宝"为主。纸币初现于北宋，历经元、明、清，不断发展完善，遗存最早的实物是中统元宝交钞。黄金、白银主要用于贮藏、税收、赏赐等大额支付，有饼、铤、锭、叶、元宝等形制，汉武帝时期的马蹄金、麟趾金具有特殊的纪念意义。毛笔出现于战国。人造墨以松烟为原料，于秦时初具雏形。东汉时，制墨已有形制、大小、品种和产地的区别，出现加入香料或其他配料的"香墨"。早期制墨中心在北方，五代以后安徽歙州成为制墨中心，北宋宣和三年（1121年）"徽墨"称谓出现。纸初现于西汉，经东汉蔡伦改进得以完善。世界上用漆最早的实物在中国，即浙江余姚河姆渡遗址出土的新石器时代朱漆木碗。夏商周三代漆器多为木胎，春秋战国时期出现竹胎、夹纻胎。中国织绣最早可上溯至新石器时代晚期。商周已有罗、绮、锦等品种。骨器于旧石器时代作为生产工具出现，河南殷墟出土的嵌绿松石饕餮纹虁鋬象牙杯代表了商代牙雕水平，明清角雕以犀角杯为大宗。竹制器历史悠久，考古所见较早的实物

是湖南长沙马王堆汉墓出土的雕龙彩漆竹勺。河北藁城台西商代遗址发现的刃部用陨铁锻制的铜钺，表明金属铁早在公元前1300年已被中国先民认识。遗存最早的中国玻璃器是西周强伯墓出土的玻璃珠等。第八章以钱币为主，兼及文房用具、牙角骨器、竹木雕、织绣、玻璃器、铁器、其他金属器等，分类选取了代表性文物。

中国的近现代史，是指1840年以来中国的历史。其中，从1840年鸦片战争爆发到1949年中华人民共和国成立前夕的历史，为中国近代史；1949年中华人民共和国成立以来的历史，为中国的现代史。1839年7月5日（清道光十九年五月二十五日），钦差大臣林则徐主持将收缴英、美等国的鸦片在虎门海滩销毁后，会同两广总督邓廷桢向道光皇帝奏折，详述销烟经过。此后，帝国主义列强连续发动数次侵略中国的战争，逼迫清政府签订不平等条约，割地、赔款。以孙中山为代表的资产阶级革命派推翻清王朝，取得辛亥革命的胜利，成立了中华民国。1927年8月1日，中国共产党发动了南昌起义，打响了武装反抗国民党的第一枪，掀起轰轰烈烈的土地革命。1931年，九一八事变爆发，日本发动侵华战争。1937年7月7日，中国全面抗战爆发。在国共两党第二次合作下，中国人民取得了近代以来的第一次反抗外来侵略战争的胜利。1946年6月，蒋介石撕毁《双十协定》，悍然发动全面内战。人民解放军历经三年，于1949年4月发起渡江战役，解放了国民党统治中心南京。1949年10月1日，中华人民共和国开国大典标志着中国现代史的开端。在这一百多年的历史中，中国社会发生了

翻天覆地的变化。第九章选取的文物，都是中国近现代时期留下的珍贵历史遗存。

中国曾被认为是人类的起源地之一。20世纪初，很多西方学者到中国寻找人类起源的证据，北京猿人、河套人、水洞沟遗址就是在这一背景下被发现的。20世纪七八十年代在云南禄丰发现的生存于800万年前的"禄丰古猿"，曾被认为是探索人类起源的新曙光，少数学者至今认为它代表南方古猿之前的演化阶段，是人类的远祖。但大多数古人类学家认为禄丰古猿是一支绝灭的大猿，与人类演化没有关系。中国发现的被公认的人类化石是云南元谋人的两枚门齿，属于直立人，年代被测定为距今170万年。中国最早的人类头骨化石出自陕西蓝田公王岭遗址，包括头骨上部和上颌骨的一部分，由此得以窥见115万年前或更早时期东亚古人的相貌特征。北京猿人的头骨化石无疑具有巨大的文物和学术价值，是建立"直立人"演化阶段最重要的材料依托，为研究东亚人群演化最重要的标本和信息载体。早期智人化石材料是中国地区所特有的，对研究直立人的去向、现代人的起源和人类演化的区域多样性十分重要。这些材料包括辽宁庙后山早期智人化石、辽宁金牛山早期智人、陕西大荔早期智人化石、河南许昌灵井人类头骨等。旧石器时代的文化标志是打制石器，即利用天然砾石打制加工成具有一定形状和功能的工具，诸如砍砸器、刮削器等（并会产生石锤、石砧、石核、石片等副产品）。远古人类使用打制石器猎获与肢解动物，挖掘、采集和加工可食性的植物根茎与果实，制作其他材料的工具和用具，抑或用来防身打斗，从而满足生产和生活的需要。第十章选取的中国旧石器时代人类化石与文化遗存的标本、化石，勾画出远古历史粗略的线条，是远古人类生存演化的实证，使我们得以了解远古历史的发展脉络。

第一章 青铜器

大多数学者认为，二里头文化时期是中国青铜时代的开端。最新测年研究表明，二里头文化开始于公元前1900年，终止于公元前1500年。二里头遗址出土的青铜器有131件，二里头文化其他遗址该时期青铜器41件，海外收藏17件。这些青铜器中，鼎只有1件，底部有烟炱，证明是炊具。此外郑州商城还出土过1件青铜鬲，也属于炊器。青铜容器中以酒器盉、斝、爵数量较多。这些酒器底部均有不同程度的烟炱，大多为温酒器。兵器类主要是戈、戚、钺以及镞，以镞的数量最多。此外还有少量的青铜铃，以及镶嵌绿松石的青铜牌饰。此时的青铜容器，器壁很薄，合金比例中锡的成分很少。斝的足部皆为袋状。爵的流很长，三足横截面呈三角形，极细。这两种器物口上多数没有柱头，有的只有锥状凸起或者极小的柱头。有学者推测，爵上的柱头可能用于固定网状物，以此来过滤酒液。包括上述容器在内的二里头文化青铜器，应当与社会分层以及等级化社会有关。

考古学界将商王朝大体分为商前期（也称早商文化）和商后期（也称晚商文化）两个阶段。近来也有学者提出从两段中独立出来一个单独阶段，即中商文化，但这一观点还在研讨之中。传统的早商与晚商两大阶段的划分大体能够反映出商代青铜器发展演变的轨迹，因此本章在商代器物断代上也遵循了这一划分标准。

早商时期的青铜器，发现的数量激增，但大体上延续了二里头文化青铜器的造型和工艺，并在此基础上有了进一步发展。二里岗下层，即早商偏早阶段，青铜器的器壁仍然很薄，纹饰也多为弦纹，爵和斝仍是平底，柱头很小或不明显。仍然存在封顶盉这类青铜器，与二里头同类器基本相同。但是，时至二里岗上层时期（早商偏晚阶段），出现了觚、罍、尊等新型酒器，以及盘这样的水器。在这一时期墓葬出土的青铜器组合中，爵、斝是最重要器类，出现频率最高。然而鼎的重要性日益增长，到了二里岗上层偏晚阶段，鼎与爵、觚、斝的组合成为基本组合形式。河南郑州商城遗址范围内的杜岭街、向阳回族食品厂、南顺街等地，都发现了专门埋藏鼎的窖藏。这些窖藏中不乏体量巨大的方鼎和圆鼎。学者们普遍认为这些窖藏青铜器是当时商王室贵族的礼器。在鼎、尊、斝等青铜器的腹部，出现形式复杂的兽面纹纹饰带。觚、尊等酒器的圈足上有专门留出的"十"字形（或称"亚"字形）镂孔。此时出现的戈形制上与二里头时期的戈差别不大，有内、援、栏等主要部分。此外，还出现了刀、凿等青铜工具。晚商时期一般指从盘庚迁殷时至纣之亡，史称"七百七十三年，更不徙都"，经后人考证，这段时间实际上为270多年。考古研究业已证明，盘庚所迁之殷就是河南安阳小屯村的殷墟遗址。晚商文化的覆盖范围相比于早商时期而言，在北、西、南三个方向均大幅度收缩，但是在东部一直深入胶东半岛。晚商青铜器铸造技术大大提高，表现在器物的器壁较前一时期更加厚重，纹饰更加复杂多样，兽面纹最多可达三层花纹，还出现了鸟纹、蝉纹、其他动物纹、蕉叶纹等大批新纹样，器形也更加规整端方。说明此时范铸法技术已非常成熟，而且在铸造大型青铜器的时候多用分铸法进行组合铸造。例如皿方罍，不仅体量巨大，而且通体遍饰繁缛的花纹。而著名的司母戊方鼎就是分体铸造的典型代表。此时还涌现出大量新的器类，诸如甗、簋、豆等食器，觥、方彝等酒器，兵器矛以及乐器铙等。晚商青铜器上多铸有族徽铭文，时至晚商最后阶段，开始出现十几字甚至几十字的长篇铭文，内容涵盖宫廷赏赐、王朝征伐、典礼仪式等。从墓葬材料来看，晚商时期在随葬青铜器组合中，以酒器组合最为常见，并且明显具有等级制度。酒器中以爵、觚组合最为重要，两者数量与所出墓葬的墓室规格成正比，也即与墓主人身份的高低成正比。在一般情况下，鼎的数量与爵、觚的数量相配，但并非绝对对应关系。簋的重要性在偏晚阶段日益凸显，但尚未与鼎有固定搭配。由于晚商青铜器铸造技术的高超，此时殷墟以外的很多地区都受到商式青铜器的影响，开始模仿或直接引进商人铸铜技术和器物。如湖南宁乡出土的四羊方尊、虎食人卣、大禾人面纹方鼎，江西新干大洋洲窖藏出土的虎耳方鼎，四川广汉三星堆出土的青铜面具、人像等。这些都反映出商文化的辐射与互动。

公元前1046～前771年，是历史上的西周时期。西周青铜器的发展经历了三个阶段，分别为西周的早、中、晚期。周是地处西部的"蕞尔小邦"，经过数次播迁终于在陕西宝鸡周原一带定居发展。从已发现的先周文化遗存来看，周人一直以来都在积极学习模仿商文化。周武王灭商后，将大批商王朝的工匠带到镐京，为周人贵族继续制作青铜器，因此西周早期的青铜器带有浓郁的殷墟风格。例如，在主要器类方面几乎完全承袭商人，鼎的形制和纹饰仍然保留了商代晚期同类器的样式。但是，很快周人就在商代青铜器基础上开创出新的风格。西周早期出现了附加方座的青铜簋，这是殷墟风格的青铜簋中所不见的。收藏于中国国家博物馆的利簋和天亡簋就是其中的代表。周人在酒器组合中创制了青铜禁作为辅助用具，这种用来承托盛酒器的类似方座的器具在春秋时期还有延续。由于周人集团成分复杂，一些联盟方国或者部落有着自身的审美取向。以陕西宝鸡戴家湾、石鼓山两地出土的墓葬而言，其青铜器多高扉棱，形制诡异张扬，不仅与前代差异很大，就是和同时期周人主流青铜器相比也更有特色。此一时期的车马器中出现了火焰形的銮铃，安装在马轭顶端。西周有惩于商人贵族沉湎于酒，在礼制上有意抑制酒器的重要性。西周早期的墓葬中，鼎、簋组合开始取代酒器组合，成为身份等级的标志。西周早期晚段至西周中期，青铜器的主体纹饰逐渐从兽面纹向鸟纹过渡。西周中期穆王时期，长冠大尾的凤鸟纹成为特色鲜明的主体纹饰。这一时期最主要的青铜器类都发生了不同程度的变化。方鼎几近消失，圆鼎普遍呈垂腹，即腹部最大径在接近底部的位置。簋多作敛口鼓腹带圈足，腹两侧有一对兽首耳，主体饰瓦楞纹。此时还出现了簠和盨两种性质相同形态相异的新器形，它们与簋的关系十分密切。此时盘、匜组合成为水器定制，取代了商代晚期以来的盘、盉组合。这一时期还出现了列鼎制度的萌芽。西周晚期流行半球状腹部、兽蹄形足的鼎，如著名的毛公鼎、南宫柳鼎等。也有直口深腹的圆鼎，如四十二年逨鼎、大克鼎等。簋的双耳加大，耳上兽首及角也显夸张。此时在墓葬中，鼎、鬲、簋、盨成为常见组合形式，表明食器成为随葬的主要器具。其他酒器、水器则偶尔与之相配，并不一定都出现在墓中。酒器中的壶成对出现。西周晚期的纹饰有抽象化倾向，早中期写实或夸张的实体动物纹样极为少见，取而代之的则是重环纹、垂鳞纹、波带纹这类几何纹样。铭文是西周青铜器一大特色。进入西周早期，由于灭商战争、平定三监之乱以及东征、昭王南征，战事屡兴，事功繁剧。因此长篇铭文骤然增多。此时的铭文多记赏功，如利簋；也有涉及分封及改封，如宜侯夨簋、沬司徒疑簋、大盂鼎等；还有朝聘巡视，如保卣。西周中期，战事平息，王朝制度完备，册命王室官员的铭文成为主流。这些铭文格式相对固定，成语较多，字距与行距较前一个时期更为规整。西周晚期铭文内容除册命外，还有战争以及土地诉讼。此时出现了长达数百字的青铜器铭文，如毛公鼎、四十二年逨鼎、四十三年逨鼎、逨盘

等。晚期铭文字体典雅，布局规整，有的铭文字范还划有界格。自公元前770年周平王东迁洛邑到前221年秦王朝统一，史称东周。东周历史分为春秋和战国两个时期。关于两段历史的分界线，历史上便争论不已。本章采用中国国家博物馆基本陈列的划分标准，即以公元前403年，韩、赵、魏正式受周天子册封为诸侯这一历史事件作为战国时代的开端。由于周天子权威日益衰落，诸侯势力和独立性迅速增长。因此，与西周时期的青铜器相比，东周青铜器呈现出更多的地域特征，概述起来更为复杂。关于东周青铜器特征的地域划分，各家学者也不尽相同。我们大体遵循彭裕商对东周地域的划分，即以周晋为代表的中原文化区、南方楚文化区、以齐鲁为代表的山东文化区和秦文化区。在纵向分期上，我们也按照其"七期"说，即春秋早、中、晚期、战国早、中、晚期和秦代。大体而言，西周很多传统器物在春秋时期得到进一步发展，不同地区出现了不同的变化趋向。以鼎为例。春秋早期的圆鼎腹部变浅，蹄足足跟更加发达，腹部多饰垂鳞纹或窃曲纹。湖北枣阳郭家庙墓地、河南三门峡虢国墓地以及新郑祭祀遗址所出的鼎大多是此形制。春秋晚期到战国时期，出现了深腹高足带盖鼎，这类鼎的顶盖一般都有环形捉手，腹部主体纹饰是细密的蟠螭纹。为了配合新的礼制，出现了体量巨大的镬鼎。而楚国以及楚文化所及之地，出现了自铭曰鼎升的鼎形，也称升鼎。这种鼎的特点是腹部收束，整体呈亚腰形。在楚系墓葬中，升鼎是作为标志高等级身份的象征。战国楚文化区还出现了小口鼎这种器类，不过功能已经从食器变为水器。如战国

早期的曾侯乙墓出土的提链小口鼎。鬲的变化十分剧烈，从西周晚期宽扁形向春秋早期的高足形发展，后来又出现尖足、折肩等形制。此外，簋、簠、盨、壶等许多器类都有不同程度的变化。兵器类中新出现的有铍、弩机，戟的数量明显增多。许多带有地方特色的新器类也在春秋战国时期涌现出来。如楚系墓葬中有食器盏，水器浴缶、鉴，酒器罍；食器敦在各国都有发现，尽管形制不尽相同；黄淮地区出现了女性贵族专用的匜（奁具），以及用途未明的器座形器；乐器也出现了錞于、句鑃等。

进入西汉之后，漆器、青瓷等工艺水平的大幅度提升，迫使青铜器退出贵族阶层日常生活领域。兵器也基本上铁器化，青铜兵器大多退出历史舞台，只有弩机等极少数兵器还保持使用青铜的传统。但是在宫廷中，青铜器还具有相当的标志身份的作用。在已发现的诸侯王大墓中，青铜酒器、食器、炉等用器仍然占据一定比例。而且在很多青铜器具上面，有鎏金银、镶嵌等工艺。汉代铜镜制作工艺非常高超，数量也很惊人。铜镜的纹样复杂，题材繁多，不仅有几何纹样，还有诸如四神、东王公、西王母等神仙人物，充分体现了汉人崇尚神仙的思想。另外，战国、秦汉时期，云南地区的青铜器是古代中国青铜器中的一大瑰宝。这些器物包括贮贝器、鼓等。云南地区的文化与越南等东南亚地区有紧密联系，这类青铜器也在这些地区大量发现。汉唐以来，青铜器主要用于国家祭祀、宗教用器和钱币，一些科学仪器也用青铜铸造。而宋代开发火器之后，火铳、火炮等武器也有用青铜材料铸造者。因此本章选取了少量佛道造像、寺庙香炉、火炮等中古、近古时期的青铜器。因为钱币归入其他章节，所以本章未收入此类文物。

本章以器物的实际使用功能作为划分类别的标准，结合志书体例将青铜器共分作十节：食器、酒器、水器、量器、乐器、兵器、人像及造像、工具、车马器、其他。

第一节　食器

网格纹鼎　二里头文化晚期文物。1987年春，河南省偃师县二里头遗址V区东缘出土。圪垱头村偃师第二橡胶厂工人在厂内建水泥池子挖土时发现网格纹鼎后，被私藏并转卖，经中国社会科学院考古研究所多方追查并报请偃师县公安局协助追缴，将铜鼎追回。

网格纹鼎高20厘米，口径15.3厘米。敛口，折沿，薄唇内附一加厚边。口沿上立有两个半环耳，一耳与一足呈垂直线。足呈空心四棱锥状，腹饰带状网络纹一周，器壁较薄，壁内一侧近底处有铸残后修补痕迹。

网络纹鼎是已出土二里头文化时期文物中唯一一件铜鼎，也是已发现中国古代青铜器中时代最早的一件铜鼎。网格纹鼎原本应埋藏于

一座墓葬中，时代应属二里头文化第四期。造型应源自同时期陶鼎。该鼎制作较为粗糙，甚至不如某些二里头文化三期铜器，如爵、戈、刀等。原因或许是其所有者社会地位并不是很高，另外也与该类器形新出、制作技术不成熟有关。网格纹鼎的发现为二里头文化遗址乃至早期中国青铜文明增添了新的铜器品种，具有重要的学术价值。

网格纹鼎存于中国社会科学院考古研究所。

兽面乳钉纹方鼎　商代中期文物。又名杜岭一号方鼎。1974年9月，河南省郑州市杜岭街商代铜器窖藏出土。同时出土的杜岭二号方鼎比此鼎体量略小，形制、纹饰基本相同。窖藏所出青铜器时代应属二里岗上层时期。

兽面乳钉纹方鼎高100厘米，口沿长62.5厘米，宽60.8厘米，重约86.4千克。直口，折沿，方唇，口部近似正方形，口沿加厚，有台阶状唇边。沿上立有两个拱形耳，略向外张，耳内侧素面，外侧有凹槽。斗形方腹，平底，四柱足中空，足底作圆鼓状。腹饰兽面纹和乳钉纹。兽面纹共八组，腹壁四面上部各一组，四个转角处又各一组。乳钉纹饰于每壁两侧和下部。足上部饰兽面纹，下部饰弦纹。

兽面乳钉纹方鼎应是采用多范分铸而成。先铸鼎耳，再铸鼎腹，后铸鼎足。鼎耳由两范合铸而成，铸鼎腹时再把鼎耳铸结在一起。鼎腹

是用壁外范八块（四壁中部、转角处各四），腹底外范一块和腹内范合铸而成。浇注口和冒气口在腹底中部，遗留有清晰长条状凸棱痕迹。由于铸造时腹壁外范相互接合不够严密，范与范接口处痕迹明显。部分兽面纹和乳钉纹有重叠情况，口沿上有裂口。鼎足由外范两块和内范一块合铸而成，为使鼎足上端与腹底铸结牢固，在鼎足上端周围的部分腹底处，将胎壁加厚。在部分鼎足下部还有针对铸造破裂处的补铸痕迹。兽面乳钉纹方鼎是二里岗等地发现商代早期青铜器中体量最大的一件。鼎周身虽有补铸现象，但器壁匀薄，造型规整，集中体现了商代早期较为成熟的冶炼、制范、浇注等铸造技术。方鼎腹壁分范制作、不设地纹和扉棱等方面，体现出与商代晚期方鼎显著差异。在方鼎外壁兽面纹下加乳钉纹框的装饰方法，对后世铜器装饰风格有显著影响。学界认为，兽面乳钉纹方鼎属高规格礼仪用器，使用者应是商王级别的贵族。

兽面乳钉纹方鼎藏于中国国家博物馆。

大禾人面方鼎　商代晚期文物。1959年，大禾人面方鼎由湖南省博物馆从长沙废铜仓库中选购出，该批废铜来自宁乡，为新出土，大禾人面鼎已破碎成10块，缺一足和底部，后经修复成器。

大禾人面方鼎高38.5厘米，口长29.8厘米，口宽23.7厘米。长方形口，口沿上立二方形立耳，口唇卷边，内唇沿斜削，腹部四角有扉棱，四柱足，足上端有带扉棱兽面纹。立耳上饰有阴刻龙纹，腹壁四面各饰一浮雕人面纹。人面额部左右各有一曲折形小角和耳，腮两侧有一对兽爪。器腹内壁铸有"大禾"二字铭文。

大禾人面方鼎人面纹饰具有很强的写实性。关于大禾人面方鼎上所饰"人面"以及铭文的文化内涵，学者们先后提出多种意见。孙作云认为，鼎上人面是人面饕餮纹，饕餮即蚩尤，饕餮有辟邪之用，鼎上四个人面寄寓着"以戈击四隅"之意。石志廉认为，人面代表农神，祭祀时鼎内可能会盛有人头，而铭文中的"大禾"则可能代表了大禾祭，有大宜其禾、祈求丰收的寓意。也有学者认为，人面代表的是神主或祖灵，或者是禾侯方国的女性统治者。还有学者认为，该人面表现了商代巫师作法的形象。

大禾人面方鼎藏于湖南省博物馆。

司母戊方鼎　商代晚期文物。又名后母戊方鼎。1939年3月，河南省安阳县武官村村民吴希曾在吴培文家祖坟周围发现司母戊方鼎。出土时有一只鼎耳缺失。由于鼎体积过大，当时动用了三四十人及大量物力才将司母戊方鼎起出。在当地村民保护下，司母戊方鼎躲过了古董商、日本宪兵的搜求和抢夺，完好保存在吴家地窖中。1946年，国民政府将司母戊方鼎运往南京保藏。1948年，中央博物馆筹备处与故宫博物院联合举办展览，司母戊方鼎初次在南京公开展出。1949年后，划归南京博物院收藏。1959年，入藏中国历史博物馆。

司母戊方鼎通高133厘米，口长110厘米，口宽79厘米，重832.84千克。司母戊方鼎铸造工艺复杂。鼎身与四足为整体铸造。鼎身共使用8块陶范，每个鼎足各使用3块陶范，器底及

器内各使用4块陶范。鼎耳是在鼎身铸成之后再装范浇铸而成。铸造司母戊方鼎，所需金属原料超过1吨，必须配备大型熔炉。在塑造泥模、翻制陶范、合范灌注等过程中，需要解决一系列复杂的技术问题。鼎身呈长方体斗形，口沿厚重，上有一对立耳，立耳窄缘饰浮雕蝉纹，侧面装饰二虎食人纹饰。腹部四角有突出的长条形扉棱。腹面以龙身兽面纹构成纹饰框。平底，下承四只圆柱状足，足根部饰有卷角兽面纹，兽面鼻梁高起，与腹部交角处的扉棱呈一条直线。腹内壁铸有铭文三字"司母戊"。司母戊方鼎铭文，最初学术界隶定为"司母戊"，"司"字通"祀"，意为"祭祀先母庙号为戊者"。20世纪六七十年代，古文字学界有学者认为"司"字应当释为"后"，意为商王配偶，身份尊显。

司母戊方鼎是已知世界上遗存最重的青铜器，反映了商代后期青铜铸造业规模宏大、组织严密、分工细致，能代表高度发达的商代青铜文化。

司母戊方鼎藏于中国国家博物馆。

兽面纹虎形扁足鼎　商代晚期文物。1989年9月20日，江西新干县大洋洲乡农民在程家村涝背沙丘取土时发现。

兽面纹虎形扁足鼎高38.2厘米，口径26.4厘米。圆口，方唇，口沿上立二半环耳，立耳之上各卧一虎，斜折沿较厚，浅腹，圜底，三足。口沿饰燕尾纹，腹饰兽面纹，两条纹饰带以联珠纹间隔。腹部有勾曲形扉棱。三扁足呈圆雕式变体虎形，虎口侈张，托起器腹，虎尾上卷，虎身饰有雷纹、羽纹、鳞纹。

兽面纹虎形扁足鼎上圆雕风格的虎形扁足

采用透雕的形式，是新干铜器的一大特点，几乎不见于其他地区。

兽面纹虎形扁足鼎藏于江西省博物馆。

小臣缶方鼎　商代末年文物。颐和园旧藏。

小臣缶方鼎通高29.6厘米，口长22.5厘米，口宽17厘米，重6.18千克。器方体，厚立耳，折沿方唇，腹部呈长方形，下承四柱足。器腹部四角与中央处均附有扉棱。器双耳外侧线刻云雷纹；器腹部四壁以云雷纹为地，各以中央处扉棱为中线，采用"两方连续"的方式，上段饰两组4只对向夔纹，下段饰一饕餮纹；器足上段线刻云雷纹，下段线刻三角纹。器内壁铸铭文凡4行22字："王易（锡）小臣缶（缶）湡賷（积）五年，缶用乍（作）宜（享）大（太）子乙家祀隣（尊）。䒒（冀），父乙。"铭文内容记述商王赏赐作器者小臣缶湡地五年的实物赋税，小臣缶因此为其先人父乙即太子乙作器。

小臣缶方鼎是商代晚期典型方鼎，造型

中的立耳、长方形腹部、细长柱足及器底与器足的相对位置等造型元素为西周早期方鼎所继承。作器者"小臣缶"亦见于商甲骨卜辞中。小臣缶方鼎是已知少数能与商甲骨卜辞联系密切的金文之一，具有重要学术价值。

小臣缶方鼎藏于故宫博物院。

斐方鼎　商代末年文物。1973年5月，辽宁省喀喇沁左翼蒙古族自治县平房子镇北洞村2号西周窖藏出土。

斐方鼎通高52厘米，口长40.6厘米，口宽30.6厘米。器方体，厚立耳，折沿方唇，腹部呈长方形，下承四柱足。器腹部四角、中央处与器足上端附有扉棱，腹部回隔扉棱与足部扉棱在一条直线上。器底有"十"字形铸痕，与司母戊方鼎相同。两器耳外侧饰两周凹弦纹，器颈部以两方连续饰八个单元浮雕式饕餮纹，每个单元饕餮纹各以器腹部四角及中央处扉棱为中心左右对称，器腹部两侧与下缘各饰3列乳钉纹，器腹中部光素，四足上端饰高浮雕式饕餮纹，下衬三周凹弦纹。斐方鼎器内底铸铭文4字："亞舄（曩）厌（侯）夨（疑）。"器内腹壁铸铭文24字："丁亥，𢘟商（赏）又正斐（聯）要贝，才（在）穆朋二百，斐（聯）辰（扬）𢘟商（赏），用乍（作）母己隣（尊）彝（煋）。"铭文内容记述丁亥日，作器者又正斐（聯）在穆地受到𢘟赏赐要贝二百朋，斐（聯）因此为祭祀庙号为己的亡母作器。铭中"穆"为地名，亦见于商甲骨卜辞中。铭中赏赐者"𢘟"，是当时商统治阶级内部一高级贵族。器内底所铸铭文"亞舄（曩）厌（侯）夨（疑）"，系作器者斐所属族氏。

斐方鼎的造型、装饰与1976年殷墟妇好墓

出土商王武丁时期的后母辛方鼎最为相似，是商代中晚期方鼎的代表。

婴方鼎藏于辽宁省博物馆。

戍嗣子鼎 商代末年文物。1959年5月，河南省安阳市东风公社后冈出土。

戍嗣子鼎通高48厘米，腹深39.5厘米，口径39.5～34.5厘米，腹深24.6厘米，重21.5千克。器体作圆形，厚立耳，微外撇，折沿方唇，腹部微鼓，圜底，下承三蹄形半空足。器颈部附有六条扉棱，其中三条扉棱与足上端所附三条扉棱在一条直线上。器颈部以"两方连续"饰六个单元浮雕式饕餮纹，每个单元饕餮纹各以一条扉棱为中心左右对称，三足上端饰浮雕式饕餮纹，下衬三周四弦纹。器内壁铸铭文凡3行30字："丙午，王商（赏）戍嗣子贝廿朋，才（在）䁂（管）宗，用乍（作）父癸宝䵼（䵼），佳（唯）王䵼（䵼）䁂（管）大（太）室，才（在）九月，犬鱼。"在商末金文中，此鼎铭文篇幅较长，记述九月丙午

日，作器者戍嗣子在䁂地宗庙中受到商王赏赐贝廿朋，戍嗣子因此为先人父癸作器。铭文中"䁂"，即"管"，亦见于商宰椃角、亚古簋、西周利簋等铭文中。"戍"，见于商甲骨卜辞中，是一种军事编制，铭中"戍"当是此军事编制的职官。铭末"犬鱼"，应是作器者戍嗣子的族徽。

戍嗣子鼎的造型、装饰与子龙鼎最为相似，是商代末年大型圆鼎的典型代表。

戍嗣子鼎存于中国社会科学院考古研究所安阳工作站。

子龙鼎 商代末年至周代初年文物。20世纪20年代，传河南省辉县出土，经由日本山中商会运入日本，在日本私人藏家之间有过秘密转让。2002年后，子龙鼎照片通过多种渠道传至中国。2004年6月，千石唯司在大阪举办展览，子龙鼎首次公开面世。2005年12月，该鼎出现于香港文物市场，在中国国家博物馆与国家文物局相关专家的努力下使得政府具有优先

购买权。2006年4月底，经中国国家博物馆会同国家文物鉴定委员会专家多方努力，子龙鼎成功征集回国，入藏中国国家博物馆。

子龙鼎通高103厘米，口径80厘米，耳高22厘米，腹高约43厘米，足高约36.5厘米，重230千克。方唇，宽沿，略向内倾斜。口沿上有粗壮立耳，耳内侧伸入器腹，目的是增强鼎耳牢固度，使之不致脱落。垂腹圜底，三足粗壮呈蹄形。腹内底有三个与足相应的凹陷穴，目的是避免腹与足连接处因铸造冷凝时产生过大应力变化造成裂痕。子龙鼎腹内凹陷处较深，足底端稍大，目的是使鼎更为稳定，是鼎足发展成为兽蹄足的最早形制。鼎腹外底有三角形铸缝，足内侧有合范痕迹。子龙鼎器身应是用浑铸法一次浇铸成形，鼎耳应是先铸好，再于浇铸鼎身时铸接为一体。鼎腹上部、口沿下饰一周由三组完整的下卷尾兽面纹与三个仅有首部的简省形兽面纹组成的纹饰带，简省兽面纹鼻梁部扉棱与三足根部扉棱上下对应在同一条线上；主纹之下饰以精细云雷纹铺地，呈现"三层花"效果。鼎腹内壁一侧有"子龙"二字铭文，"子"字较小，"龙"字作双钩形。"子龙"，可能是氏族名，也可能是某贵族的私名。

已发现的商、西周大圆鼎中，子龙鼎的高度仅次于1979年出土于陕西省淳化县的西周早期龙纹鼎（高122厘米，藏于陕西省淳化县博物馆）。在商代晚期青铜器中，子龙鼎为已知最大圆鼎，是中国古代青铜铸造技术典范之作。

子龙鼎藏于中国国家博物馆。

董鼎　西周成王时期文物。1975年，出土于北京市房山县琉璃河镇黄土坡253号墓。

董鼎通高62厘米，口径47厘米，重41.5千克。器圆体，厚立耳微外撒，折沿方唇，腹部微鼓，圜底，下接三蹄足。器颈部附有六条扉棱，其中三条扉棱与足上端所附三条扉棱在一条直线上。器颈部以"两方连续"饰六个单元外卷角饕餮纹，每个单元饕餮纹各以一条扉棱为中心左右对称，三足上端饰高浮雕式饕餮纹，下衬两周凹弦纹。器内壁铸铭文凡4行26字："匽（燕）医（侯）令董龡（饎）大（太）㝬（保）㝬（于）宗周，庚申，大（太）㝬（保）赏董贝，用乍（作）大（太）子癸宝隩（尊）爨（煌），屮册。"铭文记述作器者董受燕侯之命去宗周向太保贻赠物品，庚申日，太保赏赐董贝，董因此作器。铭文中"大保"，即召公奭。篇末"屮册"，是作器者董所属族氏徽号，多见于商代晚期、末年器上，是知作器者董为殷遗民。董鼎铭文对深入了解西周初年作为统治者的周人与其他部族之间关系具有重要学术意义。

董鼎的造型、装饰与商代末年的子龙鼎、

成嗣子鼎最为相似，是商末周初时期大型圆鼎的典型代表。

董鼎藏于首都博物馆。

荆子鼎 西周成王时期文物。2011年1月，湖北省随州市曾都区淅河镇蒋寨村叶家山西周墓地2号墓出土。

荆子鼎通高20.9厘米，耳高3.8厘米，足高8.2厘米，口径16～16.5厘米，腹深8.8厘米，重1.615千克。器敛口，呈桃圆形，折沿方唇，口沿上置双立耳，鼓腹，浅分裆，下接三柱足。器腹部以云雷纹为地，饰三组外卷角饕餮纹。器内壁铸铭文6行38字："丁巳，王大祓。戊午，刿（荆）子蔑厤（曆），敞（赏）白牡一。己未，王赏多邦白（伯），刿（荆）子丽，赏秠（禾鬯）卣（卤）、贝二朋，用乍（作）文母乙隙（尊）彝。"铭文，记述西周成王时期一次"大祓"祭礼。丁巳日，举行"大祓"之礼；次日戊午，周成王勉励作器者荆子；次日己未，周成王赏赐众诸侯，荆子得到鬯酒与两朋贝。荆子为纪其事，作鼎以祀其母。

荆子鼎的出土丰富了我们对于西周早期相关历史的认识。

荆子鼎存于湖北省文物考古研究所。

大盂鼎 西周康王时期文物。清道光初年（约1821年），大盂鼎出土于陕西省岐山县礼村。最初由当地乡绅郭氏购得，后被县令周赓盛所豪夺。同治十三年（1874年），陕甘总督左宗棠购得大盂鼎，旋即赠送给潘祖荫。1951年，潘氏后人潘达于将大盂鼎捐献给上海博物馆。1959年经中央政府调拨，入藏中国历史博物馆。

大盂鼎通高101.9厘米，口径77.8厘米。立耳微外撇，敛口，垂腹较深，下接三蹄足。口沿下装饰一周饕餮纹带。纹饰带以饕餮鼻梁上扉棱为中轴，向两边对称分布开来，一共五组均匀分布。三足根部饰有饕餮纹，鼻梁上装饰两段式高扉棱。大盂鼎内壁铸有铭文291字，分为左右两段，前段10行，后段9行，释读如下："隹（唯）九月，王才（在）宗周，令（命）盂，王若曰：盂！不（丕）显玟（文）王，受天有大令（命），杜（在）珷（武）王嗣玟（文）乍（作）邦，闢（辟）氒（厥）匿，匍（敷）有（佑）三（四）方，畯（峻）正氒（厥）民，杜（在）雩（于）邲（御）事，虘酉（酒）无敢（敢）醻（酤），有髭（祡）羔（烝）祀无敢（敢）醻，古（故）天异（翼）临子，瀍（法）保先王，匍（敷）有三（四）方，我闻（闻）殷述（坠）令（命），隹（唯）殷边医（侯）、田（甸）雩（与）殷正百辟，率肆于酉（酒），古（故）丧自（师）巳（已、矣），女（汝）妹

（昧）辰又（有）大服（服），余隹（唯）即
朕（朕）小學，女（汝）勿敧（蔽）余乃辟一
人，今我隹（唯）即井（型）㐭（稟）于玟
（文）王正德，若玟（文）王令二三正，今余
隹（唯）令（命）女（汝）盂霝（召、詔）焂
（榮），苟（敬）毃（擁）德巠（經），敏
（敏）朝夕入讕（諫），亯（享）奔悉
（走），畏天畏（威），王曰：而（耐），令
（命）女（汝）盂井（型）乃嗣且（祖）南
公，王曰：余廼霝（召、詔）夾死（尸）䏣
（司）戎，敏（敏）諫罰訟，夙（夙）夕霝
（召、詔）我一人烝（烝）三（四）方，雫
（零）我其遹省先王受民受彊（疆）土，易
（錫）女（汝）鬯一卣，冂（堂—裳）、衣、
巿（韍）、舄、車、馬，易（錫）乃且（祖）
南公旂，用遇（狩），易（錫）女（汝）邦䏣
（司）三（四）白（伯），人鬲自馭（馭）至
于庶人六百又五十又九夫，易（錫）尸（夷）
䏣（司）王臣十又三白（伯），人鬲千又五十
夫，邎褱自乎（厥）土，王曰：盂，若苟
（敬）乃正，勿灋（廢）朕（朕）令（命）。
盂用對王休，用乍（作）且（祖）南公寶鼎，
隹（唯）王廿又三祀。"铭文前段是周王告诫
贵族盂不要沉湎美酒，指出殷商因为酗酒而亡
国，勉励盂恪尽职守。铭文后段记载周王册命
盂继承其祖先南公的爵位，任命他管理诸戎
（即周边异族）及执掌刑罚，并赏赐给他酿造
祭祀用酒的香草（秬鬯一卣），命服（包括
冕、衣、巿、舄），车马，邦司，人鬲等。

大盂鼎铭文是研究古代文献、西周历史、
政治制度、礼法等课题的重要材料。以大盂鼎
为代表的深腹且垂的立耳大圆鼎，在商末周初

十分流行，具有明显的时代特色。

大盂鼎藏于中国国家博物馆。

夔龙三角纹扉棱鼎 西周早期文物。2012
年，陕西省宝鸡市渭滨区石鼓镇石嘴头村3号
墓出土。

夔龙三角纹扉棱鼎高44厘米，口径34厘
米，腹深22.2厘米，重15.9千克。鼎口微敛，
斜折窄沿，附耳，腹微鼓，圜底，三蹄足。腹
部、足外铸有镂雕扉棱，腹部有六道扉棱，其
中三道扉棱与三足外的扉棱相对应。内底接三
足处有圆形凹陷。沿下饰六个卷尾夔龙纹，以
扉棱为界，两两头部相对。腹中部饰直棱纹，
下部饰蕉叶纹。足部饰兽面纹，下部饰两道弦
纹。除直棱纹外，其余纹饰均以云雷纹铺地。
外底、三足之间有三叉状范痕。

夔龙三角纹扉棱鼎的高大扉棱是周初青铜
器的一种新的特征。

夔龙三角纹扉棱鼎藏于宝鸡青铜器博物院。

德方鼎 西周早期文物。上海博物馆征集。

德方鼎通高24.4厘米，口长14.2厘米，口
宽18厘米。鼎口沿较宽，方折沿，口沿短边上

有立耳，腹较浅，四柱足细长。腹饰曲折角兽面纹，两侧附饰龙纹，以细雷纹铺地。四足上端饰牛首纹。器内壁铸铭文24字："唯三月，王在成周，诞武王裸自蒿，咸，王锡德贝廿朋，用作宝尊彝。"铭文内容为，某年三月，周王在成周之郊，为武王举行祭祀仪式，德参与了此项活动。典礼结束后，王赏赐德二十朋贝，德因以作器。铭文中祭祀的对象为武王，那么主祭者应当是成王，德作为参与者，亦感到荣耀异常。铭文中的"珷"字，是"武王"二字合书，在西周青铜器铭文中，特指周武王，是专用于对武王的尊称。"贝"是指一种海产贝壳，商周时期曾用作货币或装饰品，当时二十朋贝已经属于比较优厚的赏赐。

西周时代兽面纹角外缘常有华美的鳍形增饰，此兽角外缘鳍形歧出较长，有异于商代铜器。西周成、康、昭三世青铜器上兽面纹角外缘都有这一特点。西周时代的贵族常将受王宠赐之事铭铸在青铜器上，以显示个人及家族尊荣。

德方鼎藏于上海博物馆。

曾侯方鼎 西周早期文物。2013年，湖北省随州叶家山111号墓出土。

曾侯方鼎通高49厘米，口长35.5厘米，口宽26.5厘米。器方口，平折沿，方唇，附耳。器腹略浅，平底，腹壁四角及长壁中间有扉棱，腹下接四柱足。有盖，盖顶饰透雕立龙纹四个，盖中间有半环状纽，纽与盖相接处有龙纹。口沿下饰兽面纹，中间的兽面纹完整，边角各有半个，两两组成完整的兽面，兽面纹的身、角等部位略呈简化风格。兽面纹下饰蕉叶纹，内有简化龙纹（或简化蝉纹）。四足上端

有兽面纹，兽面中间有扉棱。腹壁内铸有铭文2行8字："曾侯作父乙宝尊彝。"铭文中未记录曾侯私名。从内容来看，曾侯作父乙方鼎是某位曾国国君为其亡父所作的祭器，乙为其亡父的日名。

曾侯作父乙方鼎厚重高大，是叶家山墓地出土方鼎中体量最大的一件。方鼎腹侧伸出的附耳体现了铜器的新风格。附耳的出现很大程度上是为了便于配盖，这样就无须像立耳鼎那样在平盖上挖出长方形缺口。浑铸带有附耳的鼎需要更高技术水平，其附近纹饰没有中断，显示曾侯方鼎是精心制作而成。

曾侯方鼎藏于随州市博物馆。

厚趠方鼎 西周早期文物。厚趠方鼎至迟在宋代出土，最早见于宋代金石学家薛尚功编撰的《历代钟鼎彝器款识法帖》，后数见于其他金石著作。此器后归李鸿章侄孙李荫轩。1979年，李荫轩夫人邱辉将其所有藏品捐赠给上海博物馆。

厚趠方鼎高21.3厘米，口长17.4厘米，口宽13.3厘米，重2.4千克。鼎口沿较宽，上立

两耳，腹略浅，平底下接四柱足，足上部有外卷角兽首。器腹四角有扉棱，腹部正面饰兽面纹，兽面双角下垂，尖端作勾曲形上卷。腹壁内部铸铭文5行34字："唯王来格于成周年，厚趠有賮于溓公，趠用作厥文考父辛宝尊齍，其子子孙永宝，剌。"铭文记载：周王来到成周这一年，厚趠受到溓公的馈赠，因而铸制这件方鼎作为亡父的祭祀之器，希望后世子孙永远珍视传用。

厚趠方鼎铸制精美，流传有绪。

厚趠方鼎藏于上海博物馆。

滕侯鼎 西周早期文物。1982年，山东省滕县姜屯公社庄里西出土。

滕侯鼎高27厘米，口长16厘米，口宽11.5厘米。鼎圆角长方形口，子母口加盖，盖上饰卷龙状小纽四个，头部向下与盖相接。附耳，下腹外鼓，圜底下接四柱形足。盖及口沿下均饰夔龙纹、鸟纹各一周，云雷纹铺地。腹饰兽面纹四组，足上端饰蝉纹及卷云纹。器、盖内铸有内容相同的铭文2行6字："滕侯作宝尊彝。"

滕侯鼎是滕国国君所作礼器，造型优美，纹饰华丽，古朴典雅，庄重大方。

滕侯鼎藏于滕州市博物馆。

十五年趞曹鼎 西周中期文物。清末吴大澂旧藏。

十五年趞曹鼎通高23.4厘米，口径22.9厘米，腹深11.9厘米。敛口方唇，口上有一对立耳。浅腹倾垂，腹部最大径靠近底部。圜底，下接三柱足，足内侧平直。口下饰一周长冠顾首龙纹，龙身呈横向"S"形，尾下卷呈刀形。立耳垂腹鼎形制、长冠顾首横"S"形龙纹，应是西周中期后段的特征。腹部内底铸铭文57字："隹（唯）十又五年五月既生霸（魄）壬午，龏（恭）王才（在）周新宫，[旦，]王射于射盧（廬），史㪤（趞）瞀（曹）易（錫）弓矢、虎盧、九（厹）、胄、盾、殳，㪤（趞）瞀（曹）叙（敢）對，

朁（曹）捧（拜）頴（稽）首，叔（敢）對乱（扬）天子休，用乍（作）寶鼎，用鄉（饗）倗（朋）各（友）。"铭文内容记述，恭王十五年五月壬午日，王在周新宫射庐主持射礼，趞曹因射功受赐。

铭文中出现的"周新宫"，指周新建宫殿。"新宫"主要见于恭王至孝王时期的铜器铭文中。陈梦家认为，射庐即新宫中习射之"序"，位置在宫中东西厢的廊庑。趞曹为史官，但从王习射，或行射礼。铭文显示趞曹受赐物品有弓矢、虎庐（庐器，即矛戟一类的兵器）、厹（三棱矛）、胄（盔）、盾，皆为兵器。证明趞曹可能兼有武职。

十五年趞曹鼎藏于上海博物馆。

九年卫鼎　西周中期文物。1975年，陕西省岐山县京当镇董家村农民在进行农田基本建设时发现。

九年卫鼎通高37.1厘米，腹径34.5厘米，腹深19.8厘米。敛口方唇，两立耳。与十五年趞曹鼎相比，九年卫鼎腹部较深，下部向外倾垂，圆底，下接三柱足。圆底外部有一层厚烟炱。口下饰一周窃曲纹，雷纹为地。该鼎是流行于西周恭、懿时期典型圆鼎。内壁及底铸有铭文195字（重文1、合文3字）："隹（唯）九年正月既死霸（魄）庚辰，王才（在）周驹宫，各（格）廟，眚（眉）敹（敖）者膚卓吏（事）視于王。王大豐（致）。矩取眚（省）車：较莽（雕）肏（靷）、虎曶（幎）、希（狸）韨（幎）、畫轉、妥（鞭）、帀（席）、鞶、帛（白）嘉乘、金麀（鑣）鋚（鋞）。舍（捨）矩姜帛三兩。迺（乃）舍（捨）裘衛林晉（孤）里。戝乒（厥）隹

隹（唯）菫（颜）林，我舍（捨）菫（颜）陈大馬兩，舍（捨）菫（颜）始（姒）廥各（迩），舍（捨）菫（颜）有爾（司）晨（壽）商爾（貉、貉）裘、盏旵（幎）。矩迺（乃）眔（暨）遱（漴、濂）粦（邻）令晨（壽）商眔（暨）音（意）曰："顩（講）。"瀗（履）付裘衛林晉（孤）里。鄫（則）乃成夆（封）三（四）夆（封），菫（颜）小子鼏（具）更（唯）夆（封），晨（壽）商爾（勜）。舍（捨）盏冒梯窒（牴）皮二，罤（選）皮二，鐢（業）马甬（箭）皮二，朏帛（白）金一反（鈑），乎（厥）吳喜（鼓）皮二。舍（捨）遱（漴、濂）虔旵（幎）、燰（琛）秦（貢）、犙商（靰），束臣羔裘、菫（颜）下皮二。眔（逮）受：衛小子家，逆者（諸）其觭（賸）：衛臣醜胐。衛用乍（作）朕（朕）文考寶鼎。其禶（萬）年永寶用。"铭文记载某王在成周举行大豐礼，矩（根据同窖穴所出他器可知其又称矩伯）以"林孤里"土地为代价，向王室掌裘官员卫购取车马用具。除等价交换还伴随礼物的馈赠，如裘卫赠给矩伯妻子矩姜"帛三兩"，矩伯所偿土地有颜林，又赠与颜陈"大馬兩"、颜妻（颜姒）"廥各"。

九年卫鼎铭文是矩和裘卫之间以土地换取车马具的私人交易记录，反映了西周时期的交换行为并非直接等价交换，而是在礼制框架下以"礼尚往来"行为作为辅助。有观点认为，矩伯是为参加周王典礼，向王室工官购买符合身份的器物。

九年卫鼎藏于岐山县博物馆。

刖人守门方鼎 西周中期文物。1976年12月15日，陕西省扶风县法门公社庄白大队白家生产队平整土地时，发现一个青铜器窖藏。经清理，共出土铜器103件。刖人守门鼎是最具特色铜器之一。

刖人守门方鼎高17.7厘米，口长11.9厘米，口宽9.2厘米，重1.75千克。敛口，折沿方唇，附耳，腹部倾垂，圜底。腹下接方形炉身，平底，底下接四个鸟形足。口沿下饰有兽面纹，腹壁四角饰有立体的龙，龙身波曲，顾首，卷尾。炉身正面有一对开门，门扉可以开关。左扉有一左脚受刖刑的守门奴隶，右手持斧钺；右门有一铺首。炉身其他三面各有四个方格，方格上下有斜角云纹及羽纹，炉底镂孔。

刖人守门方鼎分为上下两层，上层鼎腹与西周中期其他方鼎无异，腹内可以烹煮或盛放食物；下层炉身则可放置炭火加温。炉有门，便于加炭，炉壁三面的镂孔可通风助燃，炉底镂孔可透气漏灰。刖人守门鼎炉门上的刖人守门主题装饰，具有重要历史文化价值，反映了刖人守门这一历史现象。

刖人守门方鼎藏于宝鸡市周原博物馆。

北子鼎 西周中期文物。1961年12月5日，湖北省江陵万城群众在挖渠道时，发现一座西周中期墓葬，出土了北子鼎在内的18件铜器。

北子鼎高19.7厘米，耳高3.5厘米，足高6.4厘米，腹围61.3厘米。圆鼎，敛口，折沿，方唇，腹壁倾垂，圜底下接三柱足。口沿下有兽面纹。胎较薄，腹底部有明显的三角形铸口。口沿内铸有铭文3字："北子冉。"

关于北子鼎铭文中"北子"的内涵，学术界有多种不同意见。郭沫若认为，"北"为国名，即邶国，地处河南省汤阴县一带，北子鼎是由于某种原因辗转流徙至湖北省荆州市。刘彬徽认为，北子鼎属西周时期湖北境内一个方国，该国是商代冉族后裔，国名为"北"，

爵称为子，与中原地区邶国不是同一个国。黄锡全认为，铭文中的"冉"是商朝王族，曾见于河南省安阳市侯家庄、鹤壁市，湖北省东北部等地出土的器物上，"北子"铭文器南北均出，可能是由冉族在商末迁徙所致。李学勤等认为，"北"当释为"别"，意为宗族支子。

北子鼎藏于湖北省博物馆。

弭伯鼎 西周中期文物。1974年，陕西省宝鸡市茹家庄1号墓出土。

弭伯鼎通高15.6厘米，口径13.8厘米，附耳高4.5厘米，腹深8.4厘米，重1.7千克，口微敛，平折沿，方唇，腹底平阔，三柱足较短，足呈中空状，是商周时期带足铜器典型铸造工艺。平盖，盖中部有圆捉手，捉手上有对称两方穿，盖有子口，边沿有小纽与附耳环接。盖面饰一周大方格乳钉纹，颈部有一周小兽面纹，兽面两侧饰稀疏粗线云雷纹，上有一周列旗纹。腹部通身饰大方格小乳钉纹。三柱足上部饰兽面纹，中间有扉棱。腹底烟炱较厚，范痕清晰。鼎腹壁残损。腹内壁铸有铭文2行7字："弭伯作自为鼎簋。"铭文倒置，字体草率。

弭伯鼎与同墓弭伯双耳簋纹饰、铭文完全相同，是同时铸造的一套食器。对研究弭氏国族具有重要价值。

弭伯鼎藏于宝鸡青铜器博物院。

大克鼎 西周晚期文物。又名克鼎、膳夫克鼎。清光绪年间（1875～1908年），陕西省扶风县法门寺窖藏出土。出土具体时间已不易考，姜鸣、周亚等认为，应不晚于清光绪十五年（1889年），潘祖荫旧藏。1951年，潘达于将大克鼎捐赠给上海市文物管理委员会。1952年，入藏上海博物馆。

大克鼎通高93.1厘米，口径75.6厘米，重201.5千克。立耳厚大，宽折沿，方唇，口微敛，腹略鼓，蹄足粗壮，形制厚重。立耳外侧饰交龙纹，口沿下饰变形兽面纹，腹部饰宽大的波曲纹，三足上部有兽面纹。整器气魄雄浑，威严庄重，纹饰疏朗畅达。腹内壁铸铭文290字："克曰：穆穆朕文祖师华父，聪襄厥心，宇静于猷，淑哲厥德，肆克恭保厥辟恭王，谏辥王家，惠于万民，柔远能迩，肆克□于皇天，琼于上下，得纯亡愍，锡赉无疆，永念于厥圣保祖师华父，擢克王服，出纳王命，多锡宝休，丕显天子，天子鞭万年无疆，保辥周邦，畯尹四方。王在宗周，旦，王各穆庙，即位，申季右膳夫克，入门，立中廷，北向，王呼尹氏册命膳夫克，王若曰：克，昔余既命汝出入朕命，今余唯申就乃命，锡汝素黻、参絅、苐恩，锡汝田于埜，锡汝田于渒，锡汝邢宇䑕，田于峻与厥臣妾，锡汝田于康，锡汝田于匽，锡汝田于陣原，锡汝田于寒山，锡汝史、小臣、灵龢鼓钟，锡汝邢徵䲔人鬲，锡汝邢人奔于量，敬夙夜用事，勿废朕命，克拜稽

博物馆、故宫博物院、天津艺术博物馆、南京大学考古与艺术博物馆、日本书道博物馆、日本藤井有邻馆、日本黑川古文化研究所等地，其中以上海博物馆藏小克鼎最大，南京大学藏小克鼎最小（器高35.4厘米，口径33.6厘米，重12.54千克）。7件小克鼎大小成序，形制、纹饰相同，属于列鼎，体现了器主人膳夫克等级较高的贵族身份。

小克鼎通高56.5厘米，口径49厘米，重47.88千克。立耳，折沿，方唇，口微敛，腹略鼓，蹄足粗壮，形制厚重。立耳外侧饰交龙纹，口沿下饰变形兽面纹，腹部饰宽大波曲纹，三足上部有兽面纹。腹内壁铸铭文72字："唯王二十又三年九月，王在宗周，王命膳夫克舍命于成周，遹正八师之年，克作朕皇祖釐季宝宗彝。克其日用鼗，朕辟鲁休，用匃康勤、纯佑、眉寿、永命、令终。万年无疆，克其子子孙孙永宝用。"铭文记载，某王二十三年九月，周王发布让膳夫克对成周八师进行整顿的命令之年，克作了这组鼎来祭祀先祖。

本件小克鼎藏于上海博物馆。

多友鼎　西周晚期文物。1980年，陕西省西安市长安县斗门镇下泉村出土。

多友鼎通高51厘米，口径50厘米，腹深31厘米，重35千克。直口，方唇，立耳，半球形腹，三蹄形足。口下饰两周凸弦纹。这种半球形腹鼎是西周晚期常见的圆鼎形制。腹部内壁铸铭文，分两块范铸成，共22行，每行字数不一，包括合文与原缺空未铸字在内，共有278字："唯十月，用玁狁方兴，广伐京师，告追于王，命武公：遣乃元士，羞追于京师。武公命多友率公车，羞追于京师。癸未，戎伐筍，

首，敢对扬天子不显鲁休，用作朕文祖师华父宝鼗彝，克其万年无疆，子子孙孙永宝用。"铭文包括两部分内容。第一部分是克赞扬祖先师华父的德性和功绩，周王念其功绩，任命师华父的孙子克为出传王命、入达下情的宫廷大臣。第二部分记载周王册命克的仪式以及赏赐土田、臣妾、器物的具体内容。

大克鼎铭文对于研究西周社会的政治、经济状况具有重要的意义。铭文上半篇划有整齐的长方形格子，一字一格，行款疏密有致，行气规整，是西周金文书法艺术的典范之作。关于大克鼎年代，学术界有不同观点。郭沫若、唐兰等认为，大克鼎年代下限应是西周厉王、宣王时期。马承源认为，是西周孝王初期。

大克鼎藏于上海博物馆。

小克鼎　西周晚期文物。清光绪年间（1875～1908年），与大克鼎同出土于陕西省扶风县法门寺窖藏。因体量相对大克鼎较小，故得名。传世小克鼎共有7件，分别藏于上海

卒俘，多友西追。甲申之辰，搏于郲，多友右折首执讯：凡以公车折首二百又□又五人，执讯廿又三人，俘戎车百乘一十又七乘，卒复筍人俘。或（又）搏于龚，折首卅又六人，执讯二人，俘车十乘，從至。追搏于世，多友或（又）右折首执讯，乃轍追，至于杨家，公车折首百又十又五人，执讯三人，唯俘车不克，以卒焚，唯马敺盡。复夺京师之俘。多友乃献俘馘讯于公，武公廼献于王。廼曰武公曰：汝既静京师，賚汝，锡汝土田。丁酉，武公在献宫。廼命向父召多友，廼徙于献宫。公亲曰多友曰：余肇使汝，休，不逆，有成事，多擒，汝静京师，锡汝圭瓒一，锡鐘一肆，鐈鋚百钧。多友敢对扬公休，用作尊鼎，用朋用友，其子子孙孙永宝用。"铭文记载，某年十月，玁狁大举入侵，兵锋直指京师（周人某一处聚邑），器主多友受武公之命率军出击。行军途中，玁狁又劫掠了筍地，俘获人众。多友所率军队在漆地遭遇敌军，经过激战大败敌人，斩首二百多级，俘获二十三人，战车一百多辆，并且解救了被俘的筍人。之后多友军队一路西

追，在龚、世两地再败玁狁。最终追至杨家，取得决定性胜利。得胜归来后，多友向武公献俘，武公则向周天子献俘。当武公受到天子赏赐后，多友也因战功卓著而得到封赏。

多友鼎铭文对于研究玁狁族群分布有着重要意义。多友鼎出土前，以王国维为代表的学者认为，玁狁应在宗周东北。钱穆认为，铭文中"京师"即春秋时晋国九原、九京，在山西绛县附近，"筍"即郇邑，在山西临汾一带。李学勤认为，铭文表明玁狁位置当在宗周以西，"漆""龚（共）"等地在陕西泾水。李峰认为，玁狁是一个多部族、复杂的政治实体，分布范围包括从宗周西北到山西省、内蒙古自治区河套地区的广大地域，周天子依靠武公等讨伐玁狁，是西周晚期整体实力下降的表现。

多友鼎藏于陕西历史博物馆。

史颂鼎 西周晚期文物。史颂鼎有2件：一件为程洪溥、潘祖荫旧藏，潘氏后人捐赠至上海博物馆；另一件为清宫旧藏，约20世纪70年代入藏上海博物馆。

史颂鼎甲通高37.3厘米，口径35.7厘米，

腹深16.3厘米，重14.7千克；史颂鼎乙通高29.4厘米，口径28.7厘米，重9.25千克。2件史颂鼎形制、纹饰基本相同，应属列鼎中的2件。鼎口微敛，宽沿方唇，立耳蹄足，下腹外鼓。颈部饰三组变形兽面纹，中间有六道扉棱，腹部饰宽大的波曲纹，三足上部饰兽面纹。两鼎内壁铸有相同内容的铭文，行款略异，一为6行，一为7行，皆63字："唯三年五月丁巳，王在宗周，令史颂省苏𤔲友、里君、百姓，帅偶𤉎于成周，休有成事，苏宾璋、马四匹、吉金，用作𪔅，颂其万年无疆，日扬天子𩁹命，子子孙孙永宝用。"铭文记载，三年王月丁巳日，周王命令史颂省察苏国，苏国的友邦里君、百姓相率来至成周，对此加以赞美。苏国宾赠璋、马四匹及吉金，颂因此铸制此鼎以示纪念。

旧说，史颂鼎属西周厉王时器，陈佩芬定为共和或宣王时。学术界有关观点认为，史颂省察苏国之事，应为临时派遣。史颂鼎与颂鼎应同为一人之器，两器的纪年、月序及干支，皆可合于同一王世、同一月份。

史颂鼎藏于上海博物馆。

颂鼎甲　西周晚期文物。传世颂鼎有3件。颂鼎甲为颐和园旧藏，后调拨入故宫博物院。颂鼎乙经李香严、费念慈等收藏，后入藏上海博物馆。颂鼎丙原为清宫旧藏，后藏台北故宫博物院。3件颂鼎形制、纹饰、铭文相同，大小相次，属一套列鼎。

颂鼎甲高38.4厘米，口径30.3厘米，重7.24千克。鼎体呈半球形，深腹，直口圆底，二立耳，窄折沿，三蹄足，口沿下饰两道弦纹。内壁铸铭文151字："唯三年五月既死霸

甲戌，王在周康昭宫。旦，王格太室，即位。宰引佑颂入门，立中廷。尹氏授王命书，王呼史虢生册命颂。王曰：颂，命汝官司成周贾二十家，监司新造，贾用宫御。锡汝玄衣黹纯、赤巿、朱衡、銮旂、鋚勒，用事。颂拜稽首。受命册，佩以出，返入覲璋。颂敢对扬天子丕显鲁休，用作朕皇考龚叔、皇母龚姒宝尊鼎。用追孝，祈匄康𢝬、纯佑、通禄、永命。颂其万年眉寿，允臣天子，令终，子子孙孙宝用。"铭文记载，在王三年王月甲戌日，尹氏将王册命颂的命书交由史虢生宣读。根据王命，让颂掌管成周市贾二十家，监督新造，收缴货税以供王家宫御之用。周王赏赐颂的物品衣领和袖口上有刺绣的黑色官服、红色蔽膝和蔽膝上用以结系的朱色带子，表明官位等级的旗帜、马缰绳和马笼头等。颂接受王命简册，退出中廷，然后又重新返回，向王奉献玉璋。为纪念册命之事，颂铸作此鼎，以祭祀祖先神灵并祈请神灵保佑。

颂鼎甲铭文详细记载了西周王室册命官员的一系列程序和仪式，包括册命仪式发生时间、地点，命书的宣读方式以及册命仪式，册命典礼的赏赐物品等具体内容细节，具有重要的历史研究价值。

颂鼎甲藏于故宫博物院。

无叀鼎　西周晚期文物。原名无専鼎、鄩専鼎、焦山鼎。无叀鼎原藏江苏镇江焦山寺。明末清初王士禄最早记录，无叀鼎为京口某人藏品，被严嵩所夺，后流入镇江焦山寺。无叀鼎在焦山寺为镇寺之宝，保藏期间经历倭乱、转移以及赎回等波折。后无叀鼎转移至镇江博物馆。

无叀鼎通高54.2厘米。窄沿方唇，颈微敛，下腹部倾垂，双立耳，三蹄足。口下饰云雷纹铺地的窃曲纹，间以扉棱，足上端饰兽面纹，兽面中间有扉棱。内壁铸铭文94字："唯九月既望甲戌，王格于周庙，赗于图室。司徒南仲佑无叀入门，立中廷，王呼史𢼸册命无叀曰：官司穆王正侧虎臣，锡汝玄衣、黹纯、戈琱咸、厚柲、彤緌、鋚勒、罃斿，无叀敢对扬天子丕显鲁休，用作尊鼎，用享于朕烈考，用匄眉寿万年，子孙永宝用。"铭文记载，某年九月既望甲戌，周王到达周王室宗庙，对大臣进行赏赐。无叀受到周王册命，司徒南仲作为佑者引导无叀入门到达中廷，周王命令𢼸册宣读命书，让无叀担任武官，管理穆王正侧虎臣，后赏赐无叀许多物品。无叀有感于此，铸制此鼎。

郭沫若认为，铭文中"南仲"与《诗经》中《出车》《常武》篇中"南仲"应属同一人，时代为宣王时期，进而认为，无叀鼎的时代应在宣王时期。

无叀鼎藏于镇江博物馆。

柞伯鼎 西周晚期文物。2005年，中国国家博物馆征集入藏。

柞伯鼎通高32厘米，重10.02千克。器平沿方唇，口沿上置绹索状立耳，器腹部作盆形，腹壁较直，下腹略收，平底，下接三细柱足，较短。器口沿下以"两方连续"周饰窃曲纹，其下近中腹处饰一周凸弦纹。柞伯鼎器腹内壁铸铭文："隹（唯）三（四）月既死霸魄，虢中（仲）令柞白（伯）曰："才（在）乃圣且（祖）周公繇又（有）共于周邦，用昏无殳，广伐南或（國）。今女（汝）叙（其）

率（率）䂷（蔡）医（侯）左至于昏邑。"既围馘（城），令䂷（蔡）医（侯）告遣（徵）虢中（仲），稽（遣）氏曰："既围昏。"虢中（仲）至。辛酉，専（搏）戎。柞白（伯）秅（执）嚷（讯）二夫，隻（获）或（馘）十人。諆（其）弗叔（敢）态（昧）朕（朕）皇且（祖），用乍（作）朕（朕）刺（烈）且（祖）幽弔（叔）宝障（尊）鼎，諆（其）用追言（享）孝，用旂（祈）䂸（眉）耆（寿）徻（萬）人（年），子子孙孙其永寳用。"铭文凡12行112字，记述西周晚期某年四月月末周人与昏戎发生的一次战役。战役起因是昏戎对西周的"南国"发动战争。虢仲是此次战役周人的主帅，他于战前以周公事迹勉励柞伯，并命其率领蔡侯为左军。到达昏邑，围城之后，柞伯命蔡侯向虢仲报告。虢仲抵达战场，于辛酉日与昏戎搏杀。柞伯在此次战役中大有斩获，故作此鼎以追享烈祖幽叔。

柞伯鼎器铭记述战役序次时使用"命一至一执讯获馘"的文辞程式，这种文辞程式在《逸周书·世俘》中反复出现，对重新理解有关内容的古今注解具有重要意义。铭文中

"柞"，即文献中的"胙"，是西周早期周公之子的封国，在河南省延津县北故胙城东。器铭中，虢仲称周公为柞伯"圣祖"，佐证了文献记载胙国为周公后代的真实性。

柞伯鼎藏于中国国家博物馆。

四十二年逨鼎 西周晚期文物。2003年，陕西省宝鸡市眉县杨家村西周单氏家族青铜器窖穴出土。当时出土2件四十二年逨鼎，大小略有差别，应是一对。此件为形体较大者。

四十二年逨鼎通高58厘米，口径48厘米。器敛口，厚宽沿外折，方形立耳微外撇，下腹部向外倾垂，阔圆底。三蹄形足，足内侧扁平。立耳外侧有两道凹弦纹，口沿下有一周窃曲纹，间有六个扉棱将纹饰带分为六组。腹部饰一周波带纹，足根部饰有一个扉棱和两侧兽面纹组成的纹样。腹底部三足间有一个三角形范线。四十二年逨鼎形制与纹饰和大小克鼎、禹鼎等相似，是为西周晚期器。腹内壁及底部铸有长篇铭文，计282字："隹（唯）卌（四十）又二年五月既生霸（魄）乙

卯，王才（在）周康穆宫，旦，王各（格）大（太）室，即立（位），韍（司）工楙（散）右（佑）吴逨入門，立串（中）廷，北卿（嚮），尹氏受（授）王釐书。王乎（呼）史淢冊釐逨，王若曰："逨，不（丕）顯文武，雁（膺）受大令（命），匍（敷）有三（四）方，䚢（則）緐隹（唯）乃先聖且（祖）考，夾䚫（召、詔）先王，霝（聞）堇（勤）大令（命），奠周邦。余弗叚（遐）䚽（忘）聖人孫子，余隹（唯）閉乃先且（祖）考，又（有）霝（勳）于周邦，緟余乍（作）女（汝）盥䚪，余肇建長父，厌（侯）于（與）采，余令（命）女（汝）奠長父休，女（汝）克奠于乎（厥）𠂤（師），女（汝）隹（唯）克井（型）乃先且（祖）考，戎厰（厰）鈙（狁）出戴于井（邢）阿，于曆𪤌（巖），女（汝）不䢔戎，女（汝）光長父㠯（以）追博戎，乃即宕伐于弓谷，女（汝）執噝（訊）隻（獲）馘（馘），孚（俘）器車馬。女（汝）敏（敏）于戎工，弗逆朕（朕）新令（命），釐女（汝）䚫（秬）鬯一卣（卣），田于鄭卅（三十）田，于隆廿（二十）田。逨搨（拜）頜（稽）首，受冊釐㠯（以）出。逨敢（敢）對天子不（丕）顯魯休𢿦（揚），用乍（作）鼎彝，用言（享）孝于荓（前）文人，其嚴（嚴）才（在）上，趪（翼）才（在）下，穆秉明德，豐豐𪔥𪔥，降余康虔屯（純）右（祐）通泉（祿）永令（命），𪚥（眉）斋（壽）黐（綽）縕（綰），畍臣天子，逨㚔（其）萬年無彊（疆），子子孫孫永寶用言（享）。"铭文记载，周宣王四十二年，王在周康穆宫册命虞逨，命其辅助杨侯讨伐猃狁。

由于立有战功并有斩获，遂受到周王赏赐祭酒和土地。

铭文中记录了讨伐玁狁之役相关几处地名，包括杨国、邢阿、历岩和弓谷。董珊认为，四个地点均应在山西。彭裕商根据文献及铭文中玁狁的活动范围认为，这些地点应在陕西。四十二年逨鼎对研究周宣王时期对玁狁战争意义重大。

四十二年逨鼎藏于宝鸡青铜器博物院。

虢季鼎甲 春秋初年文物。1990年2月，河南省三门峡市湖滨区上村岭虢国墓地2001号墓出土7件虢季鼎，形制、纹饰相同，大小依次递减，为配套使用的列鼎。

虢季鼎甲通高39.8厘米，口径44.2厘米。圆口，宽折沿外侈，附耳，半球形腹，腹较浅，肥大的蹄足内侧有一平面。口沿下饰一周窃曲纹，腹部饰三周垂鳞纹。两种纹饰之间以一道凹弦纹为界。耳的正背两面均饰以重环纹。内壁铸有铭文3行18字："虢季作宝鼎，季氏其万年子子孙孙永宝用享。"

学术界普遍认为，上村岭虢国墓地年代上限应在公元前770年平王东迁之后。关于2001号大墓的主人，也就是虢季鼎铭中的"虢季"，学术界尚有争议。有学者认为，虢季是西周晚期到春秋初的虢公鼓，即虢石父；另有学者则认为，虢季是虢石父的弟弟虢公翰（有学者指出虢石父与虢公翰为一人）；还有学者认为，是更早到周宣王时期的执政卿虢文公。总之，该鼎以及所属墓葬及墓地的发现，为研究西周晚期到东周初期虢国历史变迁提供了资料。

虢季鼎甲藏于三门峡市博物馆。

邓公孙无忌鼎 春秋早期文物。2001年4月，湖北省襄樊市襄阳区伙牌镇王坡春秋墓地1号墓出土。

邓公孙无忌鼎通高22.8厘米，口径26.3厘米。敞口，斜折沿较宽，浅腹圜底，一对附耳高过口沿，三蹄形足。双耳饰大小相间的重环纹，口沿下窃曲纹一周，下接垂鳞纹。邓公孙无忌鼎采用浑铸法铸成。器身为一块内范，三块壁范包耳、足，以三足分范，底为弧边三角形一范，浇、冒口位于底范缝的两足之间，一次浇铸而成，其中一足有补铸痕迹。器底有烟炱痕迹，应为实用器。腹内壁铸铭文44字："唯九月初吉丁亥邓公孙无忌选吉金，铸其□鼎，其用追孝朕皇高祖，余用征用行，永寿无疆，子子孙孙永宝用之。"

铭文中"邓公孙无忌"，应是王坡1号墓主人，是某邓公之后以"公孙"为氏的一支，"无忌"为其名。

邓公孙无忌鼎藏于湖北省博物馆。

郐伯祀匜鼎 春秋早期文物。李香严、倪雨田旧藏。

郐伯祀匜鼎直口，宽平沿，口沿一侧有槽形流，一对附耳高过口沿，与流形成直角对应关系。浅腹圜底，三蹄形足。颈部饰窃曲纹，腹饰垂鳞纹。这种带流的匜形鼎，春秋时期也自铭为"鉇"，学术界多称其为匜鼎。匜鼎多

出土于晋南地区,以山西最多,山东、湖北等也有出土。一般形体较小,其功能或为温酒器,或为盛装液体调味品。

郜伯匜鼎口沿铸有铭文20字:"郜伯祀作膳鼎,其万年眉寿无疆,子子孙永宝用享。"铭文中的"郜伯祀"为人名,其中"郜"为国族名,伯或春秋常见的爵称或为家族排行,祀为私名。1995年,山东大学考古系在长清仙人台发现6座西周晚期到春秋晚期的墓葬,发掘了其中5座。其中出土了郜召簋、郜公典盘等青铜器。研究者认为,山东长清仙人台墓地是郜国贵族墓地,且对于文献中郜国地望的记载有所纠正。

这件郜伯祀匜鼎是传世品,推测出自山东长清一带。其附耳、宽折沿、浅圆腹造型,以及窃曲纹和腹部垂鳞纹装饰,都有春秋早期风格。

郜伯祀匜鼎藏于故宫博物院。

楚王鼎 春秋中期文物。又名随仲嬭加鼎。楚王鼎曾经流失海外,2014年被中国国家博物馆征集入藏。湖北省博物馆也藏有一件楚王鼎,体量略大于中国国家博物馆所藏,铭文全同。

楚王鼎通高38.2厘米,口径31.8厘米。敛口鼓腹,有子口,有盖,盖面隆起,上有八辐轮形捉手,附耳较高,半球形腹,圜底下接三粗壮蹄足。盖上有两道绹索箍棱纹,两者之间饰蟠虺纹,腹部有一道绹索箍棱纹,上饰蟠虺纹,下饰三角云雷纹。捉手内饰蟠螭纹。盖、器内各铸有28字铭文:"唯王正月初吉丁亥,楚王媵随仲嬭加飤鐈,其眉寿无期,子孙永宝用之。"铭文记载,王正月初吉丁亥日,楚王将自己的女儿仲嬭加嫁于随国,并铸此鼎作嫁妆,以为纪念。"随仲嬭加"为器主之名,即楚王女儿的称谓,"随"为国族名,此处指夫家;"仲",排行第二;"嬭",姓,即典籍所记楚王"芈"姓的本字。

楚王鼎铭文中的"随"应是文献中的随国。楚王鼎铭文第一次发现随国之名,为曾、随关系研究提供了资料。

楚王鼎藏于中国国家博物馆。

王子午鼎 春秋晚期文物。1979年,河南省淅川县仓房镇下寺墓地2号墓出土。出土时一共有形制相同、大小规格不同的7件,属于列鼎,此件是其中最大的一件。

王子午鼎通高67厘米，口径66厘米，重110.4千克。直口微敞，束腰、平底、立耳外撇。盖素面，顶部有桥形纽。上腹部、立耳、足根部皆饰有细密的蟠螭纹。腹部外围有六条镂空的怪兽附加装饰。盖内有铭文4字："佣之遰龢。"腹内壁有铭文84字："隹（唯）正月初吉丁亥，王子午霥（择）其吉金，自乍（作）鸞遶（彝）遰鼎，用盲（享）吕（以）孝芌（于）我皇且（祖）文考，用譱（祈）賢（眉）耆（寿）卨（弘）龏（恭）戟（舒）犀（遟），敡（畏）剘（忌）趩趩，敬乓（厥）盟祀，永受其福。余不敡（畏）不差，惠芌（于）政德，思（恕）芌（于）威（威）義（仪），闌阑戰戰（戰戰）。命（令）尹子庚，殹（繁）民之所亟（亟），萬年無諆（期），子孙是制。"铭文内容主要是王子午叙说自己的德政，同时上祭祖先，下为子孙祈福。"王子午"是文献记载中楚庄王的儿子子庚。楚共王时子庚任司马，曾率军队大败吴军；楚康王二年（前558年）任令尹，楚康王八年（前552年）卒。

王子午鼎铸造使用了当时先进的铸焊技术，6条立体的龙形怪兽分为兽身、兽角、腰饰、尾饰四部分分别铸造，在相应的连接点预先铸出连接孔和榫头，然后注入焊料连接。怪兽、鼎足与器身的结合也是使用铸焊工艺。经分析，焊料合金的含锡量达98.23%，硬度很高，保证了各连接点结实牢固。器内铭文使用鸟篆体，王子午鼎这样长篇的鸟篆体铭文，在青铜器中罕见。

王子午鼎藏于中国国家博物馆。

附耳牛首蟠螭纹镬鼎 春秋晚期文物。1988年，山西省太原市赵卿墓出土。

附耳牛首蟠螭纹镬鼎通高93厘米，口径102厘米，两耳间距129厘米，重220千克。鼎口微敛，立耳，平折沿方唇，腹略鼓，圆底，蹄形足，腹部一侧中间有环纽。颈部共有24组纹饰，腹部有凸棱纹两周，棱纹上下均饰以蟠螭纹，下腹部和颈部纹饰相同，耳部亦饰蟠螭纹，足上端饰兽面纹。

附耳牛首蟠螭纹镬鼎采用分铸法铸制而成。鼎耳、足及腹部圆纽都是单独铸造，工艺有所不同。圆纽和鼎足采用先铸法，将圆纽和鼎足事先铸好，插入鼎身的陶范内和鼎身一次浇铸而成；鼎耳采用后铸法，鼎体和鼎耳分别铸造完成后，用铜液将鼎耳和鼎体铸接在一起，腹部和耳对应处有方孔，用以铸接耳、腹。鼎身纹饰采用比较先进的印模化纹技术。附耳牛首蟠螭纹镬鼎是已知所见春秋时期最大的铜鼎。

附耳牛首蟠螭纹镬鼎藏于山西博物院。

亡智鼎 战国中期文物。又名梁十九年鼎。孙鼎、景俊士捐赠。

亡智鼎通高18.3厘米，口径17.5厘米，重4.1千克，容积3075毫升。该鼎器体扁圆，有盖，敛口，附耳向外曲张，三蹄足较矮，浅腹圆底，盖隆起，上有三个凫形纽。中腹部有一道凸起的粗弦纹。内壁铸有铭文36字："梁

十九年亡智求载嵩夫庶魔择其吉金，铸载少半，穆穆鲁辟，徂省朔方，身于兹选，历年万不承。"铭文记载，梁十九年，器主亡智与嵩夫庶魔选择优良的铜料铸制此鼎，鼎的容量为1/3斗。魏王巡视北方之时，亡智随行参与了此事，故铸鼎以作为纪念。

亡智又称赵亡智，其所作之器另有赵亡智鼎，亦藏于上海博物馆。

亡智鼎藏于上海博物馆。

迺簋　商代晚期文物。又名听簋、京簋、享京簋。章乃器旧藏。

迺簋通高14.2厘米，口径25.5厘米，宽25.5厘米，重2千克。迺簋整体呈盆形，敞口，折沿，方唇，腹壁斜直内收，腹部两侧有半环形兽首耳，耳下有垂珥，腹下接圈足。颈部前后两面各饰一凸起的兽首，兽首两侧饰前后对称的夔纹及弦纹，圈足上饰兽面纹，中间有扉棱。器内底铸铭文3行19字："辛巳，王饮多亚听，享京，迺赐贝二朋，用作太子丁。◎◎。"

迺簋的形制、纹饰带有比较典型的晚商铜器风格。铭文字数不多，学界专家对内容解读存在较大分歧。一种主流意见认为铭文大意为：辛巳日这一天，商王宴请众官员，随后又在京地举行祭享，官员迺参与了以上活动，并被商王赏赐两串贝，因此铸制此铜簋以祭祀太子丁。韦心滢认为句意为：王在多个宗庙举行畬祭后，在大室中央的廷中举行享祭，京作为助手配合王完成了以上典礼，故该簋应该称为京簋。李晶认为文意为：商王在庭中对多亚举行饮宴之礼，享京襄助商王完成了这次宴请。

迺簋藏于故宫博物院。

枚父辛簋　商代晚期文物。颐和园旧藏。

枚父辛簋通高18厘米，腹径25.1厘米，重5.36千克。侈口，束颈，鼓腹，双兽耳，圈足，颈部前后各有一凸起浮雕状兽面。兽面两侧饰夔纹，腹饰兽面纹，足饰夔纹，双耳内饰蝉纹，器外底饰凸起蟠龙纹。内底铸有铭文3字"枚父辛"，第一个字或释为"初"。

枚父辛簋属于圈足簋，这种形制是铜簋最早使用的样式，出现于商代早期的二里岗文化时期，也几乎是所有商周时期铜簋的基本形制，对西周早期方座簋的出现起到直接或间接的影响。

枚父辛簋藏于故宫博物院。

天亡簋　西周武王时期文物。又名大丰簋、毛公聃季簋、朕簋。清道光末年，天亡簋出土于陕西省岐山县京当乡礼村，后为陈介祺所藏。1956年，故宫博物院从北京"振寰阁"购得此器。1959年，此器入藏于中国历史博物馆。

天亡簋通高24.2厘米，口径21厘米，方座边长18.5厘米。器圆体，侈口折沿，鼓腹，圆底，高圈足，下连铸方座兽首四耳，下附长方形垂珥。器腹部前后与方座四面均饰相对团龙纹，龙首为侧面形象，接于躯干中部，张口，上吻部上卷，躯干分成上下两条，并以上条尾端为中心圆卷一匝，具一足。器圈足饰夔龙纹。天亡簋器内底铸铭文凡8行78字："乙亥，王又（有）大豊（礼），王同三方，王祀珷（于）天室，降，天亡又（宥）王，衣（殷）祀珷（于）王不（丕）顯考变（文）王，事喜（糦）上帝，变（文）王德才（在）上，不（丕）顯王乍（作）眚（省、笙），不（丕）緐（肆）王乍（作）庸，不（丕）克乞（訖）衣（殷）王祀。丁丑，王卿（饗），大宜（宜），王降亡助（賀、嘉）爵、退（裼）饔，隹（唯）朕（朕）又（有）蔑，每（敏）啟王休于隣（尊）皀（簋）。"铭文记述乙亥日，周武王举行盛大典礼，登上天室（太室山）祭祀上帝、周文王，作器者天王辅佑周武王助祭。后日丁丑，周武王举行宜祭。天亡受到武王嘉奖，因此作器纪念。

《天亡簋》文辞古奥简括，与《何尊》《逸周书·度邑解》结合，呈现了西周开国祀天"大礼"，是已知最早的记载封禅的文献。《天亡簋》前半篇用韵错落间出，"丕显王作省，丕肆王作庸"一句，对文工整，用韵协调，为商代金文所不见，开后世韵文之先河。

天亡簋藏于中国国家博物馆。

禽簋 西周成王时期文物。钱坫、刘喜海、王兰谿旧藏。

禽簋通高13.6厘米，口径19.2厘米。器圆体，侈口折沿，鼓腹，圜底，高圈足，兽首耳，下附长方形垂珥。器颈部与圈足均以"两方连续"周饰4个单元抽象的图案化饕餮纹带；饕餮纹目呈扁圆状，环柱形角、口均抽象为云雷纹；整个纹带分为上下三列：中间与饕餮纹扁圆状目同列，系由云雷纹构成的躯干，其下列饕餮纹足后亦以云雷纹填充，而躯干上列，在饕餮纹角与上卷尾部之间，即饕餮纹中脊，竖排7柄列刀，最具特色；器颈部前后饕餮纹带中央处对饰圆雕牺首。禽簋的造型与装饰流行于商代晚期至西周早期。禽簋器内底铸铭文4行23字："王伐葢侯，周公谋，禽祝，禽有振祝，王锡金百锊，禽用作宝彝。"铭文记述周成王征伐奄侯，周公为此谋划，作器者禽为之致祝。周成王赏赐禽铜百锊，禽因此作器以纪。

禽簋铭文中"奄"，在山东省曲阜市。禽簋铭文所记是西周初年重大历史事件"周公东征"，对研究周初历史具有重要价值。

禽簋藏于中国国家博物馆。

宜侯夨簋 西周康王时期文物。1954年6月，江苏省丹徒县大港镇烟墩山出土。《文物参考资料》1955年第5期《江苏丹徒县烟墩山出土的古代青铜器》一文记载，丹徒县龙泉乡下聂村农民在烟墩山南麓斜坡翻山芋地时，无意间掘得宜侯夨簋等铜器12件。1959年，经江苏省博物馆调拨，入藏中国历史博物馆。

宜侯夨簋高15.7厘米，口径22.5厘米，腹深10.5厘米，足径18厘米。器圆体，折沿方唇，束颈，浅鼓腹，圆底，圈足较高且底部外侈呈阶，四兽首耳。器腹部饰两周凸弦纹，其间以"两方连续"饰浮雕式涡纹，间以夔龙纹，器圈足饰两周凸弦纹，对应四兽首耳处附四段扉棱，两周凸弦纹之间以"两方连续"饰对向鸟纹。宜侯夨簋的造型、装饰与故宫博物院所藏西周早期荣簋最为相似。宜侯夨簋器内底铸铭文凡12行126字："隹（唯）三（四）月，辰才（在）丁未，王眚（省）珷（武）王、成王伐商圖，征（誕）眚（省）東或（國）圖，王立（莅）于圖（宜），内（入）土（社），南卿（嚮），王

令（命）虞医（侯）夨曰：鄭（遷）医（侯）于圖（宜），易（錫）蘼（鬯）匕（鬯）一卣，商嚅（瓚）一□、彤（彤）弓一、彤（彤）矢百、旅弓十、旅矢千；易（錫）土：厥（厥）川三百□，厥（厥）□百又廿（二十），厥（厥）宅邑卅又五，厥（厥）□百又冊（四十），易（錫）才（在）圖（宜）王人十又七生（姓），易（錫）奠（奠、甸）七白（伯），厥（厥）盧□又五十夫，易圖（宜）庶人六百又□六夫，圖（宜）医（侯）夨剔（揚）王休，乍（作）虞公父丁隮（尊）彝。"铭文内容记述西周康王迁封虞侯夨为宜侯，并赏赐鬯、瓚、弓、箭、土地、王人、庶人等。

宜侯夨簋器铭确证西周初年周人控制范围已到长江以南。器铭中"宜"的地望，"宜""虞"与"吴"三者之间的关系，学术界尚无定论。宜侯夨簋铭文是研究西周分封制度的重要史料。

宜侯夨簋藏于中国国家博物馆。

团龙纹簋 西周早期文物。清宫旧藏。

团龙纹簋通高15.8厘米，宽27.3厘米，重2.24千克。敞口，圆腹，颈部略内收，下腹略外鼓，双兽首耳，耳下有方形珥，圈足下有折阶。器腹中间有延至圈足的扉棱。腹饰团龙纹，龙张口，双齿外露，鼻上卷，又称为蜗龙纹。龙纹两两相对。圈足饰弓身卷尾的独体蛇纹。通体纹饰以较细云雷纹铺地。

团龙纹是此簋最富特色元素之一，是西周初年新出现的纹饰类型，成为铜器断代的明显标尺。

团龙纹簋藏于故宫博物院。

利簋 西周早期文物。1976年11月，陕西省临潼县零口村一青铜器窖藏出土。

利簋通高28厘米，口径22厘米，腹深13.5厘米。器口平敞，深腹下垂。腹部有一对半环形器耳，耳上各有一大角兽首，耳下有一长方形珥。簋两侧装饰大耳、下有方座是西周早期常见的样式。利簋器身以"回"字形云雷纹为地，上饰浮雕兽面纹。兽面纹表面用阴刻技法装饰一层纹饰。器底圆形圈足上装饰夔龙纹。圈足下有一长方形底座，方座顶面四角各有一浮雕小牛首，两个长边平面各有一个兽面纹，装饰风格与器身纹样一致。利簋腹部内底铸有铭文4行32字，铭文如下："珷（武王）征商，隹（唯）甲巤（子）朝，戋（岁）鼎（贞），克鼎（昏），夙（夙）又（有）商。辛未，王才（在）斓（管）自（师），易（锡）又（右）事（史）利金，用乍（作）旜公宝𣪘（尊）彝。"内容记载了周武王征伐商都当天，即甲子日早晨，岁星的方位，以及当晚便占领了商朝都城的史实。铭文还显示，七天后的辛未日，武王在阑次赏赐右史利（也有释作有司利）

铜料，右史利利用赏赐铜料为先人旜公铸造了此簋。

利簋铭文明确记载武王伐纣日期和天象，与《逸周书》《国语》《左传》等文献相关记载高度相符，为研究西周纪年提供了非常有价值的材料。

利簋藏于中国国家博物馆。

柞伯簋 西周早期文物。1993年初，河南省平顶山市新华区滍阳镇义学岗应国墓地242号墓出土。

柞伯簋通高16.5厘米，支座高6.3厘米，口径17厘米，底径13.4厘米，连耳宽24厘米，重2.15千克。器侈口束颈，鼓腹圈足；器腹两侧置兽首衔环耳，下附钩状垂珥，器圈足下加铸喇叭形支座。器颈部以云雷纹为地，以前后中央处所置浮雕式牺首为中心，各对饰两组夔龙纹。器腹部以云雷纹为地，前后各饰一饕餮纹，两侧对饰夔龙纹。器圈足饰目雷纹。器内底铸铭文8行74字："唯八月辰在庚申，王大

射在周。王命南宫率王多士，師酓父率小臣。王徲赤金十鈑。王曰：'小子、小臣，敬友，有獲則取。'柞伯十稱，弓无廢矢。王則畀柞伯赤金十鈑，誕錫稅見。柞伯用作周公寶尊彝。"铭文记述八月庚申日，周王在宗周镐京主持"大射"之礼，命"小子""小臣"竞射，并以十块赤金饼作为对优胜者的奖赏。其间，柞伯十次称弓，均命中侯靶，得到周王赏赐十块赤金饼。柞伯因此为周公作器。

柞伯簋器铭对探索商周时期射礼具有重要价值。

柞伯簋存于河南省文物考古研究院。

双耳弢伯簋　西周早期文物。1981年9月，陕西宝鸡市西关纸坊头村一座窑洞因雨塌毁，发现一批铜器。宝鸡市博物馆对塌毁窑洞进行抢救清理，证实是一座较大的西周墓葬。清理发现弢伯簋2件、矢伯鬲2件及其他青铜礼器。2件弢伯簋均为方座簋，一件为四耳并带一圆捉手盖，另一件是双耳方座簋，因此命名为双耳弢伯簋。

双耳弢伯簋通高38.7厘米，口径26厘米。该器侈口，斜折沿，颈略内收，鼓腹较深，腹侧有两兽首耳。两兽耳作牛头，牛角翘立，两耳侧竖，吻部突出。牛头上有虎盘卧，衔牛首顶额，虎爪紧握牛耳。虎身为簋耳弯曲细长部分，后爪趴伏器壁，长尾下垂，尾梢上卷，与簋腹大兽面相呼应。耳下有方形珥，高圈足下有折阶，下接方座。腹部饰卷角兽面纹，兽面中间有扉棱，两侧有顾首龙纹，圈足前后均饰多齿龙纹，方座以四隅为中轴线，饰四组牛首形兽面纹，牛角翘出于器体外，兽面两侧均有高冠顾首龙纹。通体纹饰以云雷纹铺地。圈足内有悬环，环上系铜铃。内底铸有铭文6字："弢伯作宝尊簋"。

弢伯簋等青铜器的出土，为进一步揭示西周弢国文化面貌和推断弢伯家族世系，增添了实物资料。

双耳弢伯簋藏于宝鸡青铜器博物院。

詥簋　西周早期文物。又名鸿叔簋。1981年，陕西省长安县斗门镇花园村17号墓出土。共2件，形制、纹饰一致，铭文内容相同，个

别字体结构和笔画粗细略有差异。

䚄簋两器通高25.5厘米，口径21.6厘米。侈口束颈，腹部倾垂，鸟状耳，耳下有方形珥，圜底下接矮圈足，圈足下有方座。器颈部饰垂冠顾首小鸟纹，中间有兽首。腹部前后各饰一对垂冠顾首大鸟纹，云雷纹铺地。圈足饰斜角云目纹。方座四面各饰六个鸟纹，中间上下各两只相对的长尾鸟纹，两侧有小鸟纹，云雷纹铺地。内底铸铭文18字："唯九月，鸿叔从王员征楚荆，在成周，䚄作宝簋。"铭文记载了周王征楚荆之事。

䚄簋的年代，李学勤认为是康昭时期，铭文中的周王应为康王或昭王。铭文记载的征楚荆之事，与传世文献及其他铜器铭文记载昭王南征历史契合。

䚄簋分别藏于西安博物院和陕西历史博物馆。

觊公簋 西周早期文物。原为香港某收藏家所有。2014年，国家文物局将觊公簋划拨给中国国家博物馆收藏。

觊公簋器高12厘米，口径18厘米。敞口，

方沿平折。腹部较浅且外鼓。一对兽耳，耳下有圆角长方形珥。高圈足。口沿下纹饰带正背两面各有一个兽首，以此为中心向两侧展开，饰以涡纹和顾首龙纹相间的纹饰带。腹部饰一周竖条棱纹。圈足纹饰带正背面中间各有一条双立刀扉棱，两侧对称饰钩喙变形龙纹。腹部内底铸有铭文22字："觊公乍（作）夒（郭）姚簋，遘于王令（命）易（唐）白（伯）庆（侯）于晋（晋），佳（唯）王廿又八祀。⋈。"

朱凤瀚认为，觊公簋年代应在周成王二十八年，铭文意为，尧公正值晋侯燮父受封于唐地为自己的妻子作器。李学勤认为，"觊"字当读作"疏"，铭文末尾符号"⋈"是姞姓贵族族徽。觊公簋的出现，为晋国始封及徙封研究提供了资料，同时对西周早期历谱排定和确定成、康两代年数具有相当价值。

觊公簋藏于中国国家博物馆。

大师虘簋 西周中期文物。1940年2月，陕西扶风县任家村窖藏出土，共4件，后陆续流散于民间和国外。中华人民共和国成立后，故宫博物院征集到大师虘簋甲，上海博物馆征

集到大师虘簋乙。大师虘簋丙原属程潜旧藏，2005年被中国文物信息咨询中心利用国家重点珍贵文物征集专项经费购得，移交中国文字博物馆收藏。大师虘簋丁原应属金石学家柯莘农旧藏，后流散到美国，2008年被上海崇源公司购回国内，后归某收藏家所有。

大师虘簋甲通高20.7厘米，宽30.2厘米，口径21.7厘米，重6.12千克；大师虘簋乙通高18.7厘米，口径21.4厘米，腹深10.3厘米，重5.44千克；大师虘簋丙通高18.7厘米，口径21.5厘米，腹深9.7厘米；大师虘簋丁通高19厘米，口径24厘米，重5千克。4件大师虘簋大小略有差异，形制、纹饰、铸铭基本相同。侈口，束颈，鼓腹，腹部两侧有兽首耳，腹下接圈足。有盖，盖上有捉手。盖及腹部饰直棱纹，颈部及圈足各有弦纹一道。器盖同铭，各70字："正月既望甲午，王在周师量宫。旦，王格太室，即位。王呼师晨召太师虘入门，立中廷。王呼宰曶锡太师虘虎裘。虘拜稽首。敢对扬天子丕显休，用作宝簋。虘其万年永宝用。唯十又二年。"铭文大意为，周王十二年

正月甲午这一天，周王命令师晨引导大师虘进入师量宫，又命宰曶赏赐给大师虘虎裘，大师虘则向周王施跪拜稽首之礼，并颂扬天子，制作铜簋以为纪念。

铭文描绘了西周中期的册封仪式"师量宫"应该是王臣师量的家室，在金文中有很多官名属首次出现。陈佩芬认为，大师虘簋可能属夷王时器。吴镇烽认为，属懿王时期。

大师虘簋甲藏于故宫博物院，大师虘簋乙藏于上海博物馆，大师虘簋丙藏于中国文字博物馆，大师虘簋丁藏于民间。

追簋甲 西周中期文物。传世追簋共6件，均为颐和园旧藏。

追簋通高38.6厘米，宽44.5厘米，重18.9千克。器体较大，侈口，斜折沿方唇，束颈，隆盖，盖上有手。鼓腹，矮圈足下接方座，腹部两侧各有一顾首龙形耳。盖缘、颈部饰窃曲纹，腹部饰连体顾首龙纹，方座饰卷体龙纹。盖、器同铭，各60字："追虔夙夕恤厥尸事，天子多锡追休。追敢对天子觐扬，用作朕皇祖考尊簋。用享孝于前文人，用祈匄眉寿永

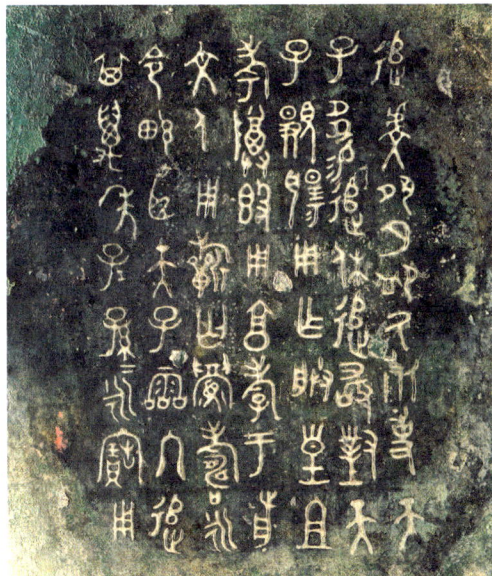

命，畯臣天子，令终。追其万年子子孙孙永宝用。""追"为人名。铭文大意为：追虔敬、日夜不停地恪守职事，周天子多次嘉奖鼓励他，为答谢和宣扬天子的奖掖，追铸制这件铜簋来祭祀祖先神灵，祭祀时，追祈求祖先让自己长寿、永命、善终，永远作天子之臣，追希望其后世子孙也都永远保用此簋。

此件追簋藏于故宫博物院，其余分别藏于故宫博物院、台北故宫博物院、美国旧金山亚洲艺术博物馆、日本东京书道博物馆，另有一件下落不明。

狱簋甲 西周中期文物。存世的狱簋已知有4件，1件收藏于台北乐从堂，2件流落民间。

狱簋甲通高24.5厘米，口径24厘米。器盖中心为一圆形捉手，盖缘饰一周对称的长冠顾首长尾凤鸟纹。器身敞口方唇，口沿下饰凤鸟纹与盖缘一致。器身凤鸟纹饰带以居中的兽首为对称轴，向两侧展开。腹部微鼓，有一对兽形耳。圈足上饰两道凸弦纹。足底起台。器盖铸铭文8行89字，器底铭文为8行88字，后者漏铸一个"香"字。铭文为："唯

十又一月既朢（望）丁亥，王各（格）于康大（太）室。狱曰：朕（朕）光（皇）尹周师右告狱于王，王或（又）赐（錫）狱仲（佩）、弋（緇）市（韍）殺（朱）亢。曰：用事。狱頯（拜）頶（稽）首，對乳（揚）王休。用乍（作）朕（朕）变（文）考甲公寶隣（尊）簋（簋），甴（其）日妼（夙）夕用粦（厥）橐（茜）香（香）蕈（敦）祀于粦（厥）百神，孫₌（孙孙）子₌（子子）甴（其）邁（万）年永寶，用丝（兹）王休，甴（其）日引勿叒（替）。"内容记录某年十一月丁亥日，周王在周康宫太室，狱（器主人）的上司周师引导狱来见周王。王赏赐狱大带、敝膝等命服。狱感激王恩赏，铸此器祭祀其"文考甲公"。

狱簋甲铭文为研究册命命服等级制度提供了新材料。

狱簋甲藏于中国国家博物馆。

晋侯訢簋 西周中期文物。晋侯訢簋存世共3件。20世纪90年代初，山西省曲沃县曲村镇北赵村西南晋侯墓地8号墓被盗，1件晋侯訢簋流散至香港，后被收购回归并藏于上海博物

馆。1992年，北京大学考古学系与山西省考古研究所联合对8号墓进行抢救性发掘时发现另2件晋侯斯簋。

3件晋侯斯簋形制、纹饰、铸铭均基本相同，其中2件大小完全相同，通高38.4厘米，口径24.8厘米，簋高16厘米，座宽24厘米。另1件晋侯斯簋体量略小，通高27.8厘米，口径24.5厘米，重13.2千克。有盖，盖如覆盘，上有圈状捉手。敞口，束颈，鼓腹，圜底，圈足。身两旁附兽首垂珥鋬，圈足下连方座。整器纹饰简练，除捉手内饰重环纹围绕团鸟纹外，余均饰瓦纹，间以云目纹。方座每面边沿（底边除外）饰散云纹带。盖、器对铭，共4行26字："唯九月初吉庚午，晋侯斯作圂簋，用享于文祖皇考，其万亿永宝用。"意即，某年九月庚午日，晋侯斯制作此簋，向其先祖和先父祭献，愿万亿年永远保用。

孙华认为，铭文"斯"应为晋献侯或晋穆侯。李朝远、张颔等认为，"斯"字与"仇"字属双声叠韵，晋侯斯应是晋文侯仇。陈秉新认为，"斯"字本义与农事有关，与晋釐侯之名司徒可相比附。裘锡圭认为，"斯"是"斯"的异体字，晋献侯名"稣"字"斯"，晋侯斯应是晋献侯。晋侯斯簋的出土对西周晋国历史以及青铜器分期断代等研究大有裨益。

2件大小相同晋侯斯簋分别藏于山西博物院和山西省考古研究所，另1件晋侯斯簋藏于上海博物馆。

公簋 西周中期文物。又名公作敔簋。1986年，河南省平顶山市新华区滍阳镇95号西周墓出土。共4件，形制、大小、纹饰、铭文均基本相同，属配套使用的一组列簋。

公簋通高26厘米，口径22厘米。直口，鼓腹，圈足，下有三个低矮的蹄形足。腹部有两牛首耳，耳下有尾钩状垂珥。器上配有子口盖，盖面向上隆起，顶有喇叭形捉手。簋腹及器盖表面皆饰一周宽大的波曲纹，蹄足上部饰三个突起的兽面。簋内底部正中与盖内铸有内容相同的铭文，共5行27字："唯八月初吉丁丑，公作敔尊簋，敔用锡眉寿永命，子子孙孙永宝用享。"铭文中的"公"当指应公，是西

周中晚期应国国君。敔为人名。铭文大意为：八月初吉丁丑日，应公为敔铸制这套铜簋，敔祈祷能够获得长寿永命，并希望后世子孙永远珍用此器。

公簋藏于河南博物院。

己侯簋 西周中期文物。传出土于山东寿光。原为陈介祺所藏，后归李鸿章侄孙李荫轩。1979年，李荫轩夫人邱辉将所藏青铜器悉数捐赠给上海博物馆，己侯簋是其中之一。

己侯簋通高19厘米，口径17.6厘米，底径17.8厘米，重4.15千克。敛口翻唇，束颈，肩部两侧有兽耳，耳内有圆环，鼓腹，下有圈足。有盖，盖上有圆形捉手。盖缘及器肩各饰顾首龙纹一周，中间有略突起矮扉棱，下腹饰瓦棱纹。器盖内均铸有内容相同铭文3行13字："己（纪）侯作姜荣簋，子子孙其永宝用。"铭文记载纪侯为姜荣作簋，希望后世子孙永远珍用。

王献唐等考证，"己"即"纪"的初文，在文献中，《左传》书作"纪"，《谷梁传》即书作"己"。纪国为姜姓，铭文中的姜荣是纪侯女儿，己侯簋应是纪侯媵女之器。西周时期的纪国在山东寿光一带，与己侯簋同时出土的还有纪侯钟。

己侯簋藏于上海博物馆。

谏簋甲 西周晚期文物。1979年，河南省禹县吴湾3号墓出土。共2件，形制稍有区别。

谏簋甲通高16.7厘米，口径23.8厘米，腹深10.4厘米。敞口，口沿外翻，方唇，腹壁斜收，圆底，下附喇叭状高圈足。颈部两侧有对称的小环纽，纽内穿有圆环，环的横剖面近四棱形。簋的上腹部与圈足表面均饰以云雷纹为地纹的窃曲纹一周。内壁铸有铭文2行8字："谏作宝簋，用日飤宾。"铭文意为，谏铸制此件宝簋，以用来经常款待宾客。

谏簋形制在簋类器物中属于豆形簋，即形制与青铜豆类器物相似。与谏簋形制最为接近的是陕西扶风县城关镇五郡村窖藏出土的西周中期"作父辛"簋，后者腹壁无耳。有学者认为，豆形簋与豆的区别主要在于前者腹部较深，纹饰更加多样化，后者腹部多呈浅盘状，纹饰则多为重环纹等。但是，有个别豆形簋

与豆几乎没有差别。豆形簋多出于晋陕高原地区，也有在中原腹地、华北平原出土，谏簋即如此。

谏簋甲存于河南省文物考古研究院。

癲簋 西周晚期文物。1976年，陕西省扶风县庄白1号窖藏出土。共8件，形制、纹饰、大小及铸铭相同，为配套使用的一组列簋。

癲簋通高35.6厘米，口径22.8厘米，腹深11.6厘米，座高11.2厘米，宽21.2厘米。直口方唇，圆腹外鼓，兽首耳，耳下有珥，圈足，方座，座四面各有六个小方孔。有盖，盖上有捉手。盖、腹、座均饰有直棱纹，盖沿及颈饰重环纹。器、盖内铸有内容相同的铭文6行44字："癲曰：颙皇祖考司威仪，用辟先王，不敢弗帅用夙夕，王对癲懋，锡佩，作祖考簋，其享礼大神，大神绥多福，癲万年宝。"铭文大意：癲表示，其皇祖考职司威仪之事，勤勉不息地日夜拥护先王，先王有感于此，特赐癲大带，（癲）制作这套铜簋来祭祀大神，希望大神降赐福祉，癲（及其后人）将永远珍用此器。

癲簋铭文对西周青铜器年代学、类型学研

究有重要的价值。李学勤认为，癲簋是西周中期青铜器断代研究重要标尺之一。

癲簋藏于周原博物馆。

六年琱生簋 西周晚期文物。张少铭旧藏，1959年捐赠给中国历史博物馆。

六年琱生簋通高22.2厘米，口径21.9厘米。侈口，浅腹，下腹内收，高圈足，下沿外侈。腹两侧有凤首形双耳，耳下原有垂珥，已残。腹及圈足的正背面各有一道扉棱。腹部及圈足饰变形兽面纹。腹内底部铸有铭文105字："唯六年四月甲子，王在旁，召伯虎告曰：余告庆。曰：公厥禀贝，用狱刺为伯，有祇有成，亦我考幽伯、幽姜令。余告庆，余以邑讯有司，余典勿敢封。今余既讯，有司曰：厉令。今余既一名典献，伯氏则报璧，琱生奉扬朕宗君其休，用作朕烈祖召公尝簋，其万年子子孙孙宝用，享于宗。"

六年琱生簋铭文内容涉及西周晚期法律诉讼，学术界对其主旨内容理解存在显著分歧。孙诒让、林沄、马承源、朱凤瀚等认为，六年琱生簋铭文涉土田狱讼等事，反映琱生一族与外族历时一年多的土田争讼。徐义华、王辉等认为，铭文内容与宗族分化的土地纠纷有关。杨树达认为，六年琱生簋铭文记述召伯虎为王司狱讼大有成功，周王赐贝又赐土田，召伯功成不居，后琱生作器"阐扬伯虎之让德"。郭沫若认为，六年琱生簋"乃召伯虎平定淮夷、归告成功而作"。王晖认为，六年琱生簋铭文中召伯虎是原告，被告人是名庆的"为伯"，琱生是以宰官的身份为这次诉讼提供法典并宣判的主判官吏。琱生因召伯虎仓廪缺贝案诉讼成功结案而作器祭祀烈祖召公。

六年琱生簋藏于中国国家博物馆。

鈇簋 西周晚期文物。1978年5月，陕西省扶风县法门公社齐村修陂塘时，发现鈇簋和其他西周时期文物，后送交扶风县图博馆收藏。

鈇簋通高59厘米，口径43厘米，腹深23厘米，重60千克。侈口，方唇，束颈，鼓腹圈足，下有方座。两兽耳较雄壮，兽角卷曲突起，长牙上卷，耳下有卷曲纹垂珥。颈、圈足部各饰窃曲纹一周，腹部及方座四面饰直棱纹。腹底有铭文12行124字："王曰：有余唯小子，余亡康昼夜，经拥先王，用配皇天，簧致朕心，坠于四方。肆余以馋士献民，再螯先王宗室，鈇作鼝彝宝簋，用康惠朕皇文烈祖考，其格前文人，其频在帝廷陟降，申固皇帝大鲁命，用令保我家、朕位、鈇身，陑陑降余多福，宪悫宇慕远猷，鈇其万年鼝，实朕多御，用祷寿，闪永命，畯在位，作宔在下，唯王十又二祀。"铭文记载鈇为祭祀先王而作的祝词。"鈇"即"胡"，应是周厉王的名字。

鈇簋是周厉王所作，时间为厉王十二年（前867年），是研究周厉王时期文物考古年代学的标准器。鈇簋是已知发现的西周时期体量最大的铜簋。

鈇簋藏于扶风县博物馆。

师衰簋 西周晚期文物。原为清晚期两广总督叶名琛之子叶志诜所藏。叶名琛在鸦片战争中被俘后，叶志诜仓皇归里，平生所藏161件青铜器散亡始尽，师衰簋后历三原许氏转入清末名臣潘祖荫手。1949年后，潘家后人将师衰簋连同大盂鼎、大克鼎等一批珍贵文物捐献给上海博物馆。

师衰簋通高27厘米，口径22.5厘米，底径24.3厘米，重9.18千克。敛口，鼓腹，圈足下接三兽首足，腹部两侧有龙首耳，下有垂珥。有盖，盖上有捉手。盖缘及器口沿饰兽目交连纹，圈足饰鳞纹，腹饰瓦棱纹。器内底铸铭文10行117字（盖内铸铭113字，相比器内铭文缺"齐""厥""我""折"4字）："王若曰：师衰，拔淮夷，旧我帛晦臣，今敢薄厥众暇，返厥工吏，弗迹我东国，今余肇令清退率齐师、曩、莱、僰、尸、左右虎臣，征淮夷，即贤厥邦酋，曰冄、曰笰、曰铃、曰达，师衰虔不惰，凤夜恤厥将事，休既有功，折首执

讯，无谋徒驭，殴俘士女、羊牛，俘吉金，今余弗暇祖，余用作朕后男鼄尊簋，其万年子子孙孙永宝用享。"铭文记录师衰被周王授命讨伐淮夷并取得战功的事迹。铭文大意为，王对师衰说：淮夷从来是向我缴纳贡赋的臣属，现在竟敢迫使他们的邦众停止劳动，背叛王官。淮夷的叛变使我东国出现了不循王道的事。如今，我命令你率领齐、曩、莱、欒、尿等邦国之师以及左右虎臣，征伐淮夷，立即出军消灭淮夷反叛首领。师衰谨遵王命，日夜不忘灭敌重任，取得了卓著的战功。师衰铸制祭祀铜器，以纪此荣耀，并希望后世子孙永远珍用此器。

师衰簋腹部饰瓦纹、圈足饰垂鳞纹、双兽首耳、兽首的翼状角高起，具有西周厉王、宣王时期特点。

师衰簋藏于上海博物馆。

五年师旋簋 西周晚期文物。1961年，陕西省西安市长安县马王镇张家坡村青铜窖藏出土。

五年师旋簋通高23厘米，口径18.7厘米。敛口，腹壁斜直，下腹内收，圈足下接三兽形足。腹部两侧各有一兽首耳，内有圆环。有盖，盖上有捉手。盖面外缘及器颈部各饰长尾

鸟纹一周，盖面内缘及盖沿下侧、下腹部各饰直棱纹一周。器、盖内分别铸有内容相同的铭文59字："唯王五年九月既生霸壬午，王曰：师旋命汝羞追于齐，齎汝十五锡簋、盾生皇画内、戈琱戚、厚柲、彤绥。敬毋败绩。旋敢扬王休，用作宝簋，子子孙孙永宝用。"铭文记载，五年九月既生霸壬午日，周王命令师旋到齐地去追击敌军，赐其物品并勉励他不要打败仗，师旋感谢周王的委任和赏赐，并铸制此簋以为纪念。

铭文中敌军的确切所指，学术界存在不同意见。许多学者认为，铭文记载与《竹书纪年》中"（周夷王）三年，王致诸侯，烹齐哀公于鼎"相关，讨伐对象齐国。因此李凯认为，师旋讨伐的是齐国境内的淮夷军队。周王派遣师旋追击齐地的淮夷，是为了缓解紧张局势，努力恢复周王室与齐国的友好关系。

五年师旋簋藏于陕西历史博物馆。

秦公簋 春秋中晚期文物。1919年初秋，甘肃省天水县西南乡（甘肃省天水市秦州区秦岭乡）庙山出土，后被礼县"聚源当"杨掌柜取回，卖给兰州南关什子一饭店老板。甘肃督军张广建闻讯，从饭店老板手中夺得。张广建卸任后，将秦公簋携至天津。1935年，冯恕从

张广建后人处购得秦公簋，并捐予故宫博物院。1959年，秦公簋被调拨入藏中国历史博物馆，作为"中国通史陈列"的重要展品。

秦公簋通高19.8厘米，口径18.5厘米，足径19.5厘米。整器由器盖与器身两部分组成，子母口，器盖隆起，上有圈状捉手，器身浅圆腹，圈足外侈；器颈、腹部两侧置兽首衔环耳。器盖周缘、颈部饰细密勾连蟠螭纹，器盖中部与腹部饰瓦纹，器圈足饰波曲纹。秦公簋铭文15行105字，器内底铸铭文："鱻（秦）公曰：不（丕）顯朕（朕）皇且（祖），受天命，鼏（奄）宅禹責（蹟），十又二公，才（在）帝之坏（坏），嚴（嚴）龏（恭）夤天命，保奠（乂）氒（厥）鱻（秦），虩（赫）事繺（蠻）夏，余雖小子，穆穆帥秉明德，剌剌（烈烈）趄趄（桓桓），邁（萬）民是敕（敕）"盖铭："咸畜胤土，趩趩（藹藹）文武，鎭（鎮）靜（靖）不廷，虔敬朕（朕）祀，乍（作）噂宗彝，㠯（以）卲（昭）皇且（祖），㲋（其）嚴（嚴）邁（遄）各，㠯（以）受屯（純）魯多釐，黌（眉）耆（壽）無疆，畯臺才（在）天，高引又（有）慶，竈（造）囿（有）三（四）方。宜。"作器者是春秋时期某位秦公，器

铭中追述秦先祖受命，颂扬众位秦公功绩，并自勉修德、治民、协和内外，以求永福。器盖上与器底侧均留有秦汉时期刻铭1行9字："西，一斗七升大半升，盖。""西元器。一斗七升小膍。簋。"

秦公簋器铭书风与石鼓文相似，格调、词句与晋公盨类同。器铭中"不（丕）顯朕皇祖，受天命，鼏宅禹責（蹟），十又二公，在帝之坏"句是学术界探索的焦点，涉及确定秦公簋作器者及作器年代。学术界对秦公簋作器者主要有秦成公、秦穆公、秦共公、秦桓公、秦景公、秦哀公六说，多数学者认为秦公簋年代约在春秋中期后段或晚期早段。秦公簋秦汉时期刻铭记录当时所置地点与其容量，铭中"西"是陇西县名，是研究秦汉时期西县官物重要物证。

秦公簋藏于中国国家博物馆。

鄬子佣簋 春秋晚期文物。1978年，河南省淅川县下寺2号楚墓出土。

鄬子佣簋通高30.5厘米，口径27厘米，腹径32厘米，重16千克。有盖，敛口，鼓腹，平底，下有圈足。盖顶正中有平环捉手，捉手上有方孔四个，四周饰蟠虺纹带。盖面四周有夔龙状扉棱四个，饰以瓦纹、蟠虺纹及乳钉

纹等。簋腹两侧有怪兽状大耳一对，耳身中空，内残留有泥芯。器身与器盖扉棱对应位置上又攀附夔龙状扉棱四个，在扉棱两侧饰以龙纹、蟠螭纹及重环纹带。圈足外侈，并带三小足。足上部铸出三个浮雕兽面，兽面高鼻，圆眼，两角外撇，口唇卷起。盖内铸铭3行9字（第3、6、9字残缺）："楚叔［之］孙鄬［子］佣之□。"

鄬子佣簋与淅川下寺楚墓出土的其他青铜器的发现，对研究楚国历史文化发展、楚国与周围各诸侯国关系、春秋时期鼎礼制度以及古文字书法等有重要的价值。

鄬子佣簋存于河南省文物考古研究院。

耳鬲 商代中期文物。传世品。

耳鬲高21.4厘米，口径15.5厘米。侈口，束颈，口沿上有双立耳，高裆袋足，下为中空尖足。颈部饰三道弦纹，腹部饰双线"V"字形纹。口沿内铸铭一"耳"字。耳足呈四点配列式，带有二里岗上层偏晚阶段的特征。

"耳"系作器者的族名，这是已知所见青铜器铭文时代最早的例证之一。

耳鬲藏于中国国家博物馆。

曾侯鬲 西周早期文物。2013年，湖北省随州市叶家山28号墓出土。

曾侯鬲通高15.7厘米，口径12厘米，重0.78千克。器口呈桃圆形，侈口，方唇，两方形耳立于沿面，束颈，溜肩，鼓腹，"人"字形分裆，三圆形柱足较短，上端粗而下端略细，足底齐平。颈部以两周凸弦纹为栏，内饰圆形目纹。圆形目纹共有三组，每组两个，等距离分布。腹部饰简化象首纹。内壁近口沿处铸有铭文2行5字："曾侯作宝尊。"

曾侯鬲形体较小，制作规整。器耳部有微突起的范缝痕，器壁、腹裆范缝均经过打磨，细微处可见缝痕，如三足内侧竖向范缝清晰可见，各有两条，三足底有长方形浇口痕迹。湖北随州叶家山西周早期墓地的发现，尤其是墓葬中出土大量带有"曾侯"字样的有铭青铜

器，为研究曾国历史提供了资料。曾侯阽所出的28号墓是叶家山北区墓地中唯一带有墓道的大墓，墓中出土的"曾侯谏"铭文青铜器数量最多（其他出有曾侯谏青铜器的墓葬还有65号大墓，但只出3件），因此学者多认为28号墓的墓主人是曾侯谏。

曾侯阽藏于随州市博物馆。

伯矩鬲 西周早期文物。1975年，北京市房山县琉璃河251号墓出土。

伯矩鬲通高30.4厘米，口径22.8厘米。盖顶有一牛首形纽，盖面饰有角端上翘的牛首纹。器身直口折沿，一对立耳。袋足分档。颈部饰夔龙纹，袋足饰牛角兽面纹，牛角尖端上翘，使得兽面纹从浮雕过渡到圆雕。盖内和器内铭文相同，各有15字："才（在）戊辰，匽（燕）医（侯）易（錫）白（伯）矩贝，用乍（作）父戊隣（尊）彝。"铭文记载燕侯赏赐伯矩贝。

伯矩鬲造型、纹饰具有西周早期偏早阶段的特征。

伯矩鬲藏于首都博物馆。

毚鬲 西周早期文物。1982年，山东省滕县姜屯镇庄里西村西周墓出土。

毚鬲通高17厘米，口径13.5厘米。侈口圆唇，索状耳立于口沿上，束颈，鼓腹，瘦档款足。颈部饰斜角雷纹，间饰贝纹。口沿内壁铸铭文4行11字："毚作宝尊鼎，其万年用卿（飨）各。"

同一人所作的青铜器还有毚鼎、毚卣、毚尊、毚甗、毚觥等。其中毚鼎铭文记载，周王命遣征伐"东反夷"，毚从征并有所俘获。学者认为毚鼎铭文与西周早期周公东征有关。毚鬲出土于山东滕州，时代与之相近，当与周初伐东方之战有关。

毚鬲藏于滕州市博物馆。

濒事鬲 西周早期文物。濒事鬲原为姚观光旧藏，1971年在上海冶炼石废铜中被拣选出，后入藏上海博物馆。

濒事鬲高19厘米，口径14.1厘米，重1.75千克。侈口，立耳，短颈，鼓腹分档，下接三柱足。颈部饰纤细的兽面纹，体躯较长，除双目外均以雷纹组成，细致精丽。腹部饰粗犷的牛角兽面纹，鼻翼宽大，兽面无躯体，两侧配以单线倒置龙纹。口沿内侧铸有铭文3行12字："夃（姌）休锡厥濒事贝，用作隣宝彝。""姌"字从女从司，旧多作妣，濒事鬲

铭中"姛"从文义来看应是贵族女性的身份。学术界推测濒事应是女性。

濒事鬲藏于上海博物馆。

师趛鬲 西周中期文物。师趛鬲先后藏于嘉兴郭氏、秀水姚氏、嘉兴方氏、武进费氏。

师趛鬲通高50.8厘米，宽54.6厘米，重48.8千克。器作折沿，方唇较厚，束颈，附耳上翘，超出口沿，袋足饱满。颈部饰躯体较长的交龙纹，一身双首，云雷纹铺地；耳上饰有重环纹；袋足饰6只顾首夔龙纹，云雷纹铺地。足上有弦纹三道。器腹内壁铸有铭文5行29字："唯九月初吉庚寅，师趛作文考圣公、

文母圣姬尊鬺，其万年子孙永宝用。支。"铭文记录九月初吉庚寅这一天，师趛为死去的父亲圣公和母亲圣姬铸作了师趛鬲，希望后世子孙永远珍用。

师趛鬲是所知体量最大、装饰最华丽的商周铜鬲。

师趛鬲藏于故宫博物院。

琱生鬲 西周晚期文物。1949年，陕西省扶风县、永寿县交界，即北岐山附近出土。1964年，陕西省乾县李培乾将琱生鬲及同出的伯宾父簋等一批青铜器捐献给当地文物部门，1965年这批文物入藏陕西省博物馆。

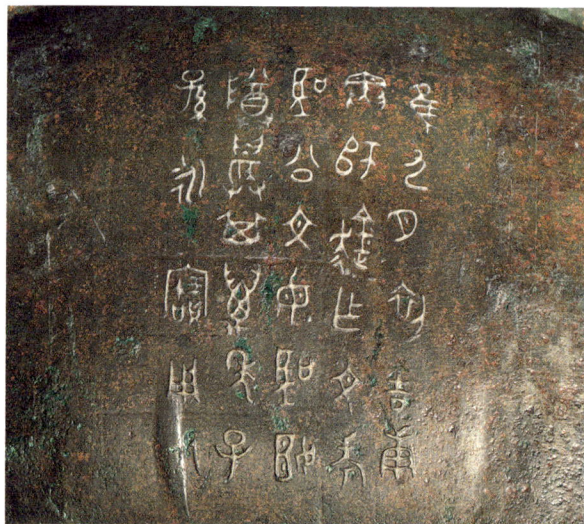

琱生鬲通高26厘米，口径25厘米。侈口，双立耳（一耳已残缺），束颈，鼓腹，三蹄形矮足。口沿下有夔纹一道，腹部也饰夔纹，云雷纹为地。腹部有三道扉棱。琱生鬲形制与尹姞鬲、公姞鬲相近，仅腹部纹饰略有差异。外腹底留有被火烧过的痕迹。口沿内侧有铭文5行22字："琱生作文考宄仲尊鬹，琱生其万年，子子孙孙永宝用享。"

作器者琱生，为召公之后，与召伯虎是同宗，曾任宰职，见于五年琱生簋与六年琱生簋。琱生鬲是琱生为父宄仲所作，时代大致为西周宣王时期。

琱生鬲藏于陕西历史博物馆。

伯先父鬲 西周晚期文物。1976年，陕西省扶风县庄白一号窖藏出土，共10件，大小、形制、纹饰、铭文基本相同。

伯先父鬲通高12.7厘米，口径16.8厘米。器腹微鼓，束颈，宽平沿，实足，档近平，三足上部各有扉棱一道。腹上部饰重环纹一周，下部为直棱纹。口沿内铸有铭文1行14字："伯先父作妖尊鬲，其子子孙孙永宝用。"

伯先父应为微氏家族一员，是庄白一号窖藏铜器群微氏世系中最晚一代。

伯先父鬲藏于宝鸡市周原博物馆。

单叔鬲甲 西周晚期文物。2003年1月19日下午，陕西省眉县杨家村村民挖土时发现一西周铜器窖藏，后及时报告文物部门。市、县文物考古工作者进行了抢救性发掘，出土单叔鬲甲等9件。

单叔鬲甲通高14.8厘米，口径20厘米。器形矮小，弧档近平，三蹄状足上部中空。上腹部饰一周窃曲纹，下腹部饰夔龙纹，有三个高凸扉棱将纹饰分成三组。口沿内侧有铭文1行17字："单叔作孟祁尊器，其万年子子孙孙永宝用。"

发掘者认为，铭文中"单叔"与同一窖藏铜器铭文中"叔五父""速"应是同一人，孟祁应是单叔之妻。单叔鬲甲是西周宣王时期标准断代器物。

单叔鬲甲藏于宝鸡青铜器博物院。

齐趫父鬲 春秋早期文物。1977年秋和1981年春，山东临朐县嵩山公社泉头村社员在村东取土时先后发现两座西周晚期至春秋早期的墓葬，共发现齐趫父鬲7件，其中甲墓5件，乙墓2件，大小、形制、纹饰、铭文均相同。

齐趫父鬲通高11厘米，口径17.5厘米，

重1.4千克。宽平沿微向外折，束颈，平裆，足半实，其下端作阔蹄形，腹部与足对应处各饰一扉棱，腹部饰象首纹。口沿上铸有铭文16字："齐趮父作孟姬宝鬲，子子孙孙永宝用享。"铭文大意为，齐趮父为孟姬作宝鬲，希望后世子孙永远珍用。孟姬应为齐趮父之妻。

关于齐趮父及临朐墓葬的族属，学术界观点众多。曹定云、王恩田认为，齐趮父即甲墓出土的齐侯子行匜中的子行。发掘者和王恩田均认为，临朐墓是齐趮父的夫妻两人墓葬。李学勤根据乙墓出土的上曾太子鼎认为，该墓是上曾太子墓。毕经纬认为，临朐两座墓葬头向朝南，而齐国故城附近墓葬头向多为北或东，极少南向，且出土青铜器组合也与典型齐国墓葬不同，加上墓葬下葬年代为春秋早期，其地则属于齐国灭纪国之前的纪，因而判断临朐墓可能是纪国墓葬。

齐趮父鬲中5件藏于临朐县博物馆，2件藏于中国国家博物馆。

邾友父鬲甲　春秋早期文物。2003年，山东省枣庄市山亭区东江村墓地1号墓出土，共4件。2007年，山西省公安机关破获一起文物走私案件，涉案文物包括邾友父鬲。故宫博物院藏有1件传世邾友父鬲，铭文与邾友父鬲甲相同。

邾友父鬲甲高11.2厘米，口径16厘米。鬲直口，平折沿，短束颈，鼓腹。连裆，三蹄足。与足外侧相连的腹部起扉棱，以扉棱为中轴，腹部饰对称的卷体夔龙纹。口沿面上铸有铭文16字："鼄（邾）客（友）父朕（媵）其（其）子胹（胙）㛸（曹）寶鬲，其（其）貴（眉）寿（寿）永寶用。"

邾友父鬲甲形制纹饰与陕西眉县杨家村青铜窖藏出土的单叔鬲相近，但蹄足更加外撇，应为春秋早期。邾友父鬲甲器主应是邾国第一代君主友。邾友父鬲及东江村小邾国墓地的发现，为小邾国地望、周边诸侯国定位等历史问题提供了有价值的材料，并对两周之际青铜器断代有重要意义。

邾友父鬲甲藏于枣庄市博物馆。

妇好三联甗　商代晚期文物。1976年，河南省安阳市殷墟妇好墓出土。

妇好三联甗高68厘米，长103.7厘米，宽27厘米，重138.2千克，分为上下两部分，由

并列的三个大圆甗和一长方形承甗器组成。甗为圆形，敞口方唇，敛腹，腹两侧有兽首半圆形耳。腹底内凹，有三扇形孔。口沿下以云雷纹为地纹，饰由二夔纹相对组成的纹带，以扉棱相间隔，夔身上下饰涡纹。承甗器上有三个高起的喇叭形圈口，腹内中空，平底，下有六条扁矮足。圈口外壁饰三角纹和云纹带。器面绕圈口饰蟠龙纹三组，四角分饰牛头纹。四壁以云雷纹为地纹，饰夔纹间以圆形涡纹。下饰

三角纹，内填饰变形饕餮纹。此器为连体器，形制特殊，为已知商代青铜器中的孤例。

承甗器中央圈口内壁、甗口下内壁及两耳下外壁均铸有铭文"妇好"两字。妇好是商王武丁的配偶，殷墟甲骨卜辞中有大量关于妇好主持商王室祭祀、协助武丁处理王事、参与征伐战争等活动的记载。

妇好三联甗藏于中国国家博物馆。

作册般甗　商代末年文物。陈承裘旧藏。

作册般甗通高44.3厘米口径27.2厘米。器圆体，甗鬲连铸，立耳作绞索状，侈口折沿，上甗体较深，腹壁斜直，下弧形内收，束腰，下鬲体较浅，分档，三袋足，足下呈柱状。器内腰间设箅，上有七个"十"字形镂孔，并以活环与甗内壁连接。甗体口沿下以云雷纹为地，并以"两方连续"饰三个单元饕餮纹，下饰九个三角纹，鬲

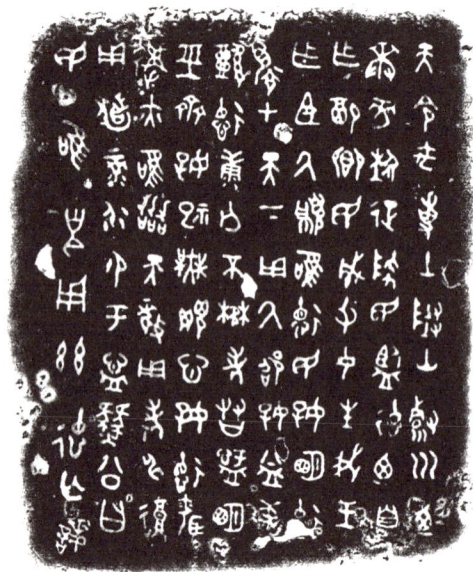

体三袋足各饰一浮雕式牛角饕餮纹。作册般甗的造型、装饰具有商末周初的典型特征。器内壁铸铭文3行20字："王圍（宜）人（夷）方无敄，咸，王商（赏）乍（作）册般贝，用乍（作）父己隮（尊），来册。"铭文记述商代末年商征伐人（夷）方，商王赏赐作器者作册般贝，作册般因此为父己作器。

作册般在商代晚期甲骨文中也曾出现。中国国家博物馆所藏的"般无咎"全甲刻辞中，商王为般占卜吉凶。商代晚期青铜器作册般鼋铭文记录，作册般从商王射猎，受到商王赏赐大鼋一只。作册般甗记录，般从商王征伐东夷。说明作册般在商代末年是重要人物。

作册般甗藏于中国国家博物馆。

豳公盨 西周中期文物。传世品。

豳公盨通高11.8厘米，口长24.8厘米。椭方形，直口，圈足，腹微鼓，兽首双耳，耳圈内似原衔有圆环，今已失，圈足正中有

尖扩弧形缺。器口沿下饰分尾鸟纹，腹部饰瓦纹。内底铸铭10行98字："天令（命）禹尃（敷）土，隓（堕）山叡（濬）川，迺甤（差）象（地）圯（设）征，降民监德；迺自乍（作）配卿（飨）民，成父女（母），生我王、乍（作）臣。乎（厥）顕（沬）唯德，民好明德，襄（任）才（在）天下。用乎（厥）邵（绍）好，益美歎（懿）德，康亡不楙（懋）。考（孝）音（友）诰（訏）明，巠（经）齐好祀，无覭（欺）心。好德媤（婚）遘（媾），亦唯讘（协），天釐（釐）用考，申（神）遑（复）用猎（被）彔（禄），永卸（御）于宁（宁）。燹（豳）公曰：民唯克用丝（兹）德，亡（无）誨（悔）。"铭文开篇言禹受天命浚川治水、任土作贡的功绩。接

着赞颂先王明德治天下的伟业，阐述了西周时期的德政思想。铭文内容可与《诗·商颂·长发》《书·禹贡》《书·洪范》等传世文献相互印证，反映出西周时期禹之事迹业已流行。

豳公盨藏于保利艺术博物馆。

屈子赤角簠 春秋中期文物。1976年1月，湖北省随县（湖北省随州市）涢阳公社涢阳大队出土。

屈子赤角簠通高20.3厘米，口长27.7厘米，口宽20.9厘米。器身与器盖同形，唯盖缘每边有兽首形扣。器呈长方形，直口，斜腹，平底，四只蹼形足。通体饰蟠螭纹。器、盖内壁同铭，各铸31字："隹（唯）正月初吉丁亥，楚屈子赤角媵（媵）中（仲）嬭（芈）璜飤臣（簠），其覭（眉）耆（寿）無彊（疆），子=（子子）孙=（孙孙），永保用之。"

屈子赤角簠应为屈子赤角为次女仲芈所作的媵嫁之器。关于赵逵夫将器主名字读为"屈子赤角"，施谢捷释为"屈子赤目"。刘彬徽认为，屈子赤角簠器盖口边各有两衔卡（扣），腹部饰蟠绕龙纹，与淅川下寺36号墓所出簠相同，时代大约在春秋中期。

屈子赤角簠藏于湖北省博物馆。

错金银樽 战国中期文物。1987年，湖北省荆州市包山2号墓出土。

错金银樽口径24.8厘米，通高17.5厘米。弧盖平顶，中部有相背对称兽面套环桥纽，边缘饰四个昂首凤鸟环纽。子口，斜直壁，平底，三兽蹄足。腹壁有对称衔环铺首，纽、足及铺首均留长方形榫头，与器身铸接。通体饰错金银图案，盖面中部饰四分龙纹，每组二龙相蟠；外部饰四组龙纹，每组三龙相嬉；盖周边饰二方连续勾连云纹。身饰六组相背对称龙纹图案，每组四龙相斗；下部饰一周二方连续勾连云纹。器内髹红漆。

战国时期楚国这类尊是盛食器，多用漆器为之。

错金银樽藏于湖北省博物馆。

康生豆 西周早期文物。从山西太原铜厂拣选。

康生豆通高15.1厘米，口径15.5厘米，腹深6.2厘米。直口方唇，高圈足，下部作喇叭状，盘下有系铃的纽（铃已失），腹足一侧有弧形兽首鋬。盘壁饰圆涡纹与卷体夔纹相间排列，圈足跟饰相顾式双头龙纹，下部饰蕉叶状

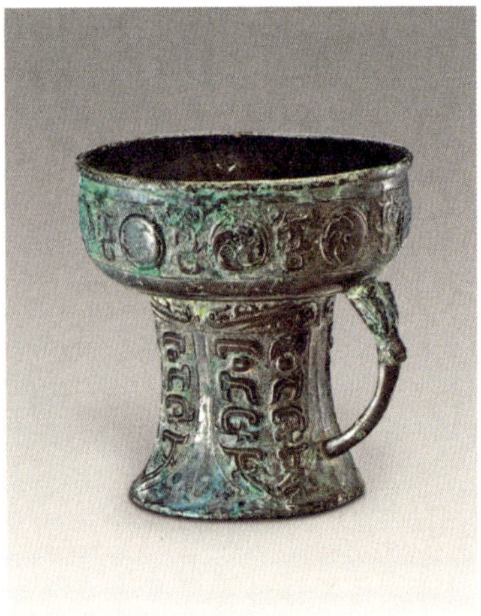

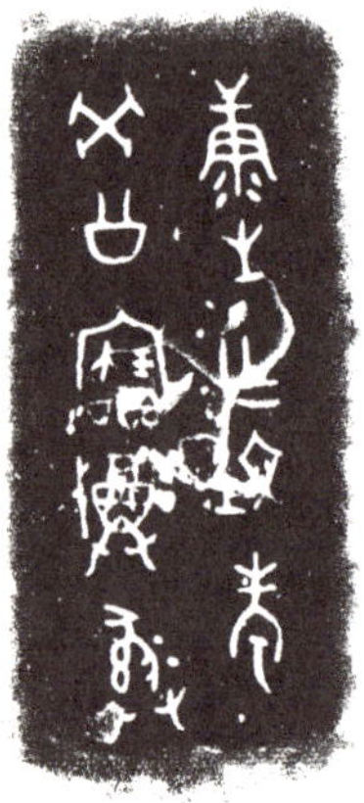

兽面纹。内底铸铭2行10字："康生乍（作）玟（文）考癸公宝隮（尊）彝。"按照张亚初对金文"某生"的解释，作器者康生的母家为康氏。

康生豆在腹足一侧设一鋬，外底悬铃，这些特征应该吸收了北方地区的文化因素。

康生豆藏于山西博物院。

微伯瘐铺　西周中期文物。1976年12月，陕西扶风县法门镇庄白1号西周铜器窖藏出土。

微伯瘐铺直口，窄折沿，腹部呈浅盘状，底微凹，粗柄束腰，接地处外撇。腹壁饰一周重环纹，柄铸成镂空波带纹。内底铸铭2行10字："散（微）白（伯）瘐乍（作）箭（铺），其万年永宝。"扶风庄白1号窖藏属于西周微氏家族，瘐为史墙之子，微氏家族的

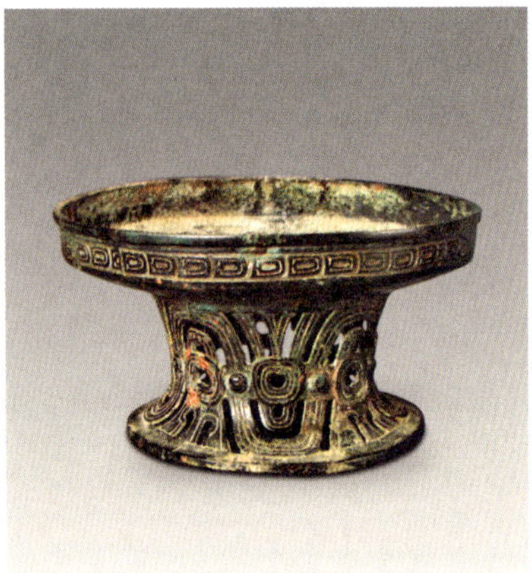

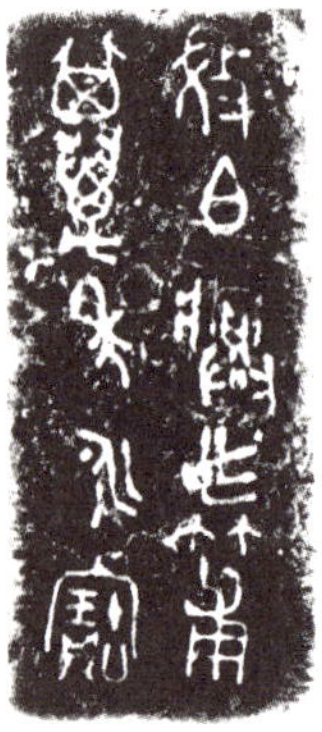

宗子，任仕的年代在孝、夷二世。

青铜铺流行时间不长，仅集中于西周中晚期至春秋早期。

微伯瘐铺藏于周原博物馆。

十四年陈侯午敦　战国中期文物。吴式芬、周季木旧藏，1959年孙鼎捐赠给中国历史博物馆。

十四年陈侯午敦通高20.5厘米，口径17.8厘米。体呈球形，盖与器各占一半，盖上有三个环纽，器底有三个环纽作足，口沿下有一对环耳。通体光素无纹。内底铸铭8行36字："隹（唯）十又三（四）年，墜（陳）灰（侯）午台（以）羣者（諸）灰（侯）貮（獻）金，乍（作）皇妣（妣）孝大妃祭器鋘

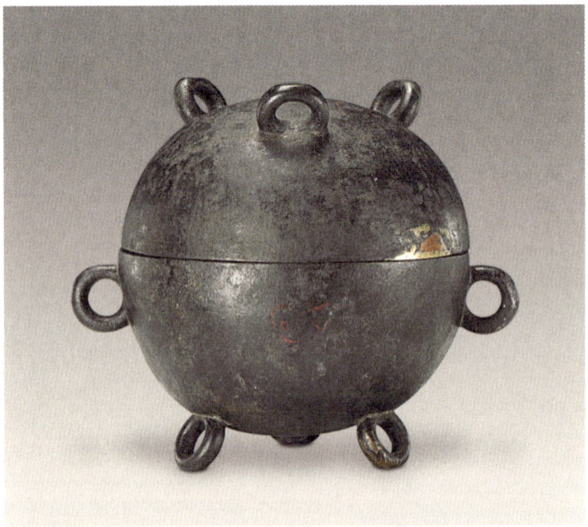

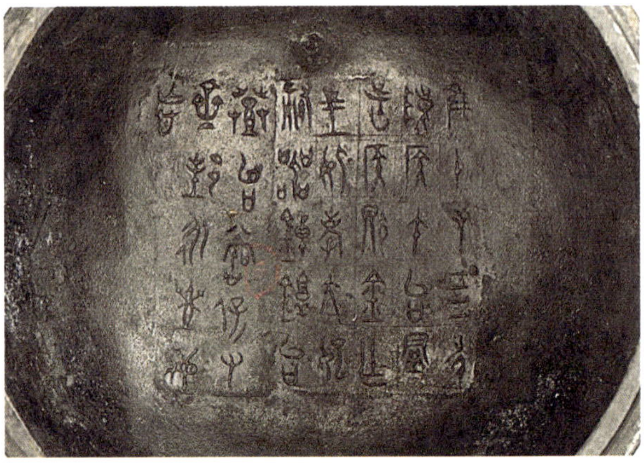

鐇（敦），台（以）鞳（烝）台（以）嘗，保又（有）齊邦，永璺（世）母（毋）忘。"铭载陈侯午用各诸侯所赠之铜材为祭享先母作此铜敦。作器者陈侯午即田齐桓公午，太公田和之子。台北故宫博物院藏有一件同铭器，另陈侯午所作器还有十年陈侯午敦、陈侯午簋等。

十四年陈侯午敦藏于中国国家博物馆。

微伯癲匕 西周中期文物。1976年12月，

陕西扶风县法门镇庄白1号西周铜器窖藏出土。

该窖藏共出土2件微伯癲匕，尺寸、形制、纹饰和铭文基本相同。微伯癲匕甲长32.4厘米，柄长17.3厘米，重0.408千克；微伯癲匕乙长32.2厘米，柄长17.5厘米，重0.413千克。首呈桃叶形，柄作扭索形，后端作梯形，饰镂空双头夔龙纹。首内壁铸铭5字："敝（微）白（伯）癲乍（作）匕。"匕是把取器，用来取饭食或牲肉。从考古出土的情况来看，多与鼎、簋、俎等器伴出，组合使用。

微伯癲匕藏于宝鸡市周原博物馆。

虎噬牛案 西汉文物。1972年，云南省江川县李家山24号墓出土。

虎噬牛案高43厘米，长76厘米，重17千克。整器由两牛一虎铸成，主体一牛站立，双角前刺，颈项隆起，头、胸部肌肉丰满敦厚。牛背平展作椭圆形案面，四足作案足，一虎扑噬牛尾蹬附牛腿作案耳，主体牛腹下藏立一小牛。铜案是随葬的祭器，用来盛放祭肉。古滇国文化中虎噬牛的纹饰、造型常见，极具地方文化特色。

虎噬牛铜案藏于云南省博物馆。

第二节 酒器

素面爵 二里头文化晚期文物。1984年，河南省偃师县二里头遗址出土。

素面爵通高13.5厘米，通长14.5厘米。器壁轻薄，口沿稍厚。窄沿，尖尾，束腰，平底，器腹的横截面呈长椭圆形。流较长，上扬。器口前部微圆鼓，后部微内凹。长尾较宽，上翘明显。半环形鋬垂直于流、尾铸在器身的右侧，两端较宽，中间较窄，面有三个镂空，上部镂空呈三角形，下部呈梯形。鋬的下部接近器底。细长三棱足，一棱面与器面相平，三足外撇。器表可见范痕，形态和铸造工艺属于中国青铜容器铸造早期阶段。

素面爵藏于中国国家博物馆。

兽面纹爵 商代中期文物。1955年，河南省郑州市白家庄出土。

兽面纹爵高18.5厘米，流尾长17厘米。椭圆形敞口，口缘前为窄长流，口后部有尖短尾，靠近流一侧的口沿上立有两矮柱，束颈，

腰微束，斜窄腹，腰腹间有明显分界，平底，下承接三棱实心锥足。在腹部一侧有扁弧形的鋬，鋬下有一足。腰部饰兽面纹。出土时器底部有烟熏痕迹，流口黏附有编织物痕迹。

兽面纹爵藏于郑州市博物馆。

单柱兽面纹爵 商代中期文物。1965年，安徽省肥西县馆驿出土，为馆驿公社糖坊大队农民在犁田时发现，共2件，形制大致相同。

单柱兽面纹爵高38.7厘米，流尾长21.5厘米。器作分段式，体形较高，流稍长，短尖尾，流口间立伞状独柱，柱顶帽形甚高；深腹，腰部近直稍内收，下腹略大亦为直壁，腰腹间有折棱，颈腹间置一扁鋬，下有一足。平底，三棱锥足稍外撇。柱顶饰涡纹，腰部和腹部均饰由云雷纹组成的兽面纹，兽面圆目凸出。

单柱兽面纹爵器形高大，是商代同类器中的精品。单柱兽面纹爵和郑州中商时期铜爵器形相似，但有一定地方特色，应是古代江淮地

区部族遗物。单柱兽面纹爵的出土为研究合肥商代历史文化提供了重要依据。

单柱兽面纹爵藏于安徽博物院。

寝鱼爵　商代晚期文物。1984年，河南省安阳市区孝民屯商代墓葬1713号墓出土。

寝鱼爵通高22.2厘米，流至尾长20厘米。带盖爵。盖前部为一鹿头，背上有半环形纽。爵身呈卵形，长流尖尾，流后部有二立柱，伞形柱头，腹圆鼓，三锥足外撇，腹部一侧有一扁形鋬。颈部饰一周由龙纹组成的兽面纹，鋬上有一牛头饰，足外侧饰有人字阴线纹。器盖内有铭文2字："亞魚。"尾部有铭文2行12字："辛卯，王易（錫）寑（寝）魚貝，用乍（作）父丁彝。"

有学者认为，墓主为鱼族人，是商周时期一较为繁盛的家族。寝鱼爵的发现为研究商代

帝辛时期铜器、周祭制度、王年问题、纪时制度等提供了资料。

寝鱼爵存于中国社会科学院考古研究所安阳工作站。

妇好爵　商代晚期文物。1976年，河南省安阳市殷墟妇好墓出土，共10件。

妇好爵多数保存完好，铭文相同，形制、纹饰大体相同。通高26.4厘米，口高21.2厘米。长流尖尾，伞形顶立柱，圆腹平底，兽首半圆形鋬，三棱形锥尖实心足。腹部有扉棱三条，流、尾下也各有一条较高扉棱，尾棱外露。柱顶饰圆形火纹，柱表饰三角形纹和一周雷纹，流两侧各饰两龙纹，龙作回首状，头上有耳状角；口下饰三角形蝉纹，流、尾下各饰长尾蝉纹，蝉双目位于扉棱两侧；颈部饰长尾对龙纹两组，每组两龙，头相对；腹部两面饰龙纹，每面两龙，口向下，头相对，短身尾上卷，头有钝角，有鋬的一面龙的身尾较短。均以雷纹衬地。鋬下有铭文2字："妇好。""妇好"为妇好爵主人，商王武丁的配偶，庙号"辛"，死于武丁时期。

妇好爵及其他妇好墓文物的出土，对研究殷商历史、祭祀、王室等具有重要的价值。

妇好爵存于中国社会科学院考古研究所。

丙止爵 商代晚期文物。1953年，河南省安阳市大司空南304号墓出土。

丙止爵通高20.8厘米，通长16.6厘米。长流，尖尾，流略长于尖尾，直筒形，腹较深，圜底外凸呈卵状。口部靠近流处有一双立柱，菌形柱头，器腹颈部一侧有扁圆形鋬，鋬上饰有兽首，腹下承三棱锥状尖足，略外侈。柱头上饰火纹，流及尾下饰蕉叶纹，腹部有扉棱，饰兽面纹，以云雷纹为地纹。鋬内侧腹壁有铭文2字："丙止。"

丙止爵藏于中国国家博物馆。

史爵 商代晚期文物。1987年，山东省滕县前掌大商周墓地213号墓出土。

史爵通高19.6厘米，流至尾长16.3厘米。窄长流，三角尾，尾、流上翘，流高于尾，高菌状柱，柱面饰涡纹，直壁，卵形底，三棱形锥状足外撇明显，足两侧面各有一竖凹槽。器腹三面各有一条瓦楞状扉棱，与鋬一起将纹饰分成两组四部分。流口的外侧饰以蕉叶纹，内填以变体夔龙纹，地为云雷纹，在蕉叶纹间各饰两个双重三角纹。腹部饰两组分解兽面纹，以鋬后部为鼻，宽直鼻，另一组兽面纹以扉棱为鼻。兽面纹的双角粗壮，弯曲，后部下折呈钩状并上翘，粗钩

眉，方圆形大眼，大嘴开裂，叶形大耳，躯干倒立，爪在身体下，兽面纹内填以云雷纹并以云雷纹为地。鋬首为圆雕牛头。腹部与鋬相对处有一"史"铭文。

前掌大墓地历年发掘出土有铭青铜器94件，其中带有"史"字族徽铭文的多达70件。因此学者认为，滕州前掌大墓地是史氏家族聚居群落。前掌大墓地所出的史爵，应当代表了史氏家族在该地区的发展。

史爵存于中国社会科学院考古研究所。

鲁侯爵 西周早期文物。郭承勋、方濬祺、李泰棻旧藏。

鲁侯爵通高20厘米，宽16.2厘米。爵体略长而优美，宽流上翘，尖尾，无柱，爵壁较直，深腹。在颈腹间有一鋬，较小，饰有兽首，器为圜底，刀形足外撇。腹中上部饰云雷纹带，中间隔以凸起的弦纹。无柱头。唐兰认为，鲁侯爵的柱是被人为磨掉的。爵尾部口壁内铸有铭文2行10字："鲁侯作□□，鬯□，用尊□盟。"鲁侯爵铭文是青铜爵铭文中较长者。铭文记载此为鲁侯作器。

马承源将鲁侯爵定为周成王时器，并认为鲁侯为伯禽。

鲁侯爵藏于故宫博物院。

御正良爵 西周早期文物。刘体智、于省吾旧藏。

御正良爵通高21厘米，器前有长流槽，后有尖尾上翘，流与口沿之际竖有一对菌状柱，圆形直腹，圜底下有三条刀形足，三足外撇，腹一侧有一扁圆形鋬，鋬上饰兽首。柱上饰旋涡纹，腹部饰云雷纹组成的兽面纹一周。柱上、腹部和鋬内共铸铭文23字："隹（唯）三

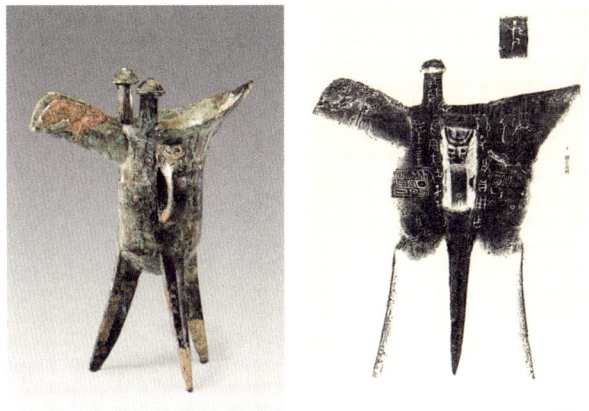

（四）月既朢（望）丁亥，公大（太）俿（保）赏御正良具。用乍（作）父辛鐎隣（尊）彝，𝌡。"铭文记载周成王命太保赏赐御正良贝的史实。

御正良爵是已发现青铜爵中文字数较多的一件。

御正良爵藏于中国国家博物馆。

凤鸟纹爵 西周中期文物。1946年，故宫博物院征集所得。

凤鸟纹爵通高22厘米，宽17.4厘米。此爵为圆底形。口沿上立两柱，位于流尾间而接近流折，两柱颇高，为高伞状。器体瘦长，流与尾向两边翘起，尖状尾短于流而略高，形态舒展优雅。直筒形，腹较深，圆底外凸呈卵状，底接三条外厚内薄两壁宽的刀形足。腹侧有一半环形兽首鋬，鋬环相对较小。爵上花纹工丽，帽柱上大致可见旋涡纹模样。口沿以下，包括流尾外壁都布满花纹，以云雷纹为地纹，以三组凤鸟纹为主纹，上腹的凤鸟花冠尖喙，体肥大，尾下垂；流槽外侧的凤鸟则喙下卷，头回顾；下腹的凤鸟为卷喙回首，但鸟体修长。

此爵双柱与流尾有一定距离，流凹槽较深，腹较长，鋬较小，通身以凤鸟纹为饰，具有西周中期之初铜爵的特征。

凤鸟纹爵藏于故宫博物院。

带流角 二里头文化晚期文物。1980年，河南省洛宁县出土。

带流角高21厘米，口长11.5厘米。敞口呈凹弧形，两端尖锐，器身扁圆，束腰，腹中部置一个管形长流，外伸超出器的口部，其长度与凹弧形口相等，流根宽大，向上逐步收缩，到流口为一小圆管。腹侧有一大鋬。平底，三个三棱形锥足置于器底旁的腹外壁，且上端高于器底，使之距离拉大，可使器物放置稳定。

有学者认为，带流角应是爵，称为管流爵。有学者认为，带流角与爵在流尾形制上有差别，应归属于角类。已知带流角仅发现2件，是二里头文化时期青铜容器品种之一。

带流角藏于陕西历史博物馆。

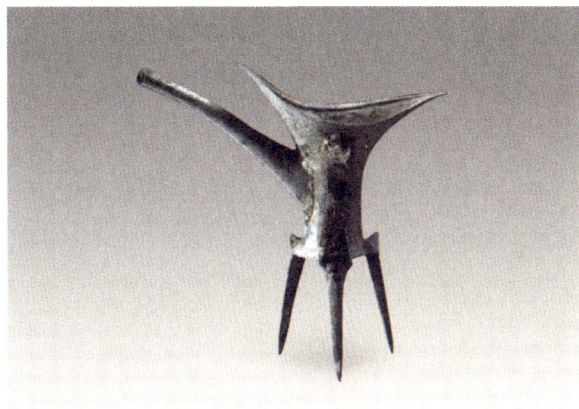

冀角　商代晚期文物。李山农、金兰坡旧藏。

冀角通高22厘米，器双翼下凹呈弧形，两端尖锐，杯体如爵，呈圆卵形，深腹稍鼓，颈腹处有扁圆形鋬，饰兽首，圜底，下承三棱锥状足，锥足外撇。此器以云雷纹为地，两翼饰凸出兽首与三角纹，腹部饰四瓣花目纹，间置扉棱。鋬内铸一字"冀"铭文。

铭文"冀"是商代晚期和西周早期铜器铭文中常见的一种文字，宋代学者解读为"子孙"或"析子孙"，意为子孙永宝用。王国维认为，符记最上部分"象俎几之形"。郭沫若认为，是古代国族名号，于省吾释为"举"。

冀角藏于中国国家博物馆。

史遽角　西周早期文物。1966年，陕西省岐山县贺家村西周墓出土。

史速角通高23.2厘米，两翼相距17.1厘米，口宽8.2厘米，有盖，盖中部起脊，脊背上有半环状纽，敞口凹弧形，束颈，腹壁圆曲，中腹鼓出，腹部一侧有半环形鋬，上面装饰兽面，腹深，圜底，角底部下接三刀形足，足外撇。

腹部及盖面饰两两相对的双首共身夔纹，颈部饰蕉叶纹。此种形制的青铜角在殷墟三期已经出现，到西周早期腹部就明显较前期变浅，腹如卵形。刀形足更明显，外撇十分明显。花纹趋向于简朴，纹饰多为单层，无地纹，显得疏朗。盖、器同铭，盖内和鋬内各有铭文6字："史遽乍（作）宝隮（尊）彝。""史遽"或释为"史逨""史速"。

有学者认为，史遽角主人是方国首领或周朝高级贵族。史遽角是西周时期十分少见的精美青铜角。

史遽角藏于陕西历史博物馆。

晨角　西周早期文物。1986年8月，河南省信阳县狮河港乡狮河港村西周墓葬出土。共出2件，铭文、纹饰和形制基本相同。

晨角通高28厘米，口长19.8厘米。有盖，盖作屋脊形，曲沿与器口相合，盖脊有扉棱，盖顶有半环纽。"V"字形口，器口有两翼，作凹弧形分离，两翼呈锐角，深腹，圜底，下有三条三棱锥足，足尖外侈，腹一侧有兽首扁环鋬，器身两侧各饰一条扉棱。双翼下各饰大三角纹，大三角内填以变形倒夔纹，口沿下饰小三角纹，盖面上和器腹饰雷纹衬地的两组兽面纹，足外部饰蕉叶蝉纹。盖和腹内壁铸相同铭文3行12字："鼍戉（肇）西（贾），用乍（作）父乙宝隟（尊）彝，凯（即）册。"铭文记载鼍角是鼍为父乙所作。鼍应是"父乙"直系后裔。

青铜器角的流行时间短，基本见于晚商西周早期，鼍角铭文清晰，制作工艺和纹饰比较精致，具有一定的研究价值。

鼍角藏于河南博物院。

陆父甲角 商周时期文物。吴大澂旧藏。

陆父甲角通高23厘米，两翼间距17.4厘米。两尾上翘，双翼尖锐，口部呈内凹状，鼓腹圜底，卵形，腹一侧有牛首鋬，底外侧有三棱锥足外撇，腹部饰环柱角兽面纹，两翼饰倒置的三角形兽面纹。此器纹饰清晰，均不施地纹，造型稳重。鋬内铸铭文3字："陆父甲。"应是陆氏为父甲所作祭器。

陆父甲角藏于上海博物馆。

乳丁纹斝 商代中期文物。1955年，河南省郑州市白家庄出土。

乳丁纹斝高24.5厘米，口径15.5厘米。敞口，平顶圆帽状矮柱，长颈内收，鼓腹，圜底，三袋形空尖足。颈下饰乳钉纹和弦纹，腹饰五个圆形鼓面纹。形制与二里头遗址所出土的铜斝相近。

青铜斝口沿前端一对矮柱的用途，学界有所争议，一种观点认为矮柱具有实用意义，应是起到挂过滤囊口的作用。

乳丁纹斝藏于中国国家博物馆。

兽面纹涡纹斝 商代中期文物。1958年，河南省郑州市出土。

兽面纹涡纹斝高25厘米，口径17.4厘米。敞口，沿立一对间距稍宽的菌状柱。束腰，鼓腹，平底，三棱空心锥足，与腹底相通，横截面呈三角形，正视呈尖锥状。足尖稍外张，鋬置于颈至腹部之间，半弧形。柱顶饰涡纹，腰部饰一周兽面纹带，环绕器腹有七个圆涡纹。

商代早期青铜斝一般颈部有纹饰，腹部不饰纹饰，兽面纹涡纹斝时代应是商代中期。

兽面纹涡纹斝藏于郑州市博物馆。

兽面纹斝　商代中期文物。1954年，河南省郑州市白家庄出土。

兽面纹斝高28.5厘米，口径17.2厘米。大敞口，沿上立一对菌状柱。腰内收，腹外鼓，扁形鋬置于口沿下至腹部之间，平底，斝底部连接三个四棱锥状空足，锥足外撇。柱顶饰涡纹，腰与腹部均饰单线构成的兽面纹，腹部兽面圆目凸出，兽面纹上下均界以一周联珠纹。

兽面纹斝藏于河南博物院。

兽面纹袋足斝　商代晚期文物。1954年，国家文物局调拨给故宫博物院。

兽面纹袋足斝通高34厘米，口径27.5厘米。圆形体，大侈口，口沿上有二菌状柱，束腰，腹上有一鋬，三袋状足。柱顶饰涡纹，腹部和足部饰兽面纹，兽面圆目凸出。

这件斝造型独特，三足呈袋状，下半部形制与鬲相似。袋足受热面积大，便于加热温酒，同时能够增大容积。

兽面纹袋足斝藏于故宫博物院。

司母母斝　商代晚期文物。又名后母母斝。1976年，河南省安阳市殷墟妇好墓出土。

共2件，成对。

司母母斝通高65.7厘米，口径30.7厘米。大侈口，束颈，深腹，分上下两段，底略外突，伞形纽立柱，兽首半圆形鋬，三棱形锥尖足，足内侧有锥形浅槽。腹有扉棱五条，分两段成一直线。口下饰云雷纹三角形纹一周。腹上段饰兽面纹三组，兽首向下，以扉棱作鼻梁，两侧有短足和下卷的身尾；腹下段亦饰兽面纹，纹样与上段雷同，均以雷纹为地。三足外侧均饰对龙蕉叶纹，龙口向下，身上竖，尾内卷。纽顶饰圆形火纹、弦纹和一周雷纹。鋬面饰云纹。口下内壁铸有铭文3字："司母母。"

司母母斝时代应属殷墟二期。与司母母斝同墓所出的还有3件方斝，铭文为"妇好"。这一组斝体量接近，都是同时期斝类青铜器中较大的。司母母斝和妇好方斝体现了墓主人妇好的身份地位，同时代表了商代晚期青铜铸造技术的高峰。

司母母斝藏于中国国家博物馆。

正斝　商代晚期文物。1952年，河南省安阳市出土。

正斝通高44.7厘米，口径20.5厘米。大

侈口，折腹，口上有一对立柱，伞形顶，腹一侧有半环形鋬，三棱锥状空足，足外撇。口下饰三角纹，腹部饰两周兽面纹，兽面以扉棱为鼻，圆目凸出，三足饰蕉叶纹。器内底有铸有一"正"铭文。正字在商代文字中有多种写法，字形多为代表"止"字的双脚位于圆框或方框的下方。这件斝的"正"字，双"止"在圆框内，比较少见。

正斝属于商代晚期，较之前的青铜斝立柱增高、位置后移到口沿正中两侧，装饰繁复，纹饰布满器表。

正斝藏于新乡市博物馆。

兽面纹垂腹斝 商代晚期文物。1959年，河南省安阳市武官北地1号墓出土。

兽面纹垂腹斝通高26.3厘米，口径15.3厘米。大侈口薄唇，双柱呈伞形，束颈鼓腹，半圆形带状鋬，底近平，三棱形锥尖足，三足的两内侧各有一条锥形浅槽。颈、腹各有三条细棱，作兽面纹的鼻梁。口沿下饰小三角纹一周，颈部饰三组狭长的兽面纹，腹有三组大型兽面纹，"臣"字形目，面部由云雷纹构成。柱顶饰圆形火纹，柱表饰以弦纹，云雷纹和三

角形纹。

兽面纹垂腹斝流行于商代晚期早段。

兽面纹垂腹斝存于中国社会科学院考古研究所。

妇好方斝 商代晚期文物。1976年，河南省安阳市殷墟妇好墓出土。共3件，形制、纹饰基本相同。

妇好方斝通高68.8厘米，口长25.1厘米，口宽24厘米，足高25厘米。器体较瘦高，口部略呈长方形，外侈，口上短边中部有对称的方塔形立柱，顶面及四角有细棱，深腹平底，四

足，足呈四棱锥尖形，两内侧有锥形浅槽，足外撇，兽首錾。四角及三面中部均有扉棱，足外侧也有一条扉棱，口下饰蕉叶纹，稍下饰对夔纹，腹四面均饰饕餮纹，足部饰对夔蕉叶纹，柱顶下部饰云雷纹一周。錾面有细纺织品残迹。内底中部有"妇好"两字铭文。

妇好方斝，具有商代晚期早段青铜斝典型特征。

妇好方斝藏于中国国家博物馆。

折斝　西周早期文物。1976年，陕西省扶风县庄白1号窖藏出土。

折斝通高33厘米，口径18.5厘米。款足为分档式，平盖，盖上有双首蛇拱起的半环纽，盖两侧有纳柱缺口；器侈口，束颈，圆肩，腹部肥大，足下端呈圆柱形，口沿饰两伞状柱，兽首錾。盖面饰一周以目纹相隔的斜角云纹，肩部饰一周云雷纹衬地的歧身夔龙组成的兽面纹，腹部饰双线"V"形纹。盖器同铭，各铸铭文8字："折乍（作）父乙宝尊彝，木羊册

册。"铭尾"木羊册册"为族氏徽号，家族应为木羊氏，"折"相当于昭王时期。此种形制的斝主要流行于西周早期早段。

折斝藏于宝鸡青铜器博物院。

父丁斝　西周早期文物。2011年，湖北省随州市叶家山1号墓出土。

父丁斝通高34.9厘米，口径19.2厘米。圆口外侈，斜沿，方唇，束颈，高领，圆肩，鼓腹，分档，三柱状足，中间略细。双柱直立于相邻两足外侧对应的口沿上。柱断面呈方形，柱顶作伞状。器腹侧有一半环状兽首錾，錾下对应一足。柱顶面饰两周云雷纹。颈饰两周平行凸弦纹，肩部饰一周宽肩凸棱，足腹间饰三组双线"V"形纹。錾首圆雕牛首形，长角向后，尖耳外撇，细斜眉，"臣"字形目，圆睛高突，中有圆形小瞳孔，鼻翼内卷，粗吻上翘。錾下铸有铭文1行3字："父丁冉。"

父丁斝藏于随州市博物馆。

兽面纹牛首尊 商代中期文物。1982年，河南省郑州市向阳回族食品厂出土。

兽面纹牛首尊通高30.5厘米，口径28厘米。大敞口，敛颈，宽肩，鼓腹，圜底，大圈足外撇。颈部饰二周弦纹，肩部饰三个凸出的牛首，牛首之间饰带状夔纹，上下界以联珠纹；腹部饰三组饕餮纹，上下界以联珠纹；圈足有"十"字形镂孔三个，并饰弦纹一周。另同出一件兽面纹牛首尊，造型、纹饰基本相同，但形体更大。

兽面纹牛首尊时代应该属二里岗上层时期。

兽面纹牛首尊藏于郑州市博物馆。

龙虎纹尊 商代中期文物。1957年，安徽省阜南县月儿河出土。

龙虎纹尊高50.5厘米，口径49厘米。器为大侈口，口颈大于肩宽，颈部较高，束颈，下部收缩，呈大喇叭状。宽肩，下折为腹，腹部呈微弧形收敛，圜底，高圈足，圈足上饰三个均匀分布的十字镂孔。器肩部饰三条曲身龙纹，圆雕龙首，探出肩外，活灵活现；腹部以云雷纹为地，装饰三组虎食人纹，每组食人纹以浮雕虎首为中心，左右双身，口含一人，人无衣冠，身饰花纹，寓意诡秘；圈足饰饕餮

纹。龙虎尊的铸造是将整个器身分作底部、腹部、肩部和颈部四段（层）铸成的。每一段（层）用三块范。

龙虎纹尊工艺精湛，花纹线条清晰，是商代中期青铜器精品，为研究商代铜器造型艺术和铸作技术等方面提供了十分重要的材料。

龙虎纹尊藏于中国国家博物馆。

兽面纹羊首尊 商代晚期文物。又名三羊尊。清宫旧藏，经唐兰等青铜器专家鉴定，认为是一等精品。

兽面纹羊首尊通高52厘米，腹径61厘米。尊为大口广肩形，厚唇外折，细颈上有三道凸弦纹。肩部等距离装饰三只高浮雕卷角羊头，间以云雷纹为地的目形纹饰。腹部较肥硕，纹饰更为华丽，在云雷纹地上有三组兽面纹，兽眼表现形式夸张，肃穆庄重。圈足较高，上有两条凸弦纹，中间有三个等距离的较大圆形孔，为商代铜器典型特征之一，圈足下部在云雷纹地上饰六组兽面纹。全器图案布局错综复杂，繁而不乱。兽面纹羊首尊经过两次铸造而成，先铸尊体，并在相应位置预留孔道，后在

孔道上搭陶范，铸制羊头，反映冶铸工艺已达到较高水平。

兽面纹羊首尊是中国已发现的同类器物中最大者，是商代晚期青铜工艺代表作品，为研究商代青铜器造型艺术和铸作技术，提供了重要的材料。

兽面纹羊首尊藏于故宫博物院。

亚酗方尊　商代晚期文物。清宫旧藏。

亚酗方尊通高45.5厘米，宽38厘米。体作正方形，侈口，束颈，宽折肩，鼓腹，高圈足外撇，颈、腹、足均四角和四面中部均有纵向凸棱八条，肩上四角各有一立体象首，大耳、额上以二夔龙为角，长鼻上卷，双齿外露，两象首间均有一立体兽首，兽角向上呈花瓣状，圆目尖耳，颈部凸棱伸出口沿。外壁通体满饰花纹，以细云雷纹为地纹，颈部饰内填直立回首夔纹的蕉叶纹，肩部和腹上部饰各一周夔纹，腹部和足部均饰兽面纹，均以扉棱为鼻。亚酗方尊采用分铸法浇铸而成。口内壁铸有铭文2行9字："亚酗者婑以大子尊彝。"

从宋朝开始，"亚酗"铭文青铜礼器屡见著录，但出土地点不明。山东苏埠屯1号大墓出土一批"亚酗"铭文铜器，罗振玉、于省吾等人指出，"亚酗"铭文器物应出自山东省青州市一带。有学者认为，"亚酗"为商代东方部族。亚酗方尊整器纹饰精美，造型独特，是商代青铜器的典型代表。

亚酗方尊藏于故宫博物院。

亚址方尊　商代晚期文物。1990年，河南省安阳市郭家庄160号墓出土。共2件，形制、纹饰、铭文相同，大小略异。

亚址方尊通高43.9厘米，口横33厘米，口纵32.8厘米。方口外侈，束颈，斜肩，平底，高圈足外撇。尊之四角及四边中部均有扉棱，扉棱分三段，成一条直线。上段的扉棱较长，伸出尊口外。口下饰一对夔蕉叶纹，夔首在下，作回首反顾状。腹及圈足四面为分解式的大饕餮纹。饕餮眼呈圆角方形，有长条形瞳孔，目上有眉，咧口，云状大耳，以扉棱作鼻梁。在方尊肩部四角，有四个圆钉头，其上套有象头。象，圆眼，长鼻上卷，长鼻之下有一

对锥形牙。肩部四边中部，有一兽首，兽首似鹿，头顶有向上伸出的一对大角，角端有五个枝杈，如手掌状。亚址方尊与亚酗方尊和亚酗者姆方尊的形制、纹饰，大小基本相似。另一件通高44.3厘米，口横33.4厘米，口纵32.8厘米。方尊内底中部有铭文"亚址"。铭文清晰，外为"亚"，内为"址"。"亚址"可释为"亚土止"或"亚址"，大多学者倾向于后者。

亚址方尊存于中国社会科学院考古研究所安阳工作站。

四羊方尊 商代晚期文物。1938年，湖南省宁乡县黄材出土。

四羊方尊高58.6厘米，口边长44.4厘米。造型独特，呈四方形，大方口外敞，长颈，折肩，浅腹，高圈足，四角及每面中分线设有棱脊。颈部饰蕉叶形龙纹及兽面纹。肩部饰高浮雕龙纹，圆雕龙首凸出于肩中部，龙体蜿蜒于器肩。器腹由四头大卷角羊合成，羊首耸于器肩四角，尊腹四角为羊前胸，四羊相合形成尊腹，羊腿置于圈足上。羊首饰雷纹，背及前胸

饰麟纹，两侧饰优美长冠凤纹。圈足饰龙纹。四羊方尊是用两次分铸技术铸造，先将羊角与龙头单独铸好，然后分别配置在外范内，最后整体浇铸。

四羊方尊以圆雕和浮雕方式将四羊和器身巧妙结合，以羊为主要表现对象，可能具有独特意义。羊善良知礼，外柔内刚，跪乳习性，被引申出许多象征意义。《诗经·召南》中就有"文王之政治，德如羔羊"。四羊方尊从造型与铸造特征方面看是典型商代晚期青铜器，有学者认为宁乡一带应为商朝的方国。四羊方尊是存世商代青铜方尊中最大的一件，将器物造型设计与艺术装饰完美融合于一体，精丽刚劲的纹饰反映当时非凡的铸造艺术，被认为代表了商代青铜器制作最高水平。

四羊方尊藏于中国国家博物馆。

何尊 西周成王五年（前1039年）文物。1963年，陕西省宝鸡县贾村镇出土。

何尊通高39厘米，口径28.6厘米，重14.6千克。器体粗壮，口部、颈部呈圆形且外侈，腹部、圈足作圆角方形，且圈足边缘较高。器

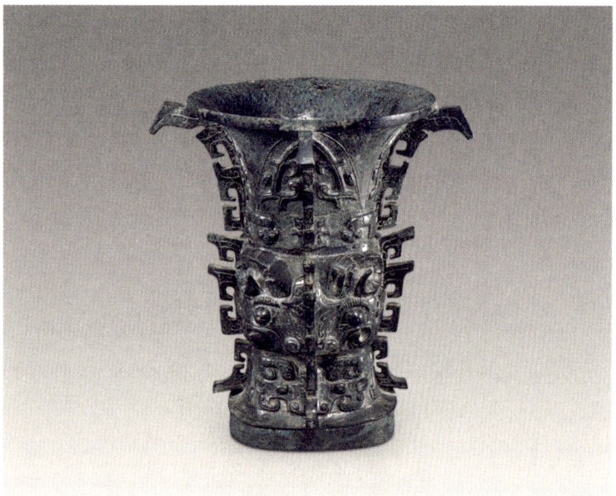

颈部、腹部、圈足四壁中央处“十”字形对附三段透雕扉棱。整器以云雷纹为地，颈部采用“两方连续”的方式，上段饰四组三角纹，下段前后饰两组四支“S”状对向蛇纹，腹部前后对饰高浮雕式外卷角型饕餮纹，双角饰节状纹，盘曲翘出器外，圈足前后亦对饰外卷角型饕餮纹，但其造型异于腹部所饰。何尊器内底铸铭文凡12行122字：“隹（唯）王初䙴宅玗（于）成周，復（復）爯珷（武）王豊（禮），𥜨（祼）自天，才（在）亖（四）月丙戌，王寡（誥）宗小子玗（于）京室，曰：昔才（在）爾考公氏，克逨（弼）玟（文）王，肆（肆）玟（文）王受兹（兹）大命，隹（唯）珷（武）王既克大邑商，𠟭（則）廷告玗（于）天，曰：余其（其）宅兹（兹）中（中）或（國），自兹（兹）辥（辥）民，烏乎（呼），爾有唯（雖）小子亡戠（識），眂（視）玗（于）公氏，有𤔲（勳）玗（于）天，徹（徹）令（命），苟（敬）亯（享）𢦏（哉），叀（唯）王龏（恭）德谷（裕）天，順（訓）我不每（敏），王咸寡（誥），𡧊（何）易（錫）貝卅朋，用乍（作）𠅱（庾）公寶𨽍（尊）彝，隹（唯）王五祀。”铭文记述了西周成王五年（前1039年），周成王迁居成周（洛邑）主持大政之初，再行周武王登上天室（太室山）祭祀上帝的盛大典礼；于四月丙戌之日，在京室训诰诸小宗：追述武王克商之后，向天昭告将在洛邑建都治民，并勉励诸小宗，效法先人辅佐文王，执行王命。训诰之后，周成王赏赐作器者何三十朋贝。何因此为先人庾公作器。

铭文篇末“唯王五祀”，即周成王五年，为已知西周金文最早纪年。何尊铭文可与典籍记述相印证，揭示了西周初年营建洛邑成周的重要史实。何尊铭文中第一次出现“中国”二字，虽然其意义仅指以洛阳为核心的地区，但开启了政治意义上的国家“中国”。何尊造型雄伟、装饰精良，富有气魄，与1976年12月陕西省扶风县法门镇庄白村1号西周青铜器窖藏所出商尊相似，是西周早期典型造型。

何尊藏于宝鸡青铜器博物院。

伯各尊　西周早期文物。1976年，陕西省宝鸡市竹园沟強国墓地7号墓出土。

伯各尊通高25.8厘米，口径20.7厘米。尊体呈筒状。大圆口外侈，方唇深腹，腹中部微鼓，高圈足下有阶，器身有四条对称扉棱。颈喙。夔龙特小，探首卷尾，细密云雷纹衬地。与单鋬对称腹侧有一隆起兽首。尊底部有铭文2行6字："弓鱼季乍（作）宝旅彝。"弓鱼季尊是墓主生前所铸造的酒器，墓主应为弓鱼季，为弓鱼国宗室支庶。

弓鱼季尊藏于宝鸡青铜器博物院。

兽面纹扉棱尊 西周早期文物。2007年，湖北省随州市羊子山4号墓出土。

兽面纹扉棱尊通高34.5厘米，口径25.1厘米。大敞口，方唇，器腹中部微鼓，器下部弧形外撇，圈足切地处下折呈高台状。器身有对

部饰四组蕉叶纹，每组蕉叶纹由两个对称的倒立夔龙纹组成。腹部饰两对卷角兽面纹，兽面圆目高突，角尖呈高翘，突出器身之外，兽面两侧有倒立夔龙纹。圈足饰一周四组夔凤纹，凤目突出，分尾。通体以云雷纹为地。器内壁铸有铭文为"伯各作宝尊彝"，作器者为伯各。伯各应为7号墓主人。

与伯各尊同出一墓的2件伯各卣，纹饰相近，兽面纹均有卷角，角尖外翘。这组伯各器表明7号墓墓主人应是一代弓鱼伯。

伯各尊藏于宝鸡青铜器博物院。

弓鱼季尊 西周早期文物。1980年，陕西省宝鸡市竹园沟弓鱼国墓地4号墓出土。

弓鱼季尊通高22.1厘米，口径纵19.1厘米，口径横19.5厘米。长方形扁椭状，尊体低矮。口沿卷曲外侈，颈部较高、微束。下腹垂，外鼓，最大径在下腹，腹下承接四扁形虎足，虎足微向内敛。颈下饰两周弦纹，腹侧有一兽首单鋬，腹身中部饰一周夔龙、夔凤纹，大小相间，共八组。夔凤细身，回首，垂冠，尖钩

称的四道高扉棱，器上段和下端扉棱尾部呈钩形，中段正面扉棱呈象鼻形，中段侧面扉棱上部呈兽首形。器上、中段间的正面有两个兽首形铺首，由圆柱与器身相连。铺首兽面有下弯的大角和象鼻形的鼻。口沿下饰蕉叶纹，内填倒立龙纹。器中段饰兽面纹，兽面纹两角粗壮突出，眉粗壮且由竖棱状纹饰组成。器下段饰两两对称身体弯曲的龙纹，龙鳞装饰突出。

兽面纹扉棱尊为典型三段式尊，器体瘦高，圈足下有高台。纹饰特征鲜明，已知考古所见此类兽面纹器物集中出土于随州羊子山一带。

兽面纹扉棱尊藏于随州市博物馆。

曾侯谏尊　西周早期文物。2013年，湖北省随州市叶家山曾国墓地28号墓出土，出土时口沿、圈足底部附着"人"字形竹席痕。

曾侯谏尊通高20.5厘米，口径24厘米。大敞口，长颈，腹部微鼓，器下部弧形外撇，圈足切地处下折成小台状。颈的下部和圈足的上部各饰两道弦纹，鼓腹上部和下部各饰一周云雷纹衬底的顾首、垂冠、长尾鸟纹，两侧搭配小鸟纹的纹饰带，上部纹饰带正中有一前、一后两个高浮雕兽首。曾侯谏尊形制为三段式尊的晚期阶段，主题纹饰为

带状，时代大致相当于西周早期偏晚阶段。器壁较厚，内外壁中部有明显凹凸感，表明器壁范泥经大量刮剔。肩部以下至圈足有两条前后对应的竖向范缝痕，圈足内壁及腹底外壁上有大量底范泥。器内底中部一阴勒的长方形框内竖排两列8字铭文"曾侯谏作媿宝尊彝"，表明器主为一代曾侯。

曾侯谏尊及整个叶家山墓地，为研究西周曾国历史提供了资料。

曾侯谏尊藏于随州市博物馆。

鱼伯彭尊　西周早期文物。2011年，湖北省随州市叶家山27号墓出土。

鱼伯彭尊高28.1厘米，口径22厘米。深圆筒状，喇叭形敞口，方尖唇，深腹，中腹微鼓，圜底，喇叭形高圈足外撇，切地面下折成阶状。通体对称饰四道高扉棱，高扉棱凸出口沿。口颈处饰蕉叶纹，蕉叶纹内饰简化的兽首体躯，作倒状对称排列。蕉叶纹下饰一周两组爬行龙纹，上下各饰一周弦纹镶边。爬行龙纹一组4个，两两相从，龙首均朝向高扉棱。腹中部饰两组对称内卷角兽面纹。以高扉棱居中，兽面大卷角，横尖眉，方椭圆目高突，大咧口，叶形尖耳高翘。圈足

饰一周两组分段兽面纹，上下以细线凸弦纹镶边。器底内铸有铭文2行7字："鱼白（伯）彭乍（作）宝尊彝。"

鱼伯彭尊藏于随州市博物馆。

丰尊 西周中期文物。1976年，陕西省扶风县庄白1号窖藏出土。

丰尊通高16.8厘米，口径16.8厘米。喇叭口，粗颈微束，垂腹，矮圈足外侈。口沿下饰蕉叶纹，内为一对卷尾鸟纹，曲尾垂于鸟首之前。颈部饰一周垂冠小鸟纹，中间有浮雕兽首。腹部饰垂冠卷尾大鸟纹，两两相对，圆目突出。全器以浅细的雷纹衬地。圈足内底部有长方格强筋线。器内铸铭文5行31字："佳六月既生霸乙卯，王在成周，令豐寴大矩，大矩易豐金、貝，用乍父辛寶尊彝。　。"铭文大意为六月乙卯，周王在成周命令丰去见大矩，大矩赏赐丰青铜器和贝币，丰因此为父辛作器。

丰活动在周穆王时期，丰尊是穆王时期的标准器。

丰尊藏于宝鸡市周原博物馆。

龙耳瓦纹尊 春秋早期文物。上海博物馆征集。

龙耳瓦纹尊高38.5厘米，口径35厘米。大敞口，折肩，斜腹，圈足较高，形体较大，器壁厚实。肩部两侧铸接有龙形双耳，使器物更显雄伟，龙吻上有吴越文化青铜器上常见的三角形锯齿纹，肩部饰斜角云纹，腹部为横条瓦纹，为西周晚期和春秋早期流行的纹饰，圈足饰雷纹。器和龙耳分别铸造，铸造时在器上留有孔洞，然后用铜液将两者铸接牢固。

龙耳瓦纹尊器体仿自中原地区商代青铜大口尊式样，但装饰了南方革新的双龙耳，具有鲜明地域特征。式样相似的龙耳尊在安徽青阳、南陵曾有出土。

龙耳瓦纹尊藏于上海博物馆。

鎏金三兽足樽 西汉文物。中国国家博物馆征集。

鎏金三兽足樽高14.6厘米，口径19.7厘米，底径19.3厘米。呈圆筒形，有盖，盖面向上隆起，盖中有一半环形纽，纽上套有一圆环，盖面上均匀分布三只站立的飞鸟，圆目尖喙，直冠卷尾，身上有羽翅，盖面饰三道凸弦纹；器为直口方唇，器身中部有一对铺首衔

环，樽底部下承熊形足，口沿和器下部饰一周宽带纹，器身中部饰紧密的四周凸弦纹。器底部镶嵌银铭文，周身鎏金，有磨损。

鎏金三兽足樽属于筒形樽，显示了汉代铜器制作中发达的鎏金工艺。

鎏金三兽足樽藏于中国国家博物馆。

妇好鸮尊　商代晚期文物。1976年，河南省安阳市殷墟妇好墓出土。

妇好鸮尊通高45.9厘米，口长16.4厘米。头微昂，圆眼宽喙，小耳高冠，胸略外突，双翅并拢，两足粗壮有力，四爪着地，宽尾下垂，作站立状。头后开一半圆形口，上可置盖。背后靠颈处有錾，錾端饰兽首。面中部及胸前中部各有扉棱一条。冠面外侧有羽纹；内侧饰倒夔纹，上有钝角。喙表饰蝉纹，胸中部饰一大蝉，形制较奇特。蝉头均向上，钩喙有角，足前伸。两翅前端各有一条三角形头的长蛇，蛇身紧盘，上饰菱形纹，蛇尾与翅并行。颈后部连同錾内壁面饰大饕餮纹。錾下、尾上有鸥鸮一只，圆眼尖喙，双足内屈，两翼展开，作飞翔状。盖作1/4球体，前端有一尖喙高冠作站立状的鸟，鸟后有一龙，拱身卷尾，

头上有两钝角，亦作站立状。盖面饰饕餮纹，盖下边沿有内折的子口，可与器口相合。口下内壁有铭"妇好"二字。

妇好鸮尊藏于中国国家博物馆。

盠驹尊　西周昭王、穆王时期文物。1955年3月，由陕西省郿县车站乡李家村李含章的哥哥在村北半塬上挖苜蓿时发现。后来，其侄儿李焜于1957年1月17日，将盠驹尊与同出的两尊盠方彝上交陕西省博物馆。1959年划拨入藏中国历史博物馆。

盠驹尊高32.4厘米，长34厘米，重6.6千克。整器为一骡驹，昂首站立，竖耳垂尾，颈后鬃毛齐整。器盖作覆瓦形，开于驹背。

驹腹两侧饰涡纹，周缘环饰穷曲纹。盠驹尊颈、胸部铸铭文9行94字："隹（唯）王十又二月，辰才（在）甲申，王初执驹庑（斥），王乎（呼）师豦召盠，王亲旨（诣）盠，驹易（锡）网（两），撲（拜）頴（稽）首，曰：王弗聖（忘）乒（厥）旧宗小子，替皇盠身。盠曰：王俐下，不（不）材（其）剸（则），徫（万）年保我徫（万）宗，盠曰：余材（其）叡（敢）對乳（扬）天子之休，余用乍（作）朕（朕）文考大中（仲）寶隋（尊）彝，盠曰：材（其）徫（万）年世子=（子子）孙=（孙孙）永寶之。"盠驹尊器盖内铸铭文3行11字："王艴（拘）驹于庑（斥），易（锡）盠驹勇靁（雷）雗子。"内容记述十二月甲申日，周王行"执驹"之礼，赏赐作器者盠"勇雷雗子"与"勇雷骆子"两匹驹，盠后制作盠驹尊以示纪念。

盠驹尊器铭所记"执驹"之事，见于《周礼》，是周天子考牧简畜的制度，即为幼马断奶，离其母，正式编入马厩。盠驹尊的发现为研究周代有关礼制提供了史料。

盠驹尊藏于中国国家博物馆。

邓仲牺尊 西周早期文物。1984年，陕西省西安市张家坡163号墓出土。

邓仲牺尊通高38.9厘米，通长40厘米。器身为一站立状怪兽。兽背有盖，盖纽为一立鸟。兽之项背附着一虎，胸前及臀部各附着一龙。怪兽首前瞻，顶有双角。兽鼻直耳隆起，晴圆而外鼓，耳细长而竖起。兽的四腿比较短，蹄部侧面有爪形刻道。兽腹两侧各有一个鸟形竖扉，鸟首向上，喙及尾部如弯钩状。兽背有长方形凸起的尊口，口为子母形。兽身以雷纹为地，上饰浮凸的夔纹及兽面纹。兽颈两侧各有一竖立状夔。怪兽颈背部两侧各饰有一头部向下的直身夔纹。兽的臀部上面饰大兽面纹。臀部两侧及腿部饰变形夔纹。兽背之虎为立体形象，作向怪兽顶部攀登之状，胸部和臀部的龙皆为立体形象，身躯作波浪起伏状，整体作向上攀缘状。尊盖平面为圆角长方形，鸟状把纽位于盖顶中部。此器用分铸法制成，兽

身上的龙虎附饰皆与器体分开制造，然后与器体接合一起，因而在龙虎足部与兽首相接合处有溢出铜液形成的斑块。盖、器同铭，各2行6字："异（邓）中（仲）乍（作）宝隞（尊）彝。"铭文记载是邓仲作器。

许多学者推测邓仲牺尊是163号墓主人井叔夫人的陪嫁之物。

邓仲牺尊存于中国社会科学院考古研究所西安研究室。

晋侯尊 西周晚期文物。山西曲沃北赵晋侯墓地114号墓出土。曲沃县公安局在审理一起盗墓案件时，得知曾有一盗墓团伙于1998年春季在晋侯墓地范围盗掘大型墓葬一座，并从中盗出玉戈和铜器等器物。获此消息后，曲沃县文物局随即组织人员在犯罪嫌疑人指认的地点进行钻探，发现两座带有墓道的竖穴土坑墓，分别为114号墓和113号墓。尽管114号墓遭到严重的盗掘，但是仍然出土铜、陶、原始瓷、玉、金、蚌、漆和骨器共200多件。

凤鸟尊通高39厘米，残长30.5厘米，宽17.5厘米。高冠凤鸟形，造型极为生动。凤鸟作回首站立状，头微昂，高冠直立，双目圆睁，翘首回望，嘴上后部两鼻孔，钩形眉。两翼尾部上卷，凤鸟尾部为一鼻向内卷的象首，与双腿形成稳定的三点支撑。鸟身体丰满，上饰有羽毛及云雷纹，两翅和两足饰卷云纹。背上有盖，盖上竖立一小凤鸟，凤鸟成为鸟尊器盖的捉手，凤鸟昂首前望，注视着大鸟。出土时因其出土位置接近盗洞，鸟尾部和尖残。器盖内侧和腹底铸有铭文"晋侯作向太室宝尊彝"，证明该器应为晋侯宗庙祭祀礼器。

凤鸟尊藏于山西博物院。

鸟尊 春秋晚期文物。1988年，山西省太原市金胜村赵卿墓出土。

鸟尊通高25.3厘米，通长33厘米。全器呈一昂首挺立的鸟形。头顶凤冠，双角，双目圆睁，尖喙，可开合，细长颈，腹腔中空，与颈、头、喙相通。鸟全身羽毛丰满，羽纹清晰，双翅、尾部羽毛高叠。鸟背上置虎形提梁，并设弧形盖，盖与鸟身羽毛衔接紧密，浑然一体。鸟两腿直立，足间有蹼。鸟尾部下置一虎形支脚，小虎作昂首尽力支撑状，张口露齿，前足撑地，后足贴于鸟身，以求鸟尊平衡稳定。

鸟尊是晋国晚期青铜器工艺的代表作品。

鸟尊藏于山西博物院。

牛尊 战国早期文物。又名牺尊。1923年，山西省浑源县李峪村战国墓出土。

牛尊高33.7厘米，长58.7厘米。此尊为牛形，俯首，张口，牛鼻上穿有一环，两耳直立，两角呈弧形向前延伸，牛的四腿粗壮，短矮，四蹄造型逼真，牛颈上以及牛背上有三个口，口上盖子缺失，中间一口套有一锅形器，里面可以容酒。锅形器两侧有环耳，牛腹为空，牛尾残缺，可从牛头、牛背口中注水用来温酒，牛尊纹饰华丽精美，构图新颖，牛的头

部、颈部、背部、腿部、身上以及臀部饰有盘旋的龙蛇纹组成的兽面纹，牛头及背中间锅形器上饰浮雕的牛、虎、豹等小动物。

牛尊以现实存在的动物形态设计为酒器，将动物造型与实际用途相结合，体现了中国古代礼器的巧思。

牛尊藏于上海博物馆。

错金银牺尊 战国中期文物。1976年，河北省平山县中山国墓6号墓出土。共一对2件，器形纹饰完全相同。

错金银牺尊高28厘米，通长40厘米，宽16厘米。器为错银错红铜镶金银绿松石牺尊。牺尊四腿直立，兽首前伸微昂，口张为流，双眼圆睁，眼镶松石，双耳直竖，耳内饰以云片纹，颈戴项圈，圈上饰金泡；牛胸肌强健，肚

腹圆鼓，四肢粗壮，尾巴下垂。牛背部设活页盖，盖钮铸成一天鹅在水上浮游。天鹅回首啄羽，天鹅羽毛纹极其精细，神态安详，富有生气。兽腿粗壮有力，蹄足。兽尾自然下垂，尾尖微翘。兽首及身、腿、尾饰满勾连云纹。

错金银牺尊表现了中山国的手工技艺和艺术创造，对研究中山国的历史具有重要价值。

错金银牺尊存于河北省文物研究所。

兽形牺尊 战国文物。1991年，广西壮族自治区贺县出土。1991年，贺县沙田镇龙中村农民在村东的石山洞穴中发现一大批精美的青铜器。贺县博物馆接到报告后，立即派员前往调查，发现是一座以天然岩洞为墓穴的古墓葬，并进行了清理，出土兽形牺尊等器物33件。

兽形牺尊高54厘米，长48厘米。双角为长颈鹿的角形，内侧有两对小刺。长竖耳，圆凸眼，长鼻梁，宽平吻，口微启露六齿。体形粗壮，宽胸，平底微内弧。背部设一口，口呈椭圆形。口上有一盖，盖前端有环耳套铜链与颈背的环耳相连。四实足粗扁微弯曲。臀部附夔

龙。此器纹饰丰富华丽，双角饰蝉纹，鼻梁和鼻孔用卷云涡纹勾出。颈部两侧饰云雷地窃曲纹。腹部两侧各饰三组云雷地窃曲纹。足上部饰线浮雕的单层窃曲纹。盖上有一浮雕盘蛇，蛇首高昂为纽，蛇身饰鳞纹。尾部的夔龙抬头，单角下弯，凹圆眼，张大吻，尾弯曲，身饰葵叶形凹鳞纹。

兽形牺尊是具有越文化特征的器物，在器形和纹饰等方面，既有中原作风，又有浓厚地方特色。兽形牺尊应是在中原文化影响下，在当地铸造的土著越文化青铜器，对研究岭南古文化特别是青铜文化具有重要意义。

兽形牺尊藏于贺州市博物馆。

错金银云纹犀牛尊　西汉文物。1963年，陕西省兴平县豆马村社员在取土时发现。据发现人讲，犀牛尊等文物是在豆马村村北断崖取土时挖出。距地面深约1米，发现时犀牛尊是放在一个口向上的灰色大陶瓮中，犀头朝西北方向，立于瓮中，瓮内全被泥土塞满。

错金银云纹犀牛尊高34.1厘米，长58.1厘米。尊呈犀牛形，犀有双角，一前一后，鼻角长而额角短，两耳短小耸立，双目嵌以黑色料珠，尾尖稍翘，短腿三瓣蹄。遍体嵌金作流云纹。合口，左侧伸出细管作流。犀背部有椭圆形的尊口，上覆素面铜盖，有活环可以启闭。在背部后面有伤痕数处。犀牛昂首伫立，双目前视。

错金银云纹犀牛尊是汉代青铜器中的精美之作，为研究西汉时期工艺美术提供了珍贵的资料。

错金银云纹犀牛尊藏于中国国家博物馆。

妇好觥　商代晚期文物。1976年，河南省安阳市殷墟妇好墓出土。共出土2件，成对，均有盖。

妇好觥通高22厘米，通长28厘米，短流、扁长体，扁圆形矮圈足，底部略外鼓，牛头錾，流下有细棱，下通圈足，圈足后端亦有一条短棱。盖的头端为一虎头，张口露齿，两耳竖起；后端为一鸮首，尖喙圆眼，竖耳，盖面中部有一条较长的扉棱，两端分别与虎头和鸮头相连，在棱的两侧饰夔纹。此件设计极为精巧，器盖相合后，从整体来看，前端如一蹲坐的虎，虎的前肢抱颈，后肢作蹲状，长尾上卷；后端为一作站立状的鸱鸮，鸮的双翅并拢，爪着地。盖下周沿有子口，与器口相合。

觥的具体功能有三种观点：饮酒器、罚酒器和盛酒器。

妇好觥存于中国社会科学院考古研究所。

册耒冉觥 商代晚期文物。叶东卿、潘祖荫旧藏，出土较早，历见著录，著录中多称匜。

册耒冉觥通高20厘米，口纵7.7厘米，口横16.8厘米。椭圆体，曲口宽流，觥盖前端设一龙首，阔口露齿，双角翘起，角间有一条棱脊，脊两侧饰卷尾龙纹；盖后端饰内卷角兽面纹，兽角翘起，双耳外突。器自流以下至腹的前后皆出扉棱，流部饰对称的长鼻兽纹，口沿下饰长尾鸟纹，腹部饰外卷角兽面纹，圈足饰环柱角兽面纹。器的后端设鋬，上饰下卷角兽面纹。集多种动物纹饰于一器，是商代晚期青铜觥上纹饰的特点。册耒冉觥经火焚烧，表面多处剥蚀。盖、器同铭，各3字：“册耒（劦）[illegible]（冉）。”耒是农官，双耒或是掌管耦耕之官。

这件青铜觥，器盖兽首露齿，形态可掬，是觥类器物中造型较为独特的一件。

册耒冉觥藏于上海博物馆。

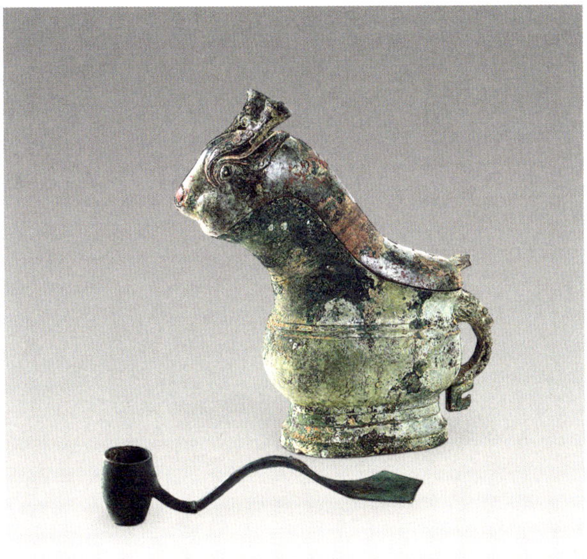

司母辛觥 商代晚期文物。又名后母辛觥。1976年，河南省安阳市殷墟妇好墓出土。

司母辛觥高36.5厘米，长47.4厘米。造型作立兽状。宽长流，流前端有一小圆孔，流下有扉棱一条，直通胸部。扁长体，前窄后宽，底中部微外鼓。四足，前两足兽形奇蹄，比后足稍长，足外侧饰夔纹，夔口向下，后两足如鸟足，饰羽毛纹，有四爪，足底有凹下的浇口。兽头鋬，流下两侧饰夔纹。胸部两侧各有一倒夔。腹前端两侧各饰一夔，夔头向下，身尾上竖，尾尖内卷；腹后端有并拢的双翅和下垂的短尾，与后足成一整体。鋬内壁面饰阴线兽面纹。盖前端如马头但头上有大卷角一对。盖面饰龙纹一条，大头圆眼，钝角后伏，身尾较长，中脊作扉棱形。龙身右侧饰夔形纹，左侧饰怪兽纹和夔纹。盖下周沿有子口，与器口相合。器底里中部、盖里后端有铭“司母辛”三字。“司母辛”为武丁的配偶妇好，“辛”为妇好的庙号。“母辛”是武丁子辈对其法定配偶的称谓。司母辛铭文的铜器是武丁子辈为祭祀其母所做的祭器。

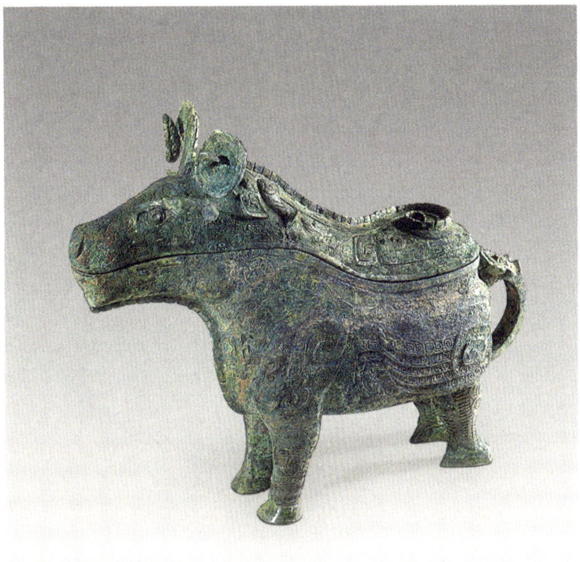

青铜觥多在器盖部分作出兽首象形，这件觥将传统的圈足改为四只兽足，使得整器都变成了动物造型。从形态上，司母辛觥更加接近文献中的"牺尊"，但其主体仍然保留了觥的形态和功能。

司母辛觥存于中国社会科学院考古研究所。

㠱父乙觥 商代晚期文物。上海博物馆征集。

㠱父乙觥通高29厘米，通长31厘米。椭圆体，曲口宽流，龙头盖，两角两侧有兔耳，龙头两目圆睁，神态肃穆。中脊为一条浮雕的小龙，长体卷尾。脊两侧饰长冠凤鸟，盖后端饰牛角形兽面纹，双耳翘出于器表。流的下端饰弯角卷尾龙，腹饰大凤鸟，长冠飘逸，昂首伫立，大凤爪下及圈足，大凤鸟背

置一小凤鸟，圈足饰分尾长鸟纹。器的后端设兽首鋬，下垂小钩珥。㠱父乙觥纹饰以凤为主题，是商周青铜器中常见题材。㠱父乙觥纹饰不施地纹，但未使人感到有大的空隙，是商代晚期青铜器纹饰的又一种新风格。盖、器同铭，各3字："㠱父乙。"记载㠱父乙觥是㠱氏为父乙所作。

㠱父乙觥藏于上海博物馆。

觑尔觥 西周早期文物。2006年，山西省绛县横水镇西周墓地出土。

觑尔觥通高29厘米，通长30.5厘米，方体，龙头盖，腹壁微曲。龙头张口露齿，唇上饰蛇纹，盖上饰龙纹和兽面纹，阔口獠牙、巨角小耳、圆目鼓睛，后端作竖耳兽面，盖脊两侧饰回首虎耳卷尾夔龙。觥体前部有流，纹饰和觥盖相同，长方体，腹微外鼓，四角有扉棱。口沿以下饰花冠凤鸟，长冠凤鸟和弯角龙纹，觥体四壁和圈足分别饰内卷角大兽面和长冠凤鸟。主体花纹之上又以阴线刻花，形成三层花，豪华富丽。盖、器同铭，各16字（其中重文2字）："觑尔乍（作）父丁宝隣（尊）

彝，孙孙子子肕（其）永寶，戉（钺）。"

觚尔觥腹部为方体，较殷墟时期以椭圆腹觥为主的传统有很大区别，具有西周早期青铜觥典型特征。

觚尔觥藏于山西博物院。

折觥 西周早期文物。1976年，陕西省扶风县庄白1号窖藏出土。

折觥通高28.7厘米，口长11.8厘米。觥体呈长方体，盖作羊首形，器前流后鋬，鼓腹，圈足外侈，盖脊与觥体两腹侧及四角起扉棱。盖上部扉棱两侧饰夔纹，盖中部下部饰兽面，口沿下与圈足饰一周顾首夔纹，腹部饰兽面纹。底部有"X"形强筋线。器盖同铭，各40字，行款异，器铭6行，盖铭4行。铭文："佳（唯）五月，王才（在）庎，戉毘（子），令（命）乍（作）册折兄（貺）望土于相医（侯），易（錫）金易（錫）臣，刬（揚）王休，佳（唯）王十又（有）九祀，用乍（作）父乙隣（尊），肕（其）永寶。木羊册册。"铭文大意为十九年五月戊子日，王在庎地，命令作册折去貺赠望土于相侯，而后赏赐给折以青铜器和奴隶，折为父乙作器。庎为古地名。作册，史官名，掌管著作简册，奉行国

王的告命。折，人名，即这件铜器的所有者。祀，年，十又九祀，即十九年。父乙即折的父亲乙，为昭王时人。木羊册册是折的族徽。

折觥藏于周原博物馆。

日己觥 西周中期文物。1963年，陕西省扶风县法门镇齐家村青铜窖藏出土。

日己觥高32厘米，通长33.5厘米，腹深12厘米。长方形，兽形盖，高方形圈足。器身四角有凸棱，器盖前部为一昂首的双角怪兽，背部中脊有方棱凸起，作卷尾的龙形，两侧各饰一鸟纹，后部饰一饕餮纹；器身近口处饰一回首的夔龙，尾随一只小鸟；器腹饕餮纹；圈足饰小鸟纹。器身后侧有扁而宽大的鸟"尾"，似是用来代替鋬。"尾"上有纵行凸棱。触底部有"X"形条带强筋线。盖、器同铭，各3行20字（其中重文2字）。铭文："乍（作）文考日己寶隣（尊）宗彝，肕（其）子=（子子）孙=（孙孙）邁（萬）年永寶用。（天）。"铭文记为亡父日乙铸祭器，子孙万代保用。

日己觥代表了西周青铜器发展鼎盛时期的风格特点。

日己觥藏于陕西历史博物馆。

⛰父丁觥 商周时期文物。1988年9月，陕西省延长县岔口村村民在该村寨子山以南的下坪山峁耕地时，挖出⛰父丁觥等一批青铜器，后经文管会相关人员调查，判定此地可能为一处窖藏。

⛰父丁觥通高17.6厘米，通长17厘米。体呈椭方体，失盖，长流口，前有宽流槽，后有羊角兽面形鋬，长方形高圈足，圈足沿外侈。圈足、腹部和颈部四角和各面中部均有扉棱，颈部饰夔龙纹和象纹，腹部饰曲折角兽面纹，兽面以扉棱为鼻，圈足饰两两相对的夔纹，均以云雷纹衬地。内底部铸铭文三字："⛰父丁。"

殷墟时代的觥以椭圆腹为主，这件觥的腹部则为方体，这种造型的觥更多见于西周早中期。⛰氏族徽亦见于陕西宝鸡石鼓山西周早期墓地，可能是殷遗民被迁往关中者。

⛰父丁觥存于延长县文物管理所。

妇好偶方彝 商代晚期文物。1976年，河南省安阳市殷墟妇好墓出土。

妇好偶方彝通高60厘米，口长69厘米，口宽17.52厘米。有盖，因为形似两件方彝连成一体，故得名。盖似四阿屋顶，两端有对称的四阿式短柱纽，中脊和四坡角以及四面中部均有扉棱。两长边中部各有一个突起的鸱鸮面，

两侧各饰一鸟，鸟头相对。在鸟的上下侧分别饰以夔纹。短柱纽表饰三角形纹。器口部呈长方形，稍内敛，方唇，有肩，腹部呈长方形，两端有对称的附耳，腹下部略内收，体腔中空，底近平。体四面中部、四转角以及圈足的相应部位都有扉棱。圈足两长边中部均有一个长方形缺口；两短边中部也各有一个缺口。口下长边两面中部各有一个突起的兽头，兽头两侧饰以鸟纹。鸟作站立状，钩喙圆眼，短翅长尾，鸟头均朝向兽首。两长边腹中部各饰一大饕餮纹，饕餮口部两侧各有一夔和站立状的小鸟；两端又分别饰一较大的夔。圈足两长面的两端各有一形体较大的夔，夔头向外；中部又有两夔，夔头相对，尾端作蛇头形。短边两面附耳之上各铸象头一个，象头两侧各饰一鸟，

象头之下饰一大饕餮纹。圈足短边两面各饰对称的夔纹。底部中部有铭"妇好"二字。

偶方彝的造型是独一无二的,可能与妇好独特的身份有关。

妇好偶方彝藏于中国国家博物馆。

户方彝 西周初期文物。2012年,陕西省宝鸡市石鼓镇3号墓出土。

户方彝高63.7厘米,口径长35.4厘米,宽23.5厘米,庑殿式屋顶盖,盖顶四角扉棱中上部伸出折角扉棱,四斜面饰倒置的兽面纹,中间扉棱作高鼻。前、后兽面纹上部饰头部相对的夔龙纹,两侧兽面纹上部饰三角变体夔纹。盖顶正中高起方柱接盖纽,盖纽呈硬山屋顶形,前后饰倒置的兽面纹,两侧饰三角变体夔纹。器身为长方形敛口,宽平沿,直腹,平底,高圈足外撇。彝体四角及中线皆有镂雕扉棱,盖顶、颈部、腹部、圈足部四层纹饰,均以云雷纹作地。颈部弧内收,四面正中伸出圆柱接高浮雕兽首耳,兽首饰掌形角一对。耳两侧饰头部相对的夔龙纹。腹部四侧面饰大兽面

纹,中间扉棱作高鼻。兽面均双层高眉,扁圆目,鼻梁隆起,阔嘴,獠牙。圈足四侧面中间扉棱两侧饰头部相对的夔龙纹,扉棱下有竖直缺口。盖顶、器底同铭,铸有"户"字。

户方彝体型高大,纹饰华丽,是已知商周方彝中体型最大的一件。

户方彝藏于宝鸡市渭滨区博物馆。

折方彝 西周早期文物。1976年12月,陕西省扶风县法门乡庄白村村民在平整土地时,于村南100米处坡上发现的庄白1号青铜器窖藏中出土。

折方彝通高41.6厘米,口纵19.3厘米,口横24.2厘米。庑殿四阿式盖,盖的顶部有四阿式盖纽。器平沿外折,直口,弧形腹壁,高圈足,圈足切地处下折形成一个小台。盖、器、圈足各有八道扉棱,圈足外底有网状强筋线。盖的四个面饰云雷纹衬地的兽面纹,方向倒置朝向盖纽,近盖纽处饰云雷纹衬地的两两相对的顾首夔龙纹。器腹部四个面亦饰云雷纹衬地的兽面纹,口沿下和圈足饰云雷纹衬地的两两

相对的顾首夔龙纹，纹饰整体十分繁缛。盖器同铭，各6行42字。铭文为："隹（唯）五月，王才（在）厈（斥），戊兇（子），令（命）乍（作）册折兄（貺）望（望）土于相医（侯），易（锡）金易（锡）臣，剔（扬）王休，隹（唯）王十又（有）九祀，用乍（作）父乙障（尊），茸（其）永宝。木羊册册。"

折方彝器腹壁为弧形，为西周早期偏晚形制。

折方彝藏于宝鸡市周原博物馆。

盠方彝 西周中期文物。1955年，陕西省眉县李村窖藏出土。由李村村民在耕地时发现，后村民交送陕西省博物馆。

盠方彝通高22.2厘米，口长14.2厘米，整体造型仿宫殿式样，盖作庑殿屋顶形，盖四角皆有扉棱，盖纽作方柱四阿顶，盖顶饰窃曲纹，以雷纹衬地，盖面的正中饰圆涡纹，周围分布一对夔纹；器体较矮，侈口方唇，腹微鼓，圈足外侈，腹两侧有向上卷曲的象鼻形錾，方垂珥，器四角皆有扉棱，器腹正中饰圆涡纹，两侧饰变体夔龙，口沿下及圈足饰窃曲纹，通体用云雷纹填地。盖、器同铭，各铸108字（其中重文2字）。铭文："唯

八月初吉，王各（格）于周漳（庙），穆公右（佑）盠，立于申（中）廷，北卿（嚮），王册令（命）尹，易（锡）盠：赤市（韨）幽亢（衡）、攸（鋚）勒，曰：用嗣（司）六自（师）王行，参（叁）有嗣＝（司司）土、嗣（司）马、嗣（司）工，王令（命）盠曰：歆嗣（司）六师眔（暨）八师执（执、艺），盠拜（拜）頔（稽）首，敢（敢）对剔（扬）王休，用乍（作）朕（朕）文且（祖）益公宝障（尊）彝，盠曰：天子不（丕）叚（遐）不（丕）茸（基），万年保我万邦，盠叀（敢）拜（拜）頔（稽）首，曰：刺＝（烈烈）朕（朕）身，迺（更）朕（朕）先宝事。"铭文记载作器人"盠"是周王同宗，周王命盠掌管王之六师和司徒、司马、司空以及殷八师的事务，并赐盠厚赏，盠因此作器以记其荣宠，颂扬天子恩泽。

学者认为，盠应为昭王、穆王时期人，盠方彝时代应在昭穆时期。盠方彝庄重典雅，造型稳定匀称，是西周青铜艺术品中的代表作。

盠方彝藏于中国国家博物馆。

垂鳞纹方彝 春秋早期文物。1972年，湖北省随县均川熊家老湾出土，熊家老湾群众因

修建房屋，先后出土了两批青铜器。铜器发现在山坡上，距地表深约1米。

垂鳞纹方彝通高32.7厘米，口长12.7厘米，口宽12.1厘米。方体有盖，盖呈覆斗形，盖顶圆凸，盖四角均有扉棱，盖面饰云纹，盖下缘宽耳平直，饰夔纹带。颈部左右两面中间为半环形小耳，在半环耳下各有一尖端突出的四面坡形乳钉，其余两面腹腹部中间为竖凸，器腹下部鼓出，圈足垂直，接腹部外撇，底部呈方形小台状，器身四角有扉棱，与器盖相对应。器口口沿下饰一周夔纹带，前后两面中间加小兽首，兽首长角外撇，与口沿下弦纹相接，器腹部满饰垂鳞纹，圈足饰人字纹，圈足中部饰一周凸弦纹。

这件方彝造型特别，带有地方特色。

垂鳞纹方彝藏于湖北省博物馆。

兽面纹卣 商代中期文物。1982年，河南郑州市向阳回族食品厂出土。1982年7月11日，工人在向阳回族食品厂基建工地施工时，距商代城址东南角外侧约54米处的地下约5米深处发现兽面纹卣等商代青铜器，随后由河南

省文物研究所和郑州市博物馆考古工作者展开正式发掘。

兽面纹卣通高50厘米，口径12厘米。盖顶隆起，有菌状纽，盖顶饰夔纹，盖纽顶端饰涡纹。卣为小口，深鼓腹，腹下垂，下收为圜底，圈足。肩部有一提梁，一端有一套环链与盖上的纽柱相套连，提梁两端作蛇头状，提梁表面饰多组菱形纹。卣颈部饰夔纹组成的饕餮纹，上下界以云雷纹；腹部饰竖向夔纹组成的两组饕餮纹；圈足饰两周联珠纹夹着一周云雷纹，并有四个镂孔。兽面纹卣铸造工艺比较复杂，是经过多次铸造而成。先用两块外范铸好套环链，然后把套环链的一端在铸纽盖时相连，另一端穿以先铸的半圆形铜环和后铸的提梁相铸接。用四块卣体外范，一块卣体内范，以及四块半圆形环外范合铸成带半圆形环耳的卣体。卣体为倒铸，浇口在圈足底部，卣的圆底可见补浇痕迹。

兽面纹卣全身布有复杂饕餮纹，由一般的

条状分布，逐渐向通身发展。器物线条流畅。

兽面纹卣存于河南省文物考古研究院。

立鸟兽面纹卣 商代晚期文物。1976年，河南省安阳市殷墟妇好墓出土。

立鸟兽面纹卣通高37.5厘米。盖面呈弧形，中部铸有一鸟，以作盖纽，盖面边缘饰雷纹一周，盖下周沿有内折的子口，与器口相套合。在盖面上有一附加的活动环带，环带由一盘卷状的夔和一鸟所构成，鸟尾作成小环形，与提梁内侧的小环相套合，盖启后，盖可悬于梁。器为小口、细长颈、鼓腹圆底，矮直圈足，足上端两侧有长方形小孔各一，颈、腹、足两面均有一细棱，腹部有对称的小环纽，其上安有龙头曲颈提梁，梁面正中有一条细长的棱，与两端的龙头相连。口下饰雷纹一周，颈部、腹部均饰饕餮纹，口向下，铸纹细浅，中间隔以雷纹带，圈足饰龙纹，提梁有中脊，两侧饰曲折纹。

这件青铜卣器盖顶端捉手塑造成鸟形，是卣类器物中比较罕见的一件。

立鸟兽面纹卣藏于河南博物院。

二祀邲其卣 商代晚期文物。章乃器旧藏。传于河南省安阳县出土，王文昶云："1940年于河南安阳出土，为残品，后运京归陈鉴堂，陈将此卣交张兰会修配后，又交张沛霖转手卖于苏体仁。新中国成立后，此卣归章乃器所有，之后捐献给故宫博物院。"

二祀邲其卣通高38.4厘米，宽36.9厘米。盖上有高缘，隆起如鼓，顶上立纽呈菌状，盖面饰夔纹。器为椭圆体，敛口，短颈，鼓腹，圈足外侈，肩部有两环纽套铸活络扁提梁。提梁饰蝉纹，器颈饰一周夔纹，颈前后中心置一

兽首。圈足饰以夔纹。提梁原已残断，所缺一段系后配，盖口及圈足都已破碎，后经修复。颈部前面兽首是原物，后面兽首及颈以下到腹部均为后配。盖与内底铸族徽文字"亚獏父丁"。器外底铸长篇铭文7行39字，铭文为："丙辰，王令邲其兄（既）夔尊（于）夆田渴。宾（賓）贝五朋。才（在）正月，遘尊（于）匕（妣）丙，彡（肜）日，大乙爽。隹（唯）王二祀。既砅尊（于）上帝。"铭文记载商纣王二年正月丙辰，王令邲其巡视夆地的事迹。邲其家族的族徽是"亚獏"，二祀邲其卣是为纪念死去的父亲丁而作。

二祀邲其卣一共有三处铭文，在青铜器中罕见。二祀邲其卣铭文是研究商代社会的重要史料。

二祀邲其卣藏于故宫博物院。

亚址卣 商代晚期文物。1990年，河南省安阳市郭家庄160号墓出土。

亚址卣通高35.8厘米，口长15厘米，口宽13.5厘米。盖有四条扉棱，短边侧扉棱之下方，连接一向外凸出的长方形附耳，其表面饰一口朝上的蝉纹。盖顶部上方饰六瓣花蕾形短

柱纽，纽四周饰瓦纹。瓦纹之下以及盖之折沿处各有一周鸟纹带。器体平面呈椭圆形，直口，束颈，下腹鼓，圆底，高圈足。腹上部长边侧有圆环，环内套一提梁。提梁与圆环交接处饰一口朝下的圆雕兽首。提梁表、里两面均饰四条夔纹，四夔以提梁中部为对称轴，相互对称。卣的腹部及圈足亦有四扉棱，与盖之扉棱相对应。卣腹中部饰瓦纹，瓦纹之上下方及圈足上均饰以鸟纹。全器从盖至圈足共有鸟纹五周，鸟的形态有所不同。器盖上部内部及器内底有铭文"亚址"。

亚址卣纹饰复杂，工艺精良，器形端庄，是商代晚期青铜卣中的精品。

亚址卣存于中国社会科学院考古研究所安阳工作站。

亚艅卣 商代晚期文物。罗振玉旧藏，曾著录于《三代吉金文存》。后入藏旅顺博物馆。

亚艅卣通高24.9厘米，口长15.5厘米。体作两鸮合体形，直口矮颈，鼓腹，底部微圆，四条足，盖作鸟首形，两侧有钩形喙，中央有屋顶形纽，颈部有一对半环纽，套接索状提梁。盖器同铭，各2字："亚艅。"

亚艅卣小巧精致，仿生形象逼真，是商代晚期不可多得的精品。

亚艅卣藏于旅顺博物馆。

小臣系方卣 商代晚期文物。吴大澂旧藏，著录于《愙斋集古图》。后被日本古董商坂本五郎所得，并著录于《不言堂中国青铜器清赏》。2012年，上海博物馆从日本征集回国。

小臣系方卣高49.2厘米。截面呈方形，直口高颈斜肩，腹部收敛，圈足较高，外撇，颈部有一对小环纽，套接兽首扁提梁，盖作四坡屋顶形，上有屋顶形捉手，盖和器的四角扁平形的扉棱。盖面和盖纽饰倒兽面纹，盖沿、器肩和圈足饰形象不同的夔龙纹，腹上部饰鸟纹，下部饰圆睛和獠牙凸起的兽面纹，提梁两端饰两头龙纹，内侧饰阴线刻成的变形兽面纹。盖、器同铭，盖内和器底各铸铭文15字："王易（锡）小臣茲（系），易（锡）才（在）帝（寝），用乍（作）且（祖）乙隣（尊），交□。"记述王赏赐小臣系，于是小臣系铸此方卣祭祀先祖乙。

小臣是商代官名，为君王近臣。小臣系铭文青铜器在河南安阳殷墟侯家庄西北岗1003号大

墓有出土，杨锡璋推定1003号大墓为商王帝乙之墓，小臣系方卣时代应为帝乙时期。河南三门峡虢国墓地和陕西韩城梁代村芮国墓地也出土有小臣系铭文玉器，学者推测是周初灭商后俘获的商人玉器分赐诸侯的产物。商代方卣数量极少，小臣系卣是已知所见体量最大的方卣。

小臣系方卣藏于上海博物馆。

燕侯旨卣 西周康王时期文物。2007年，山西省翼城县大河口西周霸国墓地1号墓出土。

燕侯旨卣通高34.4厘米，重7.34千克。呈椭圆体，整器由器身与器盖两部分组成：器身直口，长颈，腹下部垂鼓，高圈足，提梁较短，两端作圆雕牺首，与颈部两侧所附小半环耳套联。器盖子口，隆起，上有一圈状捉手，两侧作觭角形。器盖边缘与器颈部装饰均采取"两方连续"的方式，器盖边缘饰以上下联珠纹界，内饰饕餮纹带，器颈部饰以上下联珠纹界，内饰饕餮纹带，并在前后饕餮纹带中央处对饰圆雕牺首，圈足饰两周凸弦纹。燕侯旨卣的造型、装饰与上海博物馆所藏西周早期的保卣相似。燕侯旨卣器盖、器内底同铭，铭文凡2行9字："匽侯旨作姑妹宝尊彝。"铭文大意

为，燕侯旨为其姑妹作器。"燕侯旨"应为第一代燕侯"克"之子，为第二代燕侯。

这件提梁卣造型是西周早期提梁卣的典型作品。

燕侯旨卣存于山西省文物考古研究所。

弜季卣 西周早期文物。1980年，陕西省宝鸡市竹园沟4号墓中出土。

弜季卣通高23.5厘米，口横15.5厘米，口纵12.5厘米。盖面向上隆起，盖中有圆形握手，盖沿饰一周夔龙纹，两侧各有一凸出虎首。器为侈口，器腹明显下垂，四扁形虎足，颈部下两侧各有一隆起虎头形耳与曲形提梁相

套合。提梁素面无纹饰,腹上饰一周大小相间的夔龙纹,以云雷纹衬地,前后面中部各有一隆起虎头。器、盖同铭,铭2行6字:"强季乍(作)宝旅彝。"强,国族名。强季卣是墓主强季生前所铸酒器。

这类四足扁腹提梁卣十分罕见。

强季卣藏于陕西历史博物馆。

伯各卣 西周早期文物。1980年,陕西省宝鸡市竹园沟7号墓出土。共2件,纹饰、器形、铭文相同,唯大小有别。

伯各卣大者通高33.6厘米,口横12.6厘米,口纵10.4厘米,腹深17厘米;小者通高27.5厘米,口横10.7厘米,口纵8.5厘米,腹深13厘米。有扁形提梁,带盖,卣身直口,束颈,体椭圆,深腹微下垂,高圈足。提梁与卣

体相接处有羊首,卷角高突。提梁中部有对称两牛首,牛首突出梁端,兽角翘起,吻部突出。梁背有相背夔龙四组。卣盖饰大饕餮兽面两组,兽面圆目,卷角斜翘,盖面有四道高扉棱,云雷纹衬地。盖中部有突立,由四牺首围成圆形握手,盖折沿处饰一周夔龙纹,四组,夔龙回首,拱身,卷尾。卣身颈部饰夔龙纹一周,间有两兽首。腹部饰饕餮兽面,兽面凸目,巨口,卷角翘起,突出体外,两侧有夔龙下探。圈足饰一周夔龙纹,夔龙探首。通身有四条高扉棱,云雷纹衬地。器、盖同铭,2行6字:"白(伯)各乍(作)宝障(尊)彝。"伯,爵称或排行;各,私名。伯各应为某代强伯。

伯各卣藏于宝鸡青铜器博物院。

户卣甲 西周早期文物。2012年,陕西省宝鸡市石鼓山3号墓的3号龛内出土,出土时仍置于铜禁上。

户卣甲通高50厘米,口径14.5～18.2厘米。整体呈椭圆形,有盖和提梁。盖母口、器子口,盖纽为六瓣花蕾形,盖两侧各有一上翘的銴。器腹部圆鼓且微垂,圈足切地下折形成

一高台。器口沿下有前、后各一兽首形铺首，铺首上各有两个造型夸张的鸭掌形角。铺首连接条形提梁。盖、器、圈足各有四道等分的高扉棱。盖纽的六瓣各饰一蝉纹。盖面中心饰四瓣涡纹，外围一圈饰竖棱纹，其外再饰四组云雷纹衬地、两两对称的鸟纹。盖外沿部饰两组两两对称云雷纹衬地的鸟纹。器长子口下和圈足饰云雷纹衬地、两两对称的鸟纹，腹中部饰竖棱纹，下部饰云雷纹衬地、两两对称的凤鸟纹，凤鸟造型特点鲜明，首后有雁尾形冠，尾上有立羽。

在卣类器物中户卣甲体量巨大。扉棱和兽角装饰夸张。"户"字族徽也是仅见于此。因此户卣所出的宝鸡石鼓山墓葬很有可能是户氏家族墓地。

户卣甲藏于宝鸡市渭滨区博物馆。

商卣 西周早期文物。1976年，陕西省扶风县庄白1号窖藏出土。

商卣通高36.6厘米，口长径16.7厘米，短径13.2厘米。整体呈椭圆形，盖向上隆起，盖顶有一纽，盖纽作花苞状，饰蝉纹。器口椭

圆，敛口，腹部外鼓，高圈足。颈部两边饰半环形耳套接兽首提梁，兽首巨角圆目，造型简洁。器身采用通体浮雕的装饰手法，以扉棱为中心对称分布。"十"字形扉棱从器盖至圈足将卣四分。盖面与器腹饰卷角凸目大兽面纹，盖沿、颈部与圈足饰卷尾夔纹各一周。器底有网格状强筋线。从器形风格、字体特征和年代序列考察，年代约在成王时期。盖器同铭，各30字，盖铭5行，器铭6行："隹（唯）五月，辰才（在）丁亥，帝司賚（赏）庚姬贝卅（三十）朋、迣丝（丝）廿（二十）寽（锊），商用乍（作）文辟日丁寶隝（尊）彝。𤔲（冀）。"铭文大意为，庚姬得到帝嗣的赏赐，商用来作器，祭祀其父丁。铭末字屡见于商末周初彝铭，是作器人商的氏族徽号，商应是西周微史烈祖。"帝司"即"帝嗣"，应是周公摄政时的成王。商应是微史。庚姬是商的妻子，系姬姓。

商卣整器具有商末周初铜器特征。

商卣藏于周原博物馆。

泾伯卣 西周早期文物。1967年9月，甘肃省灵台县西屯公社白草坡大队农民发现一座西

周墓葬，甘肃省博物馆对该墓作了清理发掘，出土泾伯卣等各类器物340多件。

泾伯卣通高29厘米，口径12厘米。盖向上隆起，器盖纳于口中，上有圆形圈状捉手，盖面饰一周对夔纹，夔纹上有一周凸弦纹。器呈直筒形，直口、方唇、腹上部两侧有环纽，与一羊首提梁相扣，提梁均饰龙纹，器腹上部是以兽首为中心，两方连续饰顾首龙纹组成的纹饰带，上下均有一圈凸弦纹，足上部饰一周龙纹，龙纹上下各饰一周凸弦纹。盖内和腹内底同铭各6字："泾伯作宝尊彝。"泾是地名（或封国名），因泾水而得名。

泾伯卣造型特别，具有地方特色。

泾伯卣藏于中国国家博物馆。

作宝彝卣 西周早期文物。2007年，湖北省随州市羊子山4号墓出土。

作宝彝卣通高49.5厘米，口径12.1～15.2厘米。外罩式盖，上有象首形纽，沿下折，盖面饰一对眉目似人的神面纹，以扉棱为鼻；器身横截面呈椭圆形，颈部两侧有对称的半环纽，套接提梁，提梁两端有圆雕兽首，中部有

一对圆雕龙首，腹部下垂，高圈足沿下折，形成较高的边圈。通体有四道钩状扉棱，分成盖、颈部、腹部和圈足四部分，颈部饰一周蛇纹，蛇纹下前后面正中各增饰圆雕象鼻兽首，腹部饰一对眉目似人的神面纹，以扉棱为鼻，与盖面纹饰相对应，圈足饰共首双身蛇纹，全器均无地纹。盖内铸铭文3字："乍（作）宝彝。"

作宝彝卣的人面纹为解决传世神面纹青铜器真伪和来源问题提供了依据。

作宝彝卣藏于随州市博物馆。

丰卣 西周中期文物。1976年，陕西省扶风县法门公社庄白大队白家生产队队员平整土地时发现。经考古发掘证实，此处为一西周晚期窖藏，内有西周早期至晚期青铜器103件，其中有铭文青铜器就多达74件。丰卣便是其中之一。

丰卣通高21厘米，口径8.9～11.2厘米。器为椭圆形，有盖，盖向上隆起，盖上有圈状捉手；器敛口，垂腹，矮圈足外侈，颈部两边饰半环形耳套接兽首提梁。盖面上饰四对蟠蛇

顾首凤鸟纹，提梁上饰变形蝉纹，间以四角星纹三个。颈部饰一周垂冠小鸟纹，腹饰垂冠分尾凤鸟纹，通体以雷纹为地。圈足底有长方格强筋线。器、盖同铭，各31字，盖铭5行，器铭6行。铭文："隹（唯）六月既生霸乙卯，王才（在）成周，令（命）丰寢（殷）大矩，大矩易（錫）丰金貝，用乍（作）父辛寶隣（尊）彝。木羊册。"铭文大意为某年六月乙卯日，周王在成周，命令丰去见大矩，大矩赏赐丰青铜和贝币，丰因而为父辛作器。丰为穆王时期人。

丰卣遍体满饰花纹，为西周早期青铜器中的艺术珍品。

丰卣藏于宝鸡市周原博物馆。

亚址罍 商代晚期文物。1990年10月，河南省安阳市郭家庄160号墓出土。

亚址罍通高44.8厘米，口径17.5厘米，小侈口，方唇、沿面略内斜，短束颈，圆肩，深腹，底内凹，矮圈足。肩有一对半环状耳，耳上方呈饰牛头，耳内套一大圆环。下腹内侧有一牛首环形鋬。口沿下为一周三角形蝉纹带，由20个口部向下的蝉纹组成，颈部饰六条夔纹，夔回首反顾，尾部向下钩卷。肩部饰六个圆形涡纹，中部圆涡纹之两侧各有一横向夔纹，以圆涡纹为中心，互相对称，口相向。在耳之两侧，各有一口朝上的竖夔纹，以耳为中心，亦两两相对称。腹上部有三组由夔纹组成的大饕餮纹。饕餮，角呈云状纹，圆角方形目，躯干三折，尾向下内卷，背上有"刺"，躯干下伸出粗壮的脚与爪，以扉棱为鼻。饕餮纹之外侧下方，以一道夔纹填空。腹下部饰九个大蕉叶纹，蕉叶纹由竖立的对夔纹与三角纹组成。圈足上饰一周龙纹带，由六个横向的小夔纹组成。所有纹饰都以云雷纹为地纹。颈内壁与下腹牛头形鼻纽相对应的位置铸有铭文2字："亚址。"

亚址罍存于中国社会科学院考古研究所安阳工作站。

子羹 商代晚期文物。上海博物馆征集。

子羹通高45.6厘米，口径17.3厘米。宝顶形盖，有一菌状纽，纽面饰火纹，盖面饰外卷角兽面纹。器小口翻唇部，束颈，圆肩，腹壁

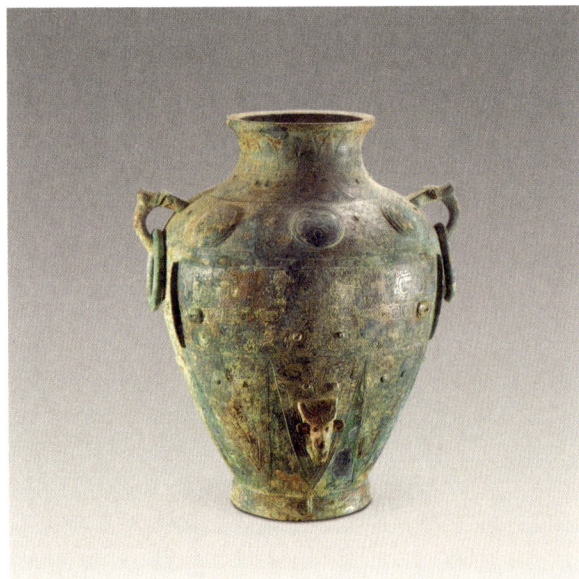

自肩以下渐斜收，圈足低而外撇。肩两侧置衔环牛头耳，正面腹下部有一个牛头形鼻纽，为倾酒时提拎之用，便于倾酒。肩部饰外卷角兽面纹，在其上扬的躯体下配置相背式小龙。腹上部饰弯角鸟纹一周，两两相对，下腹部饰蕉叶纹，内有对称连尾的弯角鸟纹一对，蕉叶纹下尖长及于器底。整器纹饰平整细丽。器、盖同铭各一字，铭文释义为"子"，是"子"字繁写。

青铜圆罍极少有盖，子罍为人们展现了一个完整的青铜圆罍造型。

子罍藏于上海博物馆。

者姛方罍　商代晚期文物。故宫博物院旧藏，罗振玉《三代吉金文存》有著录。

者姛方罍通高62厘米，口纵16.9厘米，口横15.5厘米。器体厚重，体形为长方体。盖四阿庑殿式，盖顶有庑殿式纽，盖面有八道等分的扉棱。器直口短颈，圆肩，弧鼓腹下收，高圈足斜直。器短边肩部各有一兽首半环形耳，耳内有大的圆柱体衔环。长边肩的中部各有一兽首状铺首，下腹正中各有一半环形兽首耳。器身四道扉棱，圈足八道扉棱。盖四个面各有一对以中间扉棱对称的夔纹，颈部四个面各饰一对以中间扉棱对称的夔龙纹，上腹四个面各

饰两夔纹组成的兽面纹，腹中部四个面各饰两两对称的夔龙纹，下腹四个面各饰一大兽面纹，圈足四个面各饰两两对称的夔龙纹，通体云雷纹衬地。该器盖、器同铭，各9字，"亚醜，者（诸）姛（姒）吕（与）大（太）子隙（尊）彝"。族徽"亚醜"一释为"亚酗"，应为晚商显族。

方器在同类铜器中有着较高地位，者姛方罍反映了器主者姛的身份等级。

者姛方罍藏于故宫博物院。

亚伐罍　商代晚期文物。1977年，陕西省城固县宝山镇苏村商代青铜器窖藏出土。同坑出土2件，形制相同，皆为方体，有盖，唯花纹、大小稍异。另一件藏城固县文化馆。

亚伐罍通高52.8厘米，口纵13.6厘米，口横16.4厘米，腹深40.3厘米。庑殿四阿式盖，上有四阿屋顶形小纽，纽面饰云雷纹，盖四面饰倒牛角兽面纹。器作长方形体，直口方唇，溜肩，肩部有一对兽首半环耳，前下腹有兽面半环状鋬，深腹，由肩向下逐渐收敛成小平底

内凹。颈四面各饰一展体兽面纹，肩部饰两两相对的钩喙卷尾鸟纹，以浮雕兽面为中心两两对称。上腹部饰一周浮雕圆涡纹与四瓣目夔纹相间的带状纹，下腹部饰蕉叶纹，蕉叶纹内填两两相对的鸟纹。均以云雷纹衬地。外底部有铸补痕迹。器左耳内侧的腹壁上铸铭文2字"亚伐"。

李伯谦认为，亚伐罍应是更早的蜀文化遗物。唐金裕认为，亚伐罍应属羌人遗物。王寿芝认为，属于巴人遗存。亚伐罍形体方正，风格大气，纹饰精美，具有神秘的威力和狞厉之美。

亚伐罍藏于洋县文物博物馆。

皿方罍 商代末年文物。20世纪20年代，湖南省桃源县出土，后器身流落海外，数易美、日藏主，器盖在中华人民共和国成立后收归国有，于1952年由湖南省文管会移交湖南省博物馆。2001年3月20日，皿方罍器身在纽约佳士得亚洲艺术品拍卖会上以924.6万美元拍出，创下亚洲艺术品在国际市场上最高拍卖纪录。2014年3月20日，皿方罍器身在纽约佳士得拍卖公司推出，湖南收藏家群体向佳士得拍卖公司正式提出联合洽购皿方罍，经过沟通，皿方罍回归湖南，交由湖南省博物馆收藏。

皿方罍通高84.8厘米，器身高63.6厘米。整器由器身与器盖两部分组成：器盖呈四阿式屋顶状，中脊中部置一四阿式屋顶状纽，造型与器盖全同；器身直颈，弧肩，两侧中部置兽首衔环耳，套铸有环，前后中部各置一圆雕牺首，腹部斜收，下腹部内侧置一兽首衔环纽，圈足较高，外撇。器纽、器盖之中脊、四坡角及四面中心线各置一段扉棱，其与器身颈部、肩部、腹部、圈足四转角及四面中心线所各置四段扉棱，型形全同，上下相连，贯通一气。器通体以细密云雷纹为地，器盖四面对向装饰两组内卷角饕餮纹，其上器纽四面对向装饰两组牛角饕餮纹；器颈部装饰主题为四组鸟首龙身纹（夔凤纹），呈"两方连续"排列，每组花纹分别以扉棱为对称中心，两兽相向；器肩部装饰主题为四组侧像龙纹，角呈曲折状，分别以圆雕牺首、兽首衔环耳为对称中心，两兽相向；器腹部四面中部花纹各以扉棱为对称中心，装饰一内卷角饕餮纹，其上又置一牛角饕餮纹，两侧各间饰一鸟首龙身纹，两兽相向，遥相呼应；器圈足上部装饰四组鸟首龙身纹（夔凤纹），呈"两方连续"排列，每组花纹分别以扉棱为对称中心，两兽相向，与颈部装饰相同。器盖内所铸铭文凡2行8字，皿方罍器盖内铸铭文："皿㱿全作父己尊彝。"皿方罍器身内壁铸铭文："皿作父己尊彝。"铭文第三字漫漶不清，暂隶定为全。"父己"作为受祭者，为作器者父辈先人的庙号。

皿方罍采用"分铸法"。器身为整体铸造，器身上牺首、兽首衔环等，是在器身铸成后装范浇铸而成。皿方罍边角、四面中心线所置扉棱，高高耸起，既可掩盖合范的痕迹，又可改善器物边角的平面单调感，并扩大所占空间，增强造型气势。器纽、器盖扉棱与器身扉棱，两者走向相逆。皿方罍在器范制作过程中，并用线刻、浮雕、圆雕的综合技法，使平面纹饰与立体圆雕之间错落有致。皿方罍在存世商周时期方罍中体量最大。整器铸造精良，显示出商代晚期青铜铸造业技术成就，是中国古代青铜器精品。

皿方罍藏于湖南省博物馆。

克罍 西周成王时期文物。又名大保罍。1986年，北京市房山县琉璃河燕国遗址出土。京汉铁路东侧黄土坡1193号大墓出土各类器物200余件，其中克罍和克盉最为重要。

克罍通高32.7厘米，口径14厘米。整器圆体，由器盖与器身两部分组成：器盖面隆起，上有一圈状捉手；器体侈口平沿，束颈，圆肩较宽，两侧附一对兽首衔环耳，套铸有环，腹部斜收，下腹部内侧附一兽首衔环纽，圜底，圈足外撇。器盖与器肩部均采取"两方连续"

的方式，器盖饰四组涡纹，器腹部上段饰六组涡纹，下段饰一周凹弦纹；器颈部饰两周凸弦纹。器盖、器身同铭，器身铭文6行43字："王曰：'大（太）保（保），隹（唯）乃明乃鬯（鬯）音（享）于（于）乃辟。'余大對乃音（享），令克侯（侯）于（于）匽（燕），旟、羌、馬、虘、霅（雩）、駿（馭）、屻（微）。克窭（次）匽（燕），入土厥㘝（厥）嗣（司）。用乍（作）寶隮（尊）彝。"器盖铭文唯行款不同。铭文为作器者克追述周成王"册命"之辞，"大保"即

召公奭。可与《史记·燕召公世家》所述封召公于燕的史事互证。

克罍是商末周初圆罍的典型，流行于商代晚期至西周早期，在山西灵石旌介村、北京琉璃河及陕西宝鸡西关纸坊头村等地均有出土，其中陕西宝鸡西关纸坊头村所出土西周初年青铜罍，其造型与装饰与克罍最为相似。

克罍藏于首都博物馆。

象首耳兽面纹罍　西周早期文物。1980年2月，四川省彭县竹瓦街村民在当地取砖瓦土时发现象首耳兽面纹罍等19件青铜器，铜器出土时装在一大陶缸内。共出土2件象首耳兽面纹罍，器形相同，大小略有差异，盖盘花纹有别。

象首耳兽面纹罍通高72厘米，口径22.4厘米，足径24.5厘米。圆球形盖，向上凸起，直口，方唇，束颈，圆腹，腹下收为高圈足，圈足底部为圆形小台状。肩部有双耳，双耳为长鼻形立体象头，双耳中间亦饰立体象头，后面腹下有一兽首小耳。颈部有弦纹两道。器身、圈足以突棱分为相同四组纹饰，每组分上、

中、下三层，肩部中间饰一蟠龙，两边间以夔纹；腹部饰浓眉大眼夔龙，张口蜷身，一趾四爪分明；圈足上饰一跪牛。三层均以云雷纹为地。盖上有四鸟形扉棱，中饰夔龙，以扉棱为夔鼻，以云雷纹为地。

李伯谦认为，象首耳兽面纹罍的造型为西周早期典型形制，应是源于蜀人参加武王伐纣所获赏赐，或为蜀地本土仿制。象首耳兽面纹罍的发现与年代的确定，在相当程度上弥补了成都平原西周至春秋时期考古材料的不足。

象首耳兽面纹罍藏于中国国家博物馆。

噩侯方罍　西周早期文物。2007年，湖北省随州市安居羊子山4号墓出土。

噩侯方罍通高60.1厘米，口长14.6厘米，口宽13.1厘米。子口四阿屋顶形盖，上有封喙鸟形纽，盖面四角及四面中部有凸起扉棱，盖四面饰凸出神兽面，眉目似人，神兽面以中部扉棱为鼻梁。横截面呈长方形，直口高颈，溜肩收腹，方形圈足，肩上有一对龙首衔环耳，一面的下腹有龙首半环纽，颈部和腹部四隅及四壁中部各有一道扉棱，与

盖上扉棱相对应。颈部饰夔龙纹，前后增饰圆雕卷鼻象头，肩上饰浮雕圆涡纹，腹四壁中部均饰眉目似人的凸出神兽面，下腹饰兽面纹，圈足饰共首双身蛇纹，均不施地纹。盖内铸铭文7字："噩（鄂）侯乍（作）氒（厥）寶尊彝。"

噩侯方罍藏于随州市博物馆。

长子口方罍 西周早期文物。1997年，河南省鹿邑县太清宫1号墓出土。

长子口方罍通高47.6厘米，口纵11.3厘米，口横13.1厘米。盖呈四阿屋顶式，中间置方形纽柱，纽顶亦为四阿屋顶式，四边内折为子口，与器口相套合。器口呈长方形，宽平沿，直径，溜肩，深弧腹，平底，长方形圈足外撇。肩部两侧置对应的半环形兽首耳，衔大圆环，两耳之间的腹下部一侧置半环形兽鼻纽。盖、器身四角及四面中部均有扉棱，扉棱分盖、颈、肩、腹和圈足五段，上下对应成一直线，惟肩部无中间扉棱。扉棱呈条状，上端顶部伸出一突齿，腹肩部扉棱伸出两齿，圈足处扉棱凸齿在下。盖顶亦有一条脊扉。盖顶屋形纽柱正面饰卷云纹，侧面饰探头方目的夔龙纹。盖之四坡面纹饰分成上下两组，阴线相隔，正坡面上层施两条对首的夔龙纹，夔龙探头钩喙，顶有羽毛刺，小圆目，背负弯角，尾上卷，肢下置双足；侧坡面上层用三角状纹填角。下层四面均施倒置兽面纹，以中间扉棱做鼻，面目狰狞。器体纹饰与扉棱相对应，自上而下分四组，即颈部、肩部、腹部和圈足，各组之间空带相隔。颈部和圈足纹饰基本相同，以中间扉棱为中心，两侧各饰一夔龙纹，夔龙对

首。肩部亦饰对首夔龙纹，肩部正面两夔龙之间浮雕以兽面纹。腹部兽面纹分上下两组，阴线相隔。上组兽面纹较大，下组兽面纹较小。全器均以云雷纹衬地。通器从顶纽至圈足，上下共饰八组纹饰，工艺上采用圆雕、浮雕等技法。

器口内壁有铭文"长子口"三字，字迹清晰，盖壁内亦有"长子口"三字，字迹不清。长子口应是1号墓主人名字。

长子口方罍存于河南省文物考古研究院。

父丁孤竹罍 西周早期文物。1973年，辽宁省喀左县北洞村1号窖藏出土。

父丁孤竹罍通高41.5厘米，口径17厘米。平沿，沿外起棱，短颈，溜肩，鼓肩，腹瘦长，最大径在肩部，肩部以下逐渐斜内收，圈足甚矮。肩上部有对称的两耳，作兽面形，两耳各衔一圆体大环。在罍的一面的下腹部有一小鋬，小鋬上饰以浮雕兽面，似牛首。颈部饰凸弦纹两周，肩部环列一周六个凸起的圆涡纹，肩下有凹槽一周。两耳内侧上部已磨损成

槽。口颈内有铭文1行6字："父丁，暂（孤）竹，亞髟。"

学术界对该罍铭文认识有分歧。张震泽认为 从 应释为竹，即作器者，为武丁至祖甲时人，侯爵，在王朝为贞人，曾主祭、出征等。"亚徽"，唐兰认为，是族徽，亚是爵称，比诸侯等级低。李学勤认为，"亚"是职称，指武人。很多学者认为，竹罍是研究商代孤竹国历史的重要发现。孤竹国在商王朝属于侯国，甲骨文称"竹侯"，辖区在殷王朝邦畿以外的边疆，即燕山以北地区，范围远及辽宁西部。

父丁孤竹罍藏于辽宁省博物馆。

蟠龙兽首兽面纹罍 西周早期文物。2013年，湖北省随州市叶家山111号墓出土。

蟠龙兽首兽面纹罍通高48厘米，口径17厘米。器盖上盘踞一昂首挺立的蟠龙，蟠龙双目凸出、双足前踞，背部铸有立棱。肩部装饰两只夔龙纹耳，罍身上装饰着兽面纹、夔纹、凤鸟纹等，以雷纹为衬地。

蟠龙兽首兽面纹罍盖上蟠龙表现夸张，兽形耳采用高浮雕装饰，具有较高技术难度，在叶家山其他墓地也见类似青铜器。蟠龙兽首兽面纹罍，在合范处出现多次错范情况，在装饰设计上，下腹四组兽面纹与上腹装饰视觉中心不同，装饰效果不甚协调。

蟠龙兽首兽面纹罍藏于随州市博物馆。

陵方罍 西周早期文物。1976年，陕西省扶风县法门镇庄白1号窖藏出土。

陵方罍通高38.2厘米，口纵13.8厘米，口横14.7厘米。失盖，长方形口，高颈，圆肩，深腹，下腹斜收，肩上两侧各饰一半兽首耳套接衔以大圆环，在一面腹下部一侧有兽首长舌形鼻，长方形圈足微向外侈。颈部饰两道弦纹，肩部饰一周以弦纹为界隔的浮雕圆涡纹和兽面纹相间的纹饰带，圈足上饰两道弦纹。整个器物简洁朴素。陵方罍内铸铭3行8字："陵乍父日乙寶罍。單。"记载陵为其父日乙铸器。铭末"单"字应是作器人族徽。

陵方罍藏于宝鸡青铜器博物院。

对罍 西周中期文物。1973年，陕西省凤翔县田家庄劝读村出土，为田家庄公社劝读村队员在村南200米处平整土地时发现，并交送到凤翔县文化馆。

对罍通高46厘米，口径23厘米。器直径，平折沿，方唇，宽肩，下腹收敛，圈足外撇，呈微弧形，肩上有一对牛首形耳，每耳衔一大环，肩部和腹部之间有明显的凸出折痕，全器最大径在肩与腹的交界处。颈饰卷鼻夔纹一周。肩部饰六个凸出浮雕圆涡纹和变形兽目纹相间分布纹带，腹部饰对夔龙纹组成的垂叶纹，圈足饰两道弦纹。对罍内壁铸铭文25字，其中重文2字，铭文："對乍（作）文考日癸寶隌（尊）罍（罍），子=（子子）孙=（孙孙）才（其）遱（萬）年永寶用，勾昼（眉）瀿（壽）敬冬（終），矢。"记述为亡父日癸作器，用以祈求多福多寿，子孙万年永用，敬善敬终。最后一字当为族徽。

对罍的发现为研究凤翔地区西周文化面貌及矢族活动、迁徙情况提供了新资料。

对罍藏于凤翔县博物馆。

邳伯罍 战国早期文物。1954年，山东省峄县出土。共2件，形制大小基本相同。

邳伯罍通高28.5厘米，口径21.3厘米。口缘外侈，卷沿，束颈，圆肩，鼓腹，平底。肩部铸有一对对称兽首耳，各耳衔一圆环，耳形制呈牛头形图案，形象逼真，环呈绳纹状。腹部上饰细钩曲纹，中饰蟠螭纹一道，接以垂叶纹，垂叶纹内作蟠螭纹。整个器物制作规整。器口沿内环刻篆体一周铭文29字（其中重文2字）。铭文释文："佳（唯）正月初吉丁亥，不（邳）白（伯）夏子自乍（作）隌（尊）罍，用蘄（祈）矂（眉）瀿（壽）無疆（疆），子=（子子）孙=（孙孙），永寶用之。"铭文大意是正月上旬丁亥日，邳国的夏子制作罍，以祈万寿无疆，子子孙孙永远保存下去。铭文中"邳"为古国名，"伯"为爵称，"夏子"是作器者名字。

邳在东周时期是一东方小国，建国历史非常悠久。邳器比较罕见，邳伯罍的出土为邳国历史研究增添了新的实物资料，为研究战国初期青铜铸造工艺、书法艺术提供了十分珍贵的

实物资料。

邳伯罍藏于山东博物馆。

工师文罍 战国晚期秦国文物。传甘肃省西和县出土。陕西省西安市公安局在打击走私文物时缴获工师文罍，并于1993年8月交送陕西历史博物馆。

工师文罍通高27.5厘米，口径13厘米，腹深13厘米。盘口短颈，方唇，平沿内折，圆肩，收腹，小平底。体上下浑圆，无花纹，肩上饰两个圆雕走兽和羊首各两只，下腹铸有四牛首纽，羊牛走兽两两相对，错落有致。走兽回首顾尾，竖耳张嘴，尾巴硕大而上卷，体饰云纹，颈和尾部饰鳞纹。羊首曲角，牛首伸嘴，形象生动。工师文罍铸造精良，形态优美，装饰别致。口沿刻铭文1行17字，释文："卅四年，工师文、工安，正十七斤十四两四升。"铭文属物勒工名和纪量内容。"正"字断读有异，大部分学者认为，后句大意是"此器的重量和容积经测校准确无误，重十七斤十四两，容四斗"。

工师文罍刻铭模式是首先记铸造时间，其次是记主造职官工师，再记铸造工匠，最后记其重量和容积，是战国中晚期秦国中央官署制造格式。吴镇烽认为，工师文罍年代是为秦昭王三十四年（前273年）。刻铭中记重单位用斤、两，记容积单位用斗、升，是秦国惯例。刻铭字体与传世和出土秦国兵器、用器风格一致。

工师文罍藏于陕西历史博物馆。

仲义父罍 西周晚期文物。清光绪十六年（1890年），陕西省扶风县法门寺任家村西周铜器窖藏出土。同坑出土2件，形制、纹饰、铭文相同。后为潘祖荫所藏。

仲义父罍通高44厘米，口径15.4厘米。盖向上隆起，盖上有竖立的环纽，盖为子口，深套于器颈内，盖沿饰重环纹。器为小侈口，口沿下有四个小环纽，细颈，广肩，肩上有一堆卷龙形錾，下腹收敛，平底，假圈足。颈部与肩部交界处饰一周变形夔纹，器肩沿和圈足上饰重环纹，但排列方向相反，颈部饰云纹，腹部满饰垂叠瓣鳞纹。盖、器同铭，各16字（其中重文2字）。铭文释文为："中（仲）义父

乍（作）旅罍，圳（其）萬年子=（子子）孫=（孫孫）永寶用。"记载仲义父做罍以供外出使用。

仲义父所做之器，传世有列鼎两组和1960年陕西省扶风县齐家村出土的仲义父编钟8件，属于同一人之器。

仲义父罍藏于上海博物馆。

曾伯文罍 西周晚期文物。1970～1972年，湖北省随县均川镇熊家老湾出土。

曾伯文罍通高36厘米，口径15.5厘米。盖面饰高浮雕双生龙，盘曲于兽身上，周围有四小龙卷曲环绕。器为侈口，长颈，折肩收腹，小平底，肩上有一对环耳（耳残经修补），肩部饰蟠龙纹。口沿铸铭文12字："隹（唯）曾白(伯)文自乍（作）乓（厥）歙（飲）罍，用征行。"

罍类器物的器盖多为简洁的圆形捉手，这件器盖上装饰着一条复杂的浮雕盘龙，与湖北随州叶家山出土的西周早期罍器盖装饰相似，可能是西周晚期的一种复古现象。

曾伯文罍藏于湖北省博物馆。

善夫吉父罍 西周晚期文物。1940年，陕西省扶风县法门镇任家村窖藏出土。任家村农民任玉、任登肖等兄弟数人在村西南土壕起土时发现。同坑共出土2件，形制、纹饰、铭文相同。后传善夫吉父罍被任氏兄弟卖于古董商（又传藏至岐山县贺家村亲戚贺应瑞家中），后归程潜收藏。暂存于湖南省博物馆后，入藏中国文字博物馆。

善夫吉父罍通高37.8厘米，口径15.5厘米。盖面隆起，盖上有圈状捉手，有长子口，盖上饰垂鳞纹。喇叭口，长束颈，广肩，肩上左右各有一个卷龙形耳，口沿下前后各有一个小环纽，敛腹，平凹底，底部有"十"字和"V"字形凸线纹和铸补痕。肩部和腹部均饰垂鳞纹，颈部饰环带纹。此器范线清晰，两龙耳内存有范土。盖、器同铭，各15字（其中重文2字）。铭文释文

为："繕（膳）父吉父乍（作）旅罐，戈（其）子＝（子子）孙＝（孙孙）永寳用。"

善夫吉父罐为西周晚期的青铜器研究提供了标准器，具有很高的研究价值。

善夫吉父罐藏于中国文字博物馆。

伯夏父罐　西周晚期文物。马履泰旧藏。

伯夏父罐通高21.8厘米，口径7.4厘米。器为侈口，口沿外卷，长颈，斜肩，肩部呈四层小台状，腹部向下收敛，腹与肩部的交界处为全器最宽处，外观似有圈足，实为平底，肩部两侧各饰有一对立体的小卷龙形耳。颈的根部饰一周兽体卷曲纹，肩上饰一周鳞纹和重环纹大小相间分布纹饰带，腹部满饰重垂鳞纹。肩上部铸铭文一周18字，其中重文2字，铭文释文为："白（伯）暚（夏）父乍（作）畢姬隣（尊）霝（罐），戈（其）萬年子＝（子子）孙＝（孙孙）永寳用。"

伯夏父罐是伯夏父为妻"毕姬"所作。伯夏父为夫人毕姬作有青铜器数件，有鼎、鬲、罐。除鼎外，皆为传世器。

伯夏父罐藏于上海博物馆。

郤仲甗瓿　春秋早期文物。2006年，陕西省凤翔县小沙凹村窖藏出土。

郤仲甗瓿通高30.5厘米，口径17.3厘米。平沿外折，方唇，高直领，斜折肩较低，腹壁略弧，平底。肩部、腹部各饰一周蟠螭纹带，肩部有两个对称的圆雕兽形錾，带环耳，耳扁平，饰有重环纹。肩上部铸有一圈铭文约27字（其中重文2字），铭文为："□□丁亥，郤中（仲）甗乍（作）其宗器隣（尊）鑵（瓿），釁（眉）畜（壽）萬年無疆（彊），子＝（子子）孙＝（孙孙）永□□□。"铜器表面锈蚀严重，铭文首尾均无法辨认字形，"丁亥"二字前应是记述年月的铭文，"子子孙孙

永"之后应是"宝用"之类铭文。

郘仲甗瓬自名为鑑，文献中一般写作"瓬"。同类器物也称"罐"，郘仲甗瓬与河南省光山县春秋早期黄君夫妇墓出土罐形制、纹饰非常相似。郘仲甗瓬属氏家族宗庙用器，为研究春秋时期雍城历史提供了重要资料。

郘仲甗瓬藏于凤翔县博物馆。

妇好瓬 商代晚期文物。1976年，河南省安阳市殷墟妇好墓出土。共出土2件，成对。

妇好瓬通高34.2厘米，器高23厘米，口径21.8厘米。盖作球面状，中间有一菌状纽，上有六道扉棱，盖面饰饕餮纹三组，口均向上，纽面饰蝉纹。盖下周沿有子口，与器口相合。器敛口窄沿，方唇，短颈圆肩，腹下部稍内收，底近平，圈足较高而直，圈足上端有三个长方形小孔。肩、腹有相连的长棱三条，腹部兽首之下亦有三条较短的棱，圈足上有短棱六条，与腹棱相对应。口下饰两道凸弦纹，肩部饰三个圆雕兽首，间以对称的夔纹，腹部饰饕餮纹三组，两侧加饰倒立的夔纹。圈足饰对夔纹，共三组。器内底铸铭文2字，铭文释义为："帚（妇）好。"

妇好瓬存于中国社会科学院考古研究所。

冉瓬 商代晚期文物。上海博物馆征集。

冉瓬通高19.8厘米，口径19.9厘米。侈口，短束颈，窄折沿，溜肩鼓腹，下置圈足。肩及圈足各饰长鼻兽纹，肩部的纹饰上下以联珠纹为栏，腹饰龘纹，纹饰精细。内底铸铭文1字，铭文："（冉）。"

冉瓬藏上海博物馆。

鄬子倗缶 春秋晚期文物。1979年，河南省淅川县下寺楚墓2号墓出土。

鄬子倗缶通高49.6厘米，口径26.6厘米。盖向上隆起，盖面分布均匀地装饰着四个竖环形小纽。直口折沿，溜肩圆腹，肩上有一对双纽套接连环耳，小平底，矮圈足。器表及链环满饰纤细的蟠螭纹间涡纹以及蕉叶纹。盖、器同铭，各铸铭文10字，铭文释文为："楚弔（叔）之孙鄬子倗（倗）之浴（浴）缶。"器盖边缘及器身肩部的龙纹、腹部的涡纹，均以铸嵌红铜技术制成。将所要嵌入的红铜塑形，在边缘留出一周凸榫，在铜器器身要嵌入的部位预留与红铜纹饰同形的镂孔或者半镂孔，在镂孔边缘预留凹槽用以嵌合红铜的凸榫。最后

用铜液将红铜纹样与器身铸接。

该墓葬出土4件铭文相同的鄬子倗缶，形制都不一样。此件是唯一一件带盖的有铸嵌红铜纹饰的缶。铸嵌红铜装饰技术大体起源于黄淮下游山东地区，后被楚国发扬光大。鄬子倗缶是这一技术的代表性器物。

鄬子倗缶存于河南省文物考古研究院。

蔡侯申方缶　春秋晚期文物。1955年，安徽省寿县蔡侯墓出土，并入藏安徽省博物馆。1959年调拨给中国历史博物馆。

蔡侯申方缶通高35.2厘米，口边长13.2厘米。方形盖，盖面微凸，正中有竖环衔环纽，盖面均匀分布四个圆环形小纽，盖口沿有四个兽面卡扣，盖沿饰密集蟠虺纹。器作方体，直口短颈，窄沿方唇，溜肩，下腹收敛，低矮方形圈足。上腹部四面各有一个环纽。器口沿、圈足均饰密集的蟠虺纹，周身镶嵌红铜的兽纹和夔鸟纹。此器盖内及口内均各有铭文1行6字，盖、口沿同铭。铭文为："㝬（蔡）庆（侯）䍙（申）之䲵（尊）缶。"

蔡侯申方缶是研究春秋晚期蔡国历史的重要资料。

蔡侯申方缶藏于中国国家博物馆。

栾书缶　战国早期文物。容庚旧藏，后归广州市博物馆。

栾书缶通高40厘米，口径16.5厘米。盖弧顶，形似覆钵，盖内沿有三个等距离的小长条形微突的卡，盖上有四个对称的环纽，纽上饰阴线云雷纹。器身形似壶，直口平沿，短颈广肩，圆鼓腹，平底，矮圈足，圈足外沿有三个等距离的小长方形片状似外伸，底部作"十"字形凸起。腹上有四个对称的环纽，纽上饰

阴线云雷纹。器表光亮，无纹饰。栾书缶器盖不对铭。盖铭为铸款，双行8字："正月季春，元日己丑。"器铭在腹外，错金，4行40字："正月季春，元日己丑，余畜孙书也，斁（择）其吉金，吕（以）伐（作）盤（铸）鉌（缶），吕（以）祭我皇祖，虘（吾）吕（以）祈（祈）釁（眉）耆（寿），繺（乐）书之子孙，萬鞋（世）是䜌（宝）。"

学术界对栾书缶名称及铸造年代的意见不一。容庚、张维持定名为栾书缶，并据历法考铸器年代为鲁成公十二年（前579年）。李学勤认为，栾为蛮，认为栾书缶是春秋时居住在晋楚之间的蛮族部族被灭后，流落到楚国的后裔所铸。王冠英、王恩田认为，栾书缶应改名为栾盈缶，栾盈缶应是晋人栾盈奔楚后，在楚国所铸，铸造绝对年代应是周灵王二十一年（前551年）春，周历正月初一。

栾书缶藏于中国国家博物馆。

曾侯乙缶 战国早期文物。1978年，湖北省随县擂鼓墩曾侯乙墓出土。共2件，形制相同。

曾侯乙缶通高126厘米，口径48.2厘米。有盖，盖隆起，内沿出子口与缶口套合，盖的边沿有四个环纽，盖侧有一个环纽中衔锁链，链由两节相连双环相互扣住，一端与缶肩一蛇形纽相连。器敛口，平沿，溜肩鼓腹，平底，假圈足，腹的中部上下各有一圈凸起的箍棱，其间有对称的四个大环纽。纹饰为印模铸制。盖面花纹从内向外作四重分布，中央为六圈花纹组成的圆饼形图案，中心点为四分式圆涡纹，向外依次为重环纹、蟠蛇纹、绚纹和二圈雷纹，均以弦纹为界；第二重为俯视的多体蟠螭纹，浅浮雕，纹样高低不平；第三重为平雕的"U"形单体蟠螭纹；第四重与第二重相同。盖纽上饰星点纹和蟠蛇纹。口沿下为一圈"U"形单体蟠螭纹与垂叶纹，内填变体蟠螭纹。腹部饰三层变体蟠螭纹和一层垂叶纹（填纹与颈部垂叶纹相同）。凸箍上饰浅浮雕的蟠螭纹（身躯以阴线涡云纹勾勒）。腹纽上饰斜角云纹和涡纹。肩部铸铭文2行7字，铭文为："曾厌（侯）乙詐（作）時（持）甬（用）冬（终）。"

曾侯乙缶形态高大，造型端庄稳重，反映了高超的铸造工艺，是战国时期代表铜器。

曾侯乙缶藏于中国国家博物馆。

铸客缶 战国晚期文物。1923年，安徽省寿县李三孤堆（淮南市谢集区杨公镇双庙村）出土。后由北平图书馆收藏。1949年后划归故宫博物院。

铸客缶通高46.9厘米，口径18.4厘米。失盖，圆体，器口为子口，短颈，鼓腹，肩部铸有四环，圈足，器表为素面。器口外刻铭文9字："盥铸客旿（爲）王句（后）六室旿（爲）之。"

铸客缶对于研究战国时期宫廷职官制度具有重要价值。

铸客缶藏于故宫博物院。

妇好壶 商代晚期文物。1976年，河南省安阳市殷墟妇好墓出土。

妇好壶通高50.9厘米，器高40.7厘米，口长20.2厘米。圆形盖，盖面向上隆起，呈弧形，菌状纽，四条扉棱把盖面分为相等四部分，与器身扉棱对应，器盖饰兽面纹，扁圆形口，平沿，长颈鼓腹，底略外凸，扁圆形矮圈足，颈部两侧有对称的贯耳，饰以兽面纹，与器盖对应，最长径方向和最短径方向两端有

扉棱，圈足上也有与器体对应的四条扉棱，圈足上端两侧面有对称的小孔。通体布满精致的纹饰。共分为五部分，口下饰兽面纹，两侧各有一龙；颈部扉棱两侧各饰两龙纹，颈下饰大兽面纹，两侧有足和向上竖的身尾，但与兽面纹分离。其下扉棱两侧各有回首状的龙纹三条；腹部饰大兽面纹，两侧各有一倒立龙纹，圈足饰龙纹，以短径方向扉棱为中心，龙首相对。两面纹饰相同。两耳上的兽首，从侧面观察作正视像。壶底内中部有铭文2字："妇好。"

妇好壶存于河南省文物考古研究院。

司魯母方壶 商代晚期文物。又名后魯母方壶。1976年，河南省安阳市殷墟妇好墓出土。共2件，与此器成对，另一件存于河南省文物考古研究院。

司魯母方壶通高64厘米，口纵19.5厘米，口横23.5厘米。盖呈四阿平顶式，中部有一菌状纽，纽表面饰阴线小兽面纹，盖面四角各有一阴线龙纹。四坡面饰兽面纹，口向上，以扉棱作鼻梁，形象与腹部四角的兽面纹近似，以

雷纹为地，盖四面与四角都有扉棱，与器体上的扉棱相对应，盖下有长子口。口为长方形，短沿方唇，束颈折肩，收腹平底，长方形高圈足，圈足上端的四面中部各有一个长方形小孔。四角、四面中部及圈足的相应部位都有扉棱。口下四面及四角饰以三角形蝉纹，蝉首向下。肩部四角各铸一长尾立体鸟，鸟为伏状，钩喙，短翅长尾，腹上部四面各有一条共首双身龙，龙首呈浮雕状，口向下，双目斜吊，钝角上竖，长身尾上卷，爪前屈，形象威严庄重。腹部四角饰巨大的兽面纹，以扉棱做鼻梁，口向下，"目"字形眼，圆眸突起，极为传神，角上竖内卷，角尖翘起，圈足四面均饰兽面纹，以扉棱作鼻梁，有身尾和内屈的足，腹与圈足均以雷纹为地纹。内底中部有铭文三字，释义为："司㚸母。"

司㚸母方壶藏于中国国家博物馆。

小子省壶 商代晚期文物。又名小子相卣、甲寅卣等。罗振玉旧藏，曾著录于《三代吉金文存》，后入藏上海博物馆。

小子省壶通高35.9厘米，口径10.6厘米，腹深27.5厘米，重4.26千克。整器由器体与器盖两部分组成，器身圆体，直口，长颈，腹下部垂鼓，圆底，高圈足，扭索状提梁，较短，与颈部两侧所附小半环耳套联。器盖子口，上有一圈状捉手。器颈部以"两方连续"饰夔龙纹，器盖边缘沿及圈足以"两方连续"饰鸟纹。器盖、内壁铸铭文，器铭4行，盖铭3行，各21字："甲寅，子商（赏）小子省（省）贝五朋，省玑（省扬）君商（赏），用乍（作）父己宝彝，䍼（冀）。"大意是，甲寅日，作器者省受到"子"赏赐贝五朋，省因此为先人父乙作器。铭中赏赐者"子"，是与商王关系密切的父权家族族长，习见于商代甲骨、金文等文献中。铭中"省扬君赏"，意为称扬"子"的赏赐行为。

小子省壶为"长颈圆体深鼓腹短提梁式壶"，是商代晚期典型器形之一，西周早期犹见使用。小子省壶器铭与盖铭，布局、文字结体、笔画各异，应为两次制范所致，为了解当时青铜器铸造过程中铭文制范提供了实物材料。

小子省壶藏于上海博物馆。

111

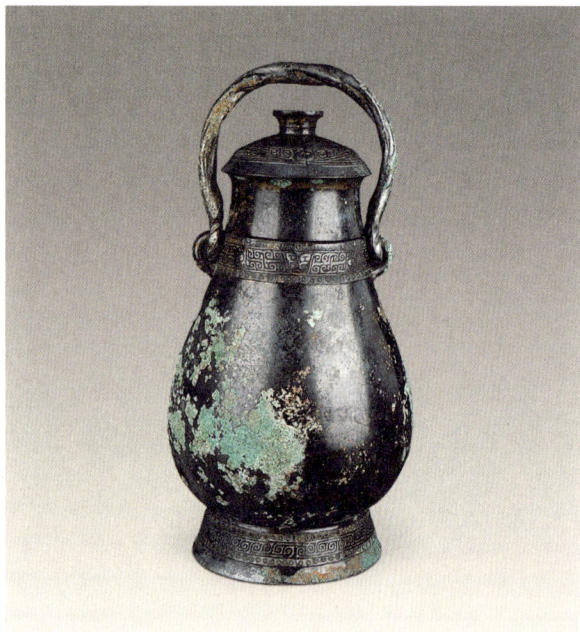

父甲壶 商周之际文物。2012年，陕西省宝鸡市石鼓镇3号墓出土。

父甲壶通高42.2厘米，口径10.4厘米，圈足径17.6厘米。盖顶中部有圆形握手，握手下饰一道弦纹，盖面饰一周勾连云纹和四组圆目纹。绳索状提梁与颈部对称的半环耳相套连。身子口斜直，方唇，垂腹，圆底，圈足，圈足外撇。颈部环耳间纹饰一周，其正中高浮雕兽首纹，兽首高角，圆目，鼻梁隆起，阔嘴露齿。兽首两侧对称饰四组勾连云纹和两个圆目纹，上下边沿饰联珠纹。圈足部饰勾连云纹一周，上下边沿饰联珠纹。盖、器同铭，铸有"父甲🐾"3字。

父甲壶藏于宝鸡市渭滨区博物馆。

曾侯谏壶 西周早期文物。2013年，湖北省随州市叶家山28号墓出土。

曾侯谏壶通高46厘米，口径10.5厘米。盖似菌状，喇叭形捉手，沿面外折，下方有一对称方孔，盖身作半球冠、长子母口。壶身形制为微侈口，长椭圆形身，圆腹底，喇叭形圈足，底沿厚，呈浅台状。两耳为长管状，竖置。器表纹饰清晰。在器盖冠面中部有一周纹饰带，以细线云雷纹衬底，作前后连续式分布，共四组，分布不均匀，每组纹饰由兽面纹、两头龙纹构成，其中一组缺少一兽面。壶颈部有一周纹饰带，作法以细线云雷纹衬底，以两长管状耳为中心，作展开式布列，左右共两组，分布均匀，每组由两个两头龙纹前后紧列，形象与盖身两头龙纹形象相同。器表呈蓝色，局部有绿色和褐色锈斑。壶身、圈足的上、下两面附着"人"字形竹席痕。有红色彩绘纹带，分别施于器盖捉手侧面、壶沿及圈足处，每处有三条纹带。盖内壁顶面、壶颈部内壁有铭文，均阴铸，盖铭竖排，左行2列7字："曾侯谏乍媿肆壶。"

曾侯谏壶藏于随州市博物馆。

三年瘭壶 西周中期文物。1976年，陕西省扶风县庄白1号窖藏出土。

三年瘭壶通高65.4厘米，口径20.1厘米，腹深48.8厘米。盖上有圈状捉手，盖面内凹，四周凸起呈圈状，器长颈，垂腹，矮圈足，圈足外侈，在最底部形成圆形小台，颈中部有双兽首衔环，兽首鼻部上卷，双眼突出，形态逼真，庄严肃穆，盖顶饰垂冠团鸟纹，环以重环纹一周，盖壁饰一周变形鸟纹，壶身纹饰为三段环带纹，雷纹为地，每两段之间以两条凸弦纹间隔，圈足饰窃曲纹，底部有斜方格网状强筋线。盖榫铸铭12行60字。铭文为："隹（唯）三年九月丁子（巳），王才（在）奠（郑）卿（飨）醴，乎（呼）虢弔（叔）召瘋，易（锡）羔俎；己丑，王才（在）句陵卿（飨）逆酉（酒），乎（呼）师龄（寿）召瘋，易（锡）彘俎，捧（拜）頡（稽）首，敄（敢）

對覭（扬）天子休，用乍（作）皇且（祖）文考尊（尊）壶，瘋財（其）萬年永寶。"

三年瘋壶藏于宝鸡市博物馆。

鸟纹壶 西周中期文物。1976年，陕西省扶风县庄白1号窖藏出土。

鸟纹壶通高38.3厘米，口径8.8厘米，腹深28.3厘米。盖上有圈足捉手，盖面饰一周有四只鸟组成的鸟纹，分为两组，正反两面各为一组，每组以中间凸棱为中心，首首对称，鸟首上仰，钩喙，圆目凸出，身体伏地，尾翼内卷，器直口、长颈、圆鼓腹，矮圈足微侈，在底部形成圆形小台，颈部两侧有对称的贯耳，颈下部饰一周由四只鸟组成的鸟纹，分为两组，正反两面各为一组，每组以中间凸棱为中心首首相对，与盖面的纹饰相对应，鸟昂首站立，钩喙，圆目凸出，尾翼内卷，以雷纹为地。

鸟纹壶器身呈橄榄形，双贯耳等特征是西周中期壶的代表。

鸟纹壶藏于宝鸡市周原博物馆。

晋侯僰马壶 西周中期文物。1994年，山西省曲沃县北赵村晋侯墓地92号墓出土。

晋侯僰马壶通高43.5厘米，口径16厘米。子口盖，盖顶有圆形捉手。器口微侈，束颈，圆鼓腹下收，弧形圈足底部外撇较甚，切地下折形成一个小台。颈部两端各有一个虎首形鋬，虎造型形象。颈部饰一周云雷纹衬地的长冠顾首卷尾小鸟纹，圈足饰一周云雷纹衬地的长冠长卷尾鸟纹，两部位的带状鸟纹均以中间的短扉棱为中心对称分布。腹部饰纵横相交的宽带纹各一条，其他部位光素。盖内铸铭文12字："晉（晋）庆（侯）僰马乍（作）宝隣（尊）壶，材（其）永窑（宝）用。"

学者多倾向晋侯僰马壶是西周中期偏晚的器物，对研究晋国相关历史具有重要意义。

晋侯僰马壶藏于中国国家博物馆。

颂壶 西周晚期文物。1959年，由山东省博物馆调拨入藏中国历史博物馆。另有一尊颂壶，并附器盖，藏于台北故宫博物院。

颂壶高50.8厘米，口长20.3厘米，口宽17

厘米。器体呈圆角长方形，侈口，长颈，两侧附兽首衔环耳，连铸套环，腹部庞大而下垂，圈足较高，外侈成阶状。整器装饰采用"两方连续"的方式，颈部饰浮雕式波曲纹，下饰三周凸弦纹，腹部饰高浮雕式交龙纹，圈足饰鳞纹。类似颂壶圆角长方体的器形始见于西周中期，流行于西周晚期至春秋晚期。颂壶器颈、腹部内壁铸铭文："隹（唯）三年五月既死霸甲戌，王才（在）周康卲（昭）宫，旦，王各（格）大（太）室，即立（位），宰引右颂入门，立串（中）廷，尹氏受（授）王令（命）书，王乎（呼）史虢生册令（命）颂，王曰：颂，令（命）女（汝）官𤔲（司）成周贾廿（二十）家，监𤔲（司）新寤（造），贾用宫御，易（锡）女（汝）幺（玄）衣、黹屯（纯）、赤市（韍）、朱黄（衡）、緣（鑾）旂、攸（鋚）勒，用事。颂捧（拜）頴（稽）首，受令（命）册，佩吕（以）出，反（返）入（纳）堇（觐）章（璋），颂敢（敢）对𤉷（扬）天子不（丕）显鲁休，用乍（作）朕

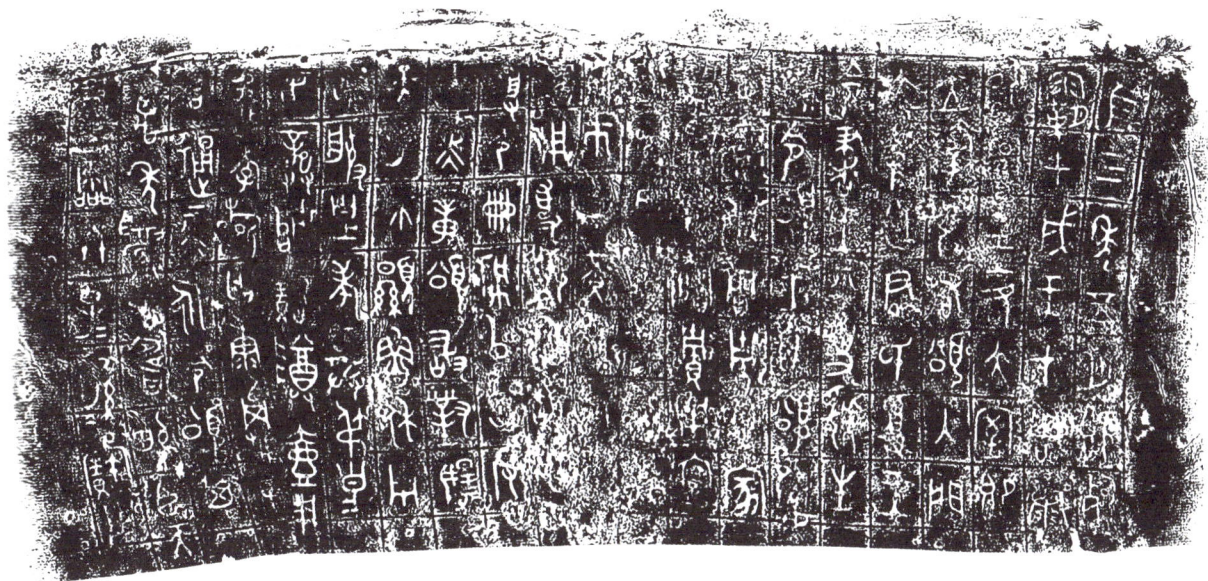

（朕）皇考龏（恭）弔（叔）皇母龏（恭）始（姒）寶隘（尊）壺，用追孝，簫（祈）匄康龔、屯（純）右（祐）、通泉（禄）、永令（命），頌材（其）萬年䫞（眉）壽（壽），皖（畯）臣天子，霝（令）冬（終），子=（子子）孫=（孫孫）寶用。"铭文21行151字，记述作器者颂受到周王"册命"。

颂壶铭文所记"册命"典礼，在已知所见西周时期各篇金文中最为详尽、完整，可归纳为五个进程：一，三年五月甲戌之日，清晨，周王就位于宗庙中的大室；二，宰弘为"傧"，引导"受命"者颂入门，颂立于中庭，面向北方，周王面南，尹氏将"册命"之书授予史虢生，王命史虢生宣读"册命"；三，史虢生宣布周王命颂所司之职与所赐命服；四，"受命"之颂对周王行稽首礼，并接受册书及赏赐出门；五，颂对有司行"傧"礼，即对宰弘、尹氏、史虢生之类"劳者"赠以瑾璋。铭文与《周礼》《礼记》《仪礼》及《左传》所载相符，两者可互证，使人们能够较为清晰地了解西周时期"册命"典礼。

颂壶藏于中国国家博物馆。

单五父方壶 西周晚期文物。2003年，陕西省眉县马家镇杨家村窖藏出土。2003年1月19日，杨家村村民王宁贤等5人挖土时发现一西周铜器窖藏，及时电话报告文物部门，市、县文物考古工作者迅速赶赴现场，进行了抢救性发掘。窖藏共出土2件单五父壶，形制、纹饰、大小和铭文基本相同。

单五父方壶通高58.1厘米，口纵14.6厘米，口横19.6厘米。椭方形盖，盖上有椭方形捉手，下有长子口，盖面饰体躯交缠的吐舌龙纹一组，盖壁饰两道简单环带纹，环带纹上下均填以眉形及口形纹样。器为椭方形，直口长颈，颈两侧有一对衔环兽首耳，双耳作三层龙首形，其上端做成曲体的龙纹，下侧有由两个

龙首组成的兽首，耳内各套以环，鼓腹下垂，圈足外侈，在底部形成椭方形小台。颈部饰环带纹，环带纹上下填以眉形及口形纹样，颈部和腹部交界处有三道凸弦纹作为分界带，腹部以一个圆突的双身龙首为主，辅以数条身躯相交的蟠龙，侧面与正面纹饰相似。圈足饰带目窃曲纹，圈足底部有斜状网格凸棱。此器造型雄浑，纹饰流畅。器口内侧有铭文4行19字，首行5字，包括2个重文符号，铭文由凸起的细线印格相间；盖的子口内侧有铭文5行17字，最后一行5字。盖、器铭文大体相同，只是盖铭的"子孙"二字在器铭中则多了重文符号。铭文释文为："單五父乍（作）朕皇考尊壺，其萬年子子孫孫永寶用。"

单五父壶纹饰复杂精致，是西周晚期青铜壶的代表性作品。

单五父方壶藏于宝鸡青铜器博物院。

曾仲斿父方壶 春秋早期文物。1966年，湖北省京山县苏家垅出土。湖北省修建郑家河水库中干渠时，在京山县宋河区坪坝公社苏家

垅工段发现。

曾仲斿父方壶通高66.7厘米，底长30厘米，底宽23.8厘米。椭方形盖，子母口，盖顶作盘口形，中透空，边缘有莲瓣形镂空环带纹装饰，盖外壁饰窃曲纹。器体呈椭方体，侈口长颈，鼓腹，圈足外侈，在底部形成方形小台。颈部两侧有一对兽首衔环耳，器身纹饰分为四个部分，每一部分有明显分隔带，口沿下饰一周环带纹，颈部饰一周窃曲纹，上腹和下腹均饰环带纹一周，圈足饰一周垂鳞纹，每部分的环带纹上下均填以眉形及口形纹样，整个器身的环带纹方向一致，整体统一，给人庄重华丽之感。盖与器同铭，各有12字，铭文释文为"曾中（仲）斿父用吉金，自乍（作）寶隣（尊）壺"。

曾仲斿父方壶的发现为探讨曾国地理和历史提供了新的史料和线索。

曾仲斿父方壶藏于中国国家博物馆。

邾君庆壶 春秋早期文物。2002年，山东枣庄市江亭区东江村小邾国墓地2号墓出土。共

出土一对，形制、纹饰、铭文、大小均相同。

郳君庆壶通高46.4厘米，口径14.9厘米。圆形盖，盖下为子母口，盖冠作圈状捉手，盖顶饰双头龙纹，盖冠饰仰鳞纹，盖沿饰窃曲纹。器口微侈，长颈内束，颈部有一对对称的兽首衔环耳，兽鼻为象鼻形上卷，下腹向外圆鼓，矮圈足，外撇，在底部形成圆形小台状。颈部饰环带纹和"S"形变形龙纹，腹部饰两道环带纹，环带纹上下均填以眉形及口形纹样，圈足饰垂鳞纹。盖、器同铭，各16字。铭文释文为："鼄（郳）君慶乍（作）鰲（秦）妊醴壶，丌（其）萬年羀（眉）耆（壽）永寶用。"

郳君庆壶为郳君庆为秦妊作器。2号墓出土的铜器铭文错综复杂，有"郳君庆壶""郳庆鬲""鲁西簠""毕仲簠""子皇母簠"等。郳君庆与郳庆的铭文铜器出自一墓，郳君庆与

郳庆应为同一人。根据1号墓所出的"郳友父"鬲，证明了东江村墓地的"郳"即文献中的"小邾国"，后改称"郳"。墓主应为小邾国国君庆。小邾国贵族墓地的发现及郳君庆壶的出土，为研究小邾国等提供了重要资料。

郳君庆壶藏于枣庄市博物馆。

昆君妇媿霝壶 春秋早期文物。2002年，山东省枣庄市江亭区东江村小邾国墓地3号墓出土。共一对，形制、纹饰、铭文均相同，另一件照片铭文未公布。

昆君妇媿霝壶通高45.3厘米，口径17.4厘米，腹径29.9厘米。无盖，器口微侈，长颈微内束，颈部有一对衔环兽首耳，圆腹，矮圈足外撇，底部形成小台状。上腹和下腹均饰瓦楞纹，腹中部饰一周变形蝉纹，圈足上饰鳞纹。此墓颈部铸铭文17字（其中重文2字），铭文释文为："圂（昆）君妇媿霝乍（作）肇（旅）壶，丌（其）邁（萬）年子=（子子）孙=（孙孙）永用。""邁年"二字置范时错位。

昆君妇媿霝壶的出土，为研究小邾国政治、经济、文化及地理位置、埋葬制度等提供了第一手资料。

昆君妇媿霝壶藏于枣庄市博物馆。

莲鹤方壶 春秋中期文物。1923年，河南新郑旧城南门外乡绅李锐在自家宅旁凿井时发现此器，并将其出售。消息传出后，国民党军十四师师长靳云鄂巡防至此，认为"鼎彝古物为先代典型所寄允，宜归诸公家俾存国粹"，寻回大部分出售、私藏铜器，并继续在原址扩大范围挖掘，出土有镈钟、甬钟、鼎、鉴、簋、簠、壶、罍、炉、盘、匜等96件，碎片数百块。莲鹤方壶共出土一对，2件形制相同，大小略有差异。分别入藏河南博物院和故宫博物院。

莲鹤方壶通高118厘米，口长30.5厘米。盖为方形，盖顶饰十组镂空两层莲花瓣，中立一鹤，昂首舒翅，似欲展翅高飞，盖壁饰一周窃曲纹。器为扁方形，侈口，长颈，鼓腹下垂，壶腹最大径下移，增加了全器的稳重感。颈部有对称双耳，作镂空的顾首伏龙状，腹部四隅皆饰以立体小兽，兽角弯曲，肩生双翼，长尾上卷。器身饰满相互缠绕的蟠龙，方形圈足，似两层小台状，饰以虎形兽，圈足下承以双兽，兽首有突出的双角，弓身卷尾，张口吐舌。承托壶身的兽、壶体上所有附饰的龙、兽向上攀缘的动势，相互应合。

莲鹤方壶造型华丽，纹饰繁复，铸造技艺高超，为春秋时期青铜艺术代表作。

莲鹤方壶藏于河南博物院。

陈喜壶 春秋晚期文物。1952年，山西省人民委员会文物室何泽农从太原古董商王复元手中购得，并交由山西省博物馆保存。

陈喜壶通高48.5厘米，口径18.5厘米。无盖，器口微侈，长颈圆腹，圈足，圈足底部

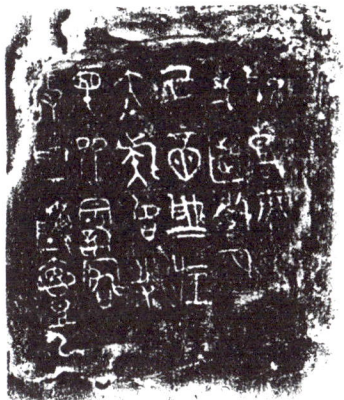

形成圆形小台状，颈部有一对衔环兽首耳。通体分口下、颈部和腹部三组纹饰，每组饰一周环带纹，环带纹上下均填以眉形及口形纹样，每两组之间以一条内凹素面纹带为界，耳部饰勾连云纹。口内铸铭文26字，铭文释文："墜（陈）喜再立（涖）事戢（岁），訊月己酉，爲左（佐）大族，台（以）寺（持）民阯（选），宗祠客敬爲皺（陲、禋）壶九。"铭文是整块铸在器身上，四周有明显铸痕。

马承源认为，陈喜壶绝对年代当为齐悼公元年（前488年），也有学者认为壶的年代属齐桓公时期。关于陈喜壶铭文，马承源认为，铭文是整块铸在器身上，铭文中陈喜即陈僖子，名陈乞，《史记》记载为田乞，是一件标准的春秋齐国铜器。安志敏认为，陈喜壶器系用2件不同时期器物的一部分拼凑而成，双耳和铜环均为其他器物拼凑，不具备作为断代标准器的作用，当行款书体具有战国时期作风。陈喜壶对研究齐国历史，具有较大的资料价值。

陈喜壶藏于山西博物院。

洹子孟姜壶 春秋晚期文物。又名齐侯罍或齐侯壶。洹子孟姜壶出现在清代中叶，为一对，最初分别为阮元、曹在奎所藏，随后同归吴云。2件洹子孟姜壶都没有盖，形制纹饰相同，铭文互有错脱，一件142字，另一件144字。字少的一件藏于中国国家博物馆。

洹子孟姜壶通高22.2厘米，口径13.4厘米。圆壶，直口略侈，长颈，腹下垂，腹部最大径偏下，低矮圈足沿下折，颈上有一对兽首衔环耳，双耳上饰扁角龙首，垂环饰重环纹。颈部有波带纹，下加带目窃曲纹，腹部饰两重波带纹，环带纹上下均填以眉形及口形纹样颈部与上腹部、上腹部与下腹部均以两道凸棱为分界带，圈足饰顾首夔纹。铭文144字，释文为："齐侯女雷希（肁）丧其□，齐侯命大（太）子乘遽来句宗白（伯），聖（听）命于天子，曰：碁（期）则尔碁（期），余不其事（使）女（汝）受束（刺），遄傅淄（祗）御，尔其躋受御，齐侯拜嘉命，于上天子用璧玉備，一笥，于大无司折（誓）、于大司命用璧、两壶、八鼎，于南宫子用璧二備，玉二笥、鼓锺一鎛，齐侯既躋洹子孟姜丧，其人民都邑菫（谨）宴舞，用從（縱）尔大樂，用鑄尔羞鈺，用御天子之事，洹子孟姜用乞嘉命，

119

用旂眉壽，萬年無疆，用御爾事。"铭文记载，齐侯之女丧夫，齐侯自愿期服，超越礼制，故命太子赴王都向周天子请示。周天子准许齐侯请服，期间不加派任何事，要求太子快速返回齐国，以让齐侯即时成服。齐侯于是拜谢天子，祭祷诸神灵，然后期服，齐国人民也非常忧伤，无人用乐。洹子孟姜于是铸此铜壶，进献天子，用来宴享天子所做之事。

历代学者对洹子孟姜壶铭文考释结论很多，分歧较大。清代阮元《齐陈氏韶乐釂铭释》、吴荣光《筠清馆金文》、曹载奎《怀米山房吉金图著录》、吴云《二百兰亭斋收藏金石记》和《两罍轩彝器图释》、陈庆镛《齐侯釂铭文通释》、龚自珍《两齐侯壶释文》、王国维《齐侯壶跋》、徐同柏《从古堂款识学》、方濬益《缀遗斋彝器款识考释》、吴大澂《愙斋集古录》和《愙斋集古录释文剩稿》、罗福颐《三代吉金文存释文》、刘心源《奇觚室吉金文述》、孙诒让《古籀余论》

等，近代郭沫若《齐侯壶释文》、杨树达《洹子孟姜壶跋》和《洹子孟姜壶再跋》、于省吾《双剑誃吉金文选》（附录）、温廷敬《齐侯壶释》等，均对洹子孟姜壶铭文进行考释。

洹子孟姜壶藏于上海博物馆。

曾侯乙提链壶 战国早期文物。1978年，湖北省随县擂鼓墩1号墓出土。共2件，形制、纹饰、铭文相同，尺寸有微小差异。

曾侯乙提链壶通高42.5厘米，口径10.7厘米。圆盖尖顶，似矮圆锥体，盖顶有小纽衔环套提链，盖面有纹饰四圈，中心为四分式涡纹，向外依次为目纹、勾连云纹和梭形纹。器身直口微敞，长颈，鼓腹，矮圈足外侈，颈部有一对龙形耳，两耳套铸龙形提链，与盖提链相接。颈部以弦纹为界，从上至下依次为梭形纹、勾连云纹、蕉叶云纹。腹部以二弦纹为界，有上、中、下三周纹饰，上、下为相同的"T"形勾连纹，中圈为龙凤勾连纹，并等距离的剑饰六个凸起的圆形乳突，

上面饰阴线四分式涡纹。镶嵌物只有褐色、白色充填物，未见绿松石。提梁上为铸刻细线斜角云纹和圆圈纹。全器用四块外范和一块内范铸成。器表范痕已磨光，仅花纹部位依稀可辨。耳纽、盖纽均为铸后焊接，盖内壁顶端可见焊接时留下的铜液痕。圈足边沿上有六道"一"字形凸起的铸疵，为浇口和冒口痕。颈部有铭文4行7字，铭文释文为："曾侯乙乍（作）時（持）用冬（終）。"

曾侯乙提链壶为曾国历史研究提供了材料。

曾侯乙提链壶藏于湖北省博物馆。

立鸟蟠螭纹瓠壶　战国早期文物。1988年，山西省太原市金胜村251号墓出土。

立鸟蟠螭纹瓠壶通高39.5厘米，器高31.5厘米，口径6.7厘米，最大腹径18.2厘米。壶体形同瓠瓜。盖呈伏鸟形，头顶长冠，双目圆睁，钩形尖喙大张，鸟身俯伏蹲坐状，颈及腹部中空，鸟身羽毛丰满，双翅搭在背部，一对利爪紧紧抓住两条挣扎扭曲的小蛇，蛇张口瞠

目，身饰鳞纹。盖下部为子母口，器身前鼓后曲，口微侈，束颈修长而向一侧倾斜，溜肩，鼓腹，平底，矮圈足。肩部一侧附有虎形提梁，虎昂首张口，蹲伏状，卷曲呈"S"形，虎口衔环，环上有链，与鸟尾部相连，虎身饰钩形条纹、四肢饰鳞纹，尾部饰重环纹和钩纹。壶上颈部饰一周绚索纹，腹部饰四组纹饰，每组纹饰均为一周蟠蛇纹，每两组纹饰之间以内凹素面宽带纹间隔。

立鸟蟠螭纹瓠壶纹饰细密繁缛，装饰生动形象，是一件艺术珍品。

立鸟蟠螭纹瓠壶藏于山西博物院。

中山王𫮃方壶　战国中期文物。1977年，河北省平山县三汲乡中山王1号墓出土。

中山王𫮃方壶通高63厘米，口边长15厘米。覆斗形盖，盖上有四个云形纽，子母口，盖为子口，器为母口，器身为方体，直口，长颈溜肩，鼓腹，方形圈足，圈足底部为方形小台状，肩部四隅各有一条向上攀爬的夔

龙，龙头向上，独角大耳，颈背生鬃，长尾上曲，腹两侧上部各有一铺首衔环。四面刻有铭文，每面10行，每行一般为12字，共450字。铭文释文："唯十四年，中山王䉜命相贾邦择郾（燕）吉金，铸为彝壶，節于禋酭，可法可常，以郷（享）上帝，以祀先王。穆穆济济，严敬不敢怠荒。因载所美，卲跋皇工（功），祗郾（燕）之訛，以儆嗣王，隹联皇祖文、武，桓祖、成考，是又（有）纯德遗训，以目施及子孙，用隹（唯）联所放（仿），慈孝宣惠，擧贤使能。天不斁其又（有）愿，使得贤士良佐贾，以辅相厥身。余知其忠信㤠，而屬任之邦，是以遊夕閒飲飤，寧有憳惕，贾竭志尽忠，以佐右厥辟，不貳其心。受任佐邦，夙夜匪解，進贤措能，亡有常息，以明辟光。適遭燕君子噲，不顾大宜，不舊诸侯，而臣主易位，以内絶召公之业，乏其先王之祭祀，外之则将使上勤于天子之庿，而退与诸侯齿长于会同，则上逆于天，下不顺於人㤠。寡人非之，

贾曰：为人臣而反臣其主，不祥莫大焉，将与吾君竝立於世，齿长於會同，则臣不忍见斿。贾愿从士大夫，以靖燕疆，是以身蒙皋胄，以诛不顺。燕故君子噲，新君子之，不用礼宜，不顾逆顺，故邦亡身死，曾亡一夫之救，遂定君之位，上下之體，休有成功，创辟封疆。天子不忘其有勋，使其老策赏仲父，诸侯皆贺，夫古之圣王殀在得贤，其即得民。故辭礼敬，则贤人至，陟爱深则贤人亲，作斂中，则庶民附。於呼，允哉若言，明跋之余壶，而時观焉。祇祇翼昭告后嗣，唯逆生祸，唯顺生福。载之簡策，以诚嗣王，唯德附民，唯宜可长，子之子，孫之孫，其永保用亡疆。"铭文叙述燕王噲把王位禅让给燕相子之的事情。

中山王䉜方壶铭文反映了战国时中山国国君的世袭情况，即文公、武公、桓公、成公、王䉜、嗣子蚤，为研究中山国历史提供了重要资料。

中山王䉜方壶存于河北省文物研究所。

令狐君孺子壶 战国中期文物。1928～1931年，河南洛阳金村出土。1928年，金村东周墓葬群因大雨意外暴露，引发盗挖。加拿大人怀

履光、美国人华尔纳组织盗掘，六年间共发掘8座"甲"字形大墓。墓葬呈两列分布，周围还有陪葬和车马坑分布。出土文物数千件，包括大量精美青铜器、漆器和玉器等。由于盗掘、倒卖，绝大多数文物流散海外，存于美国、英国、日本、加拿大等国。令狐君孺子壶流于美国纽约，1948年归清华大学，1959年调拨中国历史博物馆。令狐君孺子壶同出2件，形制、纹饰和铭文基本相同，另一件藏于加拿大多伦多皇家安大略博物馆。

令狐君孺子壶通高46.5厘米，口径14.8厘米。圆形盖，盖顶捉手为六瓣镂空蟠螭纹莲花瓣形，盖壁饰满蟠螭纹。盖为子口以纳入壶身中。器口微侈，束颈，溜肩，圆腹，低圈足，肩上有一对对称小纽衔环耳，壶身分为五组纹饰，每组皆为一周蟠螭纹，每组纹饰之间以一圈内凹素面环带间隔。颈外部有铭文23行50字，内容是令狐君的嗣子铸壶的颂辞。铭文释文："隹（唯）十年三（四）月吉日，命（令）瓜（狐）君乳（孺）子乍

（作）鑞（鑄）算（尊）壶，朿朿（简简）鄮鄮（優優），康樂我家，犀犀（遲遲）康盅（淑），承受屯（純）憲（德），旂（祈）無彊（疆），至于萬意（億）年，子之子，孫之孫，其永用之。"

"令狐"作为地名见于《左传》《国语》等文献，地在山西临猗一带。春秋中期，令狐是晋国魏氏家族的封邑，战国时属魏国。令狐君当为魏国封君，如史载之信陵君。然而此器出于周王畿内，也有学者认为令狐君可能是王室之臣。

令狐君孺子壶藏于中国国家博物馆。

变形羽状纹扁壶 战国中期文物。1974～1975年，河南省三门峡市上村岭5号墓出土，在修建蓄水池工程过程中发现。

变形蟠螭纹扁壶通高34.3厘米，口径12.5厘米，小圆口，方唇，短直颈，扁圆腹，器腹窄扁，平底，方形矮圈足，底部有一方形小台。两肩饰铺首衔环。器颈部镶嵌三角形的红铜，腹部以长方形、梯形和三角形的范块铸成格栏。格栏内满饰羽状纹，层叠的羽翅凸起，纹饰密布，极其精巧，壶身格栏上嵌有红铜纹饰。此壶与上海博物馆馆藏战国中晚期两头兽

纹铜扁壶的器形和花纹近似。肩部分两次刻铭文共18字。

变形蟠螭纹扁壶铭文记述了不同时期壶容量变化及重量，对研究战国时期量制变化具有重要的资料价值。

变形蟠螭纹扁壶藏于河南博物院。

陈璋壶 战国中期文物。1982年，江苏省淮阴市盱眙县南窑庄窖藏出土，系马湖大队公路生产队在庄东南清理排水沟中淤泥时发现。

陈璋壶通高24厘米，口径12.8厘米，腹径22.2厘米。铜壶由壶身和纹饰套合而成。器身为侈口，束颈，弧肩，收腹，平底。外套由肩腹两组立体形镂空铜丝网套、肩腹之间的一圈横箍和镂空花纹底圈足座组成。外露的器身颈部和圈足座缘饰有错金斜方格云纹图案，器身肩腹部由铜丝网套罩，饰有错银斜方格云纹图案。肩腹部铜丝网套，由蟠曲起伏长龙和梅花钉交错套扣而成。肩部铜丝网套为头尾交错的48条长龙，每条龙起伏蟠曲三次，相间两龙于蟠曲处相接，皆以梅花钉连接，每条龙经过6枚梅花钉，肩部梅花钉为48竖行，每行3枚，

共144枚。腹部铜丝网套亦为头尾交错48条长龙，每条龙起伏蟠曲九次，相间两龙于蟠曲处相接，亦皆以梅花钉连接，每条龙经过18枚梅花钉，腹部梅花钉亦为48竖行，每行9枚，共432枚。整个铜丝网套，共由96条长龙、576枚梅花钉精心编缀浇铸而成。肩腹之间一圈横箍上饰错金流云纹饰，相间饰有兽面衔环和立兽形竖环耳各4个。兽面额上镶嵌绿松石（皆已脱落），两侧细刻双龙为饰，衔环上有细如发丝的错金流云纹饰。立兽作虎形，通体为错金银纹饰。壶口内沿和圈足外缘皆刻有篆体铭文。口内壁铭文11字："廿二，重金络罇（鐳），受一岙（斛）五鈢。"圈足内壁刻铭文2～4字，由于被锐器錾刻，无法辨识。圈足外壁刻铭文29字："隹（唯）王五年，奠（郑）易壄（陈）旻（得）再立事岁，孟冬戊辰，大燮（将）钱孔，壄（陈）璋内（入）伐匽（燕）亳邦之隻（获）。"

陈璋壶造型独特，工艺复杂。对于研究燕齐之战提供了重要资料。

陈璋壶藏于南京博物院。

燕王职壶 战国晚期文物。上海博物馆在香港古玩市场购得。

燕王职壶通高20.4厘米，口径12厘米，腹径19.8厘米。壶作小直口、短颈、圆肩、肩部较宽，鼓腹向下逐步收敛，圈足。颈、肩、腹分别饰镶嵌绿松石及红铜丝几何形纹饰，腹部有三道宽凹纹，上饰两条弦纹，作为腹部纹饰界栏。镶嵌于纹饰线条较宽处的红铜丝作盘卷形，为当时青铜器镶嵌红铜流行做法。圈足上刻一圈铭文28字，铭文释文为："唯郾（燕）王職戔（践）阼弄（承）祀，乓（厥）鈢

（幾）卅（三十），東饐叟（貫）匬（國）。命（令）日任（壬）午，恵（克）邦隓（隳）城，威（滅）鼉（齊）之脩（脩）。"铭文记载燕国王职在登基承祀近三十年时，东征齐国，在择定的壬午日，攻克齐国，毁坏其城，取得灭亡齐国的胜利。

燕王职壶铭文与文献记载燕昭王二十八年时伐齐吻合，铭文"克邦隓城"与史载燕伐齐时"下七十余城，尽郡县以属燕""入至临淄，尽取其宝，烧其宫室宗庙"相符合，大部分学者认为燕王职为燕昭王。燕王职壶铭文为解决燕昭王伐齐问题提供了有价值的文字资料。

燕王职壶藏于上海博物馆。

错金鸟篆文壶 西汉文物。1968年，河北省满城汉墓1号墓出土，共2件，风格基本相同，此件比较简朴，另一件比较绚丽精致。

错金鸟篆文壶通高40.5厘米，口径15.7厘米，腹径28厘米。圆形盖，盖面向上凸起，盖面上均匀分布三个环形纽，每个纽上有一菌状

小纽，盖心饰蟠龙，周围三环纽间错鸟篆文三字。器侈口，束颈，圆鼓腹，圈足，腹部有对称的铺首衔环。壶口、肩、腹中部微凸起宽带纹，把壶身分为三段，在肩、腹部宽带纹上错出龙虎相斗的生动图案，壶身饰三段鸟篆文。鸟篆文、背景图案装饰花纹都用金、银双线勾勒表达，以金线为主线，银线辅之，异常精巧美观，显示了西汉时期金线细工方面的卓越成就。铭文为鸟篆文，盖铭："鬃埜盖。"颈铭："盖圜四弦，仪尊成壶。"上腹部铭文："盛兄盛味，於心佳都擅於。"下腹部铭："口味，充闰血肤，延寿却病。"有省字。鸟篆文多省笔。

错金鸟篆文壶藏于中国国家博物馆。

唐子钲 春秋晚期文物。2002年，湖北省郧县肖家河春秋墓1号墓出土，为郧县五峰乡肖家河村村民在修建新房时挖出，并被村民拿走，郧县博物馆闻讯后寻回。

唐子钲通高27厘米，口纵11.4厘米，口横13.8厘米。长方形直口，颈部饰蟠虺纹一

周，其下饰绳索纹一周，纹饰较粗糙，圆鼓腹，最大径在腹部位置，假圈足，底部微内凹。上腹部置有两对称半圆环耳，背面腹部偏下有一小圆环形耳。出土时，此壶颈部部分破损。铋多见于春秋时期，有自名为"铋"者，此器多为直口、颈较长，直口沿或微侈，颈下有双环耳，腹部横截面做椭圆形或长方形，最大腹径在附中部，平底无圈足。最大径正面偏右有3行铭文共20字："隹（唯）正十月初吉丁亥，锡（唐）子中（仲）濑儿睪（择）其吉金，盠（铸）其御铋。""锡"应是国称，读为"唐"，"子"为爵称，"锡子"即"唐子"，"中濑儿"应是人名，即作器者。唐子铋应是春秋晚期唐国铜器。

唐子铋形制与壶相似，用途当与壶接近，主要用于盛酒。唐子铋的发现为研究春秋时期唐楚关系提供了重要实物依据。

唐子铋藏于郧县博物馆。

明光宫赵姬锺 西汉文物。1982年，江苏省徐州市东山洞楚王后墓出土，为石灰厂开山采石时发现。

明光宫赵姬锺通高44厘米，口径15.9厘米，腹径33.5，圈足径21厘米。无盖，侈口，鼓腹，平底，圈足，肩部有两对称铺首衔环。口、肩、腹均饰宽带纹四周。器底部中心留有高1.3厘米、直径1厘米柱形灌铸孔遗斑。器底部用铁垫片，残留有规律的褐色斑点。此器与陕西西安茂陵出土的西汉"中私官"铜锺、茂陵从葬坑铜锺，山东巨野红土山铜锺，河北满城中山靖王墓铜锺相似。圈足上凿刻"明光宫赵姬锺"6字。

明光宫赵姬锺曾为明光宫中用器，年代上限不会早于明光宫始建之年，即公元前101年。这件锺虽然没有过多装饰，但造型典雅庄重，铭文信息明确，是研究汉代宫廷制度的珍贵资料。

明光宫赵姬锺藏于徐州博物馆。

鎏金铜钫 西汉文物。1994年，江苏省徐州市狮子山楚王墓出土。

鎏金铜钫通高58.8厘米，口径17.2厘米，腹径28.5厘米，腹边长28厘米。覆斗形方盖，盖上有四只凤鸟形纽，四只凤鸟相对而立，子

母口，方形侈口，平方唇、短颈，颈部留有一周垂三角纹痕，鼓腹，器最大处在腹部，腹上部两侧有对称铺首，各衔一圆环，腹下部四壁内收为平底，在平底下有向外斜撇方形圈足。鎏金铜钫通体鎏金，器身任何一处的横断面都呈正方形。

钫为礼制酒器中的盛酒器。鎏金铜钫具有西汉早期铜钫的典型特征。

鎏金铜钫藏于徐州博物馆。

妇好觚 商代晚期文物。1976年，河南省安阳市殷墟妇好墓出土。

妇好觚通高25.5厘米，口径14.2厘米。大喇叭口，长颈，颈部和腹部比较细，圈足为小喇叭形，口径大于底径，圈足底座甚矮，圈足上部两侧有"十"字形孔，腹部与足部各有四条扉棱，圈足上扉棱长于腹部扉棱，口下装饰蕉叶纹，下接云雷纹一周，腹部饰龙纹两组，每组为两龙，龙头相对，大口向下，身体向上竖立，尾部内卷，合饰成一兽面纹，腹下有两周凸弦纹，圈足饰镂空龙纹四个，龙作侧面形，口鼻轮廓清晰，细眉大角"目"字形眼，

眼珠凸起，有瞳孔，身尾较短。均以雷纹为地。圈足内壁有二字铭文"妇好"。

妇好觚造型纹饰都是商代晚期典型器物的代表，是研究觚类器物的标准器。

妇好觚存于中国社会科学院考古研究所。

亚址方觚 商代晚期文物。1990年10月，河南省安阳市郭家庄160号墓出土。共10件，形制、纹饰、大小、铭文基本相同。其中一件口沿上有丝织品痕迹，每平方厘米经丝16根、纬丝30根。

亚址方觚通高29.7厘米，口纵15.4厘米，口横17.5厘米。大喇叭口，细长颈，腹部微弧且单独成一段，圈足弧形外撇较甚，切地方折形成一个小台。器身四角和四边中部各有一道扉棱，扉棱自口至足分成三段，成一直线。上段的扉棱伸出口外1厘米，口下所饰蕉叶纹与扉棱连成一体。蕉叶纹以下和切地小台以上饰角、眉、眼、口分解的兽面纹。兽面纹均圆角方形眼，有长条形瞳孔，以扉棱作鼻梁。各纹饰均以云雷纹衬地。足内壁有铭文"亚址"。

亚址方觚方体、高大、厚重的特征，显示器主较高的身份等级。器主为亚址族首领或上层人物。

亚址方觚存于中国社会科学院考古研究所安阳工作站。

龚子觚　商代晚期文物。上海博物馆征集。

龚子觚通高27.6厘米，口径15.5厘米。大喇叭口，颈部和腹部比较细，圈足为小喇叭形，口径大于底径，圈足底座较矮，形成圆形小台状，腹部与圈足部各有四条扉棱，圈足上扉棱长于腹部扉棱，口下装饰蕉叶纹，内填雷纹，下接云雷纹一周，腹部饰俯首直体的龙纹

两组，每组为两龙，龙头相对，眼珠凸出，尾部内卷，合饰成一兽面纹，以雷纹为地，腹下部有两周凸弦纹，圈足最上部分饰以一周雷纹，圈足饰龙纹，用细线条勾勒，并填以雷纹，口鼻轮廓清晰，细眉大角"目"字形眼，眼珠凸起，身尾较短。

觚圈足内铸铭文两字"龚子"，为商代龚族君长。也可能与商代晚期带有"子龙""子龚"铭文的青铜器有关。该器物及其器物群是商代晚期家族研究的重要资料。

龚子觚藏于上海博物馆。

旅父乙觚　西周中期文物。1976年12月，陕西扶风县法门公社庄白村1号西周窖藏出土。

旅父乙觚通高25.3厘米，口径13.2厘米，腹深18.4厘米。大喇叭口，中腰极细，小喇叭状形圈足，口径大于圈足径。圈足以上至口沿处素面无纹饰，圈足中部饰一周变形夔纹，主体纹饰的线条凸起程度较高，在线条间似有镶嵌，但出土时不见任何痕迹，上下各饰一周带状目雷纹，椭圆形目突出，中间有一方形凹槽。圈足内壁铸铭文3字，铭文释义："旅父

乙。"第一字张亚初释为"夲旅"2字。

旅父乙觚与刘体智《小校经阁金文》卷四和方濬益《缀遗斋彝器考释》卷十著录的旅父乙卣，铭文字体相同，当为一人所作器物。

旅父乙觚藏于宝鸡市周原博物馆。

融觯 商代晚期文物。1986年，山东省青州市苏埠屯8号墓出土。

融觯通高17.8厘米，口长径8.8厘米，口短径7.8厘米，腹深10.1厘米，足高3.7厘米。盖面向上隆起，上有菌状纽，盖面由四条扉棱划分为完全相等的四部分，每部分饰以凤鸟纹，云雷纹衬地。器口为子母口，侈口，通体有四条扉棱，长颈，颈部饰有仰叶纹和兽面纹，以短扉棱为鼻，兽面有突出的圆形眼，以云雷纹衬地，颈部与腹部中间有一间隔带，圆鼓腹，四条扉棱把腹部分成四部分，每部分饰以凤鸟纹，以短颈方向的扉棱为中心两两相对，凤鸟昂首、钩喙，冠羽上卷，羽翅上翘，尾羽折垂，尾端呈叉状，爪锐利，作站立状，以云雷纹衬地。腹部内收为圆底，圈足。器整体呈椭圆形，横截面呈椭圆形。整个器物从盖纽到圈足，共分成五个

部分，饰四组纹饰，由盖面和腹部的凤鸟纹和颈部的仰叶纹和兽面纹组成，纹饰特征鲜明，浮雕技法独具匠心。器盖和器身同铭，盖内与内底各有1字，释文为"融"。"融"应为族徽。

融觯存于山东省文物考古研究所。

史觯 商代晚期文物。1994年秋，山东省滕州市官桥镇前掌大墓地11号墓出土。

史觯通高18厘米，口长径8.7厘米，短径7.8厘米。盖面隆起呈半球状，顶有半环形兽首纽，盖面两道扉棱。器敞口，束颈，圆鼓腹，圈足微弧外撇，器身、圈足有两道或四道扉棱，扉棱断面均呈三角形。盖纽兽首大角弯曲向上，圆睛凸出。盖面饰两个高浮雕兽面纹，牛形大角，角尖翘起。"臣"字形眼，圆睛凸出。阔鼻，大嘴开张，叶形大耳翘起。兽面纹两侧配以简省夔龙纹。颈部饰以正面中间三角状扉棱为中心的两两对称的夔龙纹。腹部饰造型夸张的兽面纹，形态与盖面兽面纹接近。圈足饰中心对称的夔龙纹。整个器物从盖纽到圈足，共饰五组纹饰，由三组兽面纹和两组夔龙纹组成。纹饰特征鲜明，浮雕和高浮雕

技法匠心独具。盖、器有族徽铭文"史"。

史觯为椭圆体觯，形制、纹饰具有殷墟晚期特征。中国社会科学院考古所在《滕州前掌大墓地》发掘报告中力证史觯时代为西周，曹斌在对前掌大墓地研究后指出前掌大史国墓地的上限应在商末，在系统梳理青铜觯后指出此类铜觯时代可能在周初。因此，史觯时代可定在商末或西周初。

史觯存于中国社会科学院考古研究所。

厝觯 西周早期文物。1974年，北京市房山县琉璃河镇黄土坡西周墓葬251号墓出土。

厝觯通高19.3厘米，口径10.8厘米。短胖体，球面形盖，向上隆起，盖上有一半环形纽，盖面饰联珠纹为界的雷纹带，侈口束颈，颈下部饰有联珠纹为界的连续式雷纹，深腹下垂，圜底，矮圈足，圈足底部外侈，圈足饰斜角目纹。厝觯时代为西周早期偏晚阶段至早中期之际。盖内和器底铸有内容相同的铭文3行13字，释文为："乙丑，厝易（锡）贝钅（于）公中（仲），用乍（作）宝隮（尊）彝。"

该器物造型和纹饰都较为简朴，是西周早期青铜觯的典型特征。其铭文对研究周初分封

燕国的相关历史有一定的价值。

厝觯藏于首都博物馆。

小臣单觯 西周早期文物。李笙渔、潘祖荫收藏，后由李鸿章侄孙李荫轩、邱辉夫妇捐赠给上海博物馆。

小臣单觯通高13.8厘米，口径9.3～11.6厘米。敞口，束颈，腹部圆鼓向下弧收为圜底，圈足弧形外撇，切地下折形成一个小台。颈饰有一周带状纹饰，饰以中间短扉棱中心对称的顾首龙纹，圈足饰一道弦纹。器内底铸铭文22字（其中合文1字）："王後窆克商，才（在）成启（师），閒（周）公易（锡）小臣單具十朋，用乍（作）宝隮（尊）彝。"铭文记周王朝第二次克商，小臣单由于参加战事，受到周公赏赐，并以此作器纪念。铭文中周公，即周公旦。二次克商，即周公率师平息武庚、管叔、蔡叔之乱。

小臣单觯为椭圆体铜觯，口长颈和器高的比例明显大于晚商铜觯，整体略显矮胖，纹饰装饰以带状为主，不似晚商青铜器纹饰繁缛，具有西周早期偏早阶段特征，铭文内容又记二次克商之事，被学界公认为成王标准器。

小臣单觯藏于上海博物馆。

侈口，束腰、腰间有一道凸棱，呈亚腰形，平底，两侧有精美的镂空夔形龙纹鋬，透雕的耳高出器口，稳重华美。

双鋬杯造型独特。杯的用途有饮酒器、盛羹器和水器等说法，多数学者认同饮酒器说。商周金文中无"杯"字，古籍中也未言杯的形状，商周青铜杯为审度形制而定。商、西周时期多为圆体执杯，东周时期多为椭圆形杯，椭圆形杯约在春秋至战国早期最为盛行。

双鋬杯藏于陕西历史博物馆。

修武府杯　战国晚期文物。1966年，陕西省咸阳市塔儿坡出土。1966年4月，咸阳一家砖瓦厂工人在塔儿坡塬边取土时，发现一长约3米、宽约2米的墓葬，当即报告咸阳市博物馆。咸阳市博物馆派人赴现场调查了解，当时墓葬已基本挖完，没有发现其他遗迹，只清理出20多件铜器。

修武府杯炉长15厘米，炉宽11.5厘米，耳杯长15厘米，耳杯宽12.9厘米。修武府耳杯上部为耳杯，下部为温酒器底盘，各有四足，耳杯平面呈椭圆形，长径方向的两边有平折耳，窄耳微向上翘，短颈方向两边有铺首衔环，耳杯下有四兽蹄形足。杯足立于温酒器底盘中，盘平面呈长方形，直口，浅腹，平底，盘底也

作父庚觯　西周中期文物。上海博物馆征集。

作父庚觯通高14.9厘米，口径7.6厘米。小敞口，颈细长，束颈，垂腹，圈足外撇。颈部饰蕉叶纹，下接一周分尾的凤纹，腹部饰相对而立的长冠凤鸟纹，昂首垂尾。纹饰是鸟纹和蕉叶纹组合，多见于西周早、中期之交。腹内底铸"作父庚"三字，仅有被祭人名，无作器者名。

作父庚觯虽小，但装饰华丽，纹饰精致，在同类器中较为罕见。

作父庚觯藏上海博物馆。

双鋬杯　西周晚期文物。1961年，陕西省长安县张家坡西周窖藏出土。共2件，形制大小完全相同。此种造型的杯属首次发现。

双鋬杯通高12.2厘米，口径8.5厘米，大

有四个矮兽蹄形足。周身无纹饰。在耳杯一耳阴面与同侧底盘的边上各刻有"修武府"三字。修武是魏地，此温酒耳杯应是魏器，魏亡以后流入秦国的。

修武府杯使用时需把燃烧的炭火放在盘内，耳杯中添酒，对酒进行加热，是已知所见较早有耳杯的温酒器。也有学者认为，此器应为烹调味品专用炊具，用以加热调味品，满足当时人们喜欢用较烫调味品濡熟肉食用的习惯。

修武府杯藏于咸阳市博物馆。

蟠螭纹龙首耳卮 战国早期文物。1972年，湖北省襄阳市余岗山湾出土。1967年下半年，湖北省襄北农场第六新生砖瓦厂在襄阳余岗山湾取土时发现许多东周墓葬，并不断挖出许多青铜器。1972年冬，湖北省博物馆和襄阳地区文化局等单位收回青铜器约70件。

蟠螭纹龙首耳卮通高5厘米，口长11.7厘米，口宽9.7厘米。器作椭圆形。敛口窄唇沿，腹部微鼓，下腹内收为平底。腹外有对称的一对半环形耳，耳上饰有立龙首，龙嘴张开，双眼凸出，圆睛。腹上部饰带状蟠螭纹两周，腹下部饰三角卷云纹一周，线条细密均匀。

此种形制铜器，清《西清古鉴》始称为

舟。容庚根据《博古图录》称为卮；李学勤认为釪形器，仍应定名为卮。朱凤瀚指出该型器在东周时代也可能有"釪"和"釪"（釪通卮）两种名称，可能是方言的因素。关于蟠螭纹龙首耳釪用途，前人有关著作认为是饮酒器，后有学者认为是水器。

蟠螭纹龙首耳卮藏于湖北省博物馆。

龙纹柄斗 商代晚期文物。上海博物馆征集。

龙纹柄斗长24.3厘米，斗呈小圆桶形，口微敛，底平，柄出自斗身的下腹部，柄长，弯曲近似"S"形，中部上翘，后尾宽大，尾端微微向上翘起，依照柄的形状镂铸有两条龙纹。

这件青铜斗的柄部纹饰繁缛，采用透雕方式展现纹饰，在同类器物中堪称精美。

龙纹柄斗藏于上海博物馆。

伯公父斗 西周晚期文物。1976年1月，陕西省扶风县云塘窖藏出土，为扶风县黄堆公社云塘生产队挖土积肥时发现。共2件，形制、大小、纹饰均相同，2件器物铭文连读。

伯公父斗通长19.3厘米，高6.8厘米，口径9.5厘米，斗深5.1厘米。斗身呈椭圆形，斗口微敛，斗口沿下饰一周变形蝉纹，腹微鼓，腹部饰瓦棱纹，从腹部伸出曲折形柄，柄饰连体夔纹，背面镂空，平底，矮圈足外撇，圈足饰大小相间的重环纹。柄根部弯折处铸铭文3行14字，释为："白（伯）公父乍（作）金爵，用献用酌，用言（享）用孝。"此器自铭是爵，为斗形爵。

伯公父斗藏于宝鸡市周原博物馆。

夔龙纹禁 西周早期文物。2012年，陕西省宝鸡市石鼓镇3号墓出土。

夔龙纹禁高20.5厘米，长94.6厘米，宽45厘米。长方体器座，底空。四侧面边沿部素面，正中饰直棱纹，直棱纹外饰以雷纹作地的夔龙纹长方形边框。长侧面上、下边框正中起扉棱，扉棱两侧各饰头部向内的夔龙纹两组，夔龙均昂首，阔嘴、上下唇外翻，圆目，曲体，卷尾。左、右边框均饰变体夔龙纹一组，首部似凤鸟，曲喙，高冠，圆目，变体上下伸长，卷尾。短侧面上、下边框正中起扉棱、扉棱两侧饰头部相对的卷尾夔龙纹两个，左、右边框均竖饰变体夔龙纹一组。禁顶饰以雷纹作地的夔龙纹边框，两长边正中起扉棱，扉棱两侧各饰头部向内的回首夔龙纹两组，两短边正中起扉棱，扉棱两侧饰头部相对回首夔龙纹两个。回首夔龙为双首左右斜向回顾，尾部合体。禁内顶面与侧面之间、相邻侧面之间均有加强筋以达稳固。

夔龙纹禁藏于宝鸡市渭滨区博物馆。

透雕云纹禁 春秋晚期文物。1978年，河南省淅川县下寺2号墓出土。

透雕云纹禁通高28.8厘米，长103厘米，宽46厘米。整体呈立体长方形，中空，除禁面正中为一长方形平面外，禁面四周及禁体四侧均饰五层铜梗支承的透雕云纹。禁体四侧攀附有12条龙形怪兽，张口吐舌于禁面，似欲吞食禁面之物。禁下俯卧12条龙形怪兽承托禁体，

张口吐舌，作不胜压力状。透雕云纹禁出土时，禁体已变形，且破裂成十余块，不少铜梗残断，无数云纹剥落，附兽、座兽全部脱离禁体，大部分残缺不全。

透雕云纹铜禁造型优美、设计奇巧、铸艺精湛，是东周铜禁中精品。多数学者认为是用失蜡法铸造而成。透雕云纹铜禁的出土，证实了春秋中晚期失蜡铸造技术已经达到相当高超和熟练的水平。

透雕云纹禁藏于河南博物院。

第三节 水器

走马休盘 西周中期文物。潘祖荫旧藏。

走马休盘通高11.9厘米，口径34.9厘米，底径29.7厘米。窄平沿，方唇，双附耳高于器口，圈足外侈。腹部外壁饰窃曲纹，以雷纹填地，圈足有一周凸弦纹。腹部内底铸有铭文91字（内有重文2字）："隹（唯）廿（二十）年正月既朢（望）甲戌，王才（在）周康宫，旦，王各（格）大（太）室，即立（位），益公右乇（走）馬休，入门，立中廷，北卿（嚮），王乎（呼）乍（作）册尹易（錫）休：幺（玄）衣黹屯（純）、赤市（韍）、朱黄（衡）、戈琱戚、彤沙（綏）、𩨘（厚）必（柲）、絲（鑾）㫃（旂），休搽（拜）頴（稽）首，叡（敢）對乳（揚）天子不（丕）顯休令（命），用乍（作）朕（朕）文考日丁隋（尊）般（盤），休贠（其）萬年，子₌（子子）孫₌（孫孫）永寶。"此为一典型册命铭文，记叙时王二十年正月既望甲戌日，王

在周康王庙内册命走马休，赏赐命服、兵器以及銮旂等。

关于走马休盘时代，有恭王说、夷王说、宣王说等。铭文中"益公"是西周中晚期执政卿，名字亦见于倗伯冉簋、乖伯簋、师道簋、询簋、王臣簋、永盂等。休的职官为走马，应与文献中"趣马"对应。郭沫若认为，走马休为《诗经·常武》中程伯休父。

走马休盘藏于南京博物院。

士山盘 西周晚期文物。2001年被中国国家博物馆征集。

士山盘高11.5厘米，圈足高4厘米，腹径38厘米。盘口呈宽平沿，方唇，腹部较深，下承高圈足，足下部外侈。腹部两附耳已残。腹部外壁饰一周对称的三角夔龙纹。圈足外壁饰目纹和三角勾云纹。器内底铸铭文97字（重文1字）："唯王十又六年九月既生霸（魄）甲申，王在周新宫。王各大室，即位。士山入

门，立中廷，北向。王呼作册尹册命山曰：于入中侯，遂徵都、荆、方服，罘大虘服、履服、六蛮服；中侯、都、方宾贝、金。山拜稽首，敢对扬天子不显休，用作文考釐仲宝尊盘，山其万年永用。"

多数学者认为，于训往，入训进入。于入中侯是指士山受命进入中侯国境，继而南下完成"徵都、荆、方服"等任务。另一些学者则根据《左传》语法体例，认为入字应作"内（纳）"，"入中侯"实际上是"纳中侯之国"，铭文意思为，士山奉周王之命护送中侯归国。铭文中"服"，有学者认为是"降服"，也有观点认为是"职事""贡赋"，即向都、荆、方、履、六蛮等南方诸方国征收贡赋。学术界普遍认为士山盘属于西周中期懿王时器。士山盘铭文展示了西周中期周王朝对南土的经营，反映周昭王伐楚后，周王朝在懿王时期不得不依靠中侯等"方伯"羁縻江汉方国并收取贡赋。

士山盘藏于中国国家博物馆。

虢季子白盘　西周晚期文物。虢季子白盘出土地点有多种说法。清末金石学家陈介祺记

录两种说法：道光年间眉县县令徐燮钧称出于宝鸡县虢川司；金石学者刘喜海称出自眉县礼村，与大盂鼎出土地点仅隔一条壕沟。金石学家方濬益记载虢季子白盘出于宝鸡县虢川司，后眉县县令徐燮钧发现并收藏，徐燮钧罢官后带回老家江苏常州。清咸丰十年（1860年），太平军攻占常州，太平天国护王陈坤书获得此器，藏于护王府。同治三年（1864年），淮军刘铭传克复常州，在护王府中偶得此盘，立即遣送回老家安徽肥西，并构筑"盘亭"以示纪念。战乱时期，刘家将此盘深埋地下。1949年1月，合肥解放，刘铭传第四代孙刘肃曾将虢盘捐献给政府。1950年入藏故宫博物院。1959年，虢季子白盘被划拨中国历史博物馆。

虢季子白盘高39.5厘米，长137.2厘米，宽86.5厘米。整体呈圆角长方体。口微敞，弧形腹较深。腹部四面各有两个兽首，兽口衔环，环呈绞丝状。平底，底部四角有矩尺形足。口沿下饰有一周窃曲纹。有学者认为窃曲纹是夔龙纹某种动物变形而来。器腹部饰大波带纹，形状如一条起伏有致的波带，波峰与波谷之间填有近似于眉、口的纹样。盘内底部铸有铭文111字（后面有铭文全部），第4行第5字为"五十"二字的合文，因为铸造时字模不

清，为器物铸好后加刻。铭文记述虢季子白率军在洛水之北击败猃狁，斩获颇多，得胜回朝后向周王献俘，并得到周王褒奖与赏赐。铭文字体隽秀圆润，纵成行、横成列，布局工整疏朗，美观大方。铭文除收尾外主体以四字为句，两句或三句用同一韵脚，句中方、阳、行、王为韵脚。

虢季子白盘铭文所载西周晚期伐猃狁的战事，可与多友鼎、兮甲盘、不娶簋等铭文相联系，其中涉及的征伐途径、战役地点，均有极高的历史价值。此器自铭为盘。虢季子白盘体量较大，有学者认为此器应是沐浴所用浴盘。

虢季子白盘藏于中国国家博物馆。

起右盘 春秋早期文物。1979年，湖北省随县安居公社加届七大队社员在桃花坡修改公路时发现一批青铜器，经考古工作者及时赶到现场清理，在1号墓发现起右盘。

起右盘通高16厘米，口径36.5厘米，腹深7厘米。盘口有短流，与流相对一侧有一龙形鋬，龙有两角，口衔盘口，尾部上卷。龙身饰窃曲纹和夹有耳纹的重环纹口沿下饰一周窃曲纹。圈足外壁饰垂鳞纹。圈足下附有四只卧兽。盘内底有铭文4行26字："唯炉右自乍

（作）用其吉金宝般（盘），廼用万年，子=（子子）孙=（孙孙）永宝用宫（享），［永］用之。"铭文中炉字不识，学术界姑借与之字形相近的"起"字指代，便于书写。

起右盘形制比较独特，是一种带流、鋬的盘，此种形制的盘在西周中期开始出现。

起右盘藏于随州市博物馆。

云雷纹双鸟首三轮盘 春秋文物。1957年，江苏省常州市武进县淹城内城护城河道中出土。

云雷纹双鸟首三轮盘通高15.8厘米，盘口径26厘米，轮径7.8厘米。盘身敞口，方唇，浅盘腹，平底，矮圈足。圈足下有三只轮，一前二后，可以转动。前轮安装在圈足向外伸出

的两条"L"形兽尾中间的横轴上。沿兽尾向上，顶端饰有两只鸟首，鸟冠末端上卷。鸟首兽颈部饰鱼鳞纹，背部饰有类似羽翅纹样，靠下部有一上卷小尾，类似鎏下部的珥。盘腹部外壁饰有一周云雷纹，共有五层。

云雷纹双鸟首三轮盘应不是用于盥沃的水器，可能用于盛装果品或其他食物，关于功能还需进一步研究。云雷纹双鸟首三轮盘设计独特，不见于北方同类器中应是具有吴国特色的青铜器。

云雷纹双鸟首三轮盘藏于中国国家博物馆。

曾侯乙尊盘　战国早期文物。1978年，湖北省随县擂鼓墩曾侯乙墓出土。

曾侯乙尊盘通高42厘米。尊置于盘上，拆开是2件器物。尊通高33.1厘米，口径25厘米，重约9千克；盘通高24厘米，口径57.6厘米，重约19.2千克。尊敞口，呈喇叭状，宽厚的外沿翻折，下垂，上饰玲珑别透的蟠虺透空花纹，形似云朵上下叠置。尊颈部饰蕉叶形蟠虺纹，蕉叶向上舒展，与顶部微微外张的弧线相搭配，和谐统一。尊颈与腹之间加饰四条圆雕豹形伏兽，躯体由透雕蟠螭纹构成，兽沿尊颈向上攀爬，回首吐舌，长舌垂卷如钩。尊腹、高足皆饰细密蟠虺纹，上加饰高浮雕虬龙四条，层次丰富，主次分明。盘直壁平底，四龙形蹄足口沿上附有四只方耳，皆饰蟠虺纹，与尊口风格相同。四耳下各有两条扁形镂空夔龙，龙首下垂。四龙之间各有一圆雕式蟠龙，首伏于口沿，与盘腹蟠虺纹相互呼应。尊盘通体采用失蜡法铸成，装饰纷繁复杂，铜尊用34个部件经过56处铸接、焊接而连成一体，尊体上装饰28条蟠龙和32条蟠螭，颈部刻有"曾侯乙作持用终"7字铭文。

整个器物由于采用了失蜡法铸造，表现出透雕、浮雕、圆雕结合的装饰技巧，堪称先秦时代技术最为复杂、制作最为精美的青铜礼器。

曾侯乙尊盘藏于湖北省博物馆。

叔五父匜　西周晚期文物。2003年，陕西省眉县马家镇杨家村西周铜器窖藏出土。

叔五父匜通高18.1厘米，流至鋬长36.6厘米，腹深9.4厘米。叔五父匜整体呈瓢形，曲口，直唇，前有长宽流，流略向上扬，后有龙首形鋬，下有四个扁平状龙首足。其中一足为二次补铸。口沿下饰变形兽体纹，腹部饰瓦楞纹，龙

形鋬上有两道凹弦纹和窃曲纹。匜内底有铸铭文2行16字，其中重文2字，铭文释文："叔五父作旅匜，其萬年，子子孫孫永寶用。"

叔五父匜等杨家村铜器，为研究西周中晚期青铜器的谱系和西周晚期铜器断代提供了标准器。

叔五父匜藏于眉县文化馆。

齐侯子行匜　春秋早期文物。1977年10月，山东省临朐县嵩山公社泉头村春秋墓葬甲墓出土，为泉头村社员在村东取土时于断崖下发现，最初收藏于临朐县博物馆，后入藏中国国家博物馆。

齐侯子行匜通高21.5厘米，流鋬间长42厘米，器身呈瓢形，前有长流，后有龙首形卷尾鋬，龙口衔器沿，尾部向外卷起，兽身饰重环

纹。器曲口圜底，下有四个兽首龙身扁足，兽头顶器底，外卷尾触地。口沿外壁处饰窃曲纹一周，腹部饰瓦棱纹。内底铸铭文3行16字（其中重文2字），铭文释文："齐侯子行作其寶匜，子子孫孫，永寶用享。"铭文记述此器为齐侯之子名行者所铸，是为齐公子之器。

齐国在西周、春秋时期虽为大国，但是已知明确为"齐侯"相关的青铜礼器数量很少，因此齐侯子行匜弥足珍贵。

齐侯子行匜藏于中国国家博物馆。

黄子匜　春秋中期文物。1983年4月，河南省光山县宝相寺上官岗砖瓦厂发现春秋墓葬，为黄君孟夫妇合葬墓，黄子匜于女性椁室边箱中出土。

黄子匜通高16.8厘米，流至长尾31.3厘米，口宽14厘米。整器呈长椭圆形，前流较宽长，后有龙形尾鋬，曲口圜底，下有四个长方扁足。口沿部饰窃曲纹，腹部和足部饰龙纹。底内部有多处修补痕迹。内底铸铭文16字，铭文释文："黄子作黄孟姬行器，则永祜福，令终靈复（後）。""孟姬"是姬姓女，为黄君孟夫人。

黄子匜造型略显夸张，纹饰细腻，铸造精

湛，是淮水流域青铜器的典范之作。

黄子匜藏于信阳博物馆。

倗匜 春秋晚期文物。1978年，河南省淅川县下寺春秋墓2号墓出土。

倗匜通高13.6厘米，通长26厘米，腹深7.6厘米。器曲口宽体，腹壁俯视作桃形，前有流，与普通匜流不同，流与兽首结合紧密，流端为兽口。兽首饰以细密的蟠螭纹。匜后有半环形龙形鋬，夔龙昂首卷尾，生动别致。平底且无足。器身腹部饰蟠虺纹带及锯齿纹，蟠虺纹有一道绚索纹，龙身饰三角雷纹。内底铸篆书铭文1行4字，铭文释文："倗之盥盤。"此器自名为盘，应为误刻。

倗匜造型别致，其圜底的形制也在同类器物中少见。尤其是流的兽首和鋬上的细密纹饰，凸显了楚国特色。

倗匜存于河南省文物考古研究院。

工吴季生匜 春秋晚期文物。1985年4月，江苏省盱眙县旧铺乡农科站王庄农民挖鱼池时，在距地表约50厘米深处发现。

工吴季生匜通高19厘米，流至鋬长29厘米，口宽23厘米。器体呈桃形，直口，腹微鼓，向下收成平底，无足。口的一侧有流管，流呈兽首形，顶部前端浮雕兽面，后端饰饕餮纹。圆筒形流口似张开的兽嘴。对应一侧有一蟠龙形曲鋬，蟠龙首部采用浅浮雕的饕餮纹处理工艺，兽嘴衔住口沿，尾部往上外卷，姿态生动。器体口沿下饰蟠虺纹一周，蟠虺纹下饰两周绚纹。器物内底铸篆书铭文1行9字，铭文释文："工㠪（吴）季生作其盥會浣。""工㠪"王即吴王，工㠪季应为吴季，古兵器铭文亦有吴季子逞之剑。

工吴季生匜当为吴器，时代应在吴王夫差之前，即公元前555～前495年之间。器物是吴越文化青铜器鼎盛时期典型作品，造型纹饰与河南淅川下寺春秋楚墓铜匜十分相似。工吴季生匜的出土为研究吴国青铜器及吴国国家文化构成和礼制提供了新的实物资料。

工吴季生匜藏于盱眙县博物馆。

虎头提梁匜 春秋晚期文物。1988年，山西省太原市金胜村251号墓出土。

虎头提梁匜通高18.8厘米，长35.8厘米。流作咆哮的虎首状，体似方圆形瓢，深腹，圜底，下承接一对有蹼趾的脚。尾部下有倒立小虎支撑，以保持器物稳定性。颈至尾部置俯伏状虎形提梁，虎两耳竖立，瞪眼、龇牙作窥视状。匜颈部饰蟠龙纹，虎首、提梁和脚蹼都有圆点羽纹、涡纹和鳞纹作填纹。

虎头提梁匜设计奇巧，两双虎造型生动，是晋国青铜工艺的杰出作品。

虎头提梁匜存于山西省考古研究所。

妇好盉 商代晚期文物。1976年，河南省安阳市殷墟妇好墓出土。

妇好盉器高38.3厘米，流长9.5厘米，口长6.2厘米，宽3厘米，裆高10.2厘米，重7.8千克。封顶，顶面隆起呈弧形，边沿较宽平，前端有一斜立的筒形流，后端开一长方形小口。颈部内收，下部如鬲，分裆款足，实心足跟。口下有牛头空心錾，顶面饰饕餮纹，眉目清楚，以器口作饕餮之口，在饕餮后端的两侧各饰一夔，颈部饰斜角云雷纹。腹部饰阴文大饕餮三组，流上端饰饕餮纹两组，其下饰三角纹四组。錾内壁面有铭文"妇好"。该器形或由陶鬶演变而来，故又称"鬶形盉"；因其封顶，又称"封顶盉"。

商代晚期，青铜盉较为罕见，而且形态与陶盉相似。妇好墓出土这件盉，造型规整，体量较大，体现了墓主人身份地位之高。

妇好盉存于中国社会科学院考古研究所。

马永盉 商代晚期文物。相传于河南省安阳市殷墟出土，1958年拨交中国历史博物馆。

马永盉通高25.1厘米，口径7.5厘米。此器造型风格迥别于同类器物，似筒形提梁卣。有盖，盖向上隆起，盖正中置有蘑菇形钮，器为直颈，折肩，深腹，高圈足，有管状流。肩部置提梁，为绚索状，两端饰大耳小眼兽首。器颈部饰夔带纹，正中有一兽首，腹部饰竖直条纹，纹直而深，圈足上饰云纹，管流部饰三角蝉纹。器物造型匀称，管状流位置得体，使整体取得平衡效果。器底内铸有铭文"马永"

两字，马为氏族徽号，永应为作器器主名或复合族徽徽号。

马永盉除具备长管状流这一主要功能特征，其他方面在青铜盉中均称异类，造型风格独树一帜。有些学者认为，马永盉造型构思主要来源于商代晚期新出的商式筒形卣，是对商代晚期至西周早期流行筒形卣的一种改型。马永盉铸造工艺特别，提梁接合方式罕见，采用肩部伸出铆钉、提梁末端包覆的方式，结构稳定灵活，既能保证提持时足以承受器身的重量，也能保证前后荡涤以倾倒液体的功能。

马永盉藏于中国国家博物馆。

隤伯盉 西周早期文物。1972年11月，甘肃省灵台县西北30千米的西屯公社百草坡西周墓2号墓出土。

隤伯盉通高28.9厘米。盖面隆起，中部有半环形钮，盖沿一侧有小钮以链条与錾连接；器身呈鬲形，侈口，束颈，深腹，分裆，三足下部呈圆柱状，颈的一侧有管状流，另一侧有兽首錾。盖沿和器颈均饰三列云雷纹组成的兽

面纹，腹部饰双折线纹。盖内铸铭文6字："隑白（伯）乍（作）寶尊彝。"鋬内铸铭文3字："隑白（伯）乍（作）。"器主为隑伯。

隑伯盉的形制仍然保留了商代晚期封顶盉的某些特征，比如身材比较高，流的位置也比较靠上等。但同时也具备了西周盉的特点，即有分离的器盖，流的位置不在盖顶而在颈部等。所以，隑伯盉是商代盉向西周盉过渡的阶段，具有断代意义。

隑伯盉藏于甘肃省博物馆。

匍盉　西周早期文物。1988年，河南省平顶山市新华区滍阳镇应国墓地50号墓出土。

匍盉通高26厘米，长31.8厘米，体宽17.2厘米，口径14.2厘米。器身仿鸭形，圆形器口开于鸭背中部，口外敞，斜方唇，高领内束，腹腔呈圆角长方形扁体状。鸭颈曲而上扬，昂首前视，双目圆睁，扁嘴微张，为盉流。鸭尾部有一个卷身上扬的龙首形鋬，扁腹下附四柱形足。器口上有子口器盖，盖略向上隆起，中部有一上粗下细的塞状捉手，边缘有一环形纽，与站立在鸭尾上的圆雕铜人相连。此人发丝细密且梳理整齐，头顶高绾发髻，上身裸露，下身穿十褶裙，腰束饰有连续菱形纹饰的

革带，脚穿浅筒靴；双手抱住器盖上环形纽，双脚之间有横梁，与鸭尾上浮雕牛头饰顶端的环纽相衔接。盉盖高领外与盖沿上方各饰两组以云雷纹衬底的长尾凤鸟纹，每组两只凤鸟纹均相向而立，间以变形牛首或竖向隔栏，盖上捉手的顶部饰一盘旋状鸟纹，鸭尾上阴刻三条平行线纹。器腹素面，一侧有席纹印痕，整器呈光洁明亮的青绿色。盖内有铭文5行43字，释为："佳（唯）三（四）月既生霸戊申，匍即于氏，青公事（使）䚘（司）史𩁹，曾（赠）匍于束膺夅（雕）韦网（两），赤金一匀（钧），匍叔（敢）对乳（扬）公休，用乍（作）寶鷨（尊）彝，妝（其）永用。"铭文大意为，应国使者匍到氏地聘问静公，静公命司事赠送匍一件鹿皮披肩、两张兽皮、一钧铜作礼品，后匍用静公所赐的铜作了此盉。

铭文所记是西周中期一次典型的颣聘礼，颣聘即诸侯之间相互朝聘，一般由大夫出面举行。匍应是应国大夫，出使軝国行颣聘之礼并受赏。

匍盉存于河南省文物考古研究院。

晋仲韦父盉　西周早期文物。1988年，山西省曲沃县曲村西周墓葬出土。

晋仲伟父盉通高25.6厘米，口径13.2厘米。器为侈口长颈，带盖，盖向上隆起，盖上有圆雕猪形纽，盖面有一小环，腹部前有管状长流，后有兽首鋬，鋬与盖有链条相连，裆部略分，裆部有一个套环纽，四柱足。盖面和颈部饰云雷纹衬底的分尾长鸟纹，流上饰斜角云纹。盖、器同铭，各12字。释文："晋仲韦父作旅盉，其萬年永寶。"

晋仲伟父盉是进行晋国历史研究的重要实

物资料。

晋仲伟父盉存于山西省考古研究所。

长囟盉 西周穆王时期文物。1954 年，陕西省西安市长安县斗门镇普渡村长甶墓出土。原藏陕西省博物馆，后调拨入藏中国历史博物馆。

长囟盉高28.2厘米，口径17.7厘米。整器由器体与器盖两部分组成：器身作鬲状，侈口，束颈，三深分档袋形腹，下承短柱足，器腹一侧斜置长管状直流，另一侧置兽首鋬；器盖上隆，顶置一半环纽，边缘置一半环纽，并以链与兽首鋬相连。器颈部与器盖边缘以云雷纹为地，"两方连续"周饰窃曲纹，器流与鋬两侧袋形腹各饰两周平行凸弦纹，斜上相交成直角，器流饰三角纹。铭文6行56字，内容如下："佳（唯）三月初吉丁亥，穆王才（在）二（下）减应，穆王卿（饗）豊（醴），即丼（邢）白（伯）、大（太）祝射，穆王蔑长囟吕（以）遫即丼（邢）白（伯），丼（邢）白（伯）氏（是）弲（彝）不姦，长囟蔑曆，敼（敢）對乳（揚）天子不（丕）杯休，用肇乍（作）隣（尊）彝。"铭文记述西周穆王某年三月丁亥日，在下减举行飨礼，其间又与邢

伯、大祝行射礼，作器者长囟因佐射邢伯而受到穆王勉励。先秦时期射礼有"大射""燕射"及"乡射"等。长囟盉铭文是西周穆王时期书风的典型代表。

长囟盉的造型、装饰与《双剑誃吉金图录》卷上二九"伯穿盉"最为相似，1972年10月甘肃灵台白草坡西周早期2号墓出土的隙伯盉应是此型盉早期式样。

长囟盉藏于中国国家博物馆。

第传盉 西周中期文物。2009～2010年，山西省翼城县以东约6千米处大河口墓地2002号墓出土。

第传盉通高36厘米，通长37厘米。器呈立体鸷鸟形，肥体长颈，昂首钩喙，从头顶有断茬看，可能有竖冠，两翅后部上翘，双爪着地，直板形尾，下有一卷鼻象首，与鸟爪构成盉的三足。背上开有椭方形口，其上置盖，盖的前部有一环纽，后部有一小纽以链条与器身相连，胸前置一流管。整个鸟身饰羽毛纹，流部饰云雷纹。盖内铸铭文52字，其中重文1字，保存完好，共8行51字："乞誓曰：余无弗再公命，余自无，则鞭身。第傅出报厥誓，曰：余既曰，余再公命，襄余亦改朕辞，出弃。对公命，用作宝盘盉，孙子子其万年用。"李学勤的释文大意为，乞立誓说："我所作谋议如果不合君命，而是我自己私行策划，就受鞭刑。"乞亲自乘有车蔽的传车前往各地，重复所立誓言，说："我已立誓要上合君命，假如我违反誓词，便应遭到流弃，使君命仍得执行。"乞因此铸造盘盉，传于子孙使用。

第传盉藏于山西青铜博物馆。

黄子盉 春秋中期文物。1983年4月，河南省光山县宝相寺上官岗砖瓦厂发现春秋墓葬，为黄君孟夫妇合葬墓，黄子盉于女性椁室边箱中出土。

黄子盉通高18.2厘米，口径11.2厘米，腹径14.5厘米。整体呈甗形，甑与鬲铸为一体，甑部较小，鬲部较大。甑与鬲之间有一木质箅。鬲部两足中间有一流，鬲的肩部有一卷鋬，与流呈直角。甑部外壁铸有铭文16字："黄子乍（作）黄甫（夫）人行器，劓（则）永祜（祜）窟（福）霝（令）冬（终）霝（灵）後。"铭文记载，此器为黄国国君为夫人所作行器。甗形盉与鬲形盉发现数量较少，主要集中在皖南（如六安、舒城、肥西、庐江等）、豫东地区，时代主要在春秋中晚期，可能与文献中所谓"群舒"文化有联系。

黄子盉藏于信阳博物馆。

吴王夫差盉 春秋晚期文物。何鸿章捐赠。

吴王夫差盉通高27.8厘米，口径11.7厘米，腹径24.9厘米。小口直唇，宽肩，浅平盖，盖上有一半环形纽，套铸短链，另一端与提梁内侧小鋬相连，盖沿下折与器口形成子母口，肩部上的弧形提梁是由无数条躯体相纠组成的一条透雕俯首弓背龙，上部饰卷龙棱脊，中间一段未设脊，便于提携。腹部呈扁圆形。上腹部设曲颈龙首为流，龙有尖角，颈部饰鳞瓣，腹部另一侧有脊饰，与提梁脊饰相同。圆

底下置兽蹄足。盖沿饰龙纹，盖面及腹部饰细密的变形卷龙纹，不能分辨首尾；兽蹄上端饰兽面纹，器身以三条凸起绳纹间隔。此盉造型规整，镂空提梁用失蜡法浇铸，盖及器上纹饰运用春秋时期极为盛行的印模技术。提梁、龙流、三足都是分铸，在浇筑器体时，将各部位定位，合铸于一器。肩上近口沿处铸铭文一周12字："吴王夫差吴金铸女子之器吉。"铭文中"吴金"即御金，是诸侯或下属献给吴王的青铜。铭文记载吴王夫差用诸侯敬献的青铜，为一位女子铸器。

吴王夫差盉以往未见流传，为吴越春秋历史研究提供重要的实物资料。

吴王夫差盉藏于上海博物馆。

兽面龙首流盉 春秋文物。上海博物馆征集。

兽面龙首流盉高30.1厘米，口径14.8厘米，长39.2厘米。口部作钝三角形，直颈，袋腹，下有三柱足。流为龙形，流口作龙首，龙形鋬。盖顶为一条盘旋的龙，龙首昂起。盖边、颈侧均有一环组，应有短链相连。盖缘、颈部饰龙纹，肩饰斜角雷纹，腹部饰兽面纹，配置以龙纹、鸟纹。

兽面龙首流盉器形、纹饰仿效中原地区青铜盉，但纹饰结构具有南方吴越青铜文化特征，兽面龙首流盉的出土为研究南北文化交流提供了重要线索。关于此铜盉年代，学界争议较大。林巳奈夫认为是西周中期，李龙章认为是春秋时期，马承源、陈佩芬认为是春秋晚期。与此件相似的青铜盉于1974年在广东省信谊光头岭窖藏中出土一件。

兽面龙首流盉藏于上海博物馆。

強伯盉 西周中期文物。1974年12月，陕西省宝鸡市茹家庄墓地1号墓出土。

強伯盉通高21.7厘米，口径14.5厘米，腹深11厘米。器身呈分档鬲形，侈口束颈，腹部外鼓，分档款足，腹部一侧有直管状流，另一侧有兽首单鋬；盖面向上隆起，盖沿内收，盖中部有圈足捉手，盖面一侧有环，环上附有链条，另一端与鋬相连接。盖面捉手周围饰一周宽带三角云雷纹，盖面饰一周三角宽带云雷纹，器颈部和流管亦饰三角云雷纹，器身腹部与三足承接处饰大虎头兽面纹三组，虎鼻隆起，虎目怒张，卷角，裂口，利齿外露，虎头用高浮雕纹饰突显。分档处饰小兽头三组，与大虎头相协，通体无地纹。口沿处微

残，流嘴断裂。盖器同铭，各6字。释文："弭伯自作盘盉。"铭文记载，器主为弭伯，是弭伯自作之器。铭文字体较同时期一般铜器铭文有所不同，铭文中无"宝尊彝""永宝用"等词汇。

形体似盉而铭文自称为盉的铜器又见于陕西长安张家坡西周窖藏青铜器群中的伯百父盉，弭伯盉的"盉"字作"燓"，与伯百父盉铭文有差别，当属异体字。盉应是西周中晚期对盉的另一种称呼，形状似鬲而又有鋬，口上有盖。

弭伯盉藏于宝鸡青铜器博物院。

伯百父盉 西周晚期文物。1961年10月，陕西省西安市长安县马王镇张家坡西周铜器窖藏发现。

伯百父盉通高21.7厘米，口径10.3厘米，器为侈口平唇，束颈，广折肩，腹渐收，圆底，三个特短的乳状足，前有长斜管状流，后有兽首鋬，盖向上隆起，作蟠龙形状，龙躯内还伏有两条幼龙。出土时盖与鋬连接的链条已失。肩部饰双头龙纹，流管饰兽体卷曲纹。器盖内铸铭文8字，铭文释文："伯百父作孟姬媵盉。"铭文反映此器为孟姬陪嫁之器。

此类器形比较少见，已见著录的季良父盉与此器几无差别。伯百父盉出土时压在伯百父盘之下。

伯百父盉藏于陕西历史博物馆。

亚长盉 商代晚期文物。2001年，河南省安阳市殷墟花园庄54号墓出土。

亚长盉通高42.5厘米，口径54厘米，圈足径38厘米，器壁厚0.4厘米，重25千克。器口沿下有两个对称半环形牛头状耳，下腹部和圈足各有扉棱，半环耳两侧的下腹部有两个对称的绚索状附耳，附耳中部自沿下至圈足有扉棱从中穿过。相邻半环耳与附耳之间正中处，有四条经过打磨尚存痕迹的范线。圈足上部与打磨范线对应处各有一个方形镂空，两两对称。颈部、腹部和圈足上纹饰皆以扉棱为中轴、以打磨范线为界分为四组，口沿下颈部为四组饕餮纹，饕餮张口、露齿，"目"形眼，眼角下垂，无眉无耳，"几"字形角，角根直立，角尖外折，双足，直身，无尾；身后与一夔首相连，夔嘴似鸟形，尖嘴闭合且下钩，方形圆眼睛，凹线形瞳孔，有前足。半环形耳下有2.2厘米宽的凹弦纹。腹部所饰饕餮纹，形体较大，咧嘴露齿，下颌内卷，"目"形眼较大、乳钉状眼球，圆形瞳孔，"几"字形角，短身，尾上折而内卷；两侧有倒立夔纹，夔张口，有齿，鼻上卷，"目"形眼，圆眼球，有角，双足，直身垂立，尾略上扬。圈足上四组饕餮纹，饕餮口微张，露齿，上颌内卷，"臣"字形目，倒放"C"形云状角，无耳和眉，双足直身，尾上折而向下内卷。颈、腹及圈足主纹皆以繁缛细密的云雷纹作地纹。半环形耳内外壁有铭文"亚长"，另一耳内似也有，但因破损，无法辨认。

亚长盂存于中国社会科学院考古研究所安阳工作站。

吴王光鉴　春秋晚期文物。1955年5月，安徽省寿县西门内蔡昭侯申墓出土，共2尊。

吴王光鉴通高35.7厘米，口径57～60厘米，腹深35厘米，底径33厘米，重28.6千克。器直口，方唇，束颈，圆鼓腹，下腹部内收，平底；颈、腹部两侧置兽首衔环耳，套铸联环，器腹内壁置四游环。器唇部、颈部、腹部遍饰细密蟠螭纹，下腹部饰三角纹。内壁铸铭文："隹（唯）王五月，既字白（迫）碁（期），吉日初庚，吴王光罨（择）其吉金，幺（玄）鉎（镭）白鉎（镭），台（以）乍（作）弔（叔）姬寺吁宗彝（彝）薦鑑，用

亯（享）用孝，釁（眉）耆（壽）无疆，往已（己）弔（叔）姬，虔敬乃后，孫=（子孙）勿忘。"铭文8行53字，记述吴王光为嫁女叔姬寺吁而做此鉴。

吴王光即吴王阖闾（前514～前496年在位），此鉴为阖闾为女所作媵器。蔡昭侯申墓出土蔡侯申尊器铭记述蔡昭侯为大孟姬做媵器之事，文中语云"敬配吴王"。蔡、吴两国通婚的实录，不见于史载，吴王光鉴的出土有助于深入了解两国的关系。

吴王光鉴藏于安徽博物院。

曾侯乙鉴　战国早期文物。1978年，湖北省随县擂鼓墩1号墓出土。

曾侯乙鉴高63.2厘米，口长63.4厘米，宽62.8厘米，缶高51.8厘米。整器由铜鉴、铜缶组合而成，缶套置于鉴内。鉴为方体，像一个方口大盆，腹深，平底，四个兽足。鉴口四角及四边中部分别有方形或曲尺形附饰，均用凸榫与口沿上相应的榫眼套接。鉴的四面和四棱上，共有八个拱曲龙形耳纽，纽尾均有小龙缠绕，又有两朵五瓣小花立于尾上。鉴内中部有方孔，缶口颈从方孔中露出，盖四面各有一兽面衔环，以便启闭鉴盖。盖上浮雕变形蟠纹，鉴体上多浮雕蟠螭纹，下腹饰蕉叶纹。鉴体铭刻"曾侯乙作持用终"。铜缶亦为方体，小口，斜肩，腹瘦深，平底，圈足。缶盖平顶，上置四个圆环纽。盖沿内折，与缶口以子母榫相扣合。缶肩有四个圆环纽。缶上饰"T"形勾连纹、菱形带纹、斜三角纹、勾连云雷纹、蕉叶纹、涡纹和浮雕变形蟠纹，盖内刻铭与鉴铭相同。鉴与缶组合，设有专门的机关。在使用时，将缶口、底与鉴口、底套合固定，灌酒

把酒不须打开鉴盖，只用打开缶盖。

曾侯乙鉴设计巧妙，铸作精细，形体巨大，将酒器与水器结合起来，鉴内可储冰水以冷缶内之酒。这是一个构思精巧，实用性与艺术性高度统一的青铜器物。

曾侯乙鉴藏于中国国家博物馆。

倗缶 春秋晚期文物。1978年，河南省淅川县下寺春秋墓1号墓出土。共出一对，形制、纹饰和铭文均相同。

倗缶通高38.5厘米，口径13.3厘米。器盖隆起，有折沿，其上有环纽。器为敛口，宽沿，短颈溜肩，敛腹矮圈底，肩上有一对称绚索链环耳，每耳都由两节铜棒和七个铜环组成，套连方法是先在器腹两侧铸出两个小环，铜棒两端也铸出小圆环，两铜棒一端各套于器腹小环中，另一端共套于一个大环之内，铜棒两端各铸成兽首之状。器腹部饰一周蟠虺纹

带。盖、器同铭，盖顶内部和口沿内侧各四字，铭文释文："倗之尊缶。"

倗缶存于河南省文物考古研究院。

蔡侯申缶 春秋晚期文物。1955年5月，安徽省寿县西门内春秋蔡侯墓出土。共2件，形制、花纹、铭文相同。

蔡侯申缶通高44.5厘米，口径21厘米。缶盖

如覆盘，上有六柱轮状捉手；器呈直口，短颈，圆肩，下腹部收敛，底部形成假圈足，较矮，肩上有一对双纽衔环，盖面和肩部各饰蟠螭纹带一周，在蟠螭纹带上设六个均匀分布的浮雕圆涡纹。器盖、口沿同铭，各六字："蔡侯申之盥缶。"铭文反映此器为蔡侯自作之盥缶。

蔡器中有四种类缶，有尊缶和盥缶，都有盖，且自名为缶，形制、功用不尽相同。蔡侯申缶铭文是研究蔡国历史的重要材料。

蔡侯申缶藏于中国国家博物馆。

楚高缶 战国文物。1954年，山东省泰安东更道村南窑厂工人施工时发现。文物部门随后进行了勘查清理，文物出于器物坑中，共计铜缶6件，三足铁盘1件。

6件缶形制相似，均为直口，方唇，圆腹，矮圈足。缶一高36厘米，口径24.8厘米，腹径51厘米。器身肩部有兽耳，通体粟纹，缺盖。口沿刻有铭文"冶尹""楚盬"4字。缶二高36厘米，口径22.3厘米，腹径51厘米。器身肩部有兽耳，通体粟纹，缺盖。口沿刻有铭文"冶尹"2字。缶三高36.4厘米，口径23.4厘米，腹径64厘米。上有圆盖，盖上有圆纽，肩部有双兽耳附连环，通体饰粟纹。口沿上刻"右冶尹"3字，盖沿上刻"冶尹"2字。缶四高36.4厘米，口径22.4厘米，腹径64厘米，足径23.8厘米。上有圆盖，盖上有圆纽。器身肩附双兽耳，器身饰云纹和蟠虺纹。器口沿刻"冶尹"2字，耳上刻"楚盬"2字，盖口沿上刻"右冶尹""楚高"等5字。缶五高35.1厘米，口径22.9厘米，底径23.4厘米，腹径40厘米。有圆盖，盖上有圆纽。器身肩附双兽耳，耳上有衔环提链，器身饰粟纹。器口沿刻"冶

尹""楚"3字。缶六高37厘米，口径24.4厘米，底径24厘米，腹径40厘米。有圆盖，盖上有圆纽。器身肩附双兽耳，器身饰粟纹。器盖口沿刻"右冶尹"2字，盖口沿外侧刻"楚高"2字，器口沿刻"楚"字。

该组铜缶为战国楚式铜器，自名为罍，铭文为典型的燕国铭文。器物出土于鲁地泰山脚下器物坑，学者认为与祭祀泰山有关。该组铜器国属有楚、燕、齐三说，一般认为是燕国占领齐国时祭祀泰山用器，也不排除为齐国伐燕获得铜器，后用来祭祀泰山所掩埋。这组铜缶对于研究战国时期燕齐关系及祭祀文化有重要价值。

缶一至四藏于山东博物馆，缶五、缶六藏于中国国家博物馆。

曾侯乙提链小口鼎 战国早期文物。1978年，湖北省随县擂鼓墩1号墓出土。

曾侯乙提链小口鼎通高39.5厘米，口径25厘米。鼎小口短颈，口上有覆盖，盖顶有四只环形纽。圆肩球腹，圜底。底有三蹄足。肩上有一对提链。盖面饰勾连云纹，肩部饰一周龙纹，腹部饰涡纹和龙纹，足根部饰有兽面纹。

纹饰上有镶嵌物。器盖与器身同铭，各7字："曾侯乙作持用终。"

小口鼎长期被归为食器。近来研究表明，此种器物应为水器。小口鼎起源于淮水流域，逐渐影响到楚、越等国，成为较特殊的水器类型。与楚、越小口鼎不同，曾侯乙小口鼎时代更晚，双立耳改为一对提链，腹部更加扁圆。凡出土小口鼎的墓葬，仅随葬一件小口鼎，应是楚系墓葬水器随葬礼俗特点。

曾侯乙提链小口鼎藏于湖北省博物馆。

第四节 量器

子禾子釜 战国早期文物。传1857年山东省胶县灵山卫出土。

子禾子釜为战国早期齐国青铜量器，高38.5厘米，口径22.3厘米，腹径31.8厘米，实测容积20460毫升。釜形直口微侈，溜肩平底，腹部有粗大双耳，整器素面无纹。子禾子釜腹部有铭文10行，约108字，多处残泐："□□立（涖）事戋（戔），襫（祳）月丙午，子禾（和）子□□内者御桁（莒）市，□命竣陸（陈）旻（得）：左閈（關）釜（釜）節于敕（廩）釜（釜），閈（關）鉫（鉫）節于敕（廩）半，閈（關）人築桿戚釜（釜），閉料于□外，豼釜（釜）而車人制之，而台（以）發退女（汝）閈（關）人，不用命劓（則）寅之，御閈（關）人□□丌（其）事，中荆（刑）斤途（殺），贖台（以）金半鈼（鈞），□□丌（其）盟，琴（厥）辟□途

（殺），贖台（以）□犀，□命者，于丌（其）事區夫，丘閈（關）之釜（釜）。"铭文大意为，子禾子命人告知陈得，左关釜的容量以仓廩之釜为标准，关和以廩升为标准，如关人舞弊，应予制止，如制止不住，视情节轻重施以刑罚。

战国时期，各诸侯国所用量器大小和单位不同，齐国量制也在逐步变化中。齐国旧量有豆、区、釜三种，四升为豆，四豆为区，四区为釜。春秋末期，田氏将家量改为五进制，并用大于公量的陈氏家量出贷粮食，用公量收，广得民心，由此壮大了田氏一族势力，为以后获取齐国王位奠定了基础。子禾子釜与上海博物馆收藏的左关鉫、陈纯釜共称为"陈氏三量"。

子禾子釜藏于中国国家博物馆。

陈纯釜 战国早期文物。传1857年山东省胶县灵山卫出土。

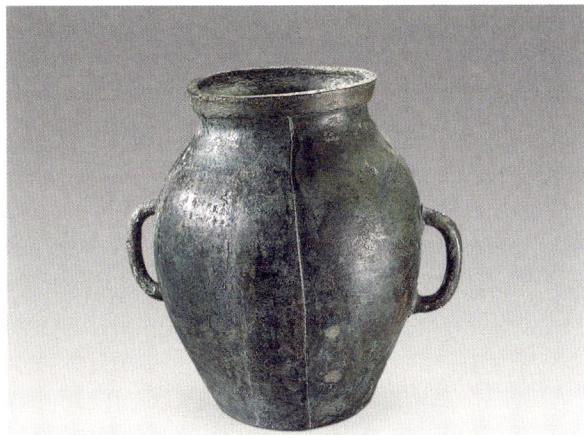

陈纯釜是战国早期齐国青铜量器，通高38.65厘米，口径22.65厘米，底径18.08厘米，容积20580毫升。釜形侈口短颈，口部厚实，圆肩连腹，向下收敛成平底，腹部两侧设粗大把手，整器素面无纹。陈纯釜腹部有铭文7行34字："墜（陳）猷立（涖）事蔵，釁月戊寅，於茲安墜（陵）亭，命左闢（關）帀（師）犮（發）敕（敕）成左闢（關）之釜（釜），節于敦（廩）釜（釜），敦（屯）者曰墜（陳）純。"铭文记载，陈犹苣事之年，处在安陵，命令左关官员师发督造左关所用釜，并要按照仓廪所用标准器进行校量，治器人为陈纯。

陈纯釜铭文严格规定了对量器的管理制度，记录了容量大小的参照标准，是为战国早期齐国关卡统一量制的政令。陈纯釜有明确出土地点和时代特征，是中国存世最早的量器之一，为研究战国时代容量单位和度量管理制度的重要实物资料。

陈纯釜藏于上海博物馆。

左关鍕 战国早期文物。传1857年，山东省胶县灵山卫出土。

左关鍕为战国早期齐国青铜量器，通高10.8厘米，口径19.7厘米，重1.6千克，容积为2070毫升。鍕呈半圆形，口沿部分连有短流，直腹下敛，有小平底。器腹外壁刻有铭文2行4字："左关之鍕"。铭文反映，此器物为子禾子釜铭文"左关釜节于廩釜，关鍕节于廩料"中所指"关鍕"。

历史文献中对于齐国量制的解释和记述有所不同，上海博物馆藏实测子禾子釜、陈纯釜与左关鍕的容量，可知1釜约为10鍕，1鍕约为半区。左关鍕的发现，为研究战国容量、进位和度量衡管理制度提供了珍贵实物资料。

左关鍕藏于上海博物馆。

右里殹鎣 战国早期文物。山东临淄出土，共发现4件，两两分为两组，一组为传世器，旧藏于陈介祺，后入藏中国国家博物馆；另一组出土于临淄齐国故城，后入藏临淄齐故城博物馆。两组器物器形、大小、容量、进位关系、铭文相同。

右里殹鎣是战国早期齐国青铜量器，圜形广口，器形呈杯状，有短柄。较小者容量为陈齐1升，现代换算为206毫升，较大者容量为现代1025毫升。器壁铸有戳式铭文4字："右里殹鎣。"

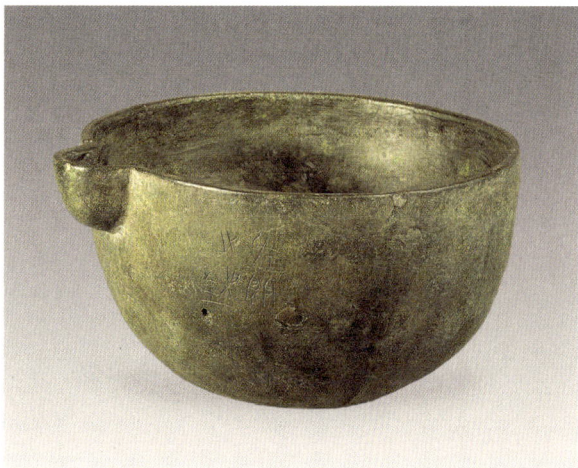

铭文中"里"为齐国的行政区划单位，临淄出土陶文中常见某乡某里或某门某里，"右里"当为齐国某乡或某门之下基层行政区。"甀"多用在某里之后，或代表为里的行政管理机构或其长官。右里甀釜应是右里官府在辖区及所属关卡征收赋税的官方标准量器，釜是齐国量器中的升器。齐国1升容量当在204～210毫升之间，大体换算关系为：5升=1豆；4豆=1区；5区=1釜；10釜=1钟。右里甀釜是研究战国容量、进位和度量衡管理制度的珍贵实物资料。

右里甀釜藏于中国国家博物馆。

秦始皇诏方升 战国秦孝公十八年（前344年）文物。又名商鞅量。20世纪20年代，龚心铭收藏此物，并于1925年撰文发表。1966

年，上海博物馆征集入藏。

秦始皇诏方升全长18.7厘米，深2.51厘米，容积为215.65毫升。方升呈扁长方形，短边一侧有半圆柱体短柄，外壁刻有秦孝公十八年（前344年）铭文："十八年，齐遣卿大夫眔来聘，冬十二月乙酉，大良造鞅爰积十六尊（寸）五分尊（寸）壹爲升。临，重泉。"铭文大意为，公元前344年，齐国派遣卿大夫来秦国聘问，当年冬十二月乙酉日，大良造商鞅造此量器，容积为"升"。底部后刻秦始皇二十六年（前221年）诏书3行："廿六年，皇帝尽并兼天下诸侯，黔首大安，立号为皇帝，乃诏丞相状、绾，法度量则不壹歉疑者，皆明壹之。"铭文大意为，秦始皇二十六年（前221年），秦始皇完成统一大业，百姓安宁，立皇帝称号，诏令丞相隗状、王绾把不统一的度量衡等制度明确起来。

公元前221年，秦王政统一中国，采取了统一度量衡措施，在标准度量衡器上，加刻一道诏书，颁行全国作为统一标准。这种诏书有的直接刻在权量上，有的则是刻在铜板上，再将铜板嵌在权量上。这项政策的颁布实施，为促进统一国家的发展提供了重要保证。秦的量制是：1斛=10斗=100升=1000合=2000龠。秦量主要有1升量、2升半量、1/3斗量、半斗量、1斗量五种。秦始皇诏方升是为统一全国量制而由官府颁发的标准量器，是秦统一国家建立的重要物证。这件器物，制作于先秦时代商鞅变法时期，后在秦始皇统一后加以重新认定，表明了秦国变法，尤其在度量衡方面政策的延续性和一致性，见证了中国历史的重要时刻。

秦始皇诏方升藏于上海博物馆。

郢大府量 战国文物。1976年，安徽省凤台县郊区出土。

郢大府量为战国时期楚国青铜量器，通高12厘米，容积为1110毫升。器身为圆筒形，直壁，旁有一环纽，纽一侧器壁上书"郢大府之□筲"6字，器底刻有一"午"字。

铭文中"郢"为楚国都城通称，"大府"当为管理贡赋机构，"筲"意指5升之量，推算楚国每升当为220毫升左右。楚国在战国时期商业贸易繁荣、货贸流通发达，促进了度量衡标准的严格。存世楚量多为安徽、湖南、湖北等楚国故地出土。楚量多为圆筒形，并有环状柄，安徽寿县朱家集李三孤堆楚王墓出土战国楚量，实测容量200毫升，与郢大府量和秦朝量器标准均很相近。郢大府量的发现对研究楚国度量和度量衡管理制度有重要意义。

郢大府量藏于阜阳市博物馆。

滕公量 战国文物。又名大市量。2000年前后，上海博物馆征集。

滕公量为战国时期楚国青铜量器，通高13.3厘米，直径8.4厘米，容积约500毫升。器身为圆筒形，直壁，旁有一环纽，纽一侧器壁上书："朕（滕）公卲（昭）者果迈（跖）鏊（秦）之戠（岁），顗（夏）栾之月，辛未之日，攻（工）胯（佐）竞之、赱（上）吕（以）爲大市盈（铸）政（征）麿=（雁首）。""雁首"是楚国计量单位之一，容积相当于500毫升，与筲比例约为4∶9。

滕公量的发现是楚国繁荣商业的例证，对研究楚国度量和度量衡管理制度有重要意义。

滕公量藏于上海博物馆。

鄢客量 战国文物。1984年，湖南省长沙废铜厂发现。

鄢客量为战国时期楚国青铜量器，鄢客量通高13厘米，口径15厘米，容积为2300毫升。器身作圆筒形，平底，器身一侧有环形纽，铜胎较薄，铜质氧化呈灰绿色。器外壁方框内有铭文6行56字："鄢（鄢、燕）客臧（臧）嘉聑（问）王於藏郢之戠（岁），宣（享）月己酉之日，酈（罗）莫嚻（敖）臧（臧）市（师）、连嚻（敖）屋（屈）赱（迋、上），吕（以）命攻（工）尹穆酉（丙）、攻（工）胯（差、佐）竞（景）之、集尹陸（陈）夏、少集尹舝（龚）赐、少攻（工）胯（差、佐）李癸、炅（铸）廿金剀，吕（以）赡告（造），七月。"

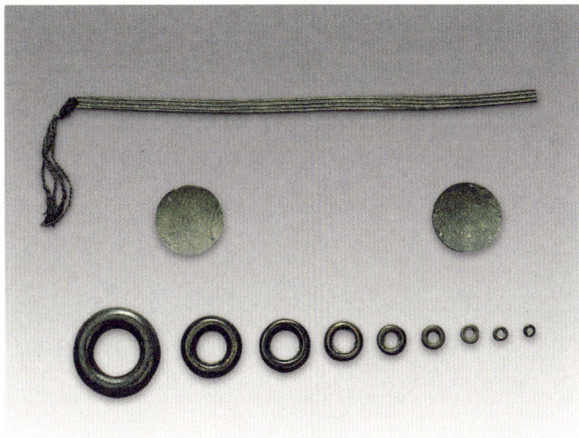

铭文开篇格式与楚简相同，为大事纪年法。此铭以郾客来葴郢楚聘问楚王之事为当年纪年。"葴郢"，李零读为"纪郢"，何琳仪读为"郊郢"。"享月"即楚历中纺月别称。"罗莫敖"的"罗"，何琳仪考证为先秦时期罗国，本在湖北宜城，后迁枝江，终迁湖南。湖南湘阴河市乡有东周城址，与郾客量出土地不远。李零认为，铭文提及楚国三类工官名称，第一类是罗地的地方长官"莫敖""连敖"，第二类是地方长官下属"工尹""工佐"，第三类是某一级下属"集尹""少集尹"。郾客量中的集尹、少集尹位在"造"之上，应是守藏者或参与监造。董珊认为，楚国计量单位"剒"（半）是"筲"的一倍；郾客量可能因为修复的原因，容积有所变大；此器自名为"半"（即剒字），因此铭文末句意思是"二十个新铸的铜'半'增换旧筲"。

郾客量藏于湖南省博物馆。

天平与环权 战国文物。1954年，湖南省长沙市左家公山出土。天平与环权为战国时期楚国衡器，包括1个木衡杆、2个青铜盘和9个大小不一的环形青铜权。秤杆由木杆和2个铜盘组成，木杆呈扁条状，衡杆上没有刻线，中心有提纽孔，两端有系挂青铜盘的孔。铜盘径4厘米，边缘有4个对称小孔，穿丝线后分别系于秤杆两端，成提纽天平。9个环权自小至大重量随之增大。

青铜环权相当于砝码，重量分别为0.6克、1.2克、2.1克、4.6克、8克、15.6克、31.3克、61.82克、125克，专家研究认为相当于战国时期楚国的一铢、二铢、三铢、六铢、十二铢、一两、二两、四两、八两，并推算楚国当时的1斤约为250克。战国时期楚国流行青铜贝币和黄金货币，这种小计量的衡器应是用于称量黄金货币。

天平与环权是非常难得的一组古代成套衡具，此套相当于天平的称重器是战国时期楚国使用衡器的代表。

天平与环权藏于中国国家博物馆。

"王"衡 战国文物。相传出土于安徽省寿县。共2件，形制相同，长度稍异。

"王"字衡为战国时期楚国标准青铜衡器，一件长23.1厘米，另一件长23.15厘米。衡杆为窄长条形，中部上方有圆形突起，中有一圆形孔，系拴提绳的鼻纽。衡杆长度相当于战国时1尺。2件衡杆正面均刻线，一件刻10

等分，每等分1寸，因长期埋于地下，已显弯曲；另一件中间2寸有寸刻线，其余每半寸刻一线，较为平直。2支衡杆正面中部刻有尖端向下的夹角，并为第五寸刻线所平分，2件衡杆背面均刻一个"王"字，器身均刻有其他文字。较为平直的衡杆上能辨认一"父"字，其他模糊不清。另一件上有"文相子□"几字，也无法清晰辨认。

"王"字衡是以刻线来计算秤砣到提点的长度（力臂）和被称物品到提点的长度（重臂），然后计算物品的重量，是一种比较准确的衡器。寿春故城遗址（安徽省寿县）是战国晚期楚国都城的遗址。在寿春故城内出土的"王"字衡，应是楚迁都寿春城后王宫使用的遗物。

"王"字衡藏于中国国家博物馆。

司马成公权　战国文物。故宫博物院旧藏，后划归中国历史博物馆。

司马成公权是战国时期三晋青铜衡器，高15厘米，底径19.5厘米，重30.35千克。器物整体较圆，器顶端有纽，已残损，平底。器腹部有刻款铭文："五年，司且（馬）成公朏（影）躲事，命代會冀與下庫工币（師）孟闿

三人，台（以）禾石，石尚（当）占（變）平石。"铭文刻画草率，字迹漫漶，记述某王五年，司马成公委任校、下库工师孟、关师四人做此铜权，并规定了权的重量及称重标准。铭文中"司马""下库工师"为官职名，"成公"为战国时期常见复姓，"司马成公"为铜权监造者，"孟"为主造人，"关师四人"为实际铸造者。

司马成公权铭文中对于权的重量与称重标准作"以禾石半石淄平石"。"禾石"为"秅"的合文。铜权纽部经过复原，重量为30933克，每斤值258克，与西安出土的秦朝"高奴禾石"权相差极小，故司马成公权应为一秅权。"秅权"最初来源于称粮食一石，重60千克的秅最初标准重量以禾为定，"秅"即禾一石重量。"半石淄"为半石粮食标准重量，"半石淄平石"意指两个半石粮食的重量即为此权之重。

司马成公权藏于中国国家博物馆。

第五节　乐器

素面铃　二里头文化文物。1962年，在河南省偃师县二里头遗址第4发掘区探方T33D发掘时，发现二里头文化二期22号墓，共出土陶器、铜器、绿松石等器物14件，素面铃是墓葬中唯一一件铜器，出土于尸骨腰部。

素面铃高9厘米，顶部近平，敞口朝下。从正面看呈梯形，顶部较平，两侧下部外扩，口部较大，顶部底部均近似椭圆，顶部有两个半圆形孔，中间有居中的突出桥形纽，用以系铃锤。肩部圆钝，铃壁内凹，一侧带有翼（即扉棱），扉棱较小，向外突出。一侧带有凸弦纹，其余部分皆为素面，器表有明显布纹，出土有朱砂痕迹。布纹痕迹应为麻布，经纬线数每平方厘米10根×10根。整件铜器采用复合范铸造而成，由两块外范和一块范芯组成，芯撑的设置制出铃顶部的孔，并控制铃顶部的厚度，扉棱应是由侧面浇筑时形成的浇筑口形成的。

素面铃存于中国社会科学院考古研究所。

钟铃　春秋文物。2002年，湖北省枣阳市郭家庙21号墓出土。一套7件，形制基本相同，大小相次。山东省沂水县刘家店子春秋墓出土的同类器物自铭"钟铃"。

钟铃通高11.2～19.8厘米，铣间距7.6～11.6厘米。铃身呈合瓦形，上窄下宽，平顶中心有圆形穿孔，顶上有半圆形环状纽。下部敞口，口沿呈凹弧形，有内折沿和直口沿两种。除2

件铃体较小者外，其余内壁两侧近缘口部各有2～3个近椭圆形音柱。多数音腔内有槌状铃舌。器表正面饰两组细阳纹的无目窃曲纹或兽面纹，正面或两面上方中部有长条形穿孔。

钟铃藏于枣阳市博物馆。

兽面纹铙　商代晚期文物。1985年，山东省滕县前掌大北Ⅱ区206号墓葬出土。整个前掌大墓地总共出土4件青铜铙，而206号大墓就出了2件。此件是较大的一件，另一件与之形制相同，体量略小。

兽面纹铙铣间11.4厘米，鼓间8.5厘米，舞广6.5厘米，舞修8.6厘米，通高15.2厘米，壁厚0.4厘米。器体呈椭圆形，口微凹弧形。边缘加厚成斜唇，平顶，顶窄于口。顶中部有管状甬，下端略粗，根端细。甬、征相通，鼓部较宽，中间有一长方形加厚块，为敲击部位。体两侧从口至甬有范线，系用两块外范和

一个内芯合铸而成。征两面饰浮雕兽面纹，兽面呈弯折大粗角，"臣"字形大眼，圆目暴突，圆形瞳孔，宽额高鼻梁，鼻梁呈菱形，大咧嘴，嘴角外翻，两侧腮部有乳突。

铙作为乐器名，始见于《周礼·地官·古人》"以金镯击鼓，以金铙止鼓"，形似铃，无舌而有中空的柄，属于手执敲击乐器，用于在退军时敲击止鼓。206号墓是一座带有一条墓道的大型墓葬，虽然被盗掘严重，但仍保留了相当多的遗存，包括大量漆器残存和殉人。

兽面纹铙存于中国社会科学院考古研究所。

虎纹大铙　商代晚期文物。1959年，湖南省宁乡县老粮仓师古寨山顶出土。当时一共出土5件青铜铙，2件饰象纹（其中一件断柄）、2件饰虎纹、1件仅饰兽面纹。后在同一山坡距离不远处又发现一处窖藏，出土铜铙10件。

虎纹大铙通高71.8厘米，铙间46.5厘米。钲部作合瓦形，有甬，甬上有旋，甬中空与腹腔相通。钲部主纹为弧形粗线组成的兽面状，

四周边沿和甬部饰云纹，鼓旁两侧各饰一立虎，隧部饰有一兽面。此器在形制、主纹上与一般粗线条兽面青铜铙没有不同，独特之处在于内侧铸四卧虎，应是为调节音的频率而设。经过测音，得知虎纹大铙不同部位能发出不同声音。

体型巨大的青铜铙基本出于湖南省宁乡县及附近地区，加上四羊方尊等精美青铜器的出土，表明湖南宁乡地区是商代晚期一处文明重镇。这类大铙由于重量较大，与中原青铜铙在体量上形成强烈反差，应该与湖南地区早期文明礼制特点有关。

虎纹大铙藏于湖南省博物馆。

云纹编钟　西周早期文物。2013年，湖北省随州市叶家山111号墓出土。共4件，形制相同。

钟甲通高43厘米，铙距25厘米。钟乙通高46.5厘米，铙距27厘米。钟丙通高41厘米，铙距23厘米。钟丁通高45厘米，铙距25.4厘米。甬钟均为合瓦形。甬部中空，与腔体相通。近

舞处有旋，旋上置斡。钟体两侧均有枚18个，正鼓处有两组云纹，舞顶甬部两侧各有一组宽线云纹。根据纹饰4件甬钟可分为两组，其中较大的乙和丁为一组，枚间饰细线云纹和圆圈纹；较小的甲和丙为一组，枚间饰成排的小乳钉，夹有细线的浅云纹。右鼓部均有一云纹，应该是演奏时的表音符号。

4件甬钟出土时在墓葬西部二层台由北向南侧置成单排排列，同出还有1件虎纹铜镈。经对编钟测音，皆为一钟双音，具有跨越一个八度再加纯四度（B3-11～E5-4）的音域，能够构成该音域内的六声音阶。

云纹编钟藏于随州市博物馆。

长甶钟 西周中期文物。1954年，陕西省长安县普渡村西周墓出土。共一套3件，均无铭文，但同出的青铜盉上有作器者名"长甶"，故钟名长甶钟。

长甶钟1号通长48.5厘米，甬长16厘米，铣间径27.5厘米，鼓间径19厘米；2号通长44厘米，甬长14.5厘米，铣间径25厘米，鼓间径18厘米；3号通长38厘米，甬长12厘米，铣间径21厘米，鼓间径15厘米。圆甬中空，与腹腔相同。有旋，旋上斡作方形，腔体较阔，枚、篆间距较大。3件纹饰相同，篆间、鼓面、舞、斡等位置饰窃曲纹，钲部与枚四周分布乳丁。

钟始见于西周时期，是中国古代最重要的乐器。长甶编钟一列3件，与宝鸡茹家庄墓地出土的㵒伯编钟时代相仿，同属于西周中期。这两组编钟是已知发现的最早的成列编钟。

长甶钟藏于中国国家博物馆。

应侯视工钟 西周中期文物。1974年，陕西省蓝田县红门寺出土。

应侯视工钟通高26厘米，甬长10厘米，铣间13.1厘米，舞间8厘米，舞纵11厘米。有甬、斡、旋、枚，鼓间饰阴线交叠的雷纹和鸟纹。两铣、钲间和顶端舞侧铸有铭文41字："隹（唯）正二月初吉，王归自成周，雁（应）侯视工，遗王于周。辛未，王各（格）于康，荣白（伯）内（入）右雁（应）侯见工，易（锡）彤（彤弓）一、矢（彤矢）百、马。"

此钟为应侯视工所铸。"应"为周武王儿子的封地。应侯视工钟对于研究西周封国制度以及应国历史具有重要价值。

应侯视工钟存世4件，2件传出平顶山应国墓地，藏于保利艺术博物馆；1件藏于日本书道博物馆。此件存于蓝田县文物管理所。

逨钟丁 西周宣王时期文物。1985年8月，陕西省眉县马家镇杨家村一西周青铜乐器窖藏出土。共有1编4枚"逨钟"，据音域组合推测，出土时缺失4枚。逨钟丁为第4枚，第2枚、第8枚存于眉县文物管理所，第3枚藏于陕西历史博物馆。其他流散的4枚，第1枚藏于美国克里弗兰博物馆，第7枚藏于美国范季融首阳斋，另2枚藏处不详。

逨钟丁通高61厘米，舞修32厘米，舞广21厘米，铣间35厘米，鼓间23.5厘米，重50千克。器腔体作合瓦状，较长，口缘内凹呈弧形，舞部正中为甬，有旋、斡。器旋、舞与篆部均饰穷曲纹，旋上穷曲纹间饰目纹，鼓部中央饰相背龙纹，右鼓发音部位饰凤鸟纹。逨钟左、右鼓部与钲间铸铭文："逨曰：不（丕）顯朕（朕）皇考，克龏（粦）明氒（厥）心，帥用氒（厥）先且（祖）考政德，害（享）辟先王，逨御（御）于氒（厥）辟，不叙（敢）象（惰），虔夙（夙）夕敬氒（厥）死事天子，巠（經）朕（朕）先且（祖）服（服），多易（錫）逨休，令（命）瓶嗣（司）三（四）方吴（虞）替（林）。逨敢（敢）對天子不（丕）顯魯休亂（揚），用乍（作）朕（朕）皇考龔（恭）弔（叔）龢鑵（鐘），鑇=（鑇鑇）恩=（恩恩），摧=（肅肅）錯=（雝雝），用追孝卲各（格）喜侃苻=文=人=（前文人，前文人）嚴（嚴）才（在）上，敷=（敷敷）熹=（熹熹），降余多福，康鼎（娛）屯（純）右（祐）永令（命），逨肖（其）萬年矍（眉）嗇（壽），昕（畯）臣天子，子=（子子）孫=（孫孫）永寶。"铭文16行130字，记述作器者逨受周宣王之命，职

司"四方虞林"，逨因此为先考龚叔作此"和钟"。器铭中"虞林"一职，与《周礼·地官》中"山虞""林衡""川衡""泽虞"四职相似。

"逨"所作器，还包括逨盘、四十二年逨鼎、四十三年逨鼎等，均为2003年出土于杨家村青铜乐器窖藏附近的西周单氏家族青铜器窖藏。逨钟应作于逨盘之后、四十三年逨鼎之前。

逨钟丁藏于中国国家博物馆。

楚公豪钟　西周晚期文物。1998年，陕西省扶风县召陈5号窖藏出土。

楚公豪钟通高33.4厘米，甬长11.9厘米，铣间18.6厘米，鼓间13.9厘米，舞修15.5厘米，舞广13厘米，重8.7千克。钟壁厚重，有合范痕，甬中空与钟腔相通。甬的内范未取，斡较细，截面呈长方形。钲间、篆间和舞部内外有阳文界格。篆间饰线条流畅的阴刻单线双头龙纹，舞部、鼓部饰阴线交叠式雷文，右鼓增饰鸟纹，鸟嘴呈扁平状。旋饰乳钉纹。钲间铭文2行17字："楚公自乍（作）寳大宫（林）龢鐘，孙孙子子其永宝用。"铭文系阴文刻铸，唯有"用"为阳文，应是制范时"用"字笔画被碰掉，掉去的笔画带走器表部分范泥，形成浅细凹槽，铸出后便形成不太清晰的阳文。

有学者认为，楚公豪为楚公逆之子熊仪，字若敖，周宣王三十八年（前790年）至周平王七年（前764年）间在位。楚公豪钟造型、纹饰以及铭文字形字体具有周幽王时期特征，应是熊仪在位时铸造。铭文记载，楚公豪钟为林钟，即编钟，称大林钟者，时代均在西周中期至西周晚期。也有学者认为，楚公豪是熊渠，当周夷王至厉王时期，早于楚公逆。

楚公豪钟藏于宝鸡市周原博物馆。

楚公逆钟　西周晚期文物。1993年，山西省曲沃县北赵村晋侯墓地64号墓出土。一套8件。

楚公逆钟最大者通高51厘米，铣距28.8厘米；最小者通高22厘米，铣距12厘米。甬断面呈方形，有旋和斡，旋饰目雷纹。舞部两面微下倾，饰宽带卷云纹。钲、篆、枚部位之间，隔以夹有乳刺的双阴线，枚为平顶两段式，篆饰长脚蝉纹。隧部饰龙、凤、虎纹纠结图案，两组对称排列。右鼓以长耳鳞身兽形或鸾鸟为第二基音点标志。钲部和左鼓均铸有铭文，多

侵蚀严重，铭文68字："唯八月甲午，楚公逆祀乓（厥）先高（祖）考，夫（敷）工（供）四方首。楚公逆出，求乓（厥）用祀四方首，休多禽（勤）鍚（钦）。〔融〕内（入）乡（享）赤金九万钧。楚公／逆用自乍（作）龢齐钖钟龡（龢）。楚公逆其迈（万）年寿，用保乓（厥）大邦，永宝。"记述楚公逆为祭祀祖先出征，得到大量铜后作此编钟。

楚公逆即《史记·楚世家》记载的熊咢，在位时间与晋穆侯相当。楚公逆钟的出土，将楚晋交往历史由文献记载的春秋早期提早到了西周晚期。

楚公逆钟藏于山西博物院。

曾侯與钟 西周晚期文物。2013年，湖北省随州市文峰塔1号墓出土。

曾侯與钟通高112.6厘米，衡径10厘米，甬长44.4厘米，舞修42.8厘米，舞广32.6厘米，钲长55.6厘米，铣长68.6厘米，铣间49.2厘米，鼓间38厘米，鼓厚1.8厘米。形体高大厚重。长甬，衡面略内凹，衡部和甬体各面饰浮雕密集较小蟠螭纹，触之棘手。舞部和鼓部浮雕蟠龙纹较突出，龙体间阴刻细密的云雷纹、绚索纹和圈点纹，构图颇有章法。钟体棱框外围上、左、右三边空白处素面无纹。钟枚凸起较高，由圆台座、圆柱体和乳凸组成一个完整

的枚。枚体无纹，顶端饰浅涡纹，大多模糊不清。钟体正、背面钲部，正面左右鼓、背面左右鼓部上铸有铭文169字，阅读顺序为"右起左行"格式，先后为正面钲部、正面左鼓部、背面右鼓部、背面钲部、背面左鼓部、正面右鼓部。全文："隹（惟）王正月，吉日甲午，曾侯膢曰：白（伯）邁（括）上嘗（庸），左右文武。達（徹）殷之命，无（抚）定天下，王譴（遣）命南公，鼗（营）宅汭土，君庀淮尸（夷），临有江澥。周室之既庳（卑），敝（吾）用燮謞楚，吴恃有衆庶，行乱，西政

（征），南伐，乃加于楚，荆邦既𤑹（變），而天命将誤。有嚴曾侯，業業厥聖，親搏武攻（功）。楚命是㝬（静？），復定楚王。曾侯之𩨳穆，曾侯庄武，畏忌共（恭）寅斋盟，伐武之表，懷燮四旁（方）。余㦰（申）固楚成，改復曾疆。擇選吉金，自作宗彝，𤒌鐘鳴皇，用考（孝）台（以）㽞（享）于辟皇祖，以祈眉寿大命之长，期（其）肶（純）德降，余萬殜（世）是惼（尚）。"

曾侯與钟作器者为曾侯與，是曾侯乙编钟以外发现的形体最大的青铜甬钟，制作工艺和形体构造可与曾侯乙编钟相媲美，纹饰繁缛程度甚至超过曾侯乙编钟。

曾侯與钟藏于湖北省博物馆。

郑公华钟 春秋早期文物。传出山东省邹县，一度归潘祖荫所有，后潘家将郑公华钟与大盂鼎、克鼎等珍贵藏品一并捐赠给上海博物馆。1959年，郑公华钟划归中国历史博物馆收藏。

郑公华钟通高36.4厘米，口宽18.1厘米。鼓部饰精细的蟠体龙纹，钲部和鼓部铸有铭文75字："隹（唯）正月初吉乙亥，竃（郑）公華擇㦰（厥）吉金，幺（玄）鏐赤鋁，用鑄㦰（厥）龢鐘，台（以）乍（作）其皇且（祖）、皇考，曰：余畢龏威（畏）忌，盅（淑）穆不象（惰）于㦰（厥）身，鑄其龢鐘，台（以）䣁（恤）其祭祀盟祀，台（以）樂大夫，台宴（以）士庶子，眘（慎）爲之名（銘），元器其舊，哉（載）公眉壽，竃（郑）邦是保，其萬年無彊（疆），子子孫孫，永寶用㽞（享）。"铭文字体修长，圆中寓方，有圭角拗折但不坚强。书风近齐而乏其力。线条高度流走，字形匀美，已入潮流。多异体，有文字的"华饰"现象，有的字体呈现繁化，与西周金文有别，体现春秋以来金文的转化方向。文词韵律和谐，有的句式整齐。行文简洁，要素较为完整。

该器自名和钟，作器者为郑宣公之父郑悼公，即郑公华。

郑公华钟藏于中国国家博物馆。

荆历编钟 春秋晚期文物。1957年，河南省信阳市长台关1号墓出土。

荆历编钟共13件，高度依次是30.5厘米、25.7厘米、24.5厘米、23.4厘米、21.8厘米、21.4厘米、20.3厘米、19厘米、17.6厘米、16.6厘米、15.9厘米、15.5厘米、13厘米，附铜辖（悬挂编钟的钩鞘）13个。钟的腔体较长，纽呈长方形，枚呈铆钉形，洗部略外侈，篆间、舞上、鼓上均饰有细密的蟠螭纹。每一枚钟都配有一件兽首辖，用以将钟固定在簨架上。最大一件钟两面铸有铭文12字："隹

（唯）留（荆）篙（曆）屋（屈）柰（夕）晉（晋）人救戎於楚竟（境）。"记载楚历（即铭文中的荆曆）的屈夕之月（即夏历十二月），晋国军队深入楚国营救戎人之事。马承源认为，铭文所载应为《左传·哀公三年》记录的楚昭王伐蛮戎，晋人发兵救戎事件。

中国科学院声学研究所专家通过测量编钟振动方式发现，荆历编钟每枚钟体都能发出两个音，即"一钟双音"。民族音乐研究专家使用此编钟演奏出了《东方红》乐曲。荆历编钟音律准确、声音悠扬，1970年中国第一颗人造卫星在太空播放的乐曲《东方红》就是用这组编钟演奏的。

荆历编钟藏于中国国家博物馆。

曾侯乙编钟　战国早期文物。1978年，湖北省随县擂鼓墩1号墓出土。

曾侯乙编钟高20.4～153.4厘米，总重2500千克。曾侯乙编钟共64件，包括纽钟19件、甬钟45件，另有1件镈，系楚惠王熊章所赠。编钟分三层八组悬挂在铜木结构的曲尺形钟架上。钟架由245个构件组成，可以拆装。七根簨，两端有浮雕或透雕盘龙和花瓣形纹的饰件，其中有六个簨塑造成佩剑武士。整架以黑漆为地，施朱、黄彩绘纹饰。钟簨、钟钩、钟体共有铭文3755字，主要为标音及乐律内容。钟铭很多带有错金。标音在各钟的正鼓和侧鼓部。乐律包括35个名称，主要记述钟的乐音所属律名、阶名、变化音名及其在别国的称谓对应关系。绝大多数钟能击发出两个不同的乐音，且与钟铭的标示相符，全面揭示了先秦编钟每钟双音的规律。音色优美，音域自C2～D7，跨五个八度音程，可奏出五声、六声，以至七声音阶，中心音域内十二半音齐备，可以旋宫转调，演奏多种乐曲，是中国古

代音乐文化高度发达的重要物证，也是存世最雄伟庞大且保存完好的编钟。

曾侯乙编钟藏于湖北省博物馆。

克镈 西周晚期文物。相传清光绪十六年（1890年）陕西省扶风县法门寺任村出土，原为张燕谋旧藏，后入藏天津艺术博物馆。

克镈是大型单个击打乐器，通高63厘米，铣间35.3厘米，鼓间29.2厘米。椭圆体，平口，四面有透雕夔纹凸棱装饰，顶有纽，两旁的扉棱用镂空的夔纹装饰，下连镈侧。镈身饰头部向下夔形龙纹，绊带上间以方形乳钉。鼓部有铭文16行79字："隹（唯）十又六年九月初吉庚寅，王才（在）周康剌宫，王乎（呼）士曶召克，王亲令克，遹泾东至于京师，易（锡）克佃（田）车、马乘，克不敢象（惰），尃奠王令（命），克敢对扬天子休，用乍（作）朕皇且（祖）考白（伯）宝林钟，用匄屯（纯）叚（嘏）、永令（命），克其万年，子子孙孙永宝。"铭文记叙克接受周王命令，沿泾水东到京师巡查，圆满地完成任务后，周王赏赐他车辆和马匹，因而作此器，以追念祖先，并祈求万年永寿。

克镈是已出土克氏青铜器中唯一一件镈，器形完整，纹饰精美。

克镈藏于天津博物馆。

秦公镈甲 春秋早期文物。1978年，陕西省宝鸡市太公庙公社出土。共3件，形制、纹饰、铭文相同，大小相次。

秦公镈甲通高75.1厘米，镈身高53厘米，舞修30.4厘米，舞广26厘米，重62.5千克。镈身中部鼓起呈弧形，鼓部平齐，有四个扉棱，下沿内侧有四个缺口。侧旁两扉棱，由九条飞龙蟠曲而成，上延舞部，并连接成纽。前后两扉棱由五条飞龙和一只凤鸟蟠曲而成，在舞部各有一龙一凤相背回首，纽上有环。镈身上下各有一条由变形蝉纹、窃曲纹、菱形纹组成的条带纹，条带纹中间纹饰分为四个区段，每区段有六条飞龙勾连，龙身线条流畅，布局疏密得当。舞部纹饰分四个区段，每区段内有两龙相绕，旁有一小凤鸟。舞部正中有一圆孔。鼓部刻铭文135字："秦公曰：我先且（祖）受天令（命），赏宅受或（国），剌剌（烈烈）邵（昭）文公、静公、

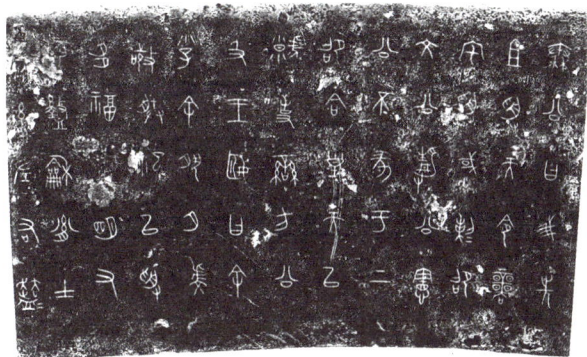

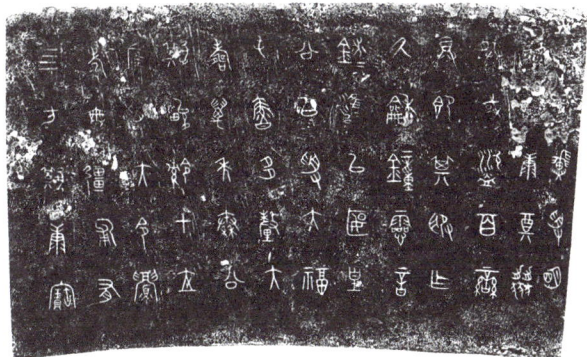

宪公，不象（惰）于上，卲（昭）合（答）皇天，以虩事䜌（蛮）方。公及王姬曰：余小子，余凤夕虔敬朕祀，以受多福，克明又（厥）心，龏（威）龢（和）胤士，蔼蔼（蔼蔼）允义，翼受明德，以康奠协朕或（国），盗百䜌（蛮）具（俱）即其服，乍（作）乓（厥）龢（和）钟，憲（灵）音鍺鍺（肃肃）雝雝，以匽（宴）皇公，受大福，屯（纯）鲁多厘，大寿万年。秦公其畯龢（綏）才（在）立（位），膺受大令（命），眉寿无强（疆），匍（敷）有（佑）三（四）方，其康宝。"

铭文中"秦公"即秦武公。文献记载秦献公、武公居平阳，位于岐山县西23千米。秦公镈出土地点太公庙村西距岐州县城25千米，应为秦献公、武公居住的平阳。

秦公镈甲藏于宝鸡青铜器博物院。

鲍子镈 春秋晚期文物。1870年，山西省荣河县汾阴后土祠旁出土。晚清钱币学家鲍康

在《潘氏九种拓册》题跋中记载，鲍子镈出土后被寻管香之弟寻桂岩以低价购得，旋即运抵北京，售予潘祖荫。杨深秀在《齐镈诗为寻管香给谏作》诗中称赞寻氏兄弟发现宝器之事，并指明鲍子镈出土地点。1949年后，潘氏后人将鲍子镈捐赠与上海博物馆，一同捐赠的还有大盂鼎、大克鼎等。1959年，鲍子镈被调拨入中国历史博物馆。

鲍子镈通高67厘米，舞广30.5厘米，舞修37.5厘米，铣间44厘米，鼓间34.6厘米。器身高大，呈上小下大合瓦形状，是齐镈常见形制。舞顶有双神兽纽，神兽两尾相对，尻尾上翘，曲颈昂首。两兽口中似正吞食一条小龙。纽部夸张对称，极具美感。舞面上饰蟠虺纹。腹部的枚为铜泡形，与钟的乳丁形枚不同。篆部及钲部装饰蟠虺纹。钲间与鼓部刻有铭文，刻划浅而细，字体颀长。铭文共计18行174字，重文2字，合文1字："隹（唯）王五月初吉丁亥，齐辟鼞（鲍）弔（叔）之孙，遟（踌）中（仲）之子，䋆（紲）乍（作）子中（仲）姜宝镈，用旛（祈）医（侯）氏永命，万生（年）䋆（令）保其身，用亯（享）用考（孝）于皇祖聖弔（叔）、皇妣（姒）聖姜，于皇祖又（有）成惠弔（叔）、皇妣（姒）又（有）成惠姜、皇考遟（踌）中（仲）、皇母，用旛（祈）嵩（寿）老母（毋）死，俘（保）䖓（吾）兄弟，用求丂（考）命、彌生，篃篃（肃肃）义政，俘（保）䖓（吾）子佳（姓），鼞（鲍）弔（叔）又（有）成愻（劳）于齐邦，医（侯）氏易（锡）之邑二百又九十又九邑，鼠（与）鄩（鄩）之民人都啚（鄙），医（侯）氏从㥯（告）之曰：茱

（世）萬至於辝（台）孫子，勿或俞（渝）攺（改），鬯（鮑）子繇（絽）曰：余彌（彌）心畏誋（忌），余三（四）事是台（以），余爲大攻厄、大（太）事（史）、大逜（徒）、大（太）宰，事辝（台、以）可事（使），子₌（子子）孫₌（孫孫），永保用亯（享）。"

铭文大意为齐国鲍叔之孙鲍子铸造这件乐器，用来祈求国运昌盛，福泽万年。鲍子用此器享祀追思曾祖父母、祖父母及父母，祈求先祖保佑鲍氏子孙健康长寿，表示会严格约束鲍氏子弟行为以求子孙永享富贵。器主追述了祖父鲍叔有功于齐，齐侯赐予鲍叔封邑与人民，并以此自勉奋发努力。

学术界原认为此器主人名叫繇，并命名此器为"繇镈"。张政烺认为，铭文中"繇"字并非人名，而是副词，黄锡全、何琳仪等学者

都赞同此说，将此器定名为齐侯镈。近期，冯峰将此镈与新出鲍子鼎结合研究，重新定名为鲍子镈。

鲍子镈藏于中国国家博物馆。

甐镈甲 春秋晚期文物。1979年，河南省淅川县下寺楚墓10号墓出土。共出土8件，大小相次，基本同铭。

甐镈甲通高26.4厘米，身高19.3厘米，铣间16厘米，舞修14.3厘米，重2.25千克。体较长，顶部略小于下部，舞上有两条镂空夔龙组成的纽。篆间有螺旋形枚，每面18枚，共36枚。镈口近平，近口处内壁凸起，鼓部内壁有长条状的钟擤，钟擤及口沿内部均有调音的挫摩痕迹。舞部及钲部内壁均有1～3个长方形的撑范槽，口宽地窄，大部分未透出钟外壁。舞部及篆带饰蟠螭纹，隧部饰四个对称的夔龙纹。钲部及左右鼓均铸铭文78字，铭文相同："甐（甐）羃（擇）吉金，盩（鑄）其版（反）[正面上边]鐘，音贏少戠旟（湯），酥[背面上边]平埒（均）煌，霝（靈）印若華，匕（比）[背面左边]者（諸）屠（囂）

厘（聖、聲），至者（諸）長龠（籥），[正面右边] 逾（會）平倉＿（倉倉），謌（歌）[正面右鼓] 樂目（以）喜，咸及君子父[正面鉦间] 㲋（兄），永保鼓[正面左鼓]之，覉（眉）耆（壽）無疆。余呂王[正面左边]之孫，楚城（成）王之盟僕（僕），[背面右边] 男子之想（藝），余不貪（忒）才（在）天之下，余[背面鉦间] 臣兒難（難）遱（得）。[背面左鼓]"

此套编镈为吕王之孙㲋所作，铭文记载㲋曾与楚成王结盟，并对盟誓"不贰在天"。吕国，姜姓，地望在河南省南阳市西，公元前584年被楚国灭。

㲋镈甲存于河南省文物考古研究院。

公孙潮子镈 战国早期文物。1970年春，山东省诸城县出土。考古工作者在诸城县马庄乡臧家庄发现一批战国青铜器，有编镈一组7件、编钟一组9件、鼎4件、豆4件、鹰首壶1件、壶2件、杯形壶2件、镂孔夋形器1件等，共计38件。1975年，在青铜器出土地点西北约10米处发现一座墓葬，发掘者认为1970年发现的青铜器的地点应为此墓葬的陪葬坑。

公孙潮子镈一套7件，形制相同，大小相次，最大者通高51.4厘米，最小者通高30.5厘米。镈体较为宽短，呈扁椭圆形，下口平齐，纽作扁体镂空二蟠龙。舞、钲、鼓部均饰蟠螭纹，篆间饰浪花纹，顶饰涡纹。铆钉形枚，一面两区，每区9枚。镈体内有磨锉调音痕迹，但不明显。于部铸铭文16字："墜（陈）𨟙立事岁（岁），十月己丑，鄝（莒）公孙淖（潮）子窰（造）器也。"

发掘者认为，作器者公孙朝子应为田齐贵族。黄盛璋认为，墓葬主人当是莒国公族。

公孙潮子镈藏于诸城市博物馆。

畬章镈 战国早期文物。1978年，湖北省随县擂鼓墩1号墓出土。

畬章镈通高92.5厘米，纽高26.28厘米，舞修52.9厘米，舞广39.7厘米，铣间60厘米，鼓间46.5厘米，重134.8千克。体扁，近于椭圆，铣边无棱，上略窄，下稍宽，钟口平直。舞顶以"十"字形素带界格，满饰浅浮雕蟠龙纹。舞部正中有复式纽，纽饰两对蟠龙对峙，其下一对回首卷尾，其上一对引首对衔。钲部以凸起圆梗分出钲中及两侧，两侧浅浮雕龙纹衬地上各缀五个凸起圆泡形饰以为枚，呈梅花形，每面两组，共4组20枚，均为浅浮雕龙身构成。鼓部纹饰为浮雕龙纹，龙躯体较大，均作侧身状。两面钲中均为梯形，一面光滑，一面铸有铭文3行31字："佳（唯）王五十六又祀，返自西阳，

楚王酓章作曾侯乙尊彝，奠之于西阳，其永持用享。"镈壁厚薄不均，表面未施纹处及内腔经过磨砺，较为光滑。

酓章镈应是公元前443年楚惠王熊章为曾侯乙作的宗庙祭器，纪年明确，是曾侯乙墓断代的重要依据。

酓章镈藏于湖北省博物馆。

徐謠尹钲 春秋早期文物。传江西省高安县出土，潘祖荫旧藏。

徐謠尹钲残高20.1厘米，舞广10.7厘米，舞修11厘米，鼓间12.8厘米，铣间13.7厘米。钲柄及舞部残断，整器呈上大下小的筒状，口

部弧曲，与勾鑃相似。铭文在正反两栾之上，有残泐，共5行43字："正月初吉，日才（在）庚，邻（徐）謚（謠）尹者故镈，自乍（作）征城，次雝升稍，徹至鍮（劍）兵，枼（世）萬子孫，眉壽無彊（疆），皿皮（彼）吉人亯（享），士余是尚（常）。"

徐謠尹钲为铭文中自称"自作征城"中较早的器。对此器的称呼多有不同，张鸣珂《寒松阁题跋》称"铎"，《三代吉金文存》《贞松堂集古遗文》等称"句鑃"，《殷周金文集成》按其自名称"征城"，郭沫若、容庚、马承源、朱凤瀚等称"钲"。

徐謠尹钲藏于上海博物馆。

乔君钲 春秋晚期文物。1962年4月，安徽省宿县许村公社社员许立振在芦古城子遗址发现2件青铜乐器，一件就是乔君钲，另一件是镈于。1963年5月，许立振将2件文物献交安徽省博物馆。

乔君钲通高25厘米，柄长8.8厘米，舞广9.5厘米，于广12厘米。柄中部有一穿，平舞，弧形于，通体素面，腹部铸铭文33字："嵩（乔）君浧虘與朕（朕）吕（以）嬴（裎）乍（作）無者俞（俞）寶鑼（鉏）屋

（鐈），其萬年用亯（享）用考（孝），用旂（祈）𪕥（眉）𪕥（壽），子＝（子子）孫永寶用之。"

铭文中"无"即"许"，"者俞"为人名。许国初封在河南省许昌市，周简王十年（前576年），楚公子申迁许于叶，周景王十二年（前533年）许又自叶迁夷，在安徽省亳县东南15千米的城父集，距离物出土地点50千米。此钲应为许国迁夷后所铸。

乔君钲藏于安徽博物院。

外卒铎 战国早期文物。容庚旧藏。

外卒铎通高11厘米，宽9厘米，重0.46千

克。顶平有銎，可以安装木柄。口部内凹较深似钟，以椭环为舌。腔体近口部饰变形兽面纹，上部正中铸有"□外卒铎"四字，首字残泐，背面刻有"锺尹"二字。

青铜器中自名为铎的乐器多腔体较短阔，横截面作合瓦形，口沿稍内凹，有舌，形似铃而大，顶有銎，是在军队中用以起众的军用乐器，使用时以手持震动其舌撞击腔体发出声音，与铃同。由于这类器物是军旅用具，其铭文中的"□外卒"可能与当时的军事制度相关。

外卒铎藏于故宫博物院。

桥纽錞于 春秋文物。1986年，湖北省通山县杨芳林出土。

桥纽錞于通高45.2厘米，肩径32.6～34厘米，面长25.8厘米，底长26.7厘米。器作圆角方筒状，肩胸外凸，略显束腰。上有椭方形盘，口沿外折，上有桥纽。肩部饰四个涡旋纹，腰部前后各饰一涡旋纹，涡旋纹周边和浪花之上饰尖角云纹，底部饰一周蟠曲的龙纹。

錞于是一种军用乐器，与鼓和丁宁（钲）相配合使用，最早出现于春秋早期。在陕西、山西、山东、河南等地的春秋早期墓葬中经常出现钲、錞于、鼓座组合。在春秋晚期普遍应用于

雷纹构成的兽面纹，两端边缘饰乳钉三列，鼓身上部正中立一纽，中有穿孔，可系绳悬吊，鼓身下有四矩形座。

兽面纹鼓凝重浑厚，纹饰清晰，气魄雄伟，是中国已知发现的时代最早的铜鼓，也是国内存世唯一一面商代青铜鼓。此鼓造型与现代鼓基本相同，只是多出纽和座，说明鼓的形制在商代就已基本定型。鼓身两侧边缘有三列乳钉，是木筒皮鼓钉置兽皮鼓面的特点，反映了青铜鼓是仿照木筒皮鼓而制作，也证明了青铜鼓出现前就已有了木筒皮鼓。

兽面纹鼓藏于湖北省博物馆。

建鼓座　战国早期文物。1978年，湖北省随县擂鼓墩1号墓出土，出土时上有木质建鼓。

建鼓座通高54厘米，底径80厘米，底座直径72厘米，高5.5厘米，厚1.5厘米，管身长29厘米，口外径12.5厘米，内径7.6厘米，重192.1千克。器呈圆锥形，由圆形底座、承插空心圆柱和纠结缠绕的圆雕群龙组成。圆形座底系由一系列铜圈及圈内数根弯曲不齐的铜条构成的圆形中凸网状结构。底座圈外壁饰一周浅浮雕盘龙纹，并对称饰四个环纽，扣穿四个

吴、晋诸国，战国时期东方诸国也可能广泛使用。大多数镈于腔体横截面是椭圆形，而这件镈于腔体横截面则呈圆角方形，在形制上较为罕见，可能是南方青铜铸造风格的演变结果。

桥纽镈于藏于湖北省博物馆。

兽面纹鼓　商代晚期文物。1976年，湖北省崇阳县出土。

兽面纹鼓通高75.5厘米，鼓面径59.5厘米，重42.5千克。鼓面圆形，素面；鼓身饰云

铜环，为鼓座提手。铜圈内壁连接数根铜条，铜条形状不规则，斜着向上凸起，综合交错呈网状结构，正中与承插圆柱柱身相连。承插圆柱凸居于鼓座正中，口如盘、身如管，内空透底。圆柱上部被圆雕群龙所拥簇，下部与圆座底内弯曲铜条相连，底端距地21厘米，口沿内圈刻"曾侯乙乍（作）時"5字，外圈及外沿镶嵌绿松石，出土时多已剥落。拥簇着承插圆柱的圆雕龙群，由八对主龙躯干及盘附其身、首、尾的数十条小龙组成。主龙系圆雕，龙身曲旋盘绕，沿背脊两边镶嵌绿松石两道，并刻繁缛的鳞斑纹；盘附其上的次龙以高浮雕和圆雕结合，龙首附于主龙身上，龙尾伆出且曲绕蜿蜒。龙身均昂首摆尾，穿插纠结，以多变形态和对称布局构成极其繁复的立体造型。制作工艺采用分铸、铸接、焊接等方法，先分别制出底座、22节龙身和承插圆柱，再通过铸接、焊接结为一体。

一般情况下，建鼓座多为实体上饰纹饰。而这件鼓座通体展现出透雕风格，是存世最为精美的青铜建鼓座。

建鼓座藏于湖北省博物馆。

第六节　兵器

天戈　商代晚期文物。罗振玉旧藏，曾著录于《三代吉金文存》，后入藏旅顺博物馆。

天戈通长28厘米。援呈长条三角形，锋尖锐。援下刃内弧，内位于援上部，曲内呈透雕鸷鸟形，臣字眼下铸有一字铭文"天"。且尖喙内收。援横断呈菱形，中脊稍凸。

戈可钩、可啄，故有"勾兵""啄兵"之称。一般由戈头、柲、柲帽等部分组成。由于古代多用木柲，不易保存，在考古中发现较少，柲帽发现也比较少，故已知所称之戈多为戈头。戈头前长条部分称为援、戈头后部接柲者为内，援、内交界处凸起的棱叫阑，援下刃弯曲下垂的部分称为胡，胡上有小孔为穿。使用时援锋啄刺，上刃推捣，下刃钩割，内将戈头与木柲连接，胡及上面的穿用于加固戈头与木柲的连接，阑阻拦割援，使其在啄刺时不至后陷。有"天"字族徽铭文的商代晚期青铜戈存世有6件，分别藏于故宫博物院、上海博物馆、旅顺博物馆、山西博物院、扶风博物馆以

及私人藏家手中。这件天戈形制最为独特，它的内部弯曲且呈透雕纹饰，在整个商代晚期的戈中都是比较少见的。

天戈藏于旅顺博物馆。

三勾兵　商代晚期文物。罗振玉旧藏，王国维《观堂集林》记出自现河北省易县，或说出保定、平山县，后入藏辽宁省博物馆。

三勾兵为大祖日己戈、祖日乙戈、大兄日乙戈合称。通长27.5厘米，援长17.8厘米。援呈长条形，前锋尖锐，有上、下刃与中脊，援末下侧稍作延展成胡，有上、下阑，内后段作镂空鸟形，歧冠，"臣"字状目，钩喙，卷尾。此种鸟形内戈在殷墟第一期、第二期墓葬、窖藏中均有出土。三勾兵三器援上均铸铭文。大祖日己戈铭文7行22字："大且（祖）日己、且（祖）日丁、且（祖）日乙、且（祖）日庚、且（祖）日丁、且（祖）日己、且（祖）日己。"祖日乙戈铭文7行24字："且（祖）日乙、大父日癸、大父日癸、中（仲）父日癸、父日癸、父日辛、父日己。"大兄日乙戈援上铸铭文6行18字："大兄日乙、兄日戊、兄日壬、兄日癸、兄日癸、兄日丙。"

三器应为一人所作，每件援上铭文列作器者的祖、父、兄行日名二十，大祖、大父、大兄是祖、父、兄行中最长者，三勾兵作器者应为大祖日己、祖日乙宗族中一支，父日癸、父

日辛、父日己三人之一为其父。三勾兵铭文所记作器者先人日名数量在已知金文中最多，有助于了解商人宗法与庙制。

三勾兵藏于辽宁省博物馆。

虢太子元徒戈 西周早期文物。1957年，河南省陕县上村岭虢国墓地1052号墓出土。

虢太子元徒戈通长17.1厘米。中胡上有四穿，援中部起脊，前锋呈三角形，锐角，内有横穿。穿两侧铸有"虢太子元徒戈"6字，说明此戈是虢国太子用器。虢太子元徒戈铭文中的"徒"字，意思是"徒兵""徒卒"，也就是步兵。自铭为徒兵的戈还有陈子山徒戈等。

与徒戈相对的还有车戈和田戈。这种锋呈三角状的戈可能与楚式戈有关。

虢有东虢、西虢、北虢之分。周武王灭商后，封他的叔叔虢仲于制，即河南荥阳一带，史称东虢；虢叔封于雍，大致位于陕西宝鸡东，史称西虢。东、西二虢地位十分重要，一个直接拱卫周都镐京（陕西西安东），另一个则控制着关中通向东方广大地区的要道。东虢于公元前767年被郑国所灭；西虢则随平王东迁，被改封在陕，即河南三门峡一带，都上阳（河南陕县李家窑）。东迁后的虢国地跨黄河两岸，史称南虢、北虢，于公元前655年为晋国所灭。西虢东迁后，故土仍留有一个虢国，被称为小虢，于公元前687年被秦国所灭。上村岭虢国墓地属于北虢。

虢太子元徒戈藏于中国国家博物馆。

宋公栾戈 春秋晚期文物。传1936年安徽省寿县出土，原为于省吾旧藏，后归上海博物馆。

宋公栾戈全长22.3厘米，援长14厘米，阑高9.4厘米。戈直援尖锋，长胡，无脊。援根部近上阑处有一圆形穿孔，阑侧有两个长方形穿孔。直内，内上有一长方形穿孔，饰错金变形兽纹。胡部有错金铭文6字"宋公栾之造戈"。

宋公栾即《左传·昭公二十年》中的"太子栾"，杜预注："栾，景公也。"《史

记·宋微子世家》称宋景公为"头曼"。《汉书·古今人表下上》则称"兜栾"。宋国国君宋景公，周敬王四年(前516年)即位，卒于周贞定王十八年(前451年)。1978年，河南固始侯古堆一号墓中出土有宋公栾簠，铭文记载宋公栾为其妹"句敔夫人季子"作器，为宋公与吴国联姻的媵器。北宋元祐年间（1086～1094年），当时的南京（应天府）即商丘，出土有宋公栾鼎。宋公栾戈是最早用错金嵌字的青铜器之一。

宋公栾戈藏于中国国家博物馆。

玄鏐赤鏞戈　春秋晚期文物。1994年，河北省邢台市桥西区葛家庄战国墓10号墓出土。

玄鏐赤鏞戈通长18.3厘米，内长7.4厘米。狭援阔胡式戈。锋作弧形，尖削，援上锋较平直，下锋弧，无脊，阑三穿，内部长条形，后端燕尾式。中间有圭形穿。援部正、背面有错金鸟篆纹"幺（玄）鏐赤鏞之用戈，擗"。

铭文中"玄"表示颜色，"鏐"为锡，

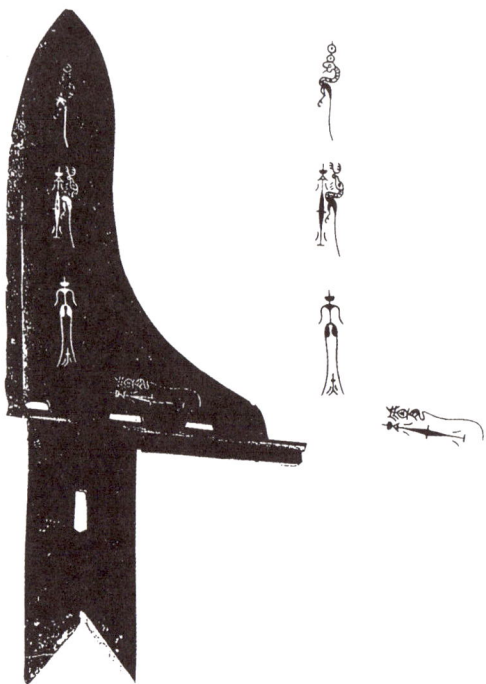

"玄鏐"当是"以调剂之青铜"。玄鏐赤鏞戈"之"字造型奇特，作三条曲笔，下端相交于一横笔上，再向下垂出一短竖笔，用笔与"攻吴王光戈"等相同。"擗"是吴器特色，或作"擘"，训为分、裂，当是说戈锋利。玄鏐赤鏞戈是春秋晚期吴国器物。

玄鏐赤鏞戈存于河北省文物研究所。

虖台丘子俅（休）戈　战国早期文物。1979年，山东省滕县姜屯镇窑场出土。

虖台丘子俅（休）戈通长27.3厘米，通宽13厘米，其援窄平，中起脊，前锋呈三角形。斜角长方形内，内有穿，长胡三穿。胡上有铭文"虖台丘子俅（休）之舾（造）"。

此器为虖台丘君之子名休者所作。虖台即古代典籍中狐骀，滕州狐骀山西坡有周代遗址，曾出土有铭青铜器多件。

虖台丘子俅（休）戈藏于滕州市博物馆。

滕侯昃戈　战国中期文物。此件滕侯昃戈与2件滕侯耆戈同出，为陈承裘、罗振玉收藏，后一起归故宫博物院。其中，滕侯昃戈又划拨给中国历史博物馆。1980年夏，山东省滕县城郊乡西寺院村出土1件滕侯昃戈，铭文比此滕侯昃戈少一"戈"字，"造"字形体也不一样，藏于滕州市博物馆。上海博物馆也藏有1件滕侯昃戈，仅残存"滕侯昃之"4字。

这件滕侯昃戈通长23.2厘米。援上刃略呈弧形，中部起脊，微向上扬。直内，内上有一长方形穿。长胡，胡三穿。阑侧有铭文一行6字"滕侯（昃）之䜌（酷、造）（戈）"。现在所见滕侯昃器共4件，戈3件、簠1件。金文中昃、虞相同，有学者认为滕侯昃即春秋时期滕隐公虞母。但滕侯昃器形制为战国中期，此滕侯应在战国中期，文献没有记载。

滕侯昃戈藏于中国国家博物馆，在"古代中国"陈列展出。

陈侯因资戈 战国中期文物。上海博物馆征集。

陈侯因资戈通长26.2厘米，援上刃略呈弧形，中部起脊，微向上扬。援根部近阑处有半圆形穿。直内，微上扬，内与胡的夹角大于90°，内上有一圆弧三角形形穿，穿下有铭文1行5字"陈侯因咨（齐）造"。长胡，胡二穿，穿侧有铭文"勹昜右"，《山东金文集存》认为是伪刻。

陈侯因咨（齐）即齐威王。现在所见勒名齐器，以齐威王时期最多，反映尚兵好武和齐国的强盛。

陈侯因资戈藏于上海博物馆。

平夜君成戈 战国中期文物。1994年，河南省新蔡县葛陵村1001号墓出土。出土时，戈头与秘连附在一起。

平夜君成戈戈头通长21厘米，援长13.5厘米，援宽2.8厘米，脊厚0.6厘米，胡长11.1厘米，胡宽3.1厘米，内长7.6厘米，内宽2.8厘米，秘残存46厘米，顶槽深1.3厘米。长援，中脊凸出，束腰，援、胡之间夹角近直角。胡下部呈直角，援根部近阑处又以圆形穿孔，胡阑侧有两个长方形穿孔。直内，内下角有缺，内上有一长方形穿孔。在援、胡部阴铸篆文"平夜君成之用"。

铭文中"平夜"为封地，"君"为封号，"成"为器主名。春秋末年起，楚国实行封君制，对高官爵尊的近亲贵族授以封邑，以食邑所在地名封以君号。封君地位相当于楚国上卿，身份等级仅次于楚王，高于大夫和元士。

平夜君成戈存于新蔡县文物保管所。

五年相邦吕不韦戈 战国晚期文物。陈介祺旧藏，后入上海博物馆。中国国家博物馆另有1件四年相邦吕不韦戈，在"古代中国"陈列展出。秦始皇陵博物馆藏有三年吕不韦戈。

五年相邦吕不韦戈通长27.6厘米，胡长16.8厘米。援长而狭，长胡，内部三面均有刃，是战国中晚期青铜戈典型式样。戈胡部两侧均刻铭文，正面："五年，相邦吕不韦造。诏事图、丞蕺、工寅。"背面："诏事，属邦。"铭文中"五年"，应指秦王政五年，即公元前242年。"相邦"即典籍中"相国"，汉世因避汉高祖刘邦之讳，改称相邦为相国。"图"为地名。"丞蕺、工寅"为督造官员与工匠。

五年相邦吕不韦戈是战国晚期青铜器物勒工名代表之一，体现了当时手工业生产管理模式。

五年相邦吕不韦戈藏于中国国家博物馆。

相邦春平侯铍 战国晚期文物。1983年，在山西省朔县小平易乡供销社废品收购站的杂铜堆拣选。共2件，此件为较大者。

相邦春平侯铍全长33.4厘米，剑身长23.4厘米，宽3.4厘米，茎长10厘米，茎端有一小圆孔，孔径0.4厘米。无首无格，剑脊扁平，

剑茎扁棱。形体短小，双刃锋利。剑身平脊隆起，剑身后端与扁茎铸成一起。扁茎末端有一小圆孔，当为镶制剑柄管束而穿。剑身近剑茎隆起的平脊上有2行阴刻铭文，笔画纤细，须用放大镜方可辨认，铭文共19字："四年，相邦春平侯，邦左库工师长（张）身，冶尹□、执剂。"

"春平侯"是封号，"相邦"是官职，"邦左库"是府库之名。"工师"和"冶尹"均为铸剑的主管官名，"长（张）身"和"□"是人名。"执剂"应为配制铸剑原料者。春平侯应是春平君，为赵孝成王之孙，赵悼襄王太子赵幽缪王。

相邦春平侯铍存于朔州市崇福寺文物管理所。

寺工邦铍 战国晚期文物。1979～1981年，陕西省西安市秦始皇陵东侧1号兵马俑坑出土。

寺工邦铍通长35.4厘米，铍身长23.9厘米，宽3厘米，厚0.9厘米，茎长11.4厘米，宽0.9～1.3厘米，厚0.9厘米，格长4厘米，宽1.9厘米，厚0.7厘米，镦高3.5厘米，口径3.4厘米×2.8厘米，柲径3.5厘米。铍头形如短剑，为两侧六面的扁体。前锐后宽，刃口为直线前收为锋，茎部装"一"字形格。茎与身一次铸成，茎体扁平，截面呈长方形，至末端近正方形。茎下部有孔，贯钉以固柲。柲为

木质，下有铜镦。铍身两面刻铭文8字"十九年，寺工邦，工目"，格上4字"寺工，卅八"，茎上2字"六，左"。

"寺工"是秦始皇时期制造兵器的官署，专供京师使用。茎上铭文"左"应为兵器存放地左库的简称，"六""卅八"为编号。

寺工邦铍藏于陕西历史博物馆。

曾侯郕殳 战国早期文物。1978年，湖北省随县擂鼓墩1号墓出土，共6件，尺寸不一，此是最大一件。

曾侯郕殳通长11.7厘米，刃长14厘米，刃宽2～2.4厘米，箭长3.7厘米，箭箍径4.6厘米，鐏径3厘米。殳头作三棱矛状，刃中部均稍内收，呈凹弧形。刃下部有一八棱形箭，箭顶部平，外饰浮雕龙纹，内中空，用以安装积竹柄。刃部较长。杆为积竹木柲，八棱形，外用丝线绕成宽带状，带宽0.3～0.5

厘米不等。粗看似宽带密密缠绕，实际每道宽带由11～13道丝线组成。两宽带间距一般为0.25厘米，均有一道丝线斜绕相连，丝线缠绕完一个宽带后右斜绕一段距离缠另一宽带，斜绕处几乎在杆的同一断面。杆表面先髹一层黑漆，再髹一层红漆。殳杆前端距离箭部49～51厘米处有一个青铜箍，箍的纹饰与箭部纹饰相同。杆下方有角质镦，呈八棱形。一侧刀刃上篆书"曾侯郕之用殳"，字迹若细针刺。

殳为周代五兵之一，曾侯郕殳的出土为解决殳的形制问题提供了资料。

曾侯郕殳藏于湖北省博物馆。

牛戟 西周早期文物。1972年，甘肃省灵台县百草坡西周墓2号墓出土。

牛戟通高25.5厘米，通长23厘米，重275克。人头鐏钩戟。人头形刺刀，颈部有椭圆形銎。长胡三穿，援斜出如钩，有脊棱，援基部饰以牛首。方内三齿，阴刻牛头形徽识。人头浓眉巨目，披发卷须，腮部有凹纹饰。

牛戟出土地是泾伯墓地，有学者推测是西周王朝在陇东设立的军事据点。

牛戟藏于甘肃省博物馆。

平夜君成戟 战国中期文物。1994年，河南省新蔡县李桥镇葛陵村战国墓1001号墓出土。

平夜君成戟矛通长14.1厘米，宽3.3厘米，矛体为三角锋宽叶形，两面刃，前锋锐利，中脊有凸棱，侧翼张开。翼尾圆弧如流线状，锋最宽处在下部。筒呈圆形，中空，上半部有一小圆形穿，其位置与翼尾平齐，用于固定柲。上戈通长34.4厘米，援长23.4厘米，援宽2.6厘米，脊厚0.6厘米，阑高13.2厘米，内长11.2厘米，内宽2.7厘米，为长援直内戈，援脊明显，前锋尖锐。援与胡间夹角较大，胡下角方形。援根有一小圆穿，胡阑侧有三个长方形穿。长直内，内下角圆钝略垂，内的里侧有一长方形穿。在胡上，阴铸篆体铭文"坪（平）夜君成之用戟"。下戈通长21.2厘米，援长10.2厘米，援宽2.5厘米，脊厚0.6厘米，胡长11.4厘米，胡宽2.8厘米，阑高11.4厘米，内长0.9厘米，内宽2.8厘米为弧援无内。援与胡之间夹角略小，胡下角方形，援根部有一小圆形穿。胡阑侧有三个长方形穿。胡上阴铸篆体铭文"坪（平）夜君成之用戟"。

平夜君成戟保存完好，组合完整。其铭文及所出随葬品对于研究战国时期楚国封君及历史具有珍贵价值。

平夜君成戟存于新蔡县文物保管所。

黄戟 战国文物。山东省济南市近郊采集。

根据铭文得知，这件戈是一件戟的戈部分。该部分通长26.1厘米，援长15.6厘米，胡长10.2厘米，内长10.5厘米。刀形内，上翘，上下皆有刃，胡三穿。胡上有铭文"黄戟"。黄为地名，在博兴市淄川县东北。

黄戟为战国器，应为齐国黄地所造。这件

戟造型优美，轮廓线条灵动，尤其是援部刃部的弧线与内的弧线连成一体，形成一个横向"S"形。黄戟的戈部分具有战国晚期戈的特征。

黄戟藏于济南市博物馆。

亚酌钺 商代晚期文物。1965年，山东省益都县苏埠屯1号墓出土。

亚酌钺通高34.5厘米，通长32.7厘米。钺身作镂空人面纹眉、瞳、鼻突起，狰狞可怖。刃角外侈，正背两面的人面形口部两侧各有一个"亚酌"铭记，铭文左为正写，右为反书。

钺原本功能是作战武器，后来演变成了权力象征，钺应是具有一定身份地位的王公贵族才能持有。专家推测亚酌钺出土地应是"亚酌"族墓地，墓主人是仅次于商王的方伯一类

的人物。

亚酗钺藏于山东博物馆。

亚长钺 商代晚期文物。2001年，河南省安阳市殷都区花园庄54号墓出土。

亚长钺通长40.5厘米，刃残宽29.8厘米，柄长15.3厘米，宽10.6厘米，厚1.5厘米，重5.96千克。器体形较大、厚重。柄稍呈亚腰形，中部有一圆形孔，肩下部有长条形穿孔。弧刃明显宽于器身，其中一刃角下斜较甚。肩至器身中部布满花纹，主体纹饰饕餮纹，并以夔纹、龙纹饰饕餮各部，给人以庄严凝重感。饕餮大张口，两唇外撇，露出。口内含一夔，张口，口前端有一不明物。角后仰，盘身曲，尾顺势斜出，身上饰以云纹。饕餮唇两边各有一条夔饰其身、尾。该夔昂首、张口、唇下撇，鼻上卷，有羽冠，角后仰，凸眼，身顺势向两侧顺势上卷，尾部镂空，折而内卷。夔身以重环菱形纹装饰。夔身卷曲内还有一小型龙纹，尖首、突出大眼，身、尾上扬。饕餮口上部以两条龙纹饰其角，龙作卷云纹状蟠曲，尖首、双圆眼，身饰鳞纹。龙纹两边各有一鸟纹，闭口、尖喙下折而内钩，镂空状，头上有冠，凸眼，翅向上展，尾不显，有足。鸟身用鳞状纹装饰。柄尾两面中部均有铭文"亚长"，铭文两边各有一倒立夔纹，应曾用绿松石镶嵌。

亚长钺器主人亚长氏是殷墟文化二期晚段祖庚、祖甲时期手握军权、地位极高的贵族。

亚长钺存于中国社会科学院考古研究所安阳工作站。

人首銎钺 西周早期文物。1980年，陕西省宝鸡市竹园沟13号墓出土。

人首銎钺通长14.3厘米，刃宽7.8厘米，内长2.6厘米，内宽3.3厘米，重450克。钺身长方形，舌形刃较宽，舌磨损痕迹清楚。带銎，銎两端出齿作肩状，銎径2.2厘米×2.6厘米。长方形直内。钺刃后部饰对称两兽头，本部饰蛇纹，蛇昂首、曲体，两侧有对称立虎，立虎回首与钺两肩相连，卷尾与舌刃两端相连，形象生动。内部两侧饰蛇首，蛇身屈于銎口之上。銎上齿端接有人头，人头中空。人首方脸，面部微凹，下颌微凸，阔口、浓眉，鼻头圆宽，额前有刘海，脑后有发辫，8个发辫结极为清楚。颈部两侧有方孔固柲，銎内残存木柲一段与钺身相连，柲长7.8厘米，柲径1.8厘米。柲上有铆孔一，长方形，孔径0.3厘米×1.2厘米，内留有木榫头，榫头中部裂口，内夹一段

木楔。

人首銎钺为同类兵器中的精品。

人首銎钺藏于宝鸡青铜器博物院。

透雕龙纹钺　西周早期文物。2013年，湖北省随州市叶家山28号墓出土。出土时刃及内末有缺失。

透雕龙纹钺通长19.8厘米，援长10.9厘米，援宽11.1厘米，内长8.9厘米，内宽4.5厘米，内厚0.5厘米，残重510克。器扁平，呈铲形。弧刃，刃部加厚，方援，援中有一个四周凸起圆形穿孔，平肩，肩两端斜直，肩下有对称长方形穿，一穿未穿透。长方形直内，内末垂直，两端有2个小缺，一角残缺。内尾有5个大小不同的三角形穿孔，大三角形穿孔2个，小三角形穿孔3个。两面纹饰相同。援中部凹下，两侧向刃部渐宽，形成内钺形。援中部饰兽面纹，两侧饰圆雕兽纹。兽面双耳作桃圆形后侈，恰作侧翼卡住秘杆，双耳加饰细阴线三角云纹。弧形眉，菱形目突起，中有圆形小瞳孔，椭圆形鼻上饰卷云纹，宽面额，咧嘴露

齿，面目狰狞。盖面纹下圆形穿孔两侧各饰一阳线三有纹，三角纹内填云纹。兽面纹两侧各饰一圆雕兽纹，呈站立反顾状，兽躯上加饰云纹。内两侧似扉状，中部饰凸起双阳线变形云雷填圆点纹。肩下范缝清晰。

这件钺上满饰虎纹，使用透雕手法，是南方商代青铜器特有的风格。

透雕龙纹钺藏于湖北省博物馆。

取（耶）子孜鼓钺　西周早期文物。1980年，山东省邹县大律乡小彦村出土。

取（耶）子孜鼓钺通高21.2厘米，宽14.1厘米，銎长6.1厘米。呈不规则椭圆形，周遭有刃，在无刃的一边，一端作张口龙首，另一端则为銎管。其使用方式当以长秘穿与銎，纳入龙首，如同戈、矛之属，但刃部狭长、圆转，当属兵器中的劈兵。在器背处饰有花纹，自龙首起至銎至，狭长带状花纹逶迤犹如龙体，中间饰变形夔龙纹，上有3个半乳饰，外周各饰一道粗弦纹。銎部有铭文3行9字："於取（耶）子孜鼓罂（鑄）鑵元嵒（乔）"

青铜钺的形制大体有两个类型，一是自商代晚期开始出现的有内宽刃钺，另一种是有銎宽刃钺。取（郰）子孜鼓钺属于后一种，但钺的主体部分却制作成中空。这种中空有銎钺流行于西周时期。

取（郰）子孜鼓钺藏于邹城市博物馆。

曾伯陭钺 春秋早期文物。2002年，湖北省枣阳市吴店镇郭家庙21号墓出土。

曾伯陭钺通长19.3厘米，刃宽14.8厘米，重630克。器呈"T"字形，"U"形锋刃。长骹中空，骹的一侧中部有细长方形穿孔，应

为固定柲的销钉孔。銎口长方形，内有残存的木柲。沿刃部两侧铸有18字铭文，每面9字："曾白（伯）陭铸戚戈（钺），用为民罶（刑），非歷殴井（刑），用为民政。"铭文意思为：曾国国君陭铸造此件戚钺，用来治理百姓的罪行，但不是专门用来杀人的，而是晓民以刑律，以推行政令。

曾伯陭系曾国国君，称伯。曾伯陭钺自名为"戚"，应是戚钺，有别于斧钺。文献中戚、钺本是不同器物，后因形状、功能大体相似而不予区分。"戚钺"连称者见于《左传·昭公十五年》"其后襄之二路，戚钺秬鬯，彤弓虎贲，文王受之。"兵器称"戚钺"者已知仅此一件。

曾伯陭钺藏于襄阳市博物馆。

中山侯忪钺 战国早期文物。1977年，河北省平山县三汲乡中山王墓车马坑出土。

中山侯忪钺通长29.4厘米，宽25.5厘米。钺身形体扁方，刃呈圆弧形，中部有一圆孔，两肩等宽，各有一长方形横穿，长方形直内。阑与圆孔之间饰六组"卍"字形回纹和五组三角云雷纹，内部饰四组"卍"字形回纹。孔与刃之间竖刻2行16字铭文："天子建邦，中山侯忪，乍（作）兹军鈲，以敬（儆）氒（厥）众。"

关于鈲字，张政烺释为"钺"，张守中根据左边字形释为"钎"，黄胜璋释为"铗"，吴振武认为左边字应为战国文字"瓜"，整字当释作"鈲"，读为"钴"，是斧钺的专字。"忪"，旧释为"忻、愿"。徐海斌认为，中山侯忪当为中山王圆壶器主人"𧤘"，并指出"忪"是文献所记载的中山桓公。中山桓公是迁国于灵寿的国君，对于中山国中兴功不可

没。中山侯𫓧钺形态与商周时期流行的同类器物相比较为独特，"卐"字形纹饰为首次所见，内与器身间起阑，像青铜戈阑部。

中山侯𫓧钺藏于河北博物院。

不对称形钺　战国文物。1974年，广西壮族自治区平乐县银山岭出土。后划拨给中国历史博物馆。

不对称形钺高8.5厘米，刃宽13.7厘米。长方形銎，銎一侧有一半环形耳。銎口下有一周斜线纹，靠近钺身有一周网格纹。钺刃呈不对称形，一侧呈刀尖状，另一侧呈圆弧形。此不对称形钺形制与1960年云南晋宁石寨山42号墓所出铜钺非常相近，銎上都有一小环形耳，只是后者的銎是圆形。

此种不对称形状钺也称作靴形钺，主要出现在云南滇池、滇东南和滇西地区，广西恭城、平乐地区，广东德庆、广宁等地区及东南亚地区，湖南省博物馆征集到几件，但没有详细出土信息。已发现的不对称形钺年代大体在战国至西汉前期。云南晋宁出土的不对称形钺，有的不对称性较弱，属于较早类型，两广以及东南亚地区出土的不对称性显著增加。有学者推测，不对称形铜钺从云南传播至两广，

再传至东南亚地区。云南晋宁出土铜鼓花纹上，有手持盾牌和不对称形钺人物形象。钺的安装柄方式有两种：一种是直接将柄安插在钺銎部，柄部弯曲下折成为长柄用以手持；另一种是将一段木柄插在钺銎中，再将木柄横插在一根长柄一端。不对称形钺原本是作战武器，但也经常用于宗教仪式。文国勋认为，不对称形铜钺应是从石器演变而来。云南红河中游及怒江中游地区出土大量不对称形有肩石器，形状与不对称形钺十分相似。

不对称形钺藏于中国国家博物馆。

龙纹齿背刀　商代晚期文物。1951年，河南省辉县琉璃阁出土。

龙纹齿背刀通长41.4厘米，宽8.2厘米。刀身呈不规则长方形，刀身与刀柄界限分明。刀尖上扬较为夸张。背部以镂雕方式装饰齿状

纹饰。刀背齿状纹饰下有一条纹饰带，内饰以首尾相连的夔龙纹，以云雷纹填地。刀刃平直，略内弧。这种形制的青铜刀与安阳殷墟出土的相似。

这是商代晚期常见的青铜刀，纹饰简洁但工艺精湛。这种齿背大刀多用于礼仪场合，属于礼兵。

龙纹齿背刀藏于中国国家博物馆。

镂空蛇纹鞘剑 西周早期文物。1972年，甘肃省灵台县白草坡1号墓、2号墓各出土2件，形制相同。

镂空蛇纹鞘剑通长24.3厘米，茎长6.3厘米，重123克；铜罩长18厘米，重125克。剑身如柳叶，有脊，饰夔纹和斜角雷文状血槽。扁茎，无格。手茎上遗留木屑和缠绳痕迹。出土时附有一个铜罩，铜罩镂空，饰牛、蛇和缠藤植物纹，上有10个小孔，背面遗留有漆木残屑。从系孔看，此剑应垂直悬挂于腰部，是中国铜剑早期形式。

镂空蛇纹鞘剑形制奇特，出土地点位于泾水、渭水之间，是商周时期鬼方、玁狁所处之地，西周初年周王室经常北征玁狁，并在这一区域设立军事势力进行统治，同出青铜器中有铭文"泾伯""隧伯"，应是镇守此区域的军事首长，受周王或诸侯节制。镂空蛇纹鞘剑应是受鬼方、玁狁等少数民族影响的产物。

镂空蛇纹鞘剑藏于中国国家博物馆。

曲刃剑 夏家店上层文化文物。内蒙古自治区宁城小黑石沟出土。

曲刃剑长35.5厘米。身柄连铸。柄部为扁圆柱体。剑身单曲弧刃，节尖明显，圆柱脊。

中华人民共和国成立前，日本学者在旅顺老铁山郭家屯就发现过此形制的剑，长海县上马石也出过角质仿制品，日本学者称为"辽宁式铜剑"，朝鲜学者称为"琵琶形"剑，中国学者称为"双侧曲刃短剑""丁字形青铜短剑"或"短茎式曲刃短剑"。青铜曲刃剑使用年代大致应在西周晚期至战国中后期，辽西出土多属夏家店上层文化，辽东、辽南地区出土的应与石棚文化有联系。

曲刃剑藏于中国国家博物馆。

越王勾践剑 春秋晚期文物。1965年，湖北省江陵县马山区裁缝店望山（荆州市荆州区川店镇）1号墓出土，出土于内棺，墓主人身旁。

越王勾践剑通长55.7厘米，宽4.6厘米，柄长8.4厘米。剑身满饰黑色菱形暗纹。圆形剑首顶端铸有宽度不到1毫米的突起同心圆，工艺精巧，可与现代精密车床相媲美。剑格正、反两面分布镶嵌蓝色琉璃和绿松石。近格处剑身一面铸有错金铭文2行8字："越王鸠浅自作用剑。""鸠浅"即"勾践"，证明此剑为越王勾践佩剑。出土时，剑锋依然十分锋利，通体没有锈蚀痕迹。

冶金考古专家实验分析发现，剑身菱形花纹是一种硫化物，能有效防止青铜表面生锈。铜、铁硫化物非常不稳定，很难实现化合作用下硫化物的防锈功能，因此关于"越王勾践"剑的菱形花纹的形成，学术界普遍认为是先行在剑身刻槽，然后直接填以硫粉而成；也有学者认为是"金属膏剂涂层"技术的产物。吴越地区铸造的青铜兵器，常见此类硫化物几何纹样，是吴越兵器闻名于春秋的原因。望山1号墓主人为"悼固"，是楚悼王庶支子孙。越王勾践剑应是楚灭越战争战利品，悼固曾随侍楚王，劳绩甚著，因此受到赏赐并挟之入土以显示荣耀。

越王勾践剑藏于湖北省博物馆。

攻吴王夫差剑 春秋晚期文物。1935年，安徽省寿县西门内（一说河南洛阳）出土。原为于省吾旧藏，后归故宫博物院。

攻吴王夫差剑通长58.2厘米，宽4.7厘米。柄呈喇叭式，中空器半，镡为环形。格狭窄，无纹饰。脊隆起呈三棱形。一面腊上有两汉铭文："攻吴王夫差自作其元用。"

吴王夫差正是吴国最强大时期的国君。春秋战国时期征战频繁，推动了兵器铸造发展，吴国和越国地势不适合车战，步兵较多，剑等

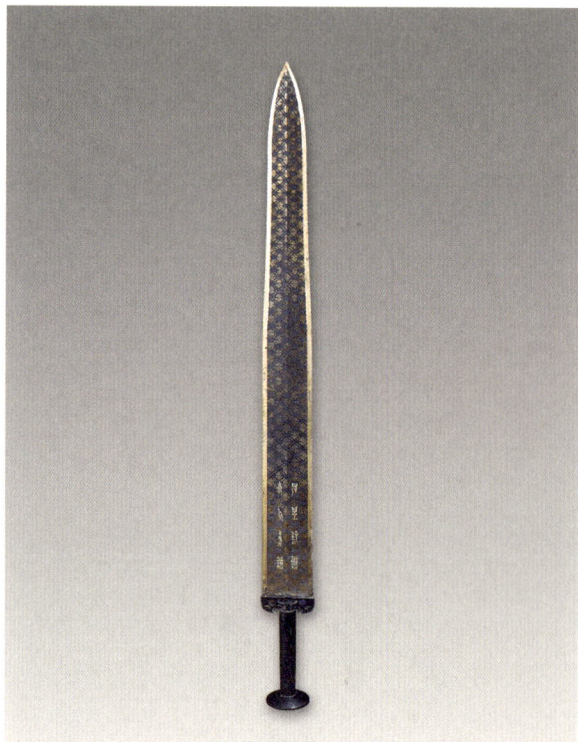

短兵器使用量很大，使吴越地区铸剑水平远远超过中原地区，有很多被世人称羡的名剑。此时期剑用青铜铸造，在不同部位加入了一定量锡、铅、铁、硫等，以保证剑身韧性和刃部锋利。现在出土和著录的"吴王夫差"青铜剑有9把，形制和铭文大体相同。

攻吴王夫差剑藏于中国国家博物馆。

诸樊剑 春秋晚期文物。1959年，安徽省淮南市八公山区蔡家岗赵家孤堆战国墓2号墓出土。

诸樊剑通长36.4厘米，锋刃长27.9厘米，茎长8.3厘米，最宽处3.8厘米，重390克。剑首呈喇叭式，中空其半，镡为环形。隔狭窄，无纹饰。脊隆起呈三棱形。腊上有铭文2行35字："工（攻）敔（敌、吴）大（太）子姑發綢反，自乍（作）元用，才（在）行之先，云（員）用云（員）隻（獲），莫叡（敢）致（御）余，余處江之陽，至于南行西行。"

"姑發綢反"即诸樊，是吴王寿梦长子、阖闾之父，此剑作于诸樊即位前。诸樊剑出土于蔡声侯墓，应是由于过去蔡吴联姻，或作为战利品由吴入蔡。

诸樊剑藏于安徽博物院。

少虡剑 春秋晚期文物。又名吉日壬午剑。1923年，山西省浑源县李峪共出土4件，此件后为于省吾所藏。另有1件于1991年在山西省原平县刘庄村塔岗梁出土。

少虡剑通长53厘米，宽5厘米。斜宽从，厚格，腊长，两从保持平行，锋尖锐。厚格呈倒"凹"字形，圆茎有箍，圆形音。剑脊呈凹

条形，两面均有错金铭文，共20字："吉日壬午，乍(作)为元用，玄镠铺吕(铝)，□余名之，胃(谓)之少虡。"铭文的大意为：壬午吉日，做此把好剑，铸造原料是锡与铜，命名为"少虡"。

此件少虡剑藏于故宫博物院。另4件分藏于中国国家博物馆、原平市博物馆、法国巴黎集美博物馆、美国华盛顿弗利尔美术馆。原平市博物馆少虡剑锋部残断，铭文少"吉日"和"铺吕"四字，其他完全相同。

少虡剑藏于故宫博物院。

越王者旨於睗剑　战国早期文物。越王者旨於睗剑已知发现9柄，分别藏于中国国家博物馆、故宫博物院、上海博物馆、安徽省博物馆、安徽寿县博物馆，以及浙江省博物馆。此件越王剑，是1995年浙江省博物馆在上海博物馆的协助下，由杭州钢铁公司出资从香港购回

的流失文物。

越王者旨於睗剑全长52.4厘米，最宽处4.1厘米，剑首直径3.6厘米。剑身修长，中脊突起，两侧刃部有两度弧曲，顶端收聚成尖锋。剑首阴刻有五道同心圆，剑茎为圆柱体，并有两道突起的箍，箍上装饰细密变形夔纹。在整个剑柄上松散地卷绕宽约2毫米的丝质缠缑。丝质缠缑下面有丝织品痕迹，丝织品内有木片痕迹。剑格上铸有铭文："越王者旨於睗剑。"铭文旁镶嵌有数百颗薄如蝉翼的绿松石。剑鞘完整，木制的，颜色乌黑，是用2块薄木片依据剑形制、大小、尺寸挖出凹槽，然后合并，再在薄木片外缠绕丝带并髹黑漆。剑与剑鞘严丝合缝。

经容庚、陈梦家、殷涤非、林沄等考证，此剑铭文中"者旨於睗"应是越王勾践之子，第三代越王鼫与。李家浩指出，者(通诸)和於都是语气助词。越王鼫与在位期间留下很多刻铭兵器和礼器。

越王者旨於睗剑藏于浙江省博物馆。

三年大将吏弩机　战国晚期文物。2003年，陕西历史博物馆征集。

三年大将吏弩机由望山、悬刀、栓塞、

钩牙组成，造型精致，构件灵活。望山长8.4厘米，宽4.55厘米，厚2.25厘米，键径1.05厘米，钩牙长6.7厘米，宽2.48厘米，厚0.9厘米，键径1厘米，悬刀长10厘米，宽1.5厘米，厚0.98厘米，两件栓塞长分别为3.98厘米和3.7厘米，直径分别为0.92厘米和0.9厘米。望山正背面和悬刀上刻有铭文23字，笔画纤细、潦草，不易辨认。望山铭为晋系文字，为第一次刻，共19字："三年，大将吏敤、邦大夫王平、象（掾）长（张）承（承）所为，受事伐；澽（废）丘。"背面和悬刀铭为秦系文字，为第二次刻，皆为"澽（废）丘"两字。

三年大将吏弩机作于赵王迁三年（前233年）。"大将"为"大将军"简称，文献记载战国晚期赵国大将有三位，为廉颇、乐乘、李牧。李牧在赵王迁二年（前234年）任大将，"大将吏敤"应为李牧属吏。

三年大将吏弩机藏于陕西历史博物馆。

左工尹弩牙　战国文物。旅顺博物馆旧藏。罗振玉《三代吉金文存》、刘体智《小校经阁金文拓本》等金石著作中著录。

左工尹弩牙为弩机钩弦部件，仅存望山、悬刀、钩牙、枢轴，无郭及其他部分。牙面刻

有铭文"左工尹"。左工为隶属于大工尹的手工作业管理机构，掌管弩机的铸造。

弩是用机械力射箭的弓，是由弓发展而成的一种远程射杀伤性武器，核心部分为弩机，包括外框部分的"郭"，钩、放弓弦的"牙"，作为扳机的"悬刀"及瞄准的"望山"。弩机从战国早期的无郭发展到有郭，最初为木郭，后出现铜郭，形制逐渐完善。

左工尹弩牙藏于旅顺博物馆。

兽面纹胄　商代晚期文物。1989年，江西省新干县大洋洲窖藏出土。

兽面纹胄通长18.7厘米，内直径21～18.6厘米，厚0.3厘米，重2.21千克。圆顶帽形，正面下方开长方形缺口。左右及后部向下延伸，以保护耳和颈部。正面有脊棱，直通头顶。顶部一圆管，用以安插缨饰。侧边各有一小孔，以穿绳系胄固于颔下。顶侧兽角旁各有一小洞，用作透气。正面以脊棱为中线，饰一高浮雕兽面纹，粗大单角外卷，长方圆目横置，卷云状耳竖立，内卷鼻口居中。边沿增厚一周，前面开口收进，如兽面横口。双耳作斜长方形。

兽面纹胄藏于江西省博物馆。

大角兽面纹青铜胄饰 商代晚期文物。1985年，山东省滕县前掌大211号墓出土。

大角兽面纹青铜胄饰面阔19厘米，面高10.9厘米，通高15.8厘米，角间宽22.5厘米，厚0.1厘米。表面作兽面纹，宽大桃形大角在兽面突出位置，角面饰"十"形凹线叶脉纹。"臣"字形大眼暴突。桃形小耳，眉间有菱形饰。阔鼻中部起脊，大嘴开咧，两侧露出獠牙，牙和鼻间连铸出横梁，以为穿。角上左右各有二穿。

胄饰是系缚于青铜胄（盔）前额处的配件。胄饰既有装饰性功能，又能够增加胄前上部防护功能。

大角兽面纹青铜胄饰藏于枣庄市博物馆。

胸甲 西周晚期文物。2007年，陕西省韩城县梁带村芮国墓地28号墓出土。共出土90余片，除零散甲片，绝大部分集中放置在椁室东南部，数量多且成组叠压，编列清晰。

胸甲单片长12.5厘米，宽9厘米。缀合复原长49厘米，宽25厘米。形制以长方形为主，上端近方形，近边中部有两个小细口。下端呈圆角方形，边中部呈桃尖形。

西周和春秋的墓葬中均有青铜铠甲发现，但皆为零散甲片，未见集中放置情况。梁带村芮国墓地28号墓发现的胸甲为研究早期青铜铠甲形制、结构和使用方法提供了新资料。

胸甲存于陕西省考古研究院。

景泰元年（1450年）火铳 明代文物。中国国家博物馆征集。

景泰元年（1450年）火铳长26.1厘米，口径10厘米，底径9.1厘米。由前腔、药室和尾銎组成，药室有小孔，用于放置导火线，铳身刻有"景泰元年造，天威叁百捌拾叁号"字样。

火铳最早发明于宋代，是金属管形射击火器的通称。使用时点燃由药室引出的药线，引燃药室内火药，借助火药燃气的爆发力将预装入前腔内的石弹或铁弹射出，杀伤敌人。现代枪炮就是在此基础上发展演变而来。明代用火铳装备军队自永乐年间（1403～1424年）开始，铳炮有大有小，大者用车载发射，用于守城；小者用支架托桩发射，用于冲锋陷阵。明朝政府设兵仗、军器二局，专门研制铳炮。明前期火铳可连续三发，射程达300步。明后期火铳长约2米，重者约700千克，轻者约80千克，可

连发10次，最远达700步。

景泰元年（1450年）火铳藏于中国国家博物馆。

佛郎机炮 明代文物。2004～2005年，江苏省徐州市徐州卫镇抚司遗址出土。

佛郎机炮身长108厘米，宽26.2厘米，铳槽长24.2厘米，宽12.7厘米。由母铳和子铳构成。母铳身管细长，口径较小，铳身配有准星、照门，能对远距离目标进行瞄准射击。铳身两侧有炮耳，可将铳身置于支架上，能俯仰调整射击角度。铳身后部较粗，开有长形孔槽，用以装填子铳。子铳类似小火铳，每一母铳应备有5～9个子铳，可预先装填好弹药备用，战斗时轮流装入母铳发射，提高了发射速度。

佛郎机炮由欧洲发明，明嘉靖元年（1522年）由葡萄牙传入中国，明人称葡萄牙为"佛

郎机"，故名，成为中国明代中期火炮。嘉靖三年（1524年），明廷仿制成功第一批32门佛郎机，每门重约150千克，母铳长2.85尺，配有4个子铳。之后，明廷又陆续仿制出大小型号不同的各式佛郎机，装备北方及沿海军队。

佛郎机炮藏于徐州博物馆。

第七节　人像及造像

青铜立人像　商代晚期文物。1986年，四川省广汉县南兴镇三星村三星堆遗址出土。1986年7月，三星堆砖厂工人取土烧砖时意外发现了玉璋等文物，经考古工作队历时7日的发掘，发现三星堆遗址1号坑。半个月后发现2号坑，出土青铜立人像、车形器人面像、尊、罍、彝、神树、禽类等。

青铜立人像高180厘米，通高260.8厘米，身体中空，分人像和底座两部分。人像头戴高冠，身穿窄袖与半臂式共三层衣，衣上纹饰繁复精丽，以龙纹为主，辅配鸟纹、虫纹和目纹等，身佩方格纹带饰。双手手型环握中空，两臂端于胸前，略呈环抱状构势。脚戴足镯，赤足站立于方形怪兽座上。整体形象典重庄严，应表现的是一个具有通天异禀、神威赫赫的大人物正在作法，脚下方台应是作法的道场——神坛或神山。雕像采用分段浇铸法嵌铸而成。

青铜立人像为商代晚期蜀国青铜人像。学术界对青铜立人像象征身份有几种不同的意见。一种意见认为，是某代蜀王形象，既是政治君王又是群巫之长。另一种意见认为，是古蜀神权政治领袖形象。还有学者认为，酷似汉语古文字中"尸"字字形，应解读为"立尸"，此处"尸"应是具有主持祭神仪式的主祭者和作为神灵象征的受祭者的双重身份。也有观点认为，立人像与古文献中"立尸"或"坐尸"内

涵截然不同。青铜立人像身佩方格纹带饰，当具有表征权威的"法带"性质。衣服上几组龙纹装饰似有与神灵交感互渗意义，衣服应是巫师法衣。有人认为，立人像手中原本应持有某种法器，包括琮、权杖、大象牙、类似彝族毕摩神筒或签筒等几种观点。有人认为，是空手

挥舞，表现祭祀时一种特定姿态。在三星堆众多青铜雕像中，从服饰、形象、体量等各方面看，青铜立人像堪称"领袖"人物。

青铜立人像藏于三星堆博物馆。

青铜武士像　战国文物。1983年，新疆维吾尔自治区伊犁哈萨克自治州新源县巩乃斯河南岸出土。发掘者描述新源县东北约20千米巩乃斯河南岸曾经有一排南北排列土墩墓，后封土被推平。1983年，考古工作者在此处距地表1.5米深度发现一批文物，包括青铜器、陶器、人骨、兽骨、青铜武士像等，推测是一处墓葬。

青铜武士像通高40厘米，重4千克，为红铜合模铸成的空心铜像。武士像造型端庄英俊，呈蹲跪姿态，头戴尖顶弯钩状宽檐圆帽，双手各残留一小孔，应原来握有刀剑。铜像面部丰满，大眼高鼻，二目直视前方，上身裸露，腰系短裙，赤足，左腿弯曲，右腿跪地，两手环握放在腿上，整体姿态威武雄壮。

青铜武士像是战国时期西域游牧部落武士铜像。武士头戴高筒尖顶弯钩宽檐帽、面目大眼高鼻，有考古学家推测是古代草原武士。古代文献记载，公元前5世纪左右，伊犁地区古代塞人的一支头戴尖顶帽，被称为"尖帽塞"，此青铜武士像头上的帽子为尖顶弯钩形，应为塞人武士。有学者认为，人像背脊处连通至尖帽顶端，有一凸棱十分突出，风格与古希腊士兵装束相像，应是公元前4世纪左右亚历山大东征后中亚地区受古希腊雕塑艺术之风影响所致。

青铜武士像藏于新疆维吾尔自治区博物馆。

女俑杖头　战国文物。1972年，云南省江川县李家山古墓群出土。李家山古墓葬群位于江川县城北16千米的早街村后山，墓葬分布范围十分密集。1972年，共发掘27座墓葬，共出土随葬品有1300多件。

女俑杖头高18厘米，杖头为一妇女披发

于后背形象，束发及腰，发丝清晰，佩戴大耳环，身着圆领封襟上衣，着短裙。右手垂膝，左手捂于胸部，踞坐在圆形座上。其下有圆形銎，用于装柄。

中国西南青铜时代考古文化权杖杖首出土数量很多，分布范围比较广泛。云南出土权杖性质主要有两种说法，一种是权杖说，认为权杖头是一种昭示身份、象征权威的特殊器具，使用者是高层人物，是社会组织管理产物；另一种是仪杖说，出土时多与兵器在一起，应为仪杖头上装饰物。

女俑杖头藏于云南省博物馆。

执伞男俑 西汉文物。1972年，云南省江川县李家山古墓群出土。

执伞男俑高65.6厘米。男俑踞坐于素铜鼓上，头顶挽高髻，面略向左侧，耳佩大玦，颈带串珠项链，衣袖及手肘，右肩挎宽带佩剑于左胯，背披毡，后腰突出，外扎腰带，前佩戴扣饰，小臂佩钏，跣足。双手执伞，伞已脱落。

晋宁石寨山出土一件完整执伞男俑，与此件男俑大体相同。此种伞盖并非仪仗用物，应是一种招魂用具。一些学者认为，秦汉时期，伞已在滇贵族中普遍使用，为文献中记载的曲盖，即曲柄伞，是贵族出行时使用的。执伞俑为古滇族青铜文化墓葬中所独有，在墓葬里一般前后各一。

执伞男俑存于云南省江川县文物管理所。

鎏金青铜佛像 十六国时期文物。1976年甘肃省泾川县前凉"归义侯"文物窖藏出土，同出共有文物10件，均为铜器。归义侯是十六国时期前凉末代帝王张天锡，曾在归降前秦后被苻坚封为"归义侯"。前秦灭亡后，张天锡

投奔东晋,后告老还乡,回到安定乌氏老家。

鎏金青铜佛像是十六国时期佛教遗珍。这件佛像,通高19厘米,由佛身、背光、台座、伞盖几部分,分铸套接而成,可以拆卸组装。佛顶圆形磨光肉髻,面形方圆,目光平视,表情平静。主佛身着通肩式大衣,衣纹呈"U"形,结跏趺坐于双狮座上,座下为四足方台。佛双手掌重叠,掌心向内,置于腹前,似作禅定印。佛像后部圆形顶光,身光相叠组成葫芦形背光,饰放射状莲瓣纹;圆形华盖,盖顶亦饰有莲瓣纹,华盖周边原有装饰物佚;伞柄插入背后的榫孔里,竖于像后。四足方座上饰波浪纹。佛像通体鎏金。

有学者推断,华盖鎏金铜佛约产生于301~314年,即张天锡祖父张轨出任凉州刺史期间。全国出土十六国前凉铜佛像极少,此造型佛像在同时期仅此一件。华盖是中国帝王专用象征性饰物,华盖鎏金铜佛像是佛教中国化早期符号,也是佛教传入泾川最早见证。

鎏金青铜佛像藏于甘肃省博物馆。

鎏金铜三尊像 东魏文物。1999年,陕西省西安市未央区出土。

鎏金铜三尊像通高35厘米。整体造型为一佛二菩萨,由主尊、背屏、左右胁侍菩萨、底座及两侧翼形饰件7个构件组成,各构件间以榫卯相插组合。主尊佛水波纹高肉髻,面相方圆,表情和悦,内着僧祇支,外着双领下垂式大衣,大衣右衣领敷搭左臂上。手施无畏与愿印,跣足立于莲台上。身后背光饰火焰纹,主尊头上方饰有舒展莲花,中心有一摩尼宝珠。莲台底座两侧分别插有镂空透雕龙形饰件,口吐莲花承托起左

右胁侍菩萨,台座下方正中饰浮雕张口喷吐莲枝龙头,后侧下方錾刻铭文:"比丘惠津敬造供养。"

鎏金铜三尊像呈现出典型北魏孝文帝汉化改制以后风格,佛和菩萨面相清秀、服装褒衣博带,显现出汉族士大夫所欣赏的精神风貌。衣摆外侈、衣褶密集的大衣样式在北魏晚期至东魏时期造像上常能见到;大背屏式组合造像和由双龙口吐莲枝承托莲台组合的胁侍台座,与青州出土北魏晚期到东魏时的石刻造像风格一致,时代也应相当。

鎏金铜三尊像藏于陕西历史博物馆。

董钦款鎏金青铜阿弥陀佛造像坛 隋开皇四年(584年)文物。1974年,陕西省西安市南八里村出土。

董钦款鎏金青铜阿弥陀佛造像坛高41厘

米，宽29厘米，厚24厘米。由高足床上阿弥陀佛、二菩萨、二力士、一香熏和一张四足方床、两蹲狮组成。造像中阿弥陀佛高肉髻，面相清瘦，双目平视，口微启，面带微笑。上身外着袒右肩袈裟外衣，内着僧祇支，下着长裙，两手施无畏印与愿印，结跏趺坐于莲花座上。两胁侍菩萨均头戴高宝冠，面相同佛，体长腰细，上身裸露，颈饰项圈，身佩璎珞，手挽帔帛，下着及踝长裙，跣足立于阿弥陀佛两侧莲花座上，分别为观世音和大势至菩萨。两菩萨前站立两金刚力士，力士头戴宝冠，面相丰满，狮鼻阔口，颈饰项圈，胸佩璎珞，肩搭帔帛，上身袒露，腹部圆鼓，下着长裙。正中置一香熏，下有一侏儒用力托举香熏。床前一对蹲狮。高足方床的四角各有一曲尺形护栏。四足方床的右侧及背面边和足上镌刻有启首为

"开皇四年"的发愿文及赞词。赞词为："开皇四年七月十五日，宁远将军武强县丞董钦敬造弥陀像一区，上为皇帝陛下，父母兄弟、姊妹妻子俱闻正法。赞曰：四相迭起，一生俄度，唯乘大车，成形应身，忽生莲座，上思因果，下念群生，求离火宅，先知化城。树斯胜善，慜诸含识，共越阎浮，俱□香食。"

董钦款鎏金青铜阿弥陀佛造像坛是隋代宁远将军董钦所造佛教遗珍，时代风格非常明显，是存世隋代金铜造像中造型结构最复杂、保存最完整的一组造像，对于研究隋代佛教传播、佛教造像艺术、铸造和镀金工艺具有重要价值。

董钦款鎏金青铜阿弥陀佛造像坛藏于西安博物院。

鎏金青铜阿閦佛坐像 13世纪文物。中国国家博物馆征集。

鎏金青铜阿閦佛坐像通高46.5厘米。佛头部为高肉髻，顶饰宝珠，螺发均匀密集。面目清秀，眉眼细长，鼻梁高挺，双唇微敛。佛体宽肩细腰，着袒右肩式袈裟，袈裟轻薄贴体，衣缘饰花纹。左手结禅定印，右手施触地印，结跏趺坐于莲座上。莲座正中置金刚杵。铜像通体鎏金，装饰简洁，为藏传佛教造像风格。

阿閦佛为不动如来，有菩提心坚定不动如山、有无嗔恚之意，名为"不动"。

鎏金青铜阿閦佛坐像藏于中国国家博物馆。

鎏金青铜观音坐像 明永乐年间（1403~1424年）文物。中国国家博物馆征集。

鎏金青铜观音坐像通高21厘米。束发，戴五叶冠，缯带在耳侧翻卷扬起。观音左手

结期克印，右手持宝瓶，坐于莲座之上。根据造像仪轨，此像右脚下应踩一小莲台。莲座满布细长饱满的仰覆莲瓣，座上缘及下缘各饰一圈联珠纹。莲座上刻"大明永乐年施"款。

鎏金青铜观音坐像为藏传佛教青铜造像。明永乐初年，宫廷开始大规模制作佛像，主要由藏、汉工匠在南京和北京制作，风格符合汉民族审美观点，衣纹刻画精致，用繁复的璎珞、项饰和飘动的帔帛来掩盖裸露的躯体，使人注意力集中到服装衣褶处理上，工艺复杂，集合塑模、铸造、錾刻、打磨、镶嵌、染色、鎏金等十几道工序。永乐年间为明朝经营西藏的重要时期，金铜佛像是明成祖对西藏上层僧侣赏赐礼物的重要部分。明代宫廷造像是明代宗教政治的产物。这尊观音坐像，装饰繁缛，

堆砌华丽而不失规制。通体鎏金基本完整。此观音像是明代宫廷造像中的精品。

鎏金青铜观音坐像藏于中国国家博物馆。

鎏金青铜弥勒菩萨坐像 16世纪文物。中国国家博物馆征集。

鎏金青铜弥勒菩萨坐像通高19.6厘米。弥勒着菩萨装，高束发，发髻上置宝塔，头戴宝冠，双手胸前结说法印，结跏趺坐于束腰莲座上。袒上身，下着裙，裙摆宽大多褶，散铺台面。左肩花上托一宝瓶，右肩花上置法轮，这是弥勒菩萨的标识。

此造像是藏传佛教造像，装饰华丽，工艺精湛，细长莲瓣仿明朝永乐时期莲瓣样式，是明代造像珍品。

鎏金青铜弥勒菩萨坐像藏于中国国家博物馆。

鎏金青铜财宝天王坐像　16世纪文物。中国国家博物馆征集。

鎏金青铜财宝天王坐像高36厘米。面部丰满圆润，宽头大耳，双目圆睁，额上长有天眼。造像头上戴有缀满宝珠宝冠，身披华丽璎珞铠甲，屈膝坐于一头回首甩尾的卧狮背上。右手持有宝幢，代表散布财富，左手抱着一只吐宝鼬，代表财富取之不尽，用之不竭。

鎏金青铜财宝天王坐像为藏传佛教风格造像，财宝天王名为朗梯色，亦称毗沙门天王或多闻天王，仅是北方多宝佛的化现，也是八地菩萨示现的护法身、毗沙门天王变化身之一。这尊造像头身比例符合明代造像规制。天王的衣饰华丽，做工精细。坐骑生动活泼。通体鎏金保存完整。堪称明代造像精品。

鎏金青铜财宝天王坐像藏于中国国家博物馆。

第八节　工具

圆口凿　商代晚期文物。1989年，江西省新干县大洋洲出土。新干大洋洲遗址出土大量精美青铜礼器和众多青铜工具与青铜农具，如锛、锥、凿、砧、柄刀、刻刀、修刀和耒、铚、锸、铲、镰、铚、犁铧等，此件圆口凿即为其中之一。

这种圆口凿一共出土9件，此件为最大的一件，通长10.7厘米，刃宽1.9厘米，銎宽3.4厘米。浑铸成型，长横截面为半圆形，正立面为长方形，中部略微束腰，刃部微微向两边外撇。銎部截面呈橄榄形，饰有蝉纹，纹饰简略，仅见双目和弧曲连线。

大洋洲遗址圆口凿等精美工具和农具的出土，为获知商代赣江流域手工业生产多样性提供了实物证据，反映出此文化生产专业化程度达到相当高水平，社会分工有了新进展，社会经济取得很大进步。

圆口凿藏于江西省博物馆。

平条斜刃刻刀　商代晚期文物。1989年，江西省新干县大洋洲出土。

平条斜刃刻刀长10.1厘米，宽1厘米，厚度0.1厘米。刻刀呈较宽的长条形，整体极薄，一侧边缘加厚起棱作脊，一端有斜刃，甚为锋利。刀面出土时沾有朱红色印记。刀尾部有轻微残损。应为浑铸成型，铸范由2块泥范组成，其中一块范面平光，另一块具有刻刀型腔，从柄端浇铸成型，无芯撑设置。

江西新干大洋洲商代遗址出土相似形制平条斜刃刻刀还有4件，大多残损。平条斜刃刻刀的出土，为获知商代赣江流域手工业生产多样性提供了实物证据。

平条斜刃刻刀藏于江西省博物馆。

燕尾纹钁　商代晚期文物。1989年，江西省新干县大洋洲出土。

燕尾纹钁为浑铸成型，通长14.8厘米，刃宽2.6厘米，肩宽5.7厘米，重260克。整体形似长銎有肩窄口斧。有长方形銎，双肩偏下，直体狭刃，下端刃口平齐，銎口有宽边。钁两面中间饰有正反相对刀羽形纹，肩部以上两侧边沿均饰有带状"V"形纹组成的燕尾纹。

燕尾纹为新干青铜器中比较有特色的纹样，不见于中原和其他地区，有浓厚的地方特色，长方形纹样前端状若圭首，后端分成双尾，形若燕尾，故名。钁亦称"鐯"，是一种类似镐头的起土用农具。燕尾纹钁的出土，为获知商代赣江流域手工业生产多样性提供了实物证据。

燕尾纹钁藏于江西省博物馆。

双目纹铲　商代晚期文物。1989年，江西省新干县大洋洲出土。

双目纹铲为浑铸成型，通长17.8厘米，刃宽13.4厘米，重580克。铲整体呈溜肩宽体式，有椭圆形銎，铲面下凹，刃部微带弧形。銎正面阴铸有长方形目纹，形成简化人面图像，其余部分皆为素面。

双目纹铲的出土，为获知商代赣江流域手工业生产多样性提供了实物证据。

双目纹铲藏于江西省博物馆。

卷云兽面纹耜　商代晚期文物。1989年，江西省新干县大洋洲出土。

卷云兽面纹耜为浑铸成型，长11.1厘米，肩宽14.4厘米，刃宽9.6厘米，重44.5克。为三角銎宽体式铜耜。平面呈等腰梯形，肩部平齐，刃部微弧，正面中部拱起，背面平齐，周边略微加厚，銎正中有穿对通。正背两面均饰有卷云、双目组成简体兽面纹，正面为三角形，背面为梯形，皆线条粗犷。铜耜原有织物包裹，出土时包裹织物痕迹清晰。

卷云兽面纹耜纹饰清晰、复杂，有织物包裹，作为农具使用可能性不大，学者认为应是一种特殊农具，即典礼用器。典礼农具的出现，证明新干大洋洲是以农业为本的文化，礼制的出现也是新干地区商代文化发展到一定阶段的产物。

卷云兽面纹耜藏于江西省博物馆。

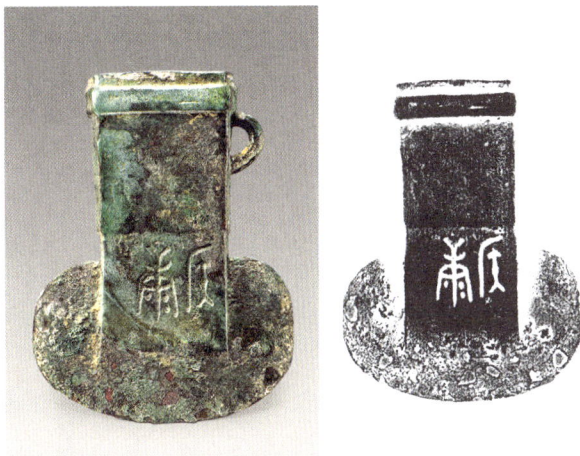

兽面纹犁铧 商代晚期文物。1989年，江西省新干县大洋洲出土。共2件，形制、纹饰相似。

兽面纹犁铧高10.7厘米，肩宽13.7厘米。为常规三角形宽体式，形状接近等腰三角形，两侧薄刃微带弧度，正面中部拱起，背面平齐，形成截面为钝三角形的銎部。犁铧两面均以三角形为框，内饰状若简体式兽面云雷纹和目纹，正面为阳文，背面为阴文。一件纹饰粗疏，另一件规整流畅。一件犁铧正中部有一穿对通。

犁铧为安装在木犁前端的犁头。此2件兽面纹犁铧是存世最早的商代青铜犁铧，铧体形较小，没有犁壁，形态源自史前江南流行的三角形石犁铧，只能松土，不能翻土，较为原始，但所需牵引力亦小，适用于人拖曳而非畜力，妇女亦可操作，处于由原始农业向精耕细作农业发展的过渡阶段。兽面纹犁铧纹饰清晰精美，单纯作为农具使用的可能性不大，学者认为这是一种典礼用器。

兽面纹犁铧藏于江西省博物馆。

康侯斧 西周早期文物。20世纪30年代，河南省浚县辛村一批西周墓葬被盗，盗掘品中有2件康侯斧，后为于省吾收藏。中华人民共和国成立后，于省吾捐赠给故宫博物院。此后，1件康侯斧被划拨中国历史博物馆。

康侯斧通高9.1厘米，刃宽6.8厘米，銎宽3.7厘米。器长方銎，銎向斧身延伸，口缘下有一周凸起宽带，短边一侧附一半环纽，斧刃部圆刃无角。器上铸铭文"康侯"。

康侯为典籍中"康叔"姬封，是周文王之子，周武王同母少弟，周公旦平定武庚与管叔、蔡叔叛乱后，康叔被封为卫国之君，封地在殷都朝歌。康侯斧出土地河南省浚县，正属于康叔封统治的卫国区域，应是康叔封所督造的青铜器。

康侯斧藏于中国国家博物馆。

太子车斧 春秋早期文物。1991～1992年，河南省三门峡市湖滨区上岭村上村岭虢国

墓地出土。

太子车斧通高14.85厘米，宽3.45～4.8厘米，銎口长4.8厘米。斧为扁平长方体，双面刃，刃部略弧。斧尾部有长方形銎，出土时銎内有朽木，銎口沿部有半环形小穿。斧身一面铸有铭文2行4字："太子车斧。"

太子车斧应为虢国青铜仪仗器，拥有者为虢国太子，"车斧"应为斧的一种，即车上用斧。传世吕大叔铁斧有铭文为"吕大叔以新金为二车之斧匕"，证实车上有专用之斧。

太子车斧藏于三门峡市博物馆。

青铜斧 春秋文物。1979年，湖北省大冶市铜绿山矿冶遗址出土。大冶铜绿山遗址，是春秋至汉代的一处大型矿冶遗址。

青铜斧通高25厘米，刃宽22厘米，重3.5千克。首端有长方形銎，以安插斧柲。斧身呈亚腰形，器形扁平，平刃，刃部宽度明显增大，器身近銎部有方形对称穿，斧一角残。

此件青铜斧属挖掘矿料工具，制作时间大约在春秋中晚期。经化学分析，铸造时掺有6.25%的锡，增加了铜斧硬度，有利于开凿坚

硬矿石。铜绿山古铜矿遗址青铜工具在经历发展繁盛阶段后，很快消失并在春秋战国之交被铁制工具取代。

青铜斧藏于中国国家博物馆。

青铜斧 战国文物。1980年2月，四川省新都县马家战国大型土坑木椁墓出土。墓早年被盗，只在淤土中发现一些小件器物和陶、漆残片，但在木椁垫木下发现一腰坑，坑内有随

葬铜器188件。

青铜斧长24厘米，銎径2.6厘米。弧刃，方銎，长骹为八棱形，素体。骹上部阴刻有此墓出土铜器的特殊符号。

四川成都南郊、巴县冬笋坝等地战国墓中发现有类似器物。研究认为，巴蜀地区青铜斧可分为两种类型：一种是刀刃呈弧形，刃尖处向内斜收成身，扁銎口，器身梯形，时代大概在商代中晚期；另一种是刃呈弧形，刃尖内斜收成细长身，近銎处外侈形成銎部，方銎口，时代大约相当于战国早期至晚期。汉代以前巴蜀地区青铜斧斧身细窄，作为兵器可能性较小，应是作为工具使用。

青铜斧藏于四川博物院。

第九节 车马器

牛首纹害（配辖） 西周早期文物。1967，甘肃省灵台县西屯乡白草坡村1号车马坑出土。1967年9月，农田改造中发现墓葬遗迹。1972年6月，甘肃省博物馆文物工作队历时两个多月，经全面探查，共发掘清理西周墓葬9座和车马坑1座，出土文物7大类1354件。

牛首纹害（配辖）通长21.3厘米，呈两段式筒形。靠近外端一段直径较细，到外端处略粗。外端端面有同心圆弦纹，从内至外呈阶梯状分布。细筒部分外饰素面的蕉叶纹，每个蕉叶纹根部饰有一只浮雕牛首。与细筒部分相接的是嵌套在车轴外的筒形部分，直径较粗，素面，上下对开两个方形孔槽，内插一件辖。

车害最早在商代晚期出现，在文献中又写作"軎"。铜质车害是套在车轴两端的筒形器，车害内端应是深入毂内。研究者认为，一方面可加大轴在毂内转动的耐磨性，另一方面

可减少二者摩擦。铜质车害上下都开有长方形穿孔，以安插车辖。车辖目的是将车害固定在轴上。辖上一般都有穿孔，用以穿绳系缚，使害与轴的套接更加稳固。

牛首纹害（配辖）藏于甘肃省博物馆。

踞坐人形辖 西周早期文物。1966年，河南省洛阳市北窑庞家沟西周墓地出土。1963～1966年，洛阳市文物管理委员会在庞家沟共发掘348座墓葬和7座车马坑。451号大墓中一对相对的壁龛中间有车衡残迹，踞坐人形车辖出土2件，分别位于车衡两侧相当于轮的位置。

踞坐人形辖高22厘米，上部是一踞坐人形。头顶束发，外罩一个网状束发帽。帽带系于颌下。上衣右衽，腰系宽带，前有敝膝。双手交于腹部。俑身下有带穿孔辖椎。俑腿部弯曲处也呈穿孔状，用于系缚绳索。俑背后有一块与身体垂直方板，上面有浮雕兽面纹。辖插

入害辖孔后，方板应悬覆于外侧车毂上。

辖与害配套使用，用以将害固定在轴上，能够保护车轴，同时能够起到装饰作用。人形辖在洛阳北窑西周中期遗存中出现过，山西曲沃天马—曲村晋侯墓地1号墓出土过一件人骑兽首形辖，时代为西周晚期偏早。

跽坐人形辖藏于洛阳市博物馆。

兽面纹半筒形轴饰 西周中期文物。1975年，陕西省宝鸡市益门公社茹家庄㢣国墓地1号车马坑出土。

兽面纹半筒形轴饰长约20厘米，主体是一半开放管，横截面呈半卵形，上端较尖，整体像尖顶拱门。管状部分顶端呈下凹弧线，表面饰窃曲纹。管状部分后面伸出一块圆角梯形板，板与管状部分呈直角，板面饰兽面纹。兽面眼睛立体感较强，接近人眼形状。

轴饰是西周时期常见车器，应位于车舆和毂之间。半卵形管朝向车舆方向，板覆在毂上，轴饰的铜管是套在从舆底伸出的轴上。铜管最大径一般大于轴径需在轴与管壁间垫上木楔，有学者认为木楔应是木质伏兔。朱凤瀚认为，轴饰功能有两方面，一是稳定伏兔、保护车毂，二是起到挡泥板作用，避免泥土沉积于舆、毂之间轴上，且不认同将此类器物通称为轴饰。类似器物在北京房山琉璃河西周墓地、陕西长安客省庄车马坑以及扶风杨家堡西周墓都有出土。

兽面纹半筒形轴饰藏于宝鸡青铜器博物院。

人驭兽纹軎 西周中期文物。1975年，陕西省宝鸡市益门公社茹家庄㢣国墓地1号车马坑出土。

人驭兽纹軎通高13厘米。呈管状，上部饰兽面纹，背后蹲踞一长发小人，身上衣服饰有龙纹，腰系宽带。小人姿势似在抱持兽面。人形下面以及人与兽面之间均有对穿的孔，用以插木楔。

軎是套在车辕前端的部件，主要目的是固定车衡。所发现最早的軎为商代晚期。人驭兽纹軎上人物发饰、衣着均具有地域特色。

人驭兽纹軎藏于宝鸡青铜器博物院。

错金兽首軎饰 战国文物。1951年，河南省辉县固围村1号墓出土。墓的南墓道中有一木室，存放了2辆车，木质已朽毁，出土有青铜、金银等质地的车饰。

错金兽首軎饰高8.8厘米，长13.7厘米，管径4.8厘米。兽首形，兽大眼浓眉，阔鼻筒耳，面目头颈上遍饰错金银卷毛纹、菱形纹和鳞纹等，线条流畅，刻画细腻精致。兽首侧视呈弧形，軎饰中空，颈后呈圆管。出土时，残存辖首削作斜面，裹以粗布，紧密塞入軎饰的銎管。軎两侧有穿，用钉楔入加以固定。

固围村大墓是已知魏国墓葬中规格最高一座，出土器物多工艺考究，精美绝伦。错金兽首軎饰代表了魏国铜器铸造及错金银工艺最高水平，也反映了贵族生活的华丽与奢靡。

错金兽首軎饰藏于中国国家博物馆。

火焰形銮 西周早期文物。1980年，陕西省宝鸡市益门公社竹园沟19号墓出土。棺盖上出銮铃2件，还有当卢、车軎、车辖、铜泡等车马器部件。

火焰形銮通高15厘米。上端为铃，中间为2个半球形镂空铃球，内有铜丸，外出廓，廓边缘饰镂空火焰纹。铃球下连接颈部，呈梯形。颈部以下承中空梯形座，外壁饰纵向凸棱纹和菱形纹样。

銮出现于西周，文献多记载。研究者认为，銮具有视觉装饰和以听觉代表上层地位的功能。主要装饰在軛首及軛两边衡上，一般由铃球、颈和銮座三部分组成。这种带有边廓的銮是西周早期比较常见的形制。带廓銮造型别致，具有较强的装饰性。

火焰形銮藏于宝鸡青铜器博物院。

蝉纹弓形器 西周早期文物。1980年，陕西省宝鸡市益门公社竹园沟7号墓出土，于墓主人头端棺椁之间空档中，不像很多同类器置于墓主人腰间。

蝉纹弓形器通长36.5厘米，由扁平板和两侧曲钩组成。平板横截面呈弧形，外面饰一对蝉纹，中间有一环状凸起，凸起中间原应有镶嵌物。曲钩末端各有一镂空球状铃。

中国境内弓形器主要出土于河南北部、河北、山东、山西和陕西等地，时代集中在商代晚期和西周早期。俄罗斯西伯利亚、蒙古国也有类似器物，但曲钩末端一般是实心球。关于弓形器功能和定名，学术界一直存在争议。早期研究者认为是旗帜上的"旗铃"或马铃。石璋如认为是弓秘里侧部件，用于加强弓的强度。苏联学者认为是和轭相连的配套附件。20

世纪80年代，林沄判断弓形器是马车驭手的挂缰钩，此说在学术界具有较高认同度。这件弓形器造型规整，做工精良，保存完好。

蝉纹弓形器藏于宝鸡青铜器博物院。

分体弓形器 西周早期文物。2012年，陕西省宝鸡市石鼓镇石咀头村3号墓出土。

商代晚期出现的弓形器，一般情况下都是由1个扁平板连接2个带铃的曲钩。这件弓形器则是分体的，只有2个曲钩和铃，没有中间连接的平板。这件弓形器所出的石咀头墓葬，随葬品内涵丰富，文化因素多元，且时代处于西周早期最早阶段，很可能受到异族影响。因此，该弓形器形制特殊，是已知发现的唯一一件分体式弓形器。

分体弓形器藏于宝鸡青铜器博物院。

第十节　其他

青铜神兽　春秋早期文物。1990年，河南省淅川县徐家岭出土。共2件，大小、形制、纹饰基本相同。

青铜神兽通高48厘米，长47厘米，厚27厘米。造型奇特，有龙首、虎颈、虎身、虎尾、龟足。龙张口吐舌，龙首上有6条小龙，背脊上有一方座。方座下方有一方形榫，插于神兽脊背上的方形孔内。方座上有一只呈奔驰姿态的兽，前爪立于方座曲尺形柱上，后爪分开放在神兽颈上，卷尾，口衔一条蛇形龙尾部，蛇形龙昂首，头上有三只角，吐舌躬身。神兽嵌有绿松石，呈龙、凤、虎、云纹、涡纹等图案，形象生动。龙纹镶嵌于神兽颈部中部，虎纹嵌于方座前脊背两侧，凤鸟纹散落于各处。

2件神兽头部均外扭，最上部龙角有穿孔，腹部下方有一半环形纽。神兽的龙头、舌、身、尾、蛇形龙等各部分为分铸而成，然后组合成一体，最后将绿松石按照设计形状磨成拼好后镶嵌其上。

青铜神兽应是一对尾部相对的鼓架，鼓已不存，为春秋早期楚国所铸，造型奇特，制作精致，为不可多得的文物精品。

青铜神兽存于河南省文物考古研究院。

曾侯乙鹿角立鹤　战国早期文物。1978年，湖北省随县擂鼓墩1号墓出土。

曾侯乙鹿角立鹤通高143.5厘米。鹤昂首伫立，长嘴上翘，末端呈钩状。头部两侧各有一支分叉鹿角，长而上扬。长颈占通高一半以上。双翅展开作飞翔状，翅尖上翘。鹤身轻扬潇洒。双足并立，腿部颀长、刚健。足下有三爪，下承方形板座上。板座呈三层台阶形，中心高，外层低。外层四边中部各有一壁虎形纽，内套一圆环。通体有镶嵌纹饰，鹤首、颈部以及鹿角饰错金涡云纹、三角云纹和圆圈纹，背部饰羽毛纹夹杂勾连三角纹，脊部镶嵌绿松石，腿部饰涡云纹，脚爪饰回纹，三层座板分别饰勾连云纹、浮雕蟠螭纹和镶嵌凤鸟纹。鹤嘴右侧有铭文1行7字："曾侯乙作持用终。"

战国楚系墓葬中多见漆木质地飞鸟、鹿形

器，关于此种器物功能有多种观点。曾侯乙墓发掘者认为，鹤、鹿在传统文化中被认为是长寿的象征，尤其鹤与登仙思想有关。还有学者认为，是墓葬中镇墓兽，其形象应是文献中风神"飞廉"。也有学者指出，应为鼓架，与湖北枣阳九连墩大墓所出虎鸟座鼓的鼓架相近。造型奇特的动物飞鸟形象器物，反映了楚地重巫、尚怪的文化特质。

曾侯乙鹿角立鹤藏于湖北省博物馆。

贡纳场面贮贝器　西汉文物。1956年，云南省晋宁石寨山13号墓出土。

贡纳场面贮贝器是西汉时期古滇国贮放贝币的青铜器，通高39厘米，最大径127.2厘米。原由重叠两鼓组成，出土时上鼓已残，下鼓鼓口铸有立体人物、牛马等，胴、腰间铸四环耳，器身下部铸四卧牛。口沿所铸雕像根据发式、装束及行进状态，可以分为七组，每组多者4人，少者2人，为首者均盛装佩剑，后随者或牵牛引马，或负物。贮贝器出土时器中贮

满海贝，贝币并非本地所产，应是源自印度洋和太平洋暖水区域。

贮贝器是用来贮藏海贝的青铜容器，是云南滇池、抚仙湖区域青铜文化独特产物，是滇国王侯贵族身份与地位象征。贡纳场面贮贝器在发掘报告中被称为"赶集场面铜贮贝器"。1961年冯汉骥提出不同意见，认为应是滇王统率下各种民族或部落向滇王进贡或献纳图景，命名"贡纳场面贮贝器"。学者研究，贮贝器雕像中有"椎髻"的滇人和"编发"的昆明人滇人中梳髻位置和服饰又大不相同，背物牵牛人物均深目高鼻，穿长裤，应是侨居的"身毒之民"和"僄越人"。贡纳场面贮贝器表现内容意义丰富，工艺精美，人物、动物形象生动逼真。

贡纳场面贮贝器藏于中国国家博物馆。

七牛虎耳贮贝器　西汉文物。1955～1960年，云南省晋宁石寨山出土。

七牛虎耳贮贝器是西汉时期古滇国贮放贝

币的青铜器，通高43.5厘米，盖径16.8厘米，底径21.8厘米。器身作筒形，中束腰，平底，底部有4个兽足，腰部有对称虎形耳一对，器盖上铸七牛，六牛环绕于器盖边缘，大角长尾，肩瘤突起，另有一牛伫立于青铜鼓上，作昂首鸣叫状，岿然独出于众牛之上。贮贝器出土时贮满海贝，应是源自印度洋和太平洋暖水区域。

七牛虎耳贮贝器以虎与牛作装饰主题，显示滇国畜牧业的发达。贮贝器盖上黄牛应为西汉时期滇国居民饲养家畜，造型健壮威武，作为财富的象征，反映了滇国居民夸富心态以及增加财富的愿望，闪烁着夺目的艺术光辉。

七牛虎耳贮贝器藏于中国国家博物馆。

纺织场面贮贝器 西汉文物。1955～1960年，云南省晋宁石寨山出土。

纺织场面贮贝器是西汉时期古滇国贮放贝币的青铜器，通高27.7厘米，盖径26厘米，底径31厘米。器盖上铸有铜俑18人，均为女性，向

心踞坐，正用踞织机织布。中有一人坐于矮榻上，应为滇国上层人物，正监督纺织活动。类似的纺织场面青铜贮贝器在云南江川李家山也出土过一件，器盖上的妇女同样在使用踞织机织布。纺织作坊设在露天，女奴们箕踞而织。

纺织场面贮贝器反映滇国妇女用踞织机纺织场景，为研究汉代滇人手工艺生产提供了重要资料。战国至西汉时期，中原地区已普遍使用有机架的斜织机，踞织机是斜织机出现前的一种较简单织布工具，纺织场面贮贝器反映滇人纺织技术比较落后。

纺织场面贮贝器藏于中国国家博物馆。

诅盟场面贮贝器 西汉文物。1955～1960年，云南省晋宁石寨山出土。

诅盟场面贮贝器是西汉时期古滇国贮放贝币的青铜器，通高51厘米，盖径32厘米，底径29.7厘米，出土时器内贮贝300余枚。器身呈筒形，腰微束，两侧有对称虎形耳，底部有3只兽爪足。盖上铸一间干栏式房屋及各种人物127个（未计残缺者）。房屋建筑主要由屋顶

和平台构成。屋顶呈"人"字形，平台由小柱支撑，上面高凳上垂足坐一位主祭人。主祭人周围放置16面青铜鼓，左前方和右侧均为参与祭祀者，面前摆放祭品。平台左、右两侧为椎牛刑马、屠豕宰羊等场面。平台后有击打青铜鼓和镈于的人物、待刑裸体男子及持器盛物的妇女等。

诅盟场面贮贝器的器盖上真实地再现古代滇王杀祭诅盟典礼场面，具有原始的、强烈的凝重、神秘与肃穆感。诅盟是古云南一种盟誓仪式，凡有重大事件都用盟誓约束，设立祭坛，供奉祭品，举行典礼。诅盟场面贮贝器上展现的是一次立柱祭祀仪式。

诅盟场面贮贝器藏于中国国家博物馆。

蟠螭纹釭 春秋文物。1974年，陕西省凤翔县姚家岗春秋宫殿遗址出土。

蟠螭纹釭为青铜建筑部件，长42厘米，宽16厘米。呈曲尺形，外侧呈板状，外露面饰蟠螭纹。板面转角处有一圆形孔，应是用于固定所嵌入部位的钉孔。尾端锯齿均饰三角蟠螭纹。

关于蟠螭纹釭用途，发掘者认为是用于安装枋木转角处。杨鸿勋认为，是与木构件结合使用的门窗构件，应是汉代所谓的"釭"或"金釭"。蟠螭纹釭发现于凤翔秦雍城，反映春秋时期秦人在青铜器铸造和建筑艺术方面的进步，以及秦宫殿的宏大规模和精巧设计。

蟠螭纹釭藏于中国国家博物馆。

伎乐房屋模型 春秋战国文物。1982年，浙江省绍兴市坡塘狮子山出土。

伎乐房屋模型为春秋战国时期南方徐越一带青铜器，通高17厘米，面阔13厘米，进深11.5厘米。为三开间屋，屋向一面敞开，立三根圆形明柱。房屋两边为长方格镂空落地式墙壁。后墙中心部位开一小窗。屋顶为四角攒尖顶，顶心立有一图腾柱，断面作八角形，柱顶塑有一大尾鸠。屋顶、后墙及四阶均饰以方形结构勾连回纹，图腾柱表面饰有"S"形勾连云纹。屋室内共塑有6人，均为跪姿，分前后两排。前排右边一人面向房间中心，前方置一鼓，当为鼓师；前排左、中两人均面向屋门，

双手置于腹上，作吟唱状；后排中间一人膝上放一长条形琴，右手执一小棍，左手拂弦；后排右边一人双手捧笙，左边一人双手抚琴，均做演奏姿态。

伎乐房屋模型制作精美，造型逼真，还原了春秋战国时期伎乐演奏场景，为研究春秋战国时期建筑、信仰、艺术等提供了珍贵研究资料。

伎乐房屋模型藏于浙江省博物馆。

人物屋宇模型　西汉文物。1956年，云南省晋宁县石寨山出土，共发现3件。

人物屋宇模型为西汉时期古滇国青铜器模型，高11.2厘米，宽17厘米。建筑以井干式结构楼室为主干构成主室。围绕楼室前三面勾栏平座上为祭祀演礼明堂。平座上，主室两翼配置厢房或勾栏延伸，附建亭榭。楹柱、勾栏、牖、陛、壁板等部位雕饰有云纹、雷纹、垂鱼、神蛇等古代宗教文化和传统建筑装饰题材。祭堂上，筵地陈设有樽俎列豆，人物跪拜

祈享神主。神主为一男或一女，于井干式结构主室中临牖司祭，另有一男一女于祭坛上行灵媒交媾仪式。

文献记载，井干式建筑在先秦至汉晋时期是中国礼仪建筑主体结构形式。人物屋宇模型生动展示了古滇国建筑风格和特色，复原了滇国宗庙祭祀礼仪活动，对进一步了解井干式结构在中国古代建筑中的运用和在宫室和祭祀宗庙建筑中地位具有重要意义。

人物屋宇模型藏于云南省博物馆。

王子婴次炉　春秋文物。传1923年，河南省新郑县李家楼出土。

王子婴次炉通高11.3厘米，口纵45厘米，口横36.6厘米。形状似盘，敞口，方唇，圆角平底。四壁斜直下收，饰细密斜方格谷粒纹。器壁两侧有环纽，两端各有3节提链。器底下部有柱状残足23个，学者对炉底形制有不同的复原意见，有学者推测应为长方形支柱状圈足。器壁内侧有铭文7字"王子婴次之燎炉"。

学术界多认为王子婴次炉是燃炭取暖的燎炉，王子婴次炉国属争议颇大，多认为是楚器，王子婴次是楚令尹子重，此器是晋楚"鄢陵之役"楚师兵败后遗于郑地。有学者认为炉纹饰具有吴器风格，王子婴次应是吴王之

子。还有学者认为是徐器，王子婴次为徐之王子。王子婴次炉无论是楚器、吴器还是徐器，都体现了春秋时期不同区域社会上层文化交流情况。

王子婴次炉藏于中国国家博物馆。

未央宫竹节熏炉 西汉建元四年（前137年）文物。1981年，陕西省兴平县茂陵1号无名冢以南丛葬坑出土。

未央宫竹节熏炉通高58厘米，口径9厘米，底径13.3厘米，重2.57千克。博山炉形式，由炉体、炉柄分铸铆合而成。炉体突出鎏银带一圈，上浮饰4条鎏金顾龙，龙身从波涛中腾出。盘口沿有银宽带纹一周，下有十组三角纹，三角纹内饰蟠龙纹，蟠龙为鎏金，底色鎏银。炉盖透雕多层山峦，云雾缭绕，金银勾勒，宛如一幅秀丽山峦景色。柄下为圈形底座，上浮雕二蟠龙相纠，龙身满饰鎏金细纹鳞甲，竹节形炉柄纳入龙口。柄分五节，节上刻出竹叶枝杈，上端铸有歧出的蟠龙，龙身

鎏金，爪鎏银，龙首上承炉盘。高杆枝头结华炉，精雕细镂，呈花蕾亭亭玉立姿态。熏炉炉口外侧和圈形底座外侧分别刻有铭文，炉口铭文35字："内者未央尚卧，金黄涂竹节熏炉一具，并重十斤十二两，四年内官造，五年十月输，第初三。"圈形底座铭文32字："内者未央尚卧，金黄涂竹节熏炉一具，并重十一斤，四年寺工造，五年十月输，第初四。"

铭文记载，未央宫竹节熏炉原名为"金黄涂竹节熏炉"，汉武帝建元四年（前137年）所制造，为西汉时期未央宫御用器具，当是汉武帝赏赐阳信公主之物。未央宫竹节熏炉是中国古代金属雕塑和铸造艺术的瑰宝。

未央宫竹节熏炉藏于茂陵博物馆。

错金云纹博山炉 西汉文物。1968年，河北省满城县中山靖王刘胜墓出土。

错金云纹博山炉为西汉时期青铜香炉，高26厘米，腹径15.5厘米。炉身似豆形，通体为金丝和金片错出的云气纹。炉座握柄透雕蟠

龙纹，呈三龙出水状，以龙头擎托炉盘。炉盘上部和炉盖铸出高低起伏、层峦叠嶂的仙山。炉盖上因山势镂孔，雕塑成生动山间景色，有虎、豹、猴、持弓猎人等雕像。炉腹内燃烧香料时，烟气从镂空山形中散出，芳香扑鼻，如仙气缭绕，给人置身仙境感觉。

错金云纹博山炉以流云、山峦、走兽为主题的装饰和香烟缭绕、云气蒸腾场景营造了迷幻、神秘的气氛，是对西汉流行的黄老思想和神仙文化精神的艺术化表现，与汉代刘向《熏炉铭》中"雕镂万兽，离类相加"描述相印证。错金云纹博山炉工艺精湛，装饰华美，反映汉代能工巧匠高度智慧和杰出艺术创造才能。

错金云纹博山炉藏于河北博物院。

青铜爬龙附件 西周文物。1992年，陕西省扶风县巨良海家村出土。

青铜爬龙附件长60厘米，重19千克。龙两角粗壮，对称向外斜出，两角之间脊高挺，双目呈短刀形突起，双耳上折，角顶上饰阴刻火纹，角柱上饰斜折线纹、弦纹及圆涡斜折线纹，面饰云纹。龙嘴大张，卷唇，上下齿相合，鼻梁斜挺，鼻翼呈二圆涡纹突钉。龙身呈"S"形，饰菱格纹。龙脊高挺，由尾直通顶部，随体呈曲线变化，脊高4.5厘米左右，上饰随体变化阴刻云纹及弧线纹。四足呈钩状，上饰云纹。龙四足残断的痕迹，露出内部泥芯。龙脊内侧有一道从头至尾未打磨掉的范线痕迹。爬龙造型刚劲有力，脊镂空处勾转风格及阴刻线纹折转处，与商代晚期玉器造型特点极其相似。

学者认为青铜爬龙附件四足残断痕迹，表

明此器应是西周时期青铜鼎耳上爬龙附件。青铜爬龙附件与商末周初时期立体式附件爬龙纹饰特征符合，也与成王方鼎、太保方鼎耳上爬龙特征极相似。若推测属实，此件铜鼎规模将十分宏大，远超淳化大鼎规模。

青铜爬龙附件藏于宝鸡青铜器博物院。

人擎灯 战国中期文物。1987年，湖北省荆门市十里铺镇王场村包山2号战国墓出土。

人擎灯是战国中期楚国日用青铜灯具，通高19.2厘米，铜人高6.9厘米，灯盘口径8.8厘米。由灯盘、灯柱和铜人三部分组成。灯盘

较浅，平沿内斜，斜弧壁，盘外有两周凸棱，盘中有高1厘米锥状钉，用于插蜡烛或缠绕灯芯，灯盘通过圆柱形灯柱支托，灯柱上粗下细，中段有浮雕蟠螭纹组成的花瓣状柱座，中间接口为子母口，拆卸方便。铜人遍体鎏金，身着楚服，长袍及地，下摆饰错金勾连云纹。头挽右髻，发髹黑漆，宽额圆脸，浓眉大眼，直鼻小嘴，耳微外移，左手扪胸，右手执灯，犹如擎一把雨伞。

人擎灯整体造型美观，工艺精湛，表明战国时期楚国青铜冶炼业已达到极高水平。

人擎灯藏于湖北省博物馆。

人骑骆驼灯　战国中期文物。1966年，湖北省江陵县马山区裁缝店望山2号楚墓出土。

人骑骆驼灯是战国中期楚国日用青铜灯具，通高19.2厘米，盘径8.8厘米。呈人骑骆驼造型，由灯盘、乘驼人及方形底座三部分构成。长方形平底座上站立一昂首垂尾双峰骆驼，一人双脚后夹端坐于驼身，双手稳握灯柱。灯盘为圆形，平沿直口，浅腹，中央铸有锥体，盘下接灯柱。

人骑骆驼灯制作精巧，人与骆驼形象以曲线为主导，旨在传神，不着意细部。底座、骆驼、人物与灯柱、灯盘浑然一体，驼背上人物举重若轻，似擎一顶华盖，重心设计科学合理。人骑骆驼灯在楚国墓葬出现，反映出楚人对于这种"奇畜"的珍惜与喜爱，为研究楚与北方少数民族文化交流提供了珍贵实物资料。

人骑骆驼灯藏于湖北省博物馆。

十五连盏灯　战国中期文物。1977年，河北省平山县中山国墓1号墓出土。1号墓是已发掘战国中山国墓中最大一座，有6座陪葬墓，出土文物极丰富，墓主人应为中山王𰯼。

十五连盏灯高82.9厘米，底座径26厘米。灯体如茂盛大树，由灯座、15个灯盘和7节灯架构成，每部分以形状各异的榫卯相连接，移动时便于安装和拆卸。灯座平面呈圆形，表面饰三条"S"形镂空翼龙，座下有三双等距离

环列的双身虎承托全器。座上立两个赤膊短裳家奴，正在向上抛食戏猴。灯枝高低错落，枝头各托一圆盘形灯盏，枝间小鸟栖息，群猴嬉戏，神龙向上蜿蜒游弋。

存世最早青铜灯为战国中期器，秦汉时期铜灯广为流行，大体可分为三类式样：高座灯，"行烛灯"，艺术造型灯如人形、羊形、鸟形、兽形和树形等。十五连盏灯为树形灯代表作品。

十五连盏灯存于河北省文物研究所。

彩绘雁鱼灯　西汉文物。1985年，山西省朔县照十八庄出土。

彩绘雁鱼灯为西汉时期青铜照明器具，通高53厘米。整体作鸿雁回首衔鱼伫立状，由雁衔鱼、雁体、灯盘和灯罩四部分分铸组合而成。雁颈修长，回首衔一鱼。雁体肥硕，其身两侧铸出羽翼，短尾上翘，双足并立。灯盘带柄，位于雁背。灯罩为两片弧形板。灯盘、灯罩可转动开合以调整挡风和光照，鱼身、雁颈

和雁体中空相通，可纳烟尘，各部分可拆卸以清洗。

彩绘雁鱼灯属于釭灯，采用传统禽鸟衔鱼艺术造型，此艺术题材在新石器时代彩陶上就已出现，陕西神木、山西襄汾均出土有同样图案青铜灯，说明此种传统形象在西汉时期依旧博得人们喜爱。

彩绘雁鱼灯藏于中国国家博物馆。

长信宫灯　西汉文物。1968年，河北省满城县窦绾墓主室门道内口西侧出土。

长信宫灯为西汉中期青铜照明器具，通高48厘米，重15.85千克。灯的外形作宫女跪坐持灯状，体内中空，通体鎏金。全器由头部、身躯、右臂、灯座、灯盘、灯罩六个部分分别铸造组合而成。宫女头梳发髻，发上覆有巾帼，上身平直，双膝着地，跣足，足尖着地。宫女右臂高举，整个右臂承担烟道功能。左臂伸向右方，托举灯盘。宫女内衣广袖，外着长袍，衣袖和领部皆饰以缘，衣襟由右侧向后掩

卷。灯罩由两片弧形屏板组成，可合拢为圆形，灯盘直壁平底，可以转动，盘心有蜡钎，可安插蜡烛。灯座可拆卸，上部形如豆座，下部形如豆盘。灯座、灯盘、灯罩及宫女右臂和衣角等处刻有铭文9处共65字，铭文有"阳信家""长信尚浴""今内者卧"等。

铭文反映，长信宫灯所有者几经变化，最后辗转为窦绾所有。铭文"阳信家"为最初主人，即阳信夷侯刘揭。"长信尚浴"等字样，应是长信宫灯归入长信宫后所刻。长信宫灯应为长信宫居住者窦太后送予窦绾使用。长信宫灯属于釭灯的一种，设计精巧，宫女造型生动，灯各部分通过有机联系构成一个整体，可拆卸，可根据需要调节照明大小和方向，烛火烟炱可通过宫女右臂烟道进入体内，使而室内保持清洁，反映中国古代匠人智慧和精湛技术。

长信宫灯藏于河北博物院。

错银牛灯　东汉文物。1980年，江苏省邗江甘泉山出土。

错银牛灯为东汉早期青铜照明器具，通高46.2厘米，牛身长36.4厘米。全器作牛驮灯盏造型，分为灯座、灯盏、烟道三部分。灯座为一伫立状黄牛，体型肥硕，神态憨厚，蹄足短矮，双目圆睁，低首俯视，口张开状，似正在鸣叫。牛腹中空，牛尾卷曲螺旋上举，显得雄健强劲，威武稳重，线条富有韵律感。灯盏外观如圆亭，承接在突起于牛背正中的圆形座基上，亭子基部为灯盘，作圆形，边缘双层，在两层边缘间凹槽中，可镶入灯罩。灯盘外侧有短把，可转动。灯罩如两片瓦状门扉，上凿出组合成窗户状菱形镂空，使灯光透出。灯盏上

部为穹窿形圆盖，状如一倒置的碗，盖中央为管状烟道，向上生出，连于牛首顶部，成为灯盏与牛腹间通道。除灯罩，铜灯通体饰错银流云纹，云纹中有龙、虎、凤、鹿飞行，纹样线条圆转流利，飞动飘逸，充满神话色彩。

错银牛灯主人应是东汉初年广陵王刘荆，设计精巧，构思巧妙。灯盘可以转动，有利于任意调节光照角度；灯罩可以启闭转动，可挡风和控制灯光亮度和角度。牛腹中储以水，烟炱可落于水中，防止油烟污染室内空气。错银牛灯反映了东汉时期青铜工艺高超水平。

错银牛灯藏于南京博物院。

铜面具　商代晚期文物。1986年，四川省广汉县三星堆出土。

铜面具为商代晚期蜀国祭祀青铜器，通高82.5厘米，面具高31.5厘米，宽77.4厘米。面具体量较小，双眼眼眶有商代"臣"字眼特征，眼球呈柱状外凸，向前伸出约10厘米，眉粗且长，口长且微张，两侧向上钩起。面具双耳长且向两

侧充分展开，如同羽翼。额铸高约70厘米夔龙形额饰，夔龙长似蛇身，龙首，尾部向前蜷曲，有羽翼，与长耳纵目人面具形成一个整体。面具出土时眼、眉描黛色，口唇涂朱砂。

铜面具整体造型意象神秘诡谲，风格雄奇华美，在三星堆各类人物形象中颇显特殊。学术界一般认为，面具眼睛符合史书有关蜀人始祖蚕丛"纵目"的记载，形象应是祖先神造像。也有学者认为与神话中"人首龙（蛇）身""直目正乘"的天神烛龙有关。

铜面具藏于三星堆博物馆。

鎏金四人舞俑扣饰　西汉文物。1955～1960年，云南省晋宁石寨山出土。

鎏金四人舞俑扣饰为西汉时期古滇国青铜扣饰，高10.4厘米，长14.5厘米。作4人并排站立舞蹈状。4人服饰相同，均头戴尖顶高筒帽，帽上饰带柄小圆片，帽后有两条下垂及地的飘带；身着长衣，肩部披帔，腰束带，带上

佩圆形扣饰；右手执铃，左手挥舞于胸前；口微张，似在说教。鎏金四人舞俑扣饰表现滇国巫师起舞作法场面，巫师形象平和、稳重，以说唱表演为作法方式。

鎏金四人舞俑扣饰藏于中国国家博物馆。

鎏金嵌玉镶琉璃带钩　战国文物。1950～1953年，河南省辉县固围村5号墓出土。发掘者认为此墓是战国魏国墓葬，近年有学者认为应是赵国墓地。

鎏金嵌玉镶琉璃带钩长18.7厘米，宽4.9厘米。整体呈琵琶形，中部凸起，呈弧状，底部为银托。钩首为兽首，青玉雕刻，兽首用细线刻画出圆眼、长鼻和长嘴喙，喙两侧有数道横线纹。额头正中有一花蕾纹，上斜刻小方格纹，有角。面为包金组成的浮雕兽面，两侧盘绕两条夔龙，倒向钩端，合为一首。与两侧夔龙方向相反，蟠绕两只凤鸟纹，凤鸟体形修长呈"S"形，盘曲逶迤，尾部分歧，装饰效果突出。带钩脊背正中，均匀嵌入三块白玉玦，玦面刻有卧蚕纹。前、后两玉玦中心孔各嵌入一琉璃珠。玉玦色呈青白色，刻纹较为精细。

鎏金嵌玉镶琉璃带钩是战国时期利用鎏金工艺和镶嵌工艺制成的典型带钩，将金属铸造

工艺和琢玉工艺相结合，是战国时期带钩工艺典范之作。

鎏金嵌玉镶琉璃带钩藏于中国国家博物馆。

三角纹铜镜 新石器时代晚期文物。传甘肃省临夏回族自治州出土。

三角纹铜镜直径14.6厘米，边厚0.15厘米，纽高0.5厘米。整体呈圆形，周边不甚规整，中心为环纽，环纽外分别饰有三周弦纹，弦纹间有十三角和十六角星纹样，每角内填斜

平行线纹。从这面铜镜的铸造技术来看，铜镜不见范线，故非分铸而成。环纽向内凹，当为铸造时在凹处填泥芯，可见其技术并非原始。由此推断，在此之前，铜镜已经有一个比较漫长的萌芽与发展过程。

史树青将三角纹铜镜定为齐家文化遗物。三角纹铜镜纹样风格与尕马台七角星纹镜相似，但形体更大，铸造更精美成熟，镜身与镜纽形制为商至明清时期青铜镜所继承，奠定了中国古代青铜镜基本形制。

三角纹铜镜藏于中国国家博物馆。

铜翣饰 西周晚期文物。2007年，陕西省韩城县梁带村芮国墓地586号墓葬出土。有分体铜翣2件，连体铜翣2件。

铜翣残高约18厘米，宽22厘米。铜翣三叉分铸，保留有对称钉孔，中间铜片作长条形，圭首残失，下端略似长方形。沿轮廓有平行线状压印纹，中间饰有"H"形纹。两侧铜片略显刀形，尖端外翘，下端内弯，外侧呈弧形二台状。连体铜翣三叉下部连铸，整体呈"山"字形，中间一道圭首残断，两侧亦近刀形，尖端外翘，下部内外均作台阶状。中间饰有"H"形纹，两侧饰有带框的钩形压印纹。

梁带村墓地铜翣饰出土较多，反映芮国重视以铜翣随葬。翣为周代棺饰一部分，多发现于西周晚期到春秋时期墓葬中。关于周代墓葬用翣的制度，文献中有所记载。考古发现中，用翣制度有等级差别，如同列鼎列簋制度，但具体数量并非十分严格。

铜翣饰存于陕西省考古研究院。

立牛铜枕　西汉文物。1972年，云南省江川县李家山出土。共6件，均位于墓葬骨架头部，个别枕上尚留有头骨残片。

立牛铜枕是西汉时期古滇国随葬器具，高36.4厘米，长70厘米，宽13厘米，器形似马鞍，左右两端上翘，各铸一圆雕立牛，体态雄健，肌肉饱满，犄角挺立。枕面平滑，铜枕一侧浮雕立牛三头，间隙处饰蛇纹及姿态各异的虎纹。

铜枕上牛的形象，为滇文化所特有。滇池地区家畜中牛数量最多，滇文化中牛与人关系密切，是重要生产工具和财富象征。

立牛铜枕藏于中国国家博物馆。

王命传遽虎节　战国文物。传安徽省寿县出土。

王命传遽虎节是战国时期楚国出入关驿的信节，旧称"王命虎符"。长12.4厘米，高7厘米，厚0.5厘米。为一青铜质的薄片，呈卧虎形，虎目作圆穿状，虎首、身、尾均有纹路。一侧虎腹部有铭文4字："王命传遽。"铭文大意为：王命令各驿站，凡有人持此节过站，可借予车马及饮食。

节是调动军队、出入关驿及征收赋税的凭证，春秋战国时期在各国盛行，形制主要有虎形、马形、龙形、竹节形等等。王命传遽虎节铭文字形有燕、齐文化风格，应是战国晚期楚

国势力进入泗水后所作。

王命传遽虎节藏于中国国家博物馆。

北平都指挥使司夜巡牌　明代文物。中国国家博物馆征集。

北平都指挥使司夜巡牌，高14厘米，宽12厘米。呈圆形牌状，上端为祥云纹，纹饰中间有穿孔，为系带处。铜牌两面有铭文，一面为"令"字，另一面为"肃字肆佰陆拾肆号，北平行都指挥使司夜巡铜牌"字样。

洪武二十年（1387年），朱元璋在内蒙古自

治区宁城附近设大宁都司，次年改称北平行都指挥使司，重点防卫蒙元残余势力南下。1403年，大宁城废。北平都指挥使司夜巡牌是大宁卫士兵夜间巡逻佩带的证件。

北平都指挥使司夜巡牌藏于中国国家博物馆。

豹房勇士铜牌　明代文物。中国国家博物馆征集。

豹房勇士铜牌是明代在豹房随驾养豹的勇士所佩挂铜牌，牌高9.8厘米、厚0.7厘米。

牌面为圆形，上有荷叶形柄，一面中间铸一蹲立的豹子，豹身上饰金钱纹，纹饰上方铸楷书"豹字玖佰伍拾伍号"，另一面铸楷书"随驾养豹官军勇士悬带此牌，无牌者依律论罪，借者及借与者罪同"。

豹字编号铜牌还发现有"豹字壹佰贰拾伍号""豹字陆佰贰拾伍号""豹字捌佰肆拾柒号""豹字壹千壹百肆号"等。史料记载，明武宗于正德二年（1507年）在太液池（北京市中南海、北海附近）西北兴建豹房官署及左右厢房。学界对豹房性质有所争议。传统观点认为，豹房为明武宗享乐游幸场所。盖杰民等学者认为，豹房不仅是游乐场所，同时是武宗治理朝政的政治中心与军事总部，承担着行政组织职能。关于豹房是否养豹，学界有所讨论：盖杰民认为，不豢养豹；叶祖孚认为，仅养豹一只，并认为豹房勇士铜牌即为蓄养豹子的勇士所佩戴。豹房勇士铜牌的发现对研究明代豹房机构有重要意义。

豹房勇士铜牌藏于中国国家博物馆。

鎏金柄铜铃、鎏金金刚杵　明代文物。中国国家博物馆征集。

鎏金柄铜铃、鎏金金刚杵通高19.5厘米，口径9.5厘米，杵通高12.7厘米。金刚铃外形似钟，下口圆，外用繁复花纹装饰，内悬铜制铃舌，铃柄铸有佛像；金刚杵中央为宝珠，两侧为莲花台，并以摩羯口衔之，呈五股形式。

明朝立国后，为加强对西藏地区统治，定期或不定期回赐西藏地区宗教首领绸缎、布帛、茶和钞等物品，鎏金柄铜铃、鎏金金刚杵就是宣德年间明廷布施给西藏拉萨寺院礼物。鎏金柄铜铃、鎏金金刚杵用料考究，工艺精湛，造型生动，是明宣德时期典型官造藏传佛教法器。

鎏金柄铜铃、鎏金金刚杵藏于中国国家博物馆。

第二章

陶瓷器

在中国古代物质文明中，陶瓷器不但是艺术与科学的结晶，也是物质与精神文化的载体，它以坚实的质地、稳定的性能，记录了古代社会生活、艺术、科技等诸多信息。根据质地、用途和釉色的不同，陶瓷器可分为陶器皿、陶礼器明器、陶建筑构件、陶塑和其他、青釉瓷器、白釉瓷器、黑釉瓷器、颜色釉瓷器、彩绘瓷器九类。

中国陶器起源于新石器时代早期，如江西万年仙人洞陶器、广西桂林甑皮岩陶器等，均与日常生活相关。在新石器时代，盆、钵、罐、壶、盉、鬶、杯、豆等，都是常见的陶器器形。陶礼器出现于新石器时代晚期。商代殷墟发现的白陶罍、故宫博物院收藏的白陶双系尊等，器形和纹饰均仿自青铜器。春秋战国时期，以陶礼器替代青铜礼器随葬已成为普遍现象，江苏无锡鸿山战国时期越国贵族墓群出土了大量随葬的印纹硬陶、泥质陶器，均仿青铜礼器和乐器。两汉的陶明器有陶仓、陶壶、陶奁、陶盒等，表面纹饰多用红、黑、紫等矿物颜料绘制。唐代三彩的出现丰富了釉陶器的艺术美感，成为贵族墓随葬器的主流，唐三彩的器类非常丰富，几乎涉及当时生活的各个方面。

陶建筑构件包括陶水管、陶砖瓦等。河南周口淮阳新石器时代造律台文化遗址发现了陶制水管，用于城市排水系统。中国最早的陶瓦是2009年9月在陕西宝鸡桥镇发现的龙山文化时期筒瓦。瓦的出现和使用，是建筑发展的一次飞跃。殷商时期，陶瓦还仅限于贵族使用的建筑中，普遍使用则是在春秋战国时期，燕下都遗址、齐故城遗址等春秋战国城址中，出土了大量的陶砖、陶筒瓦、陶瓦当等陶制建筑构件。秦汉时期的砖瓦种类丰富，制作更加精良，砖瓦表面装饰增多，流行云纹、四格文字装饰。墓葬建筑中则多画像砖、浮雕砖。南北朝时期的瓦当图案仍以云纹为主，文字装饰减少，图案结构多"井"字形分栏。北魏开始盛行莲花和兽面图案的瓦当。宋金时期，中原地区的墓葬中流行砖雕装饰，大量戏曲人物图像、二十四孝故事图、桌椅家具图、卧室图案等雕砖被镶嵌在墓壁上，成为独具特色的墓葬建筑砖。明清两代则流行更为美观的琉璃建筑构件。

陶塑指陶制的雕塑艺术品。江苏无锡鸿山战国时期越国贵族墓群出土有比较简单的动物和人物陶塑，山东章丘战国齐国将军匡章之墓出土了一组38件彩绘乐舞陶俑，是战国陶塑的精品之作。秦朝兵马陶俑，兵俑身形高大，面部神态各异，发型和发丝都真实表现，陶塑的造型和制作技术都达到一个高峰。两汉的陶塑个体小、制作简约，以彩绘装饰。东汉开始出现釉陶塑像，如河南三门峡灵宝县张湾出土的绿釉六博陶俑。魏晋南北朝时期陶俑的艺术水平有所提高，随葬的文官俑、武官俑、伎乐俑、侍者俑、牛车、马、骆驼等更接近现实生活；北朝的陶俑融入了很多外来因素和少数民族的特征，对人物表情的刻画更加生动。隋代出现侏儒俑、僧人俑、十二生肖俑等。唐三彩中女俑、马俑、骆驼俑都极具特色，凸显了丰满、壮硕的形体特点。宋代随葬的陶俑数量比前代减少，以文官俑、武官俑、男俑、女俑为多。元代的汉人墓葬中，常有侍奉陶俑群和出行陶俑群，如出行的队伍、车马轿辇、房屋家具等，由于各地习俗与信仰等方面的差异，陶俑组合及位置摆放有所不同。陶器品种还有珐华、紫砂等。珐华器始于元、盛于明，产地在山西晋南一带，花纹立体、色泽深厚浓艳。紫砂器兴于明代中期，是宜兴地区独有的紫砂陶土矿与当地人文环境相结合的产物，当年的制壶名师留下了诸多精美的作品。石湾陶器产自广东佛山石湾镇，明清时期得到皇家的赏识，以"贡陶"的形式进入皇宫。石湾陶器以烧制动物、人物见长，造型生动传神，釉色浑厚斑斓。

青釉瓷器是指釉中铁元素高于1%而低于3%的瓷器品种（少数高于3%），呈现出青绿、青黄或黄褐色。青釉瓷器的前身是商周时期的原始瓷和印纹硬陶，已发现最早的成熟瓷器是浙江上虞小仙坛窑址中出土的东汉中晚期青釉瓷。三国两晋时期，青釉瓷器多以动物形象为范本，如蛙形器、羊形器、狮形器等，或以鸡首、羊首等做器物的系及流口；明器有猪

圈、鸡笼、谷仓罐等，装饰多采用拍印、划、刻、捏塑及釉下褐彩等技法。南北朝时期，佛教艺术影响了瓷器的装饰，河北景县封氏墓和山东淄博、湖北等地出土的莲花尊、四系罐等贴塑有佛教中的飞天人物和莲花纹。隋代出现了匣钵，这是瓷器发展史上一项重大革新，瓷器由明火叠烧改为放置在匣钵内烧造，品质得到很大提高。中晚唐时期，越窑用匣钵烧制出的产品胎釉俱佳，入贡到中央朝廷及后唐、后晋。江苏苏州虎丘云岩寺塔发现的五代越窑青釉莲花碗，陕西扶风法门寺地宫出土的14件唐代秘色瓷，为越窑鼎盛时期的产品。北宋后期，"贡瓷"形式已难以满足官府的需求，出现了由朝廷和官府直接经营的窑场，如河南宝丰清凉寺北宋汝官窑、浙江杭州乌龟山南宋郊坛下官窑，产品皆以造型见长、以釉色取胜，代表了当时瓷器生产的最高水平。两宋时期南北各地出现大批以生产民间日用瓷为主，各具特色的窑场。龙泉窑在两宋之交时始用石灰碱釉，创烧出粉青、梅子青釉。哥窑以纹片取胜，哥窑有传世哥窑与龙泉哥窑之分，两者的胎釉、工艺既相似又有不同点。耀州窑青釉如冰似玉，刻花纹饰刚劲洒脱，为同时代北方窑场刻花装饰之冠。钧窑青釉是一种分相釉，呈乳浊状；钧官窑器制作考究，生产的窑变釉艺术价值很高，应是在官府指令下生产的，近年陆续有新的考古发现，但因缺乏准确的纪年资料，研究者持不同观点，制作年代尚无定论。

白瓷是指釉中铁元素低于1%的瓷器（少数高于1%）。最早的白瓷出土于湖南长沙和重庆丰都东汉时期的遗址和墓葬中，河南安阳北齐武平六年（575年）骠骑大将军范粹墓出

土7件早期白瓷。成熟白瓷始于隋代，河南安阳隋开皇十五年（595年）张盛墓、陕西西安隋大业四年（608年）李静训墓、陕西西安郭家滩隋大业六年（610年）姬威墓均有精致的白瓷出土。唐代时河北内丘的邢窑白瓷达到如银似雪的水平，作为地方特产向朝廷进贡，陕西西安青龙寺遗址中出土的邢窑"盈"字款白釉带盖注子、河北故城县唐墓出土的邢窑白釉贴花凤首提梁壶为邢窑精细白瓷的代表作。宋代白瓷生产规模最大的窑场是定窑，河北定州北宋太平兴国二年（977年）静志寺塔基地宫和至道元年（995年）净众院塔基地宫出土100多件定窑白瓷，件件精工、胎薄釉润，刻花纹饰如行云流水。定窑创造的支圈覆烧法大大增加了装烧量，节省了燃料和窑内空间，对南北方各大窑场产生了重大影响。五代至北宋初，繁昌窑、景德镇窑生产出青白釉瓷器，元代景德镇窑在青白釉的基础上创烧出卵白釉，印有龙纹和"枢府""太禧"字样的碗盘是元朝政府机构"枢密院""太禧宗禋院"的定制品。明代德化窑生产的白瓷有"象牙白""鹅绒白"之称。德化窑瓷塑中的达摩、观音等人物相貌精准生动、雕工高超。明代永乐年间，景德镇官窑在卵白釉的基础上，创烧出甜白釉，釉中铁、钛等呈色元素被控制到最低，釉质细腻滋润，胎极轻薄，几近脱胎，为明清时期白釉瓷器的最佳作品。

黑褐釉瓷器指釉中铁元素高于5％的瓷器（少数低于5％）。黑褐釉瓷器出现于春秋晚期至战国初期。江苏丹阳东汉永元十三年（101年）墓出土的黑釉罐，为最早有纪年可考的黑釉瓷器。东汉晚期浙江宁绍地区生产的

黑釉瓷渐趋成熟，东晋时德清窑烧造的黑釉瓷黑如乌金，器形周正，有鸡首壶、四系壶、盘口壶等。唐代黑釉瓷器的分布区域明显扩大，河北、河南、陕西、山西、山东、安徽、湖南、福建等地都烧造黑釉瓷器，宋代时全国有1/3的窑场烧制黑釉瓷，是黑釉瓷发展的黄金时期，福建建窑烧造的兔毫盏受到上至皇室、下至百姓的一致推崇。吉州窑生产的黑釉茶盏常饰以木叶纹、玳瑁斑、剪纸贴花、窑变花釉等，是黑釉瓷装饰最多的窑场。北方地区烧制的黑釉品种有黑釉剔花、黑釉褐彩、黑釉白彩、凸线纹等。明清时期黑釉瓷的装饰品种日趋减少，但产量仍然很大。清代康熙朝烧造的乌金釉以氧化铁和锰、钴混合，在历代黑釉瓷中最为莹亮。颜色釉瓷指除青釉、白釉、黑釉以外的其他单色釉瓷器。明清时期窑工们选择性地改变釉的配方和工艺条件，创烧出新的釉色，丰富了宋元以来单色釉的品种。红釉有宝石红、祭红、郎窑红、豇豆红、胭脂水、钧红等；蓝釉有宝石蓝、祭蓝、洒蓝、天蓝、孔雀蓝等；绿釉有瓜皮绿、松石绿、孔雀绿等。每种釉色各成体系，层次丰富。

彩绘瓷器是指在青釉、白釉或其他釉色上施彩绘画的瓷器，分为釉下彩瓷和釉上彩瓷，如青釉褐彩、白地黑花、青花、釉里红、斗彩、五彩、粉彩和珐琅彩等品种。江苏南京长岗村吴墓出土的青釉釉下褐彩羽人纹盘口壶，证明在三国时期已具备烧制釉下彩的工艺。三国至隋，彩绘大多是在青釉上点褐彩或涂抹，纹饰较为简单。唐代彩绘技术提高，长沙窑瓷器普遍装饰褐彩、绿彩，用含铁或铜的彩料在坯体上绘制人物花鸟、题诗抒情，形成单色或

复合色彩的纹饰。西晋时，浙江金华的婺州窑开始使用化妆土。宋金元明时期，北方窑场广泛使用化妆土，生产出的白地黑花瓷颜色分明，对比强烈；纹饰大多是花鸟鱼虫、云龙飞凤、人物风景、诗词警语、吉祥语等。河北磁州观台窑、河南修武当阳峪窑是烧制白地黑花瓷的中心窑场，其工艺技术和装饰风格辐射到周边各省，在北方地区形成了庞大的磁州窑体系。元代后期，景德镇异军突起，成为全国制瓷中心。元代景德镇窑采用了瓷石加高岭土的"二元配方"提高了制胎原料的烧成温度，减少了器物的变形。青花、釉里红的烧制成功，使中国绘画艺术与制瓷工艺的结合更趋成熟。明清两代五百多年间，青花瓷一直是主流产品，但青花的色泽和画风在不同时期呈现了不同特点。明代洪武二年（1369年）御器厂建立，专为皇室烧制瓷器，其器形、纹样由内廷降式颁样，生产流程的分工更加细致，产品至精至美，带动了整个时代制瓷技术的进步。明清两代瓷器注重装饰和色彩，各类釉上彩的发明与创新将彩绘瓷制作推向高峰，与宋代单色釉瓷器相比，趋向华丽热烈。从制瓷技术角度看，明清瓷器的胎土淘洗更精细，釉色的搭配和掌控已经接近现代水平，故宫博物院藏各色釉彩大瓶代表了清代制瓷造诣极高的艺术水准。明清时期彩绘瓷的纹饰题材很丰富，常见有历史故事、花鸟虫蝶、山水舟船、诗文及各种吉祥图案。明清时期景德镇窑、德化窑等窑场开始大批量接受欧洲的订单，按照外商指定的款式进行生产，此时炫彩华丽、中西合璧的广彩瓷应运而生，并渐成外销瓷中的大宗产品。

第一节 陶器皿

猪纹钵 新石器时代河姆渡文化（前5000～前3300年）文物。1977年，浙江省余姚河姆渡遗址第四文化层出土。河姆渡遗址位于宁绍平原东部，四明山区北麓和慈溪南部山地间峡港海积型的余慈平原中。1973年、1977年先后两次大规模发掘，发现干栏式建筑和水井等遗迹及大量动植物遗存，夹炭黑陶、石器、骨器、角器、牙器和木器等众多遗物。猪纹陶钵位于河姆渡第一期文化遗存中，保存完好，极具地域特色。

猪纹钵口边长21.7厘米，宽17.5厘米；底边长15厘米，宽13.5厘米；高11.7厘米，厚约1.1厘米。夹炭黑陶。平面呈圆角长方形。器表打磨光亮，内壁较为粗糙，有条状横向摩擦痕迹。外壁长边两侧各阴刻一猪，长嘴，竖耳，高腿，短尾，粗鬃，腹略下垂。刻纹线条流畅、刚劲干练。猪腹部饰以阴刻重圈和草叶纹等装饰纹样，此纹饰常见于河姆渡文化。两

侧猪首朝向相异，纹样不完全一致，其一稍小且纹饰也较为简单。对称动物纹略有繁简的现象，也常见于河姆渡文化各类器物上。

河姆渡遗址出土大面积人工栽培稻谷遗存，及驯养的狗、猪、水牛等动物遗骸，表明当时稻作农业和家畜饲养业十分发达。除猪纹陶钵外，遗址中还出土1件陶猪，头部较宽，腿短粗，腹部下垂，具有家猪外形特征；陶钵上猪纹形象则吻部较长，腿细长，躯体强悍，背部有鬃毛，体型外貌与野猪更为接近，说明当时河姆渡居民既饲养家猪，也会进行一定狩猎活动。这2件文物反映当时的自然环境、农业情况和先民生活方式，具有极高写实性。

猪纹钵藏于浙江省博物馆。

船形彩陶壶 新石器时代仰韶文化（前5000～前3000年）文物。1958年，陕西省宝鸡北首岭出土。宝鸡北首岭是关中平原西部一处重要新石器时代仰韶文化遗址。考古工作者于

1958～1960年、1977～1978年，对遗址进行两个阶段大规模发掘，发现大量以仰韶文化为主的遗存。发掘者把北首岭遗存分为早、中、晚三期。首次发掘面积4500平方米，但为保护遗迹和究明遗址建筑群间关系，仅清理到房屋遗址便停止。船形彩陶壶是首次发掘时出土器物。

船形彩陶壶高15.6厘米，长24.8厘米。泥质红陶。壶身呈两头尖的船形，中间上端有一杯状壶口，肩部对称有两环形耳，一侧腹部有黑彩绘长方形网格纹，两侧有鱼鳍状三角形纹饰等。

新石器时期的原始人大多把居住地选在河流或湖泊近旁，有利于人畜饮水、发展农业、渔猎及交通。居住在金陵河旁的北首岭原始先民，过着以农业为主的定居生活，渔猎在生活中也占有一定比重，遗址中出土的骨鱼叉和石网坠就是物证。古人制器法天象地，近取诸身，远取诸物。陶壶船的造型和腹部网格纹装饰取材于船行和捕鱼生活，是先民盛水器皿，如同现在随身携带的水壶。船形彩陶壶造型从仰韶文化最常见的小口尖底瓶变化而来。壶的口部与同时期瓶口完全相同，只是将纵向瓶身稍加变形，双耳则置于壶肩部，令人耳目一新，是一件造型别致的艺术品。

船形彩陶壶藏于中国国家博物馆。

鹳鱼石斧图彩陶缸 新石器时代仰韶文化中期（前4000年～前3300年）文物。1979年，河南省临汝县阎村出土。1979年春节期间，阎村公社工作人员李建安得知，有人在河边苹果地挖树坑时掘出2个红陶罐和不少陶片，便携带工具前往探查，用一天半时间挖出大小高矮不等陶缸和尖底瓶13个，其中第12个陶缸上有

鹳鱼石斧图案。1980年春节后，李建安将挖出的全部陶器捐给临汝县文化馆。

鹳鱼石斧图彩陶缸高47厘米，口径32.7厘米，底径20.1厘米。外表为土红色，约呈直筒形。口沿下有四个对称鹰嘴形纽。平底，底部正中有一圆孔。缸内有一具成年人骨骼，缸的外壁绘有一幅彩图，画面左侧为一只侧立的白鹳，短尾高足，通体洁白，鹳身微后仰，嘴衔一条大鱼，鱼身呈奄奄一息下垂状态。画面右侧竖立一柄石斧，圆弧刃，石斧上孔眼、符号和紧缠的绳子，均用黑色线条细致勾勒出来。图的大小约占缸体表面一半，是考古所见中国新石器时代幅面最大、内容最丰富的图画，技法之精到和内容之深刻，是同时代其他绘画不可比拟的。

此类陶缸在河南伊川附近出土较多，故又被称为伊川缸，主要作为葬具使用。普通伊川缸大多造型简单，素朴无彩，此缸不但施彩，且画

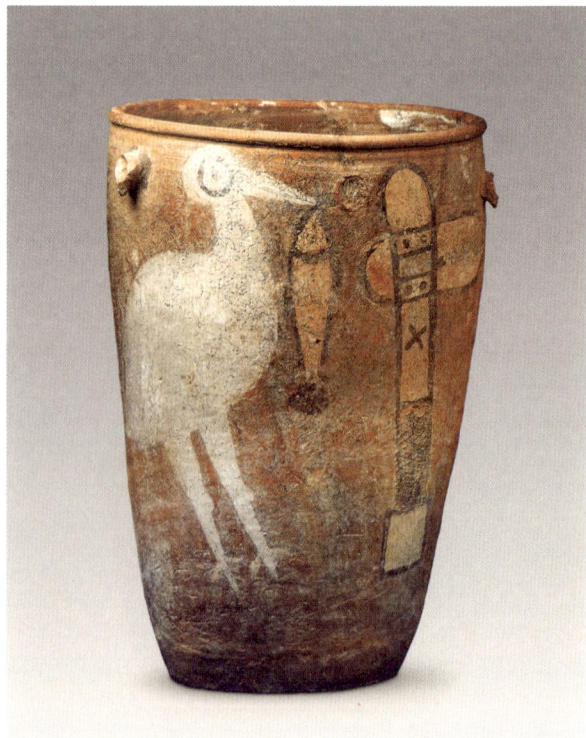

面内容丰富。多数学者认为，该陶缸是一位氏族首领瓮棺，图中所绘白鹳是首领本人所属氏族象征，鱼则象征敌对氏族，推测这位氏族首领生前曾率领白鹳氏族同鱼氏族进行拼杀，并取得胜利。其去世后，族人为其专门烧制一较大陶缸，并在陶缸上作画，描绘最能代表其身份和权威的大石斧。另有专家认为，图中白色鸟是鹭而不是鹳，图中石斧应为石钺，画面呈现并非战争，而是当时农耕渔猎生活写照。

1990年，鹳鱼石斧图彩陶缸调入中国历史博物馆，展示在基本陈列"中国通史"中。2002年，鹳鱼石斧图彩陶缸被国家文物局列入首批禁止出国（境）展览文物目录。

鹰形陶鼎 新石器时代仰韶文化中期（前4000～前3300年）文物。1957年，陕西省华县柳枝镇孙庄行政村太平庄出土。农民殷思义在村东犁地时发现。1958年秋，北京大学历史系考古专业师生在太平庄毗邻的泉护村仰韶文化遗址

进行发掘，并在附近做考古调查，殷思义便将鹰鼎送交给考古队，在殷思义指点下，考古人员发掘埋藏鹰鼎地点，确认这是仰韶文化晚期庙底沟类型一座成年女性墓葬。此墓随葬品比较丰富，除鹰鼎外，还发现10余件骨匕、数件石圭、石斧及一批生活器皿等。从工艺造型及相伴出土具有礼器特征来看，鹰鼎显然不属于普通陶器，与当时祭祀活动密切相关。

鹰形陶鼎也称陶鸮鼎，高35.8厘米，口径23.3厘米。内外呈灰黑色，外表打磨光滑。整体造型为一只踞立的鹰，身形健硕。躯干构成鼎腹，鼎口位于鹰背部与两翼之间，子母口特征表明原来还应有个鼎盖。鹰的两腿粗壮敦实，足爪短而有力，两翼收拢于身体两侧，尾部下垂至地，与两足构成陶鼎三个支点。鹰首前突，宽额浑圆，钩喙有力，二目圆凸，正面观看更显炯炯有神，气势非凡。

鹰形陶鼎经夸张与变形的艺术设计，将鹰

与鼎各自所固有形神特征，在造型中统一于一身，实现造型与实用的完美结合，构思巧妙，造型优美，形态逼真，制作精致，是新石器时代少见珍品。仰韶文化以精美彩陶而著称，而鹰鼎却是全素面，表明当时人们不但擅长彩绘图案创作，且在造型艺术方面也有很大潜力，鹰鼎问世为其后盛行于商周时期青铜鸟兽形器奠定基础。

鹰形陶鼎先保存于北京大学历史系；1975年，被中国历史博物馆收藏，展示在基本陈列"中国通史"中。2002年，被国家文物局列入首批禁止出国（境）展览文物目录。

人面形器 新石器时代庙底沟文化（前4000～前3300年）文物。2003年，山西省吉县沟堡遗址出土。考古队员与当地文物工作者翻越两道山梁，走过弯曲羊肠小道，于一处山坡处发现沟堡遗址，后通过试掘确认一处圆形半地穴房址，并于该房址内发现人面形器。发掘现场显示，该房址或毁于一场突发性火灾，而人面形器由于紧贴北墙房址，故幸免于难。

人面形器高18.6厘米，底部径26厘米。泥质灰褐陶，陶质疏松。无底，底边呈喇叭状，出土时顶部盖一石板。人面眼、口镂空，分别用泥块贴塑出眉毛、眼眶、鼻子、颧骨、嘴唇的形状，出土时嘴部及一侧眉部、眼眶处泥塑已脱落。鼻梁挺直，高颧骨。两腮及嘴巴下贴塑有泥条，似为身体上的装饰。面部左右两侧大致和眼睛同一高度处，分别有一相同大小不对称分布的镂空圆孔。两圆孔间，有一切削出弧形孔。器表经磨光，形象古拙。

人面形器陶质、形态等，均不同于以往所报道的作为实用器附件或装饰人物雕塑，相似器物见于陕西高陵杨官寨庙底沟文化遗址、辽西红山文化晚期墓葬和祭祀遗址。专家认为，人面形器同红山文化中筒形器，均无底，或许当时人们认为，正是这种口底贯通器物才能沟通天地人神。部分学者认为，该器物出土位置与古代祭祀灶君位置"奥"相近，推测或与古代祭祀灶神相关。

人面形器存于山西省考古研究院。

彩陶釜 新石器时代大汶口文化（前4200～前2500年）文物。1978年，山东省泰安大汶口遗址出土。大汶口文化是新石器时代一个区域文化，因1959年首先发现于山东泰安大汶口镇而得名。大汶口文化分布范围主要在黄河下游地区，东自胶东半岛、西到河南中部、北到辽东半岛南端，南达江苏北部和安徽北部地区。大汶口文化延续1500余年，文化内涵特别丰富，是齐鲁文明的先驱。据不完全统计，山东省境内已发现大汶口文化遗址547处。

彩陶釜高30厘米。上腹部施红色化妆土，用白色彩料绘制连续纹样，"几"字形大波浪

组成纹饰带，波浪低谷区域是8个方形云雷纹组成图案，这种动静结合的构图设计，红地白花的强烈色彩对比，给人清新亮丽、端庄活泼的艺术美感，是大汶口文化彩陶艺术经典之作。

中国新石器时代是彩陶文化最发达时代。大汶口文化与仰韶文化、马家窑文化等共同创造的彩陶文化，各具特色，图案装饰多取材于大自然中的植物或动物，色彩质朴，线条流畅，展现先民朴实自然的审美情趣。

彩陶釜存于山东省文物考古研究院。

狗形陶鬶 新石器时代大汶口文化（前4200～前2500年）文物。1975年，山东省胶县三里河遗址出土。1974年秋、1975年春，中国社会科学院考古研究所山东队对位于山东省胶县北三里河村西的三里河遗址两次发掘。遗址堆积分为上下两层，分别属于龙山文化和大汶口文化，狗形陶鬶和猪形陶鬶即出土于大汶口文化层中。在三里河遗址龙山文化中，发现有一处长方形石块建筑，由大小均匀的河卵石铺成，在这建筑西南约1米处，有一具完整狗骨架，骨架下还整齐平铺着黑陶片，表明三里河遗址中，狗作为礼仪活动的一部分，有着悠久传统。

狗形陶鬶高21.5厘米，长26厘米。夹砂红褐陶，狗形腰肥腿粗，四足踞地直立，双目前视，两耳耸立，张口露齿，昂首吠叫。尾部残缺，尾下方写实塑出凸形肛门及雄性生殖器。狗背上方背负一个杯形器口，长颈，侈口，器口后端有一宽边弧形鋬连接到尾部，宽鋬边缘刻出锯齿纹做装饰。动物形陶鬶是大汶口文化中最具特色的典型器物，除狗形，还有猪形。这些器物造型逼真，形象生动，器表打磨光滑，体现当时塑造工艺的高超技术和工匠们的创造才华。

中国家犬起源可追溯至新石器时代早期（距今约12000～10000年）的河北徐水南庄头遗址，新石器时代中期（距今约9000～7500年）多数北方遗址都发现有家犬遗骨。人们驯养家犬的目的多是用于狩猎、警卫和作为其他动物的守护犬，也可能用于与其他部族冲突时的战斗。由于家犬在驯化中与人类能建立起独有的亲密关系，因此具有其他家畜所不具备的特殊地位。

狗形陶鬶出土后，存于中国社会科学院考古研究所。1977年，入藏中国历史博物馆，成为"中国通史"基本陈列文物。

白陶鬶 新石器时代大汶口文化（前4200～前2500年）文物。1959年，山东省泰安大汶口出土。

白陶鬶高14.8厘米。颈部粗短，似漏斗状，顶部有斜向的流伸向器身前部。半环形鋬手，上联颈部，下接器身，表面扭压成绞索状。陶鬶腹部略呈球状，腰部有一周横向附加堆纹，堆纹的泥条表面压印成花边形装饰。三只肥大空袋足，呈鼎立形式均匀分布于腹部下方。

陶鬶是原始先民用来烧水或温酒的容器。

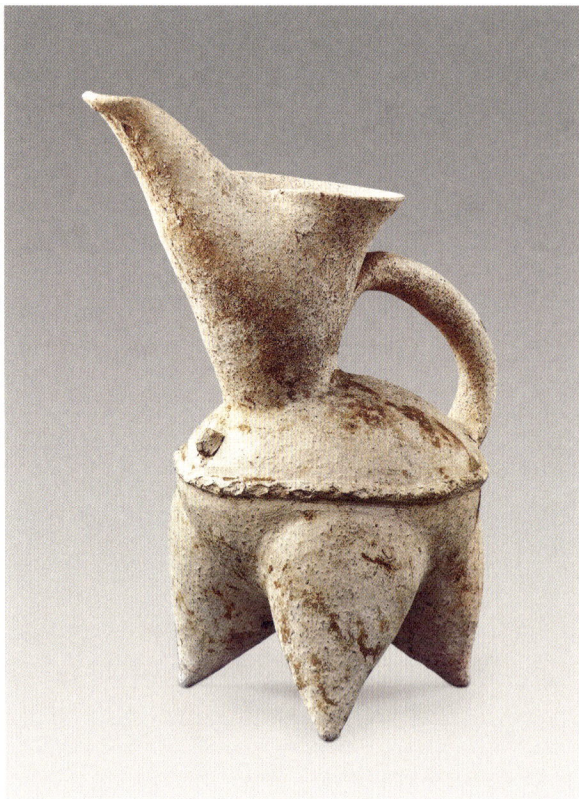

在龙山文化晚期，造型优美的白陶鬶多与黑陶罍、黑陶高柄杯等随葬在一些大墓中，组合配套，表明当时具有礼器的功能。中国古代把中原以东众部族统称为东夷，其活动范围大体在山东、江苏一带，而这些地区新石器文化也被看作是东夷文明。从大汶口文化开始，涌现出一批高超工艺技术，诸如制玉、骨雕、牙雕等，发展水平达到前所未有的高度。其制陶使用快轮加工技术，制作具有本地特色的三足器、圈足器等。白陶鬶是以高岭土为原料，经1200℃左右窑温烧制，陶胎呈白色，洁净美观。胎薄而坚固，在硬度、耐火度和吸水率等方面，都较普通陶器有大幅度超越。

白陶鬶藏于中国国家博物馆。

人首陶瓶 新石器时代崧泽文化（前3800～前3300年）文物。1989年，浙江省嘉兴市南湖区大桥乡大坟遗址出土。

人首陶瓶高21厘米，最大腹围28厘米，底径7厘米。泥质灰陶，胎质细腻，表面光滑，外形呈葫芦形三节束腰状，小头，长颈，肥身，酷似一女性人体。顶部塑一人头像，脑后发髻微翘，竖向小孔贯穿发髻，可能为插戴发饰所用。头两侧各有隆起扁状耳，耳部靠脸一侧正中各有一对穿小孔，可能为耳饰专用。脸部轮廓方正扁平，两眼凹窝无珠，眼角处呈尖状，两眼间眼角线几乎横跨整个鼻梁，细看为圆和弧边三角的组合。鼻梁高挺，呈三角形，两侧有鼻翼，鼻孔仅有一个，似为锥戳凹窝形。嘴巴横向微张。颈下正中两锁骨间戳一小孔，可能也是插戴饰品之用。陶瓶第一节处，正面有一斜向大圆口，与瓶体贯通。陶瓶除头部、脖子有明显区分外，其余部分均无区分，整体以葫芦形三节筒状塑造。圈足略外撇，有8个三角形小缺口。

人首陶瓶造型优美，线条流畅，具有很高艺术价值、史料价值和研究价值，其头部、眼部、胸部、圈足部小孔、大圆口等各部位匠心独运，所起作用和代表含义更是让后人深思。有学者认为，胸前大圆口是对母体崇拜的体现，是女性生殖器的夸张装饰。原始先民生存主要依赖于大自然，并深信有神灵存在，人首陶瓶不仅寄托先民对自然万物的认知和情感，也是人们精神信仰和精神生活的物质表征，祈求神灵保佑风调、雨顺、繁衍、丰产等。

人首陶瓶藏于浙江嘉兴博物馆。

鸟形黑陶盖盉 新石器时代良渚文化（前3300～前2200年）文物。1986年，上海市青浦镇福泉山遗址福泉山墓地101号墓出土。这一器形在太湖流域良渚文化考古中是首次发现，与之同时出土还有2件高柄盖罐，构成一组祭器，反映出良渚文化杰出的制陶工艺。

鸟形黑陶盖盉通高19厘米，口径7.5厘米。泥质黑衣灰陶，通体乌黑发亮。整器宛如一只昂首伫立的鸟，椭圆形器口似鸟首，宽流前伸上昂，上覆一器盖与口部形状吻合。短颈，器身为扁核形，两侧各有一道竖向凸出圆脊，器身背部附一绞索状环形把手，下附三个扁足。

福泉山考古发掘是良渚文化研究的重大突破，在中国考古界曾引起巨大轰动。良渚文明发展程度很高，建立有一套完整而系统礼制，用以规范社会各群体、成员间相互关系。有严密的社会组织，不同等级的贵族统治管理着良渚社会。良渚文化时期，社会各阶层分化已十分明显，福泉山就是社会上层显贵人物墓地。良渚文化的像生陶器都很抽象，相对而言，崧泽文化的像生陶器则较具象，这是太湖地区前后承继的两个文化在陶器造型艺术上的明显区别。

鸟形黑陶盖盉藏于上海博物馆。

彩陶壶 新石器时代屈家岭文化（前3300～前2600年）文物。1965年，河南省文物工作队在淅川黄楝树遗址发掘时发现。黄楝树遗址位于淅川县老城西5千米黄楝树村西丹江和黄岭河交汇处的台地上，面积东西长400米，南北宽350米，文化层厚约4米。1965～1966年，河

南省文化局文物工作队为配合丹江水库工程，曾在这里发掘两次，面积共240平方米。发掘材料证明，黄楝树是一处原始社会晚期村落遗址，分为早、中、晚三期，早期为仰韶文化，中期为屈家岭文化，晚期为龙山文化。

彩陶壶高17.1厘米，口径8.4厘米，腹径15.7厘米，底径7.2厘米。泥质红陶，直口，长颈，宽肩，腹部外鼓，喇叭形高圈足。通体饰黑彩花纹，颈部为四组平行线涡纹，肩部为六组弧线涡纹，圈足下侧为不规整弦纹。

黄楝树新石器时代文化遗址是豫西南地区丹江流域一处重要遗址，该遗址发现三种文化叠压和承袭关系，不仅丰富屈家岭文化内涵，且纠正过去有人认为，龙山文化早于屈家岭文化的谬误。特别是彩陶壶，造型别致新颖又美观，是屈家岭文化中的代表性器物。

1970年，河南省文物工作队与河南省博物馆合并。1971年，彩陶壶移交河南省博物馆收藏。

直线纹彩陶纺轮 新石器时代屈家岭文化（前3300～前2600年）文物。1956年，湖北省京山县屈家岭新石器时代遗址出土。1954年冬，湖北省文物管理委员会为配合石龙过江水库工程调查，在京山县城西南约30千米的屈家岭村，发现5处新石器时代文化遗存，即屈家岭遗址。屈家岭遗址是新石器时代屈家岭文化的一处中心聚落，并发现大量彩陶纺轮，被学术界誉为屈家岭文化最有特色陶器。

直线纹彩陶纺轮直径3.8厘米，孔径0.4厘米，厚0.4～0.5厘米。细泥陶质，圆饼形，平面弧边，中有穿孔。表面有浅橙黄陶衣，红褐色直条纹装饰，以穿孔为中心，相互垂直分布。

中国原始纺织业历史悠久，早在7000余年

前的新石器时代遗址中，就已发现纺织用工具陶纺轮。以往人们只习惯于从文化特征上进行研究，而很少透过陶器，进一步研究当时纺织手工业发展情况。通过研究纺轮数量和形式特点变化，可了解原始纺织业发展水平和发展进程。纺织业发展水平最高的是汉水中游屈家岭文化核心区，一是在屈家岭、石家河邓家湾等核心遗址中，发现纺轮，远多于周边地区；二是纺轮大小和厚薄发生很大变化，过去那种笨重的纺轮已少见，新出现的纺轮多为中小型和轻薄型的。纺轮数量多，说明纺织活动多而普遍。形式变小变轻，说明纺织用纤维变细。因为当时处理麻类纤维技术比较先进，织出来的布也更加轻薄柔软。屈家岭彩陶纺轮纹饰非常有特色，绝大多数都是用点线组合而成。

直线纹彩陶纺轮藏于湖北省博物馆。

变形鸟纹彩陶壶 新石器时代宗日文化（前3290～前2000年）文物。1996年，青海省同德县巴沟乡兔儿滩遗址出土。

变形鸟纹彩陶壶高25.5厘米，口径9厘

米，腹径19厘米，底径8.2厘米。夹砂陶，呈乳黄色。敞口，束颈，溜肩，鼓腹，底部边沿稍外凸。壶体彩绘为紫红色，由上至下分三部分，口沿内侧绘有一圈三角纹，肩部绘一圈变形鸟纹，上腹部绘一圈圆点纹。肩部以下饰有绳纹，绳纹是用缠有绳子的陶拍在陶坯上拍印，在尚未干透的陶坯上留下绳子印纹，这种纹饰是新石器时代最常见陶器纹饰。腹部饰有对称堆纹錾，肩部饰有两圈附加堆纹，下腹部饰有一圈附加堆纹，这种纹饰是先用细泥条缠绕在壶身，再下压成各种花纹，不仅使陶器增添美感，且起到加固器壁作用。

值得注意的是，变形鸟纹彩陶壶器身有多处黑色印记，为火烧痕迹，猜测是该彩陶壶作为生活用具时使用痕迹。宗日文化类型彩陶图案有折线纹与鸟纹两大类。变形鸟纹彩陶壶是宗日文化彩陶的优秀代表作。学术界对绘制鸟纹原因有几种看法，认为鸟是生殖器的象征，是远古生殖崇拜表现；鸟的迁移与物候有很大关系，指导人们农业生产，对古代先民生产生活有重要意义；图腾崇拜。宗日遗址中，发现有多座火葬墓和二次扰乱墓，火葬与二次扰乱葬的葬俗与羌人有密切关系，故推测此地有先羌族民。而先羌族把鸟视为本民族所共有的起源，并把鸟作为氏族祖先，成为氏族标志和保护神。

变形鸟纹彩陶壶藏于青海省博物馆。

涡纹双耳四系彩陶罐 新石器时代马家窑文化前期（前3200~前2700年）文物。1949年8月，甘肃省积石县安集乡三坪村村民戚永仁发现涡纹双耳四系彩陶罐。1954年，将彩陶罐无偿地上交给国家。

涡纹双耳四系彩陶罐高50厘米，口径17厘米，底径15.9厘米。泥质红陶，外施陶衣，器表光滑明亮。敛口，短颈，斜肩宽阔，深腹下收，小平底，重心偏上，体量硕大。口沿外有

对称4个系纽，下腹部有对称双耳。约有2/3器物外表被密实黑彩线条所覆盖，内容为马家窑文化早期经典同心圆、旋涡纹和水波纹，可分为上中下三层。口沿环绕4个简化旋涡纹，4个系纽被巧妙安排在旋涡中央；主体图案位于陶罐中上部，等距分布4个大旋涡纹，各大旋涡纹间附带2个小旋涡纹；在旋涡纹带以下则以起伏波浪纹和平静涟漪带加以承托。彩陶花纹线条匀实，纹理繁复，富丽流畅，气势飞动。

涡纹双耳四系彩陶罐图案精美，制作精良，体型高大，是彩陶中极品，被郭沫若誉为"彩陶王"。1990年4月10日，邮电部还将彩陶王图案印制成面额为30分纪念邮票一枚，发行国内外。并多次出国展出，享誉全球。

1959年，涡纹双耳四系彩陶罐入藏中国历史博物馆，成为"中国通史"基本陈列文物。

彩陶鼓 新石器时代马家窑文化（前3200～前2000年）文物。1985年，甘肃省永登县河桥镇大通河东岸乐山坪遗址出土。1986年，兰州市博物馆工作人员在这里收集数百件被盗陶器，其中有7件彩陶鼓，当时称之为喇叭形器。后经查阅古文献，发现这些器物与古文献记载的"土鼓"非常相似。《周礼·春官·龠章》记载："掌土鼓豳龠。"东汉学者郑玄注曰："杜子春云：土鼓，以瓦为匡，以革为两面，可击之。"据此可知，周代土鼓就是一种两面蒙皮的陶鼓，而这种新石器时代喇叭形器，口沿外侧一圈钩纽很适合蒙皮。因此，推断喇叭形器应属一种早期单面陶鼓，其一头大一头小的造型表明，其还是一种斜挎腰鼓，适合在舞蹈中演奏。

彩陶鼓高36厘米，口径12.5～23.5厘米。鼓呈漏斗形，一头大一头小。大的一端如喇叭口，口沿外侧分布一周鹰嘴形钩纽；小的一端形似罐口或杯口，口沿外折，中间联通部分则为圆筒状。大小口侧边相对应位置各有一扁桥

形器耳，穿绳后可背挎或悬挂。陶鼓器表还布满花纹，上下饰以间距不等，色彩各异的平行带纹，大小两端带纹间均饰多道由变形蛙纹简化而成的平行折线纹，显得美观大方。

远古时期的鼓分为木鼓和陶鼓。在新石器时代晚期，襄汾陶寺大墓中就有木鼓出土，木鼓是用树干挖成竖桶形，其外壁有彩绘，蒙以鳄鱼皮。不过木鼓因材料易朽，保留下来的实物非常少。陶鼓质地坚硬，即使鼓皮、附件等朽烂无存，鼓身却可保存比较长时间。甘肃彩陶鼓被确认后，其他一些新石器遗址出土的被称为"漏器"的异形陶器，也被确认为是陶鼓。

彩陶鼓被征集后，收藏于兰州博物馆。1990年，入藏中国历史博物馆成为"中国通史"基本陈列文物。

彩绘双体陶罐　新石器时代卡若文化（前3000～前2000年）文物。1979年，西藏昌都卡若遗址出土。卡若遗址前后进行三次发掘，共

发掘房屋遗址28座，彩绘双体陶罐发现于9号房址中，经放射性碳素标本测定结果，房屋堆积年代距今4280年±100年。

彩绘双体陶罐通高19厘米，口径11.3厘米，腹径29.2厘米，单体底径8.4厘米。为夹砂黄陶，手制，器唇甚宽，向外斜折，呈喇叭口，直颈，斜平肩，腹部分为基本对称袋形双体，中裆相连，下腹壁向内曲收，假圈足。颈、肩部各饰一对竖直带孔器纽。器表装饰划纹和朱黑色彩绘。颈部装饰一周双钩带纹，肩部饰双行勾带纹，双体纹饰各不相同，一体以双钩三角折线划纹为主，线外饰彩；另一体则以双钩菱形纹为主，菱形纹内外均施彩。该器物外形颇像两只小兽相向而立，肩颈部器纽貌似小兽耳和尾，学者亦将其称为双体兽形罐。狩猎和畜牧是卡若先民主要生产方式，将生产生活中熟悉的动物形象反映到陶器制作上，符合当时社会背景。陶罐造型独特，在卡若遗址

中仅发现一件，在同时期其他文化类型中也未见相同器形。

卡若遗址是中国发现海拔最高的一处新石器时期遗址，也是西藏自治区内开展第一次科学田野发掘，在西藏考古中具有里程碑意义，并为了解西藏远古社会生活和经济状况，掌握青藏高原及邻近地区原始民族分布和联系提供依据。由于卡若遗址文化内涵与中国其他地区文化类型明显差异，学者提出"卡若文化"概念。

彩绘双体陶罐作为卡若遗址出土陶器精品之作，被视为卡若文化代表性文物，藏于西藏博物馆。

薄胎黑陶高柄杯　新石器时代龙山文化（前2500～前2000年）文物。1974年秋、1975年春，中国社会科学院考古研究所山东队对位于山东省胶县北三里河村西三里河遗址两次发掘。遗址堆积分为上、下两层，分别属龙山文化和大汶口文化，薄胎黑陶高柄杯即出土于龙山文化层中。出土时，薄胎黑陶高柄杯全是碎片，后经粘接修复。

薄胎黑陶高柄杯高18.5厘米，口径14.5厘米，底径6.3厘米。由杯身和杯托两部分套合而成，上部杯身有一宽展而略微有些下凹口沿，直壁，在与杯托套接位置小幅内收，杯壁外侧有数道弦纹，圜底；下部杯托由深腹杯柄和高脚圈足组成。杯柄上口内敛，用以支撑套合杯身。杯柄口部以下部分做出四道折棱，杯柄在各折棱部位有节奏地由宽变窄，最后收拢在高脚圈足上。杯柄之上，用成组划线装饰出斜向格带纹。圈足细腰处饰一道突棱，底部向下折转形成一足台。整件陶杯造型优美，制作精巧，是一件上古时代陶艺珍品。

龙山文化陶器制作工艺，在同时代诸文化中处于领先水平，质地精良的黑陶组群，是龙山文化一显著特征。龙山黑陶使用快轮拉坯成形技术，这是陶器制作史上一个飞跃，不仅效率高，产量大，且器形规整，器壁厚薄均匀；陶泥大多经筛选，质地细腻，品质上乘；烧制过程中采用封窑烟熏渗碳方法，黑陶颜色纯正；器表打磨光滑，光亮如漆。龙山黑陶不以装饰取胜，而以精美造型见长，并逐渐形成以细、薄、素、黑、光为特色的审美艺术，薄胎黑陶高柄杯则是这种审美发展到极致的代表。薄胎黑陶高柄杯杯壁最薄处仅为0.2～0.3毫米，被称为"蛋壳陶"，代表黑陶造型艺术最高成就。由于蛋壳陶杯仅出土于少数大、中型墓葬之中，可判断应属一种显示墓主身份地位的重要礼器。

薄胎黑陶高柄杯粘接修复后，收存于中国社会科学院考古研究所。1977年，入藏中国历史博物馆，成为"中国通史"基本陈列文物。

镂孔陶器座 新石器时代王湾三期文化（前2500～前2000年）文物。1960年，河南省洛阳城西王湾遗址出土。

镂孔陶器座高33.5厘米，肩径41.8厘米，内径23厘米，足径35.4厘米。泥质灰陶，胎质细密厚重，外表打磨光滑。上口内敛，斜肩至边缘转向下折，束腰，圈足外撇。肩部下方对穿二圆孔，器身中部饰四道凸弦纹。弦纹上部有一些不规则镂空图形，或如鸟首，或似连缀三角，上面均匀散布很多戳印出来小圆圈。弦纹下部等距刻一圈方折镂空，以衬托由圆点、划线装饰双方图案。圈足外侧密饰竖线划纹。整个器物造型规整、美观。

龙山时代中原地区陶器大多朴实无华。镂孔陶器座运用磨光、镂雕、分割、戳印、线刻等多种加工手法，凸显器座精致与贵重，很可能用于远古时期礼仪活动。王湾三期文化，是中原青铜时代二里头文化最重要源头之一，镂孔灰陶器座的式样风格和装饰效果与后代青铜礼器具有诸多相似之处，可明显感受到这种文化传承关系。

镂孔陶器座出土后，由洛阳市文物工作队收存。1976年，入藏中国历史博物馆，成为"中国通史"基本陈列文物。

彩绘蟠龙陶盘 新石器时代陶寺文化（前2500～前1900年）文物。1984年，山西省襄汾县陶寺村出土。

彩绘蟠龙陶盘高7厘米，直径37厘米。泥质黄陶，折沿，斜腹，平底。内壁磨光，涂褐色陶衣，在其上以红、白彩绘制蟠龙图案，周身饰双排鳞纹。

蟠龙是指蛰伏在地而未升天之龙，常作盘曲环绕。在中国古代建筑中，一般把盘绕在柱上的龙和装饰在梁上、天花板上的龙，习惯称为蟠龙。彩绘蟠龙陶盘龙头位于外圈，圆眼，头两侧突出如耳似鳍，张口露齿，长信外吐呈麦穗状。身体向内卷曲，尾部位于盘底中心。该陶盘龙的形象以蛇为原型，综合许多动物特征为一体，表现出沉稳、神秘与威严的特点。陶盘烧成温度较低，彩绘极易脱落，有学者认

为是祭器而非实用器。陶寺龙盘仅发现在几座大型墓中，每墓且只有一件，应是高等级身份和地位象征。

彩绘蟠龙陶盘藏于山西博物院。

浮塑人像彩陶壶 新石器时代马家窑文化晚期（前2300～前2000年）文物。1974年，青海省乐都县高庙镇柳湾遗址出土。村民引水灌溉农田时发现，并捐献。

浮雕人像彩陶壶高33.4厘米，口径9.2厘米，底径9.9厘米。泥质红陶，并涂有红色陶衣。小口、短颈、鼓腹、平底，腹下部左右对称位置设一对环耳，器表大部绘饰黑彩。造型普通，且略有些歪斜。特别之处在于，陶壶一侧表面以捏塑方式，浮塑出一裸体人像。人像面部位于壶的颈部，五官俱备。身躯和四肢位于壶的腹部，双手环抱下腹，下腹处夸张塑造出生殖器形象。双腿直立，两足外撇。人像身体主要器官都以黑彩加以点染。人像两足下方

及外侧，绘有变形蛙纹下肢。在人脸背面的壶颈部，彩绘图案类似发辫，发辫下绘出一完整变形蛙纹，与正面人像前后映衬。人像两侧分别绘有一圆圈网格纹。整件陶壶将浮塑和彩绘艺术融为一体，在柳湾遗址数以万计彩陶器皿中，浮雕人像彩陶壶以独特的人像浮塑独具一格，被誉为"稀世艺术珍品"。

对陶壶上裸体人像性别解读，可归纳为男性说、女性说和男女双性说三种不同观点。柳湾遗址发掘者曾认为，人像为男性，并将其同父系氏族社会确立联系起来，认为人像是父权制度下男性崇拜的象征，但此说与人像表现矛盾较大，以后并无更多响应者。持女性说观点学者大多将人像生殖器识作女性特征，有人将陶壶鼓腹与人物腹部合二为一，将欧美史前考古学大母神理论联系起来，认为当时仍处于母系社会，属女性崇拜。也有学者认为，陶壶前后变体蛙纹是代表生殖的特殊符号，应与生殖崇拜有密切关系，柳湾大量出土蛙纹彩陶，表达出祈求人丁兴旺的思想。持男女双性说学者相对较多，一般认为陶壶上人像性器既有男性

特征，也有女性特征，所以是男女合体。有人将这种特点解释为母权制向父权制过渡在生育信仰上的反映，不过此说推理证据不够充分。另有人认为，这是一个集男、女为一体的两性人特征萨满，萨满在远古时期萨满教宗教活动中，往往是天和地、神与人的中介，具有沟通天地、人神的能力，可将人祈求、愿望转达给神，也可将神的意志传达给人，而两性人背后蛙纹，则可能象征萨满作法时的蛙神附体。随着古学、人类学理论发展，近些年有学者从泛灵本体论角度对前者进行修正，认为人像陶壶是死亡萨满生前使用的神器，在古人观念里本身就具备人的意识；男女性器官重叠代表萨满在作法时由女性向男性变身过程；变体蛙纹也可能是神人纹，与萨满出神的情状有关。

浮雕人像彩陶壶征集后，收存于青海省文物管理处。1976年，入藏中国历史博物馆，成为"中国通史"基本陈列文物。

刻符黑陶盖鼎　新石器时代晚期文物。1975年，湖北省黄冈黄州区堵城镇螺蛳山遗址出土。螺蛳山新石器遗址是鄂东地区一处重要新石器时代遗址，位于黄冈市黄州区堵城镇堵城村，长江支流东岸约500米小山丘螺蛳山上，其北约300米是堵城砖瓦厂。螺蛳山遗址现存面积约7000平方米。1956年10月，初次调查发现，1957年、1985年、1990年，三次正式考古发掘，出土一批新石器时代遗物。

刻符黑陶盖鼎通高15.6厘米，口径12.2厘米。泥质磨光黑陶，带盖，侈口，平沿，束颈，扁折腹。器盖造型作覆斗状，斜弧壁，饰凸弦纹一周，圈足式高纽，装饰凸弦纹一周。圜底，下有小圈足，三个扁凿形矮足。

器肩部有三周凹弦纹，器身一侧有"个"字形刻划符号。

新石器时期黑陶多为素面，纹饰有网格纹、锯齿纹、垂幔纹、戳印纹等。刻符黑陶盖鼎的刻划符号，可能属汉字萌芽。在原始人类学会使用语言后，为更方便交流和表述，便尝试用一些特定符号作为提示性记录。这些符号简单，有很明显的象形特征，可能已具有符号文字功能。螺蛳山遗址特殊的地理位置和复杂的文化内涵元素极受关注，在长江中下游地区史前文化研究中有重要地位。

刻符黑陶盖鼎藏于黄冈市博物馆。

刻几何纹黑陶罍　夏家店下层文化（前2070～前1600年）文物。1973年，内蒙古自治区赤峰市敖汉旗大甸子村出土。

刻几何纹黑陶罍高29厘米，口径13.8厘米，腹径9厘米。陶质呈黑褐色，器壁较薄，制作精细，表面磨光。器体瘦长，由上下两部

分接合而成。上部为上大下小的筒形腹腔，下部为三个细瘦的空足组合而成。空足皆无实心足尖。口沿位于足裆部的一侧有流。与流对称的一侧腹壁安有把手，把手上端在口沿以下，下端位于空足上部。口沿至腹部为主要装饰面，以附加堆纹和篦点纹组成各式纹带，腹壁上下各有印压篦点纹一匝，两匝篦纹之间用齿状工具印压篦点纹，区划为等腰三角形，三角形中填以篦点斜线。

彩色图案花纹的发现，使人们相信中国青铜器上某些花纹的母体，在商代之前即已形成。

刻几何纹黑陶斝藏于内蒙古博物院。

嵌贝彩绘陶鬲 夏家店下层文化（前2070～前1600年）文物。1974年，内蒙古自治区赤峰市敖汉旗大甸子村出土。

嵌贝彩绘陶鬲高29.5厘米，口径22厘米，重2.1千克。泥质褐陶，由口沿、筒腹、三个袋足组成。敞口，圆唇，筒形腹，袋足浅而不圆，实心足尖，器内外分裆较低。表面黑灰色为底色，器外表用红、白色颜料绘制出精美纹饰，色彩极浓艳，且易脱落。经测定白色颜料是碳酸钙（$CaCO_3$），红色是朱砂（硫化汞HgS），均为矿物颜料。纹饰整体色彩搭配黑、白、红相间，错落有致，有强烈色彩反差效果。在唇沿上方等距镶嵌4个贝壳并突出于鬲面，并间以镶嵌圆形蚌面装饰。

嵌贝彩绘陶鬲的纹饰极具装饰性，其线条繁缛而不凌乱，颜色简单而不单调，赋予陶器动感、美感、立体感，展现其浓烈的时代特色。有学者认为，这一时期陶鬲上的彩绘纹饰，可能与中国早期龙文化有密切关系。从新石器时代红山文化时期的"C"形龙、蜷体玉猪龙、勾云形器等抽象而神秘造型，到夏家店

下层文化时期陶鬲上勾云纹、龙纹、凤纹等纹饰绘制有很多相似之处。陶鬲上还有很多种与青铜器上饕餮纹相似的花纹，反映出中国文化传承，在不断以其独特表现形式发展并延续。

1977年，嵌贝彩绘陶鬲入藏昭乌达盟文物工作站，藏于赤峰博物馆。

盘羊纹双耳彩陶罐　青铜时代卡约文化（距今2710～3550年）文物。1980年，青海省循化撒拉族自治县阿哈特拉山古墓地出土。

盘羊纹双耳彩陶罐高13.2厘米，口径14.1厘米，腹径17.8厘米，底径6.5厘米。泥质红陶，侈口，束颈，双耳，垂腹，圈足。器表下腹部以上涂有一层红褐色陶衣，上绘黑彩。口沿内侧绘有一圈折线纹，颈部绘有一圈平行双线纹，内填连续"人"字纹，上腹部绘有两组立姿大角盘羊纹，一组3只，形象生动。两组大角盘羊纹间以"田"字纹隔开，"田"字纹亦有两组，一组3个，其中一组"田"字纹位于中间的一个为田字变形纹"⊞"。器表下腹

部绘有一圈平行双线纹，内填折线纹。盘羊纹彩陶罐双耳是从口沿处延伸至颈部，外侧绘有田字变形纹"⊗"，形似鱼。

阿哈特拉山墓地中出现较多陪葬羊角，可见羊对该地先民重要意义，推测羊已被该地先民作为财富象征，盘羊纹双耳彩陶罐所绘大角盘羊纹，正是这种思想反映。另外，卡约文化以畜牧业为主，对羊、马、牛的饲养已兴起，彩陶罐所绘大角盘羊纹，在此类大口双耳罐中十分常见，反映出在以畜牧业为主的卡约文化中，牲畜的重要意义。

盘羊纹双耳彩陶罐藏于青海省博物馆。

夹砂褐陶袋足盉　商代文物。1985年，湖北省秭归县朝天嘴遗址B区出土。

夹砂褐陶袋足盉通高38厘米，口径16.8厘米，裆高14.8厘米。夹砂黑皮褐陶，模制而成。圆顶，顶部中间有一圆柱状纽，纽径上大下小，纽顶微内凹，半圆形口。直腹微束腰，最大径为颈部。顶与颈之间一侧有一较短的管状流，流下有一周凸起宽带弦纹，另一侧腹外壁有一倒梯形宽带状錾，錾面上刻有倒"人"字形纹和戳印纹，中部有一圆孔。腰部有两道较细弦纹。底部为瘦长三袋状足，连裆。

三峡地区的夏商时期文化遗存过去发现较少，朝天嘴遗址B区的发掘，丰富了这一地区夏商时期文化遗存的认识。夹砂褐陶袋足盉为仿青铜盉陶器，其用途也相类。

1997年，正式入藏湖北省宜昌博物馆。

刻饕餮纹白陶双系壶　商代文物。河南省安阳市出土。

刻饕餮纹白陶双系壶高22.1厘米，口径9.1厘米，足径8.9厘米。造型与纹饰均模仿当时青铜器。敛口，鼓腹，圈足，近口处有二管状系，圈足上有对称镂孔。器身通体刻饕餮纹。

白陶器使用含铁量很低的瓷土为原料，经1000℃左右高温烧制而成，与普通灰陶红陶相比，白陶器具有硬度高、耐火度强、吸水率低等优点。商代仿青铜器造型和纹饰白陶礼器，做工精良，很少作为生活用器，而是作为陪葬礼器，多出土于商代殷墟大型遗址的高规格墓葬中。白陶之所以能在殷商时期

得到快速发展并达到高峰，与当时统治者的喜好有关系。古代文献中记载有"殷人尚白"的风尚，商代仿铜白陶器与仿铜陶礼器地位并不一样。仿铜白陶器是上层贵族所使用，仅出土于大中型墓葬或遗址内；而仿铜陶礼器则为中小贵族及自由民所使用，出土于中小墓葬中。白陶器纹饰多数比较华丽，更多还原青铜器原貌，拥有其他陶器不能比拟的独特纹饰。商王朝灭亡后，精致白陶器也由于种种原因退出历史舞台。

刻饕餮纹白陶双系壶藏于故宫博物院。

船形红陶杯　西周文物。1999年，重庆市丰都县石地坝遗址出土。

船形红陶杯高6.8厘米，长11.2厘米，宽7.5厘米。夹砂红褐陶，胎质较粗。素面，口部平面呈拱形，一端弧圆，一端平直，由弧端向平端微微内敛，壁斜弧内收，由沿至底渐厚，圆底，由于整体似船形而得名。内外壁皆

散布灰白色物质，外壁及口沿内壁可见部分黑色烟熏痕迹，底部较其他部分偏红，似经火灼烧。

船形红陶杯主要发现于三峡地区西部，数量不多。最早有学者根据伴出物认为，船形杯应为炼铜所用坩埚。随着新考古发现，更多学者认为，船形杯与商周时期巴国制盐业有关，为熬制盐卤盛具。也有学者认为，这类体量较小船形杯或为制作盐锭的器具。

船形红陶杯藏于重庆中国三峡博物馆。

红陶尖底杯 西周文物。1999年，重庆市忠县中坝遗址出土。

红陶尖底杯高9.5厘米，口径5.5厘米。夹细砂红陶，尖唇，直口，腹部微弧斜收成尖底，整体呈羊角形。全身素面，盘筑而成，内外壁上部可见轮修痕迹，尖底为手工捏制成型。口沿内壁、外壁近地处可见烟熏痕迹，外壁上部覆盖一层灰白色附着物。杯体外壁中部颜色偏红，可见一褐色圆点，应为火焰灼烧所致。

尖底杯主要出土于四川盆地内，重庆常见羊角形和炮弹形尖底杯。其用途学界统一认为，是与盐业生产相关器具。但具体功能有学者认为，是用于煮盐或晒盐。有学者则认为，尖底杯是制作盐模的模具。

红陶尖底杯藏于重庆中国三峡博物馆。

高圈足腹瓦纹黑陶簠 春秋中期文物。1979年，湖北省当阳赵家湖楚墓群出土。

高圈足腹瓦纹黑陶簠高20.3厘米，口径15.7厘米，底径16.2厘米。圆唇，侈口，短颈，罐形深腹，中部外折，下腹弧收，粗柄中空，喇叭形高圈足。上腹饰瓦棱纹，圈足饰凹弦纹。细泥质陶，陶胎呈灰色，器内外皆施黑色陶衣，器表经磨光处理，局部陶衣脱落。器身与圈足是分别轮制后粘接而成。整器制作精细，器形规整古朴，为春秋时期楚地磨光黑陶器中的精品。

在赵家湖楚墓中，磨光黑陶流行于春秋早、中期，春秋晚期则少见。其中磨光黑陶鼎、簠为甲类墓特有器类组合，并有固定搭配形式，且往往与青铜鼎、簠同出，表明其与青

铜礼器具有同样礼器功用。此类磨光黑陶簋造型与西周时期周式陶簋有相近之处，在陶质、陶色上又具备独特作风，表明其器形主要源于西周时期周器，并初步形成一定楚风特色。春秋晚期后，此类兼具周、楚作风磨光黑陶器基本消失，而为自成体系的楚式陶礼器所取代。

高圈足腹瓦纹黑陶簋藏于湖北省宜昌博物馆。

青釉陶簋 春秋文物。1975年，江苏省吴县出土。

青釉陶簋高7.5厘米，口径23.6厘米，腹径25.2厘米，足径22厘米。胎质细腻，呈灰白色。通体施黄绿色釉，釉薄处泛白。子口，鼓腹下部腹渐收，圈足较高，露胎，边缘不规整。平底，腹饰对称附耳，外腹饰鸟状锥刺纹三圈，内底有弦纹，附4个双耳罐，耳为鸟形。器造型上看，原应有一盖子，内里小罐由于胎釉烧结而粘连在一起。

簋，盛食物器皿，多见于青铜器。青釉陶簋之所以珍贵，在于其表现出编竹、髹漆、青铜等对陶瓷器艺术的深刻影响，反映江南地区从印纹硬陶发展变化到瓷器工艺过程，特别是其上锥刺纹，更能看出当时人们已在满足生活需要的同时，开始注重实物美观性、艺术性，从而不断创新。

青釉陶簋藏于南京博物院。

"公区"陶量 战国时期齐国文物。传山东省临淄出土。

"公区"陶量高17厘米，口径20.5厘米，容量4847毫升。外形就是一件普通灰陶深钵，外腹部有戳印文字"公区"二字。"区"是齐国量器单位，"公"是指这件量器容量是政府制定的标准。

战国时期，各诸侯国使用量器大小和单位不同，就齐国而言，量制也是在逐步变化中。齐国旧量有升、豆、区、釜四种，四升为豆，四豆为区，四区为釜。春秋末期，田氏将家量改为五进制，即五升为豆，五豆为区，五区为釜，十釜为钟的新量制，并用大于公量的陈氏家量出贷粮食，用公量收，让利于民，因此广得民心，被百姓拥护，壮大田氏一族势力，为以后得齐王位奠定基础。田氏本是春秋时期陈国的王室，前672年，因陈国内乱，陈厉公的儿子陈完逃到齐国，齐桓公授其工正之职，管理手工行业。陈完改名为田敬仲，成为齐国田氏之祖。随时间推移，田氏在齐国力量不断壮大。前545年，田氏四世孙田桓子联合其他家族消灭势力强大的庆氏家族，接着又消灭栾氏、高氏家族，并取得公族与国人支持，逐渐控制齐国政权。田氏改量制以后，齐王室被迫改制公量，于是出现容积很大的"公区"陶量。经近苦心经营，田氏家族事业终于在田和一代水到渠成。前386年，田和逐放齐康公，自立为国君，同年被周安王正式册封为齐侯，完全取代姜姓王室，从此齐国在田氏家族统治下，改革政治，重用有才干的人，使齐国在战国时期雄风犹存。

"公区"陶量藏于中国国家博物馆。

陶茕 战国时期燕国文物。陶茕原为河北省易县邑绅陈紫蓬旧藏，中华人民共和国成立后陈紫蓬将全部收藏捐赠给国家，陶茕入藏中国历史博物馆。陈云瀛，字紫蓬，对易县文化颇有研究，曾参与民国《易县志稿》编修，致力于收藏保护出土文物，建立"燕陶馆"，称

"燕陶馆陈氏"。傅振伦曾于1929年参加过燕下都古城考古调查，在其《燕下都考古系年要录1921～1987》一文中记载："（1929年11月）21日我们在易县还访问收藏家邑绅陈紫蓬于其家轳辘湾街。26日又参观其城外别墅'半城半郭半农半圃之园'，尽观其珍藏。其珍奇之品有：……高陌出土的十四面赌具瓦琼……"这里提到的高陌（易县东部）出土的"十四面赌具瓦琼"应当就是这件陶茕，因而也得知其是在易县以东高陌村燕下都古城出土。

陶茕长8厘米，宽8厘米。灰陶质，呈十四面体，每面有一个篆体字，是中文数字1～14。茕体内部有铜块负重。

茕又称为"投""琼"等，是古代六博棋类游戏在行棋前投箸用的，类似于行酒令使用的骰子。六博是中国古代一种棋艺，起源于何时不清楚，但在战国和秦汉时期十分流行，这个时期贵族墓葬中经常会发现六博棋具。六博棋具包括六博（六根算筹）、博席（放博的垫子）、博镇（镇压博席的重物）、博局（棋盘）和棋（棋子）、载（骰子）等物。根据投箸结果决定行棋步子，在博局中没有箸的则使

用茕，二者作用相同。一般为球体，投出后可回转疾飞，停下后根据上面显示数字行棋。六博使用茕有别于行酒令使用的茕，行酒令之茕一般一面刻"骄"，另一面刻"酒来"或"自饮"字样，六博使用之茕是各面刻上数字，相对两面刻"骄""妻畏"二字，与现在的输赢相似。出土实物中，茕有铜质、木质和石质等质地，有的茕内有小铜块，投掷时铿锵作响。

陶茕藏于中国国家博物馆。

彩绘蟾蜍纹陶盘　战国文物。1993年，河南省洛阳市西工区东周墓出土。

彩绘蟾蜍纹陶盘通高5.5厘米，口径33厘米，底径21厘米。折沿，方唇，斜弧腹，平底。通体以灰陶为地，在其上用白、红、黑彩绘各种纹饰。盘内底部中间绘一蟾蜍，体型肥大，四肢外伸，自然弯曲，作弹跳状。蟾蜍通体红彩，局部饰白点。其两侧各绘一游鱼，首尾相对，以红、黑、白彩勾勒出鱼身、嘴眼、鳍、垂鳞等。内壁腹部用白彩绘变形卷云纹，呈三角形，上下相对，错落有致。其中上方云纹均用红线加饰边框。内底、壁各组纹饰间，均点缀以白色圆环。盘沿绘以红、白、黑三色交叉、宽窄不一的栉齿纹。外腹部饰等距离卷云纹，红彩勾画，个别云纹外加白框。陶盘造型典雅古朴，色彩明亮，层次分明。绘制动物纹生动活泼，变形云纹灵动飘逸。

早在仰韶文化时期，已出现用白、红、黑彩在器物上绘制纹饰作法，彩绘蟾蜍纹陶盘为研究战国时期彩绘技艺、绘画风格，提供珍贵实物材料。

1999年，彩绘蟾蜍纹陶盘由洛阳市文物工作队调拨给洛阳博物馆。

鸭形黑陶尊 战国文物。1974年,河北省平山县中山王墓出土。

鸭形黑陶尊高27.8厘米,长30厘米。球形腹,小口,平底,双足为鸭璞状,前有鸭首状流,后有鸭尾状扳,生动刻画出一只憨态可掬的鸭子形象,形神兼备。圆形盖,纽较高。整体漆黑光亮,腹外部采用压磨工艺装饰有波折纹、兽形纹、卷云纹等。鸭形黑陶尊原形是中山国著名"晨凫"(鸭类,耐寒,善于晨飞)形象,在中山国文物中有多处出现。鸭形黑陶尊胎体为灰陶,采用封窑烟熏渗碳工艺,使胎体被一层碳晶渗透覆盖,形成一层黑色皮壳,黑亮端庄,独具特色。

中山国黑陶质地细致,匀净美观,器形浑圆工整,器壁厚薄均匀。造型多为复合几何形,即几种不同几何形体拼合在一起,形成一个整体,既具有几何形的单纯明朗,又富于多样变化。黑陶线条轮廓线均具有委婉自然的特征,器体表面转折处,如口、颈、肩、腹、足等处,均呈"S"形曲线,曲线反转变化、长短相形、呼应有致。黑陶器物中的动物造型表现出陶工十分高超的塑形水平。装饰方面最典

型特征,就是磨光与压花相结合,二者在器表或上或下,相间排列,相互陪衬,体现出抑扬顿挫的秩序和节奏,产生独特审美效果。压磨是将花纹压成光亮暗纹,是一个很费时间与精力的工序。黑陶纹饰装饰另一特色就是各种花纹不同形式巧妙组合,在不大空间里大量展示,卷云纹、三角形纹、兽形纹、波折纹、横线纹、弦纹等层层叠叠排列。从色彩学上讲,黑色是量度值最小颜色,黑陶那种细腻润泽的质感散发出诱人魅力,稳重、神秘、典雅、高贵,给人以宁静幽玄感觉。

鸭形黑陶尊存于河北省文物考古研究所。

茧形红陶壶 西汉文物。1963年,中国科学院分院民族研究所考古组在新疆维吾尔自治区伊犁昭苏县城西南约68千米的夏台村南天山北麓坡地上夏台墓葬发掘出土。

茧形红陶壶高20厘米,颈高11厘米,口径6.5厘米,腹长18厘米。泥质土黄色陶,手工制成。通体施红色陶衣,小口,口微侈,直颈,壶口内侧边缘施红彩;椭圆腹,似大形茧,底部为圆底。陶壶腹部前后及左右一侧为圆鼓状,另一侧为微凹平状,凹平处并多有磨痕,应是当时根据不同需要进行竖放或是侧放的部位。壶肩部两侧各有一条长5厘米、2节手工捏塑形似轮节泥条,在壶身两侧边缘上部有堆塑泥条。整体造型与陕西关中地区秦代古墓出土同类陶器极为相同。

茧形壶是战国至秦汉时期流行的一种形状独特器物,是饮食器中的酒器,有些也作为随葬冥器(明器),在四川新都画像砖有发现用茧形壶作"沽酒"形象。茧形壶首先出现在关中地区,随后向周围地区扩散。一般分为,

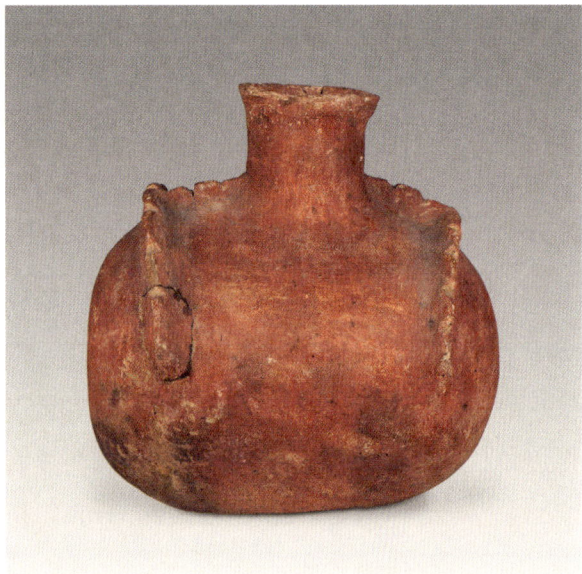

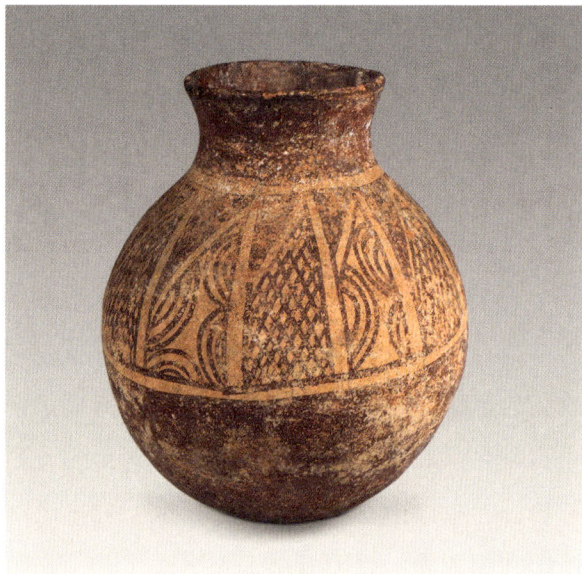

圆底型茧形壶，主要分布在关中地区；圈足型茧形壶，分布范围已扩大，向东扩展并向南到达江汉地区。在中国北方陕西、山西、河南、河北，南方湖北等地区都有茧形壶遗物发现。茧形壶的发展、演变也可分为五个阶段，大约自战国中期开始出现，战国晚期至秦统一时期发展到鼎盛阶段，西汉中期消失，前后历时约3个世纪。从墓葬出土茧形壶可以了解，前期通体多素体磨光，或仅以暗刻弦纹为饰的，后期器物腹部多饰彩绘云气纹、水波纹和旋涡纹等。经历从日用型器物到加入成套陶礼器组合的转变，彩绘的出现是这一转变的重要标志，主要由于当时社会变迁导致的文化融合。

1976年，茧形红陶壶入藏新疆维吾尔自治区博物馆。

十二开光梯形纹彩陶罐　西汉文物。1963年，中国科学院分院民族研究所考古组在新疆维吾尔自治区伊犁昭苏县城西南约68千米的夏台村南天山北麓坡地上夏台墓葬发掘出土。

十二开光梯形纹彩陶罐高23.5厘米，口径10.5厘米，最大腹径21.5厘米，底径8厘米。夹砂褐陶，微侈口，折颈高束，窄溜肩，球形腹，小平底，为手制。通体施赭红色陶衣，陶罐口沿内壁绘有一圈宽条带，陶腹上部一周用12组距离相等的近似正梯形方格进行分割，似在瓷器中采用开光绘制图案手法。在每个方格内填制纹样，以两种纹饰交替衔接，一组为三四个同心半圆弧线纹，一组为菱格纹网纹，两组纹饰左上角均绘有一填实斜倒三角纹。图案简练、抽象化，错落有致。纹饰交替组成，呈现出多样化，整幅图案规矩，细腻，看似分割却又融为一体。这独具一格、美观雅致的陶罐，可表明当时已有制造日常生活用具陶器作坊。

由于在伊犁河流域有多处墓葬发掘，学者正式提出将"伊犁河流域文化"作为新的史前时期考古学文化，其绝对年代为公元前800年左右至公元前后。伊犁河流域文化中，陶器主要器形是釜、壶、罐、钵、碗、无耳罐、单耳杯、单耳罐等，罐形器皿多高领，器形样式较高，装饰纹样细密严谨。有一定数量的彩陶，红色或橙黄色陶衣上绘黑色或红色花纹，纹饰一般较为简单，主要有三角纹、棋格纹、折线纹、网格纹、同心半圆纹、横条纹、杉针纹等。新疆彩陶制法、陶衣和彩绘颜色与甘青地区彩陶有很多相似之处，与甘肃河西走廊西端马厂类型、火烧沟类型文化及沙井文化有密切关系，其中以网格纹为填充纹饰的彩陶花纹就是马家窑类型常见纹样。与其他地区彩陶相比，新疆彩陶显得较粗糙、应与地处沙漠戈壁地带，缺乏黄土地带纯净细腻的黄土等特殊地理环境有关。但十二开光梯形纹彩陶罐制作却比较精良，纹饰考究，堪称新疆彩陶中精品。

1976年，十二开光梯形纹彩陶罐入藏新疆维吾尔自治区博物馆。

人首形陶水注 3～5世纪文物。1976年，新疆维吾尔自治区和田县枣花公社二大队八小队一社员在和田县巴格其镇政府东南约3千米艾拉曼村旁约特干遗址处，平整土地时发现人首形陶水注。

人首形陶水注残长19.5厘米，最宽处6厘米。细泥黄陶胎，表面施枣红色陶衣，模压成形，后再细雕刻划、烧制而成。水注上端为盘状器口，主体呈人首状。头形中空，雕刻为当地一胡人男子形象，广额隆眉，双目舒展，美须飞扬，蓄络腮胡须，脸部喜气洋溢，男子塑像逼真写实。器颈和口部自然形成男子所戴螺

旋状高顶帽，下端为两角竖立拢合成圆形牛头，牛嘴作小圆口，上下两端各有一小孔可互通，整个水注塑造技艺精湛，形神毕肖。

水注是生活中的实用器，古人用来盛装酒及其他液体饮料。人首形陶水注是造型新颖的注器，集人物与动物于一器物上，将实用器和雕塑艺术巧妙结合，是一件难得的艺术珍品。相似的水注在邻近地区也有发现，为探索该地区陶艺技术提供重要实物资料。器身上模塑人像，在萨珊王朝时期非常流行，人首形陶水注可能受萨珊王朝文化影响。希腊人在典仪上有相似用器，被称为来通，是专用于祭祀等仪式中的注酒器。据说，当时人们认为用来通进行注酒可防止中毒，后来成世俗贵族奢侈品。来通的制作，用烧土、金、银、铜、象牙、陶瓷、玉、玛瑙、玻璃等材料。因其形象多为兽角，也被称为兽角杯。

人首形陶水注藏于新疆维吾尔自治区博物馆。

酱釉罐 东魏天平四年（537年）文物。1973年，河北省景县高氏墓群高雅夫妇子女合葬墓出土。据墓志记载，主室内两具为墓主人高雅和妻子司马氏（司马金龙孙女），后室为其第二子高德云，东室为大女儿北魏孝明帝嫔高元仪。夫妻与子女合葬在同一墓内，且已出嫁女儿为最高统治者的嫔妃，丧葬形式十分罕见。该墓出土随葬品116件，包括陶俑、瓷器、陶器、铜器、镇墓武士、镇墓兽、永安五铢铜钱及陶明器和动物模型。高雅，字兴贤，《魏书·高祐传》《北史·高允传》均附有其传记。北魏末年，官至定州抚军府长史，死于熙平三年（518年），东魏天平四年（537年），追

赠散骑常侍、冀州刺史，"诏书"改葬。景县高氏墓群，又名"高氏祖坟"或"皇姑陵"，相传有墓近百座，历经沧桑，风土流失，多数泯没。1973年，尚存有封土墓16座，其中最大封土高达30米。历年来，农民在打井和农田基本建设时，经常发现古代墓葬。1973年4月，河北省博物馆、文管处对高雅夫妇墓、高长命墓和高潭墓进行发掘。

酱釉罐高22.5厘米，口径11.1厘米。短颈，丰肩，鼓腹，平底。通体施酱色釉，釉色莹润，釉面均匀。

酱釉罐存于河北省文物考古研究所。

黄釉乐舞人物扁壶 北朝时期北齐文物。1971年5月，河南省安阳洪河屯北齐范粹墓发掘出土。

黄釉乐舞人物扁壶高20厘米，宽16.5厘米。形体扁圆如皮囊，上窄下宽，敞口，短颈，扁圆腹，平底实足，肩部两侧有对称圆孔各一个。颈与肩相接部分有联珠纹一周，壶腹

前后两面饰印胡人乐舞图案。通体施黄釉，釉呈橘黄色，底部无釉。该壶为仿西域皮囊壶制作的铅釉陶器。据专家考证，乐舞图案表现的是西域"胡腾舞"，五人为一组，画面中央是一舞蹈者，立于莲座之上，头戴尖顶帽，身穿窄袖翻领长衫，腰系宽带，衣襟掖在腰间，足套长筒靴，其右臂向侧方伸展，左臂下垂，由于左腿着力而右腿微微上提，胸前倾，颈扭向左方，反首回颅，姿态俊美，形象生动，做扭动踢踏舞蹈状。右侧二人，一作吹横笛，一作打拍状；左侧二人，一执琵琶作弹奏状，一作双手击钹。人物均为高鼻深目，着胡装的西域人形象。胡腾舞是从西域传入中原的一种男子独舞，流行于北朝至唐代，深得中原贵族赏识，风靡一时。其主要舞蹈动作包括勾手撩袖，摆首扭胯，提膝腾跳，以腿脚功夫见长，在新疆民族舞中，犹保存其古老传统。其伴奏音乐有横笛、琵琶等丝竹乐器演奏乐曲。唐代李端《胡腾儿》诗中，对胡腾舞做非常形象描

述："胡腾身是凉州儿，肌肤如玉鼻如锥。桐布轻衫前后卷，葡萄长带一边垂。帐前跪作本音语，拈襟摆袖为君舞。安西旧牧收泪看，洛下词人抄曲与。扬眉动目踏花毡，红汗交流珠帽偏。醉却东倾又西倒，双靴柔弱满灯前。环行急蹴皆应节，反手叉腰如却月。丝桐急奏一曲终，呜呜画角城头发。"

黄釉乐舞人物扁壶胎质细腻，制作精巧，构图紧凑，釉质莹润，富有装饰性，壶腹两面印有胡人舞乐图案，并有金银器錾花凸凹效果。整件器物有浓烈的西域风情，是南北朝时期中华民族大融合的反映，为北朝瓷器装饰艺术中少见佳作。器物系绝对纪年墓出土，是研究北齐陶瓷工艺、舞乐艺术及胡汉民族大融合的珍贵资料。

黄釉乐舞人物扁壶藏于河南博物院。

三耳陶罐 唐代文物。1992年12月～1993年5月，新疆维吾尔自治区喀什文物考古工作者两次对喀什市以北12千米，亚吾鲁克自然村南面

台地上一座唐代寺院遗址进行发掘，出土陶器、钱币、贝叶经等文物，其中就有三耳陶罐。

三耳陶罐高57厘米，口径28厘米，底径19.5厘米。红陶轮制，宽口沿，近似喇叭形，长颈鼓腹，贴塑带状三耳。肩部到腹部共有四层模压纹饰带，其中主纹饰带上有10个联珠纹圆环，环内均有模压人物像，人物造型有两种，一种是头戴宝冠男子侧脸像，身穿圆领衫；一种是手执胡瓶和高脚杯女子侧身跪姿像，设头光，佩戴耳环、手镯和项圈，披帛。两种头像一组，重复出现，一共五组。每个头像间装饰忍冬纹。

新疆地区出土多件类似陶器或残片，据学者考证，陶罐上人物形象均为印度婆罗门教中人物，男子是古代印度神话中天王因陀罗；女子是恒河女神。从三耳陶罐造型、纹饰和拱形耳上胡人头像看，这类陶器应来自波斯王国。古波斯位于伊朗高原的西南部，1万年前，这里就出现陶器。公元前3世纪波斯帕提亚王朝（中

国史书称"安息")的陶器中，就出现三耳罐、三耳壶。波斯萨珊王朝（226~651年）时期，陶器依然流行三耳造型。这件陶罐可能是被丝绸之路上的贸易商人，带到新疆地区的。

三耳陶罐藏于喀什地区博物馆。

"兴国九年"陶砚　北宋太平兴国九年（984年）文物。1983年，成都博物馆征集。

"兴国九年"陶砚高4厘米，长14.7厘米，砚首宽12.4厘米，砚尾宽9厘米。泥质红陶，呈暗红色。砚面呈"风"字形状，砚堂呈首高尾低斜坡状，两壁外撇，砚底斜平，周围有一圈凹槽。砚堂内刻划铭文2列"兴国九年二月九日造/陷长四寸半"，记录此砚烧造年代和尺寸。"兴国"即"太平兴国"（976~984年），是宋太宗赵匡义年号。太平兴国九年（984年）十一月改元雍熙，即雍熙元年。陷应为"邰"的异体字。

成都地区古代窑场，如青羊宫窑、琉璃厂窑、邛窑等，均生产陶瓷质地砚台。青羊宫窑隋代晚期至唐代早期，流行形体巨大多足辟雍砚，也生产模印莲花纹多足砚和水滴锥体状多足砚。邛窑唐代早中期多见辟雍多

足砚，五代至宋以"风"字砚更为常见。唐宋时期的邛窑、琉璃厂窑均有大量简单轻便撮箕砚生产。此砚制作粗放，砚堂上所刻铭文亦字迹排布随意，与本地同期各窑场生产陶瓷砚风格较为接近。此砚明确纪年文字，为研究砚台形制变化提供可靠断代依据。"兴国九年"陶砚还为研究宋尺提供翔实资料。此砚长14.7厘米，以此折算宋代一尺约为32.6厘米。文献载宋代尺共有二十一等，宋太府寺承袭唐太府旧制，以太府寺尺或三司布帛尺为第一等尺，是宋代官方常用尺度。根据武汉、南京、江陵、苏州等地出土宋尺实物看，一尺约长30.8~31.7厘米不等。1920年，宋巨鹿故城曾出土一把长为32.9厘米木尺，王国维在《三木尺拓本跋》论及此尺时认为"盖由制作粗牾，非制度之异也"。

"兴国九年"陶砚藏于成都博物馆。

婺州窑题铭碾轮　北宋天圣六年（1028年）文物。1980年5月，浙江省东阳市歌山镇歌山公社社办企业基建工地发现一处窑址，后经金华地区文管会和东阳县文管会为期一个多月发掘，出土一条完整的北宋窑床，在其下面又发掘出一座唐代早期窑。婺州窑题铭碾轮出土于北宋窑床中，与其一同出土的还有匣钵、垫具等生产工具，及碗、盘、杯、盏托、盒、执壶、水盂、盖等器物。因碾轮上"天圣六年"铭文，确证出土器物制造时间。

婺州窑题铭碾轮轮径11.4厘米，轮厚2.5厘米，中心圆孔直径2.1厘米。形如铁饼，外缘薄内里厚，弧面，中间开圆孔。顺时针向阴刻行书"天圣六年造自使也"八字铭文。表面未施釉，呈灰红色。铭文中"天圣"（1024~

1031年）为北宋仁宗赵祯年号，注明"自使也"，可能是一窑工为自己所烧制用具。

碾轮多用于碾药或碾茶，宋时点茶的饮法，常将碾轮用于碾茶成末。由此推测，婺州窑题铭碾轮为当时日常饮茶用具的可能性较大。

婺州窑题铭碾轮藏于浙江东阳市博物馆。

褐釉鸡冠壶　辽代文物。1974年，辽宁省沈阳市法库县出土。

褐釉鸡冠壶通高25.5厘米，腹长20.3厘米，腹宽17厘米。扁体，上薄下宽，顶部置一大一小双系孔，椭圆形管式口，有盖。淡红陶胎，通体施酱色釉，釉层较薄，较亮。壶身堆塑泥条似皮革接缝，饰以针脚纹。凹底边缘有三小支钉痕。褐釉鸡冠壶因器形上部有鸡冠状装饰而得名。契丹民族马上为家，为方便起见，遂以皮革缝囊，内盛水、乳等饮物，只留小口，以防倾漏。腹部下垂仍如容水之囊，在边沿处还仿制出缝制皮革针脚。

鸡冠壶是仿革囊形制作成随葬用品，多是瓷器，绝大部分出土于契丹高级贵族或契丹化高等级汉官墓中。有学者研究认为，鸡冠壶

发展分穿孔序列和提梁序列。穿孔式鸡冠壶源于早期契丹族皮囊容器，由辽前期陶质单孔鸡冠壶演变而来，后逐渐发展成为更加实用的扁身双孔鸡冠壶，到中晚期，稳定的定居生活已不需要系绳悬挂鸡冠壶，提梁式鸡冠壶成为主流。而提梁序列鸡冠壶则源于中西亚阿拉伯地区皮囊容器，唐朝时传入中原地区，辽继承唐代矮身横梁式鸡冠壶造型，逐渐形成一完整体系。褐釉鸡冠壶是辽代早期偏晚鸡冠壶形制，做工精致，为辽代陶制鸡冠壶中精品。

褐釉鸡冠壶藏于辽宁省博物馆。

三彩镂空浮雕龙纹带盖熏炉　元代文物。1970年，内蒙古自治区呼和浩特市托克托县东胜州故城出土。

三彩镂空浮雕龙纹带盖熏炉高50厘米，宽28厘米，口径24.2厘米。仿鼎造型，炉体为圆形，盘口，附双立耳，直颈，鼓腹，环底，三兽足。口沿处有一周贴塑小葵花，口沿两侧各有一直耳，直耳边装饰一周葵花，下饰有一鲤鱼。穹庐形盖，立狮造型盖钮，并贴塑荷叶、花卉等衬饰。炉腹部有多处透气孔。器表以蓝

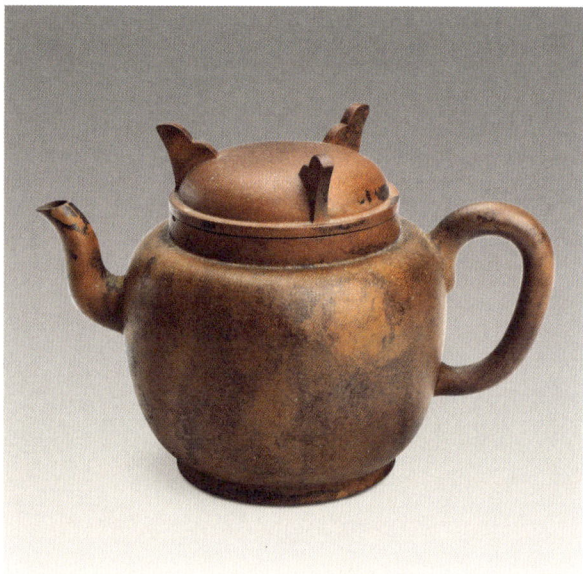

彩为主色调，间施黄、褐色釉。炉形体高大，造型浑厚古朴，釉色亮丽斑斓，是具有宗教色彩的艺术珍品。

这种以铜为着色剂在氧化气氛下烧成的蓝、绿色釉，被称为"孔雀蓝釉"或"孔雀绿釉""法翠釉"。属西亚地区传统釉色，唐宋时期开始在北方民窑中制作。至元代，景德镇浮梁瓷局建立后，生产过一些孔雀绿釉瓷器。孔雀绿釉产品见有三足炉、高足碗盘、玉壶春瓶等多种器形标本出土传世。至康熙时极盛。

三彩镂空浮雕龙纹带盖熏炉藏于内蒙古博物院。

"时大彬制"款紫砂壶 明万历时期（1573～1620年）文物。1987年7月，福建省漳浦县文化馆接到乡民来报，在盘陀乡汤坑村庙埔自然村村前犀丘山南坡上发现一座古墓。墓中出土有菱形珠六籽十三档木算盘、木戥秤、抄手砚、白玉印盒、青玉笔架、青花小瓷罐及"时大彬制"款紫砂壶。

"时大彬制"款紫砂壶通高11厘米，口径7.5厘米，腹径11厘米，底径7.5厘米。通体栗红色，满布梨皮状白斑点。丰肩，鼓腹，曲流圆柄，平底，圈足，口盖准缝严密，盖顶略平，倒立三个鼎足以取代纽，使整器若呈覆鼎状。器底有"时大彬制"四字楷书款，竖排单行，单刀阴刻，名下无印章。整器形体工稳，气韵古朴深厚，是存世大彬壶中仅见的造型，也是所发现"大彬"款紫砂器中时代最早的一件。

时大彬是明代中晚期制紫砂壶名家。据明周高起《阳羡茗壶系》记载："大家时大彬，号少山，或淘土，或杂砆砂土，诸款具足，诸土色亦具足，不务妍媚，而朴雅坚栗，妙不可思。初自仿供春得手，喜作大壶。后游娄东闻陈眉公与琅琊太原诸公品茶施茶之论，乃作小壶，几案有一具，生人闲远之思，前后诸名家，并不能及。"由于明代的饮茶习惯从以往煮砖茶改为沏泡散茶，因而出现泡茶茶壶。紫砂壶出现于明代中期，因其具有天然透气性，成为大家喜爱的沏茶壶而在饮茶人群中流行。时大彬款紫砂壶存世很少，比较确切的出土资料大约有五六件。故宫博物院收藏有一件"时大彬造"款雕漆紫砂四方壶，清宫旧藏，紫砂胎，是作为雕漆壶进入宫廷，也是仅存一件名家紫砂与雕漆工艺相结合传世紫砂壶。

"时大彬制"款紫砂壶藏于福建漳浦县博物馆。

黄绿釉琉璃带盖鼎式炉　明代文物。1982年，山西省离石县计划委员会建设工地出土。

黄绿釉琉璃带盖鼎式炉通高56.8厘米，炉高29.4厘米，口径23.5厘米。胎为红坩土烧制，质地坚硬。荷叶形炉盖，莲蓬造型盖纽，莲蓬之上有一蹲着的狮子张口吐舌，抓带戏耍，造型别致。炉身束颈，鼓腹，双耳稍外撇，三狮首形足外撇。口部外墙上下饰以联珠纹两周，两周联珠纹中间为连云纹，颈部饰以缠枝莲纹。腹部堆塑龙穿牡丹，寓意"龙串富贵"。香炉通体施黄、绿、白三色釉，色彩淡雅，凝重大气。炉口沿内侧刻有"己丑年壬申月己酉日辛时朱成造"等14字铭文，耳部刻有"呼延"二字，是明代琉璃佳品。

山西地区琉璃艺术历史悠久。琉璃制作工艺复杂，需分两次烧成，第一次为高温素烧，第二次为低温釉烧。明代，随寺庙建筑兴盛，山西琉璃更是得到空前发展，其规模之大、技术之精均超过以往。有学者认为，根据熏炉耳部造型和整体严谨规范特征，应是明中期成化五年（1469年）制作。还有学者根据熏炉盖子如荷叶形状接近元代造型，及双耳外撇明代

特征，认为应是明早期之物。黄绿釉琉璃带盖鼎式炉是山西琉璃器中最为完整且有甲子纪年熏炉。

黄绿釉琉璃带盖鼎式炉藏于山西博物院。

珐华镂雕人物罐　明代文物。山西省长治出土。

珐华镂雕人物罐高40厘米，口径17厘米。圆口，口沿外卷，短颈，广肩，鼓腹，平底。陶胎，腹部二层胎，底层素胎无釉，外层镂雕并施釉彩。镂雕纹饰分几层，中层主题纹饰是官员出行图，二人抬轿，轿内一武官，轿子前后有骑马官吏及持伞、旗随从，头顶上有祥云、仙鹤。

珐华彩属低温釉，是在琉璃产品基础上发展起来。但珐华彩釉与琉璃彩釉区别在于助熔

剂不同，琉璃釉助熔剂是铅，而珐华釉助熔剂是牙硝。珐华器出现于元而盛于明，尤以明代所产质量好，数量也多，其中又以万历时作品最佳。清嘉庆后渐趋衰退。珐华器主要产地为山西一带，以泽州（高平、晋城、阳城）一带出品最精。汾阳山泉镇珐华器质地粗糙，与晋南风格迥异。此外，陕西长安、河南洛阳、江西景德镇等地也曾烧造。珐华器以陶土作胎，明代为灰白色，清以后发淡黄色，砂质陶胎。较粗糙，并有杂质，称为"涩胎"。明景德镇珐华有用高岭土作胎。因而，胎是区分时代及产地标记之一。珐华器装饰技法较特别，主要是阴刻、堆塑、勾勒等。其中勾勒工艺是用一种特制囊袋，内装泥浆，袋口有细管，在陶胎上挤压勾勒成双凸线纹饰轮廓，再用黄、蓝、绿、紫、褐等色釉料，填出底色和花纹色彩，入窑煅烧而成。烧成珐华器立体感特别强，色彩非常鲜艳。景德镇珐华器多为瓷胎，二次烧成，并出现珐翠、珐黄、珐蓝、珐紫、珐青等，统称珐华釉。

珐华镂雕人物罐藏于长治市博物馆。

绿釉贴塑莲瓣纹陶盖罐 清代初期文物。2002年4月～2006年5月，辽宁省鞍山市博物馆对黄瓦窑遗址进行调查，经发掘和采集各类文物标本约100件，其中带有文字标本有新宾"永陵"残吻、新宾"永陵四碑亭"脊筒、沈阳"昭陵角楼"套兽、沈阳"福陵隆恩殿"垂脊、沈阳故宫"清宁宫"垂脊，沈阳故宫"太庙"砖等建筑构件。《侯氏家谱》等史料记载佐证，在清代辽宁地区皇家建筑琉璃构件均为黄瓦窑所烧制，一直在供应清代皇宫、陵寝、祠堂、庙宇等建筑兴建与维修。据《满文老档》记载，后金天命六年（1621年）窑主侯振举精心烧制碗、罐等生活用具，进献给努尔哈赤，深受赏识，授其守备之职，令其大量烧制龙砖彩瓦，专供皇室宫廷、陵寝之用。至四世祖侯振举接受清代开国汗王赏赐，逐渐发展扩大侯氏窑产业，到民国初年结束，有将近300年烧造史。

绿釉贴塑莲瓣纹陶盖罐通高65.1厘米，口径24.74厘米，底径27.92厘米。为黄瓦窑所烧制。器似盔形，盖顶为莲瓣圆形纽座，上置莲朵盖纽。罐为直口，短颈，溜肩，斜腹，平砂底。肩部贴塑一周覆莲花瓣纹饰，下腹部饰有多周宽凹弦纹。盖罐通体施绿釉，釉色青翠明亮，胎体较厚，造型稳重古朴，给人以典雅、端庄的美感。贴塑莲朵及花瓣纹样写实生动逼真，特别是腹下部宽凹弦纹犹如荡漾湖水，与罐体绿色相陪衬，恰似恬静莲湖美景，具有较强立体效果。清初统治者崇尚佛教，盖罐主题纹饰以莲花为主，而莲花有佛门圣花之誉，可见绿釉贴塑莲瓣纹陶盖罐应为清代贵族、僧侣敛骨之器。

绿釉贴塑莲瓣纹陶盖罐烧制窑址位于辽宁省海城市析木镇缸窑村北沟山下，黄瓦窑以烧造琉璃构件为主，窑场面积近16万平方米，主要由窑址、官厅、琉璃影壁、伯灵庙、土地庙、狐仙堂、工房、老井、泥浆池、灰坑、侯家祖坟、红土场、白土厂、晾坯场等组成，是清代规模较大官琉璃御用窑厂，专门为辽宁地区烧制皇家建筑构件。

绿釉贴塑莲瓣纹陶盖罐藏于抚顺市博物馆。

陈鸣远紫砂瓜形壶　清代文物。南京博物院征集。

陈鸣远紫砂瓜形壶高11.2厘米，口径3厘米。胎细，色红，壶体像一圆硕丰满甜瓜，瓜蒂为盖，瓜藤为把，瓜叶圆卷成流，巧妙自然。壶腹部一侧刻铭"仿得东陵式，盛来雪乳香，鸣远"，钤篆书阳文"陈鸣远"方印，是陈鸣远的一件代表作。

陈鸣远是清代早期紫砂器名家，其作品享誉江南应是在其晚年或离世之后。据民国时期李景康、张虹《阳羡砂壶图考》记载："（其）工制壶杯瓶盒，手法在徐（泉友）沈（澈子）之间，而所制款识、书法、雅健胜于徐沈。张燕昌谓其手制茶具雅玩不下数十种，如梅根笔架之类不免织巧，其款字有晋唐风格。盖鸣远游踪所至，多主名公巨族。吴木差客云，鸣远一技之能，间世特出，自百余年来，诸家传器日少，故其名尤噪，足迹所至，文人学士争相延揽。常至海盐馆张氏之涉园，桐乡则汪柯庭家，海宁则陈氏、曹氏、马氏，多有其手作，而与杨中允晚研交尤厚。"陈鸣远与这些文人名士交往深厚，经常一起切磋茶艺和壶艺。文人雅士的琴棋书画对其影响很大，书法篆刻家朋友甚至直接参与壶上绘画和题款，使之把书画技法和意境融入制壶创作中，因此其紫砂作品融合紫砂手工技艺和传统文化意蕴，把紫砂工艺提高到艺术层面。陈鸣远制壶技艺精湛全面，又勇于开拓创新。其仿制的爵、觚、鼎等古彝器形紫砂壶，古趣盎然。设计的仿生器形如瓜形壶、莲子壶、松段壶、梅干壶、蚕桑壶等，均极具自然生趣，使茶壶造型更加艺术

化，成为"花货类"紫砂壶宗师，使花货茶壶崛起成为紫砂茗壶重要形制，被后世制壶者广泛承用。陈鸣远还制作许多案头陈设清供雅玩和文房用具，像生的菱角、扁豆、花生、玉蜀黍、栗子、藕片、荸荠、核桃、白果等，从形象到色彩，惟妙惟肖，把果蔬自然生态表现得淋漓尽致，极大丰富紫砂陶日用品之外的纯艺术欣赏门类。陈鸣远紫砂作品在国内外各大博物馆均有收藏，除紫砂瓜形壶外，比较著名的还有天津艺术博物馆收藏的天鸡壶、上海博物馆收藏的中六方壶、美国西雅图博物馆收藏的梅干壶等。出土鸣远壶比较有名的是福建漳浦清乾隆二十三年（1758年）蓝国威墓出土的一件"丙午仲夏 鸣远仿古"铭紫砂壶，钤"鸣""远"二印，一圆一方。

陈鸣远紫砂瓜形壶藏于南京博物院。

饕餮纹灰陶簋　商代文物。1956年，河南省文物队在郑州旮旯王村采集到饕餮纹灰陶簋。旮旯王遗址位于郑州旧城西南约6.5千米，地势为较平坦的丘陵。商代文化层在该遗址分布面积较广，一般厚约0.9米，最厚达2.4米，出土商代遗物有陶器、石器、铜器、骨器、蚌器等，以陶器数量最多。陶器陶质以泥质灰陶为主，夹砂灰陶次之。纹饰有绳纹、附加堆纹、素面磨光、划纹等，以粗绳纹最多，细绳纹、素面次之，划纹最少。出土器形主要有鼎、鬲、罐、钵、豆、簋、盆、瓮、大口尊等。

饕餮纹灰陶簋高14.2厘米，口径15.6厘米，足径13.4厘米。泥质灰陶，轮制而成。直口，平沿，微鼓腹下垂，圆底，圈足微外撇。颈部两侧有一对称拱形兽面耳，腹部模印三组饕餮纹，器底饰绳纹。

簋是古代用来盛放食物器皿，青铜簋也常被用作礼器。簋在新石器时代就已出现，商代至东周时期盛行，战国后逐渐消失。饕餮纹灰陶簋造型端庄，纹饰清晰工整，与同时期青铜簋形制纹饰相类，为研究商代礼制生活和制陶工艺提供实物佐证。

1963年，饕餮纹灰陶簋移交河南省博物馆收藏。

兽首流黑陶提梁壶　东周文物。1979年，江西省贵溪县渔塘公社崖墓出土。贵溪崖墓位于鹰潭市区西南约20千米上清溪河边山崖上。在龙虎山仙水岩悬崖绝壁上，分布大小100余座岩洞，离水面高度20～50米，洞中大多为春秋战国时期古越人墓葬。因同一时期江西东

部属越国势力范围，故崖墓主人为干越人。1978～1979年，江西省考古工作者先后发掘清理其中14座墓葬，出土陶器、原始青瓷器、纺织竹木器、丝织品、乐器等文物。兽首流黑陶提梁壶出土于水岩10号崖墓。

兽首流黑陶提梁壶高19.8厘米，口径7.2厘米，足高5厘米。陶质，扁圆体，有盖，盖纽圆环形。肩部置半圆提梁，下腹承以三矮足，足外撇。采用东周时期南方地区盛行陶器仿铜器造型，提梁呈弓形，两侧上塑锯齿棱脊，一端乳突双角，一端"S"形卷尾。盉腹体前塑兽首流，兽昂头，一对兽角内卷，张口为流；相对应腹后一突出短小卷尾。提梁看似为一单独兽形，实与腹体兽首流、后卷尾构成完整曲体神兽。盉腹部与盖面均刻划云纹，辅以多道弦纹。

提梁壶作为礼器，与爵配套可盛酒；作为盥洗用具则与盘配套盛水使用。兽首流黑陶提梁壶属春秋，系国内孤品，是研究南方少数民族文化重要实物资料。

兽首流黑陶提梁壶藏于江西省博物馆。

朱绘兽耳陶壶　战国时期燕国文物。1958年，北京市昌平镇松园村出土。

朱绘兽耳陶壶高70.2厘米，方口边长20厘米。器形较大，颈部、口沿及盖均为方形，颈部有一对虎形耳和铺首衔环。圆腹下垂，贴塑十字条带把外腹部分成几个区域。高圈足。器身彩绘云纹和变形蟠螭纹。

西周分封时，召公奭始封于燕国，至秦始皇统一中国。燕国在京津、冀中、冀北、东北南部、内蒙古东南部这一广阔地区延续近千年。考古学家们通过北京房山琉璃河燕国遗址

和墓葬发掘和研究，找到西周燕国始封地，即琉璃河附近董家林古城。燕国经历西周、春秋、战国几个发展阶段，融合燕山南北地区不同文化特征的东北夷、山戎、貊、东胡等众多部族，最终成为多民族融合的一个大国。松园战国墓出土的器物与河北唐山贾各庄战国墓出土青铜器类似，属仿青铜礼器陪葬品，说明战国早期已有越来越多陶制礼器出现在墓葬中。

朱绘兽耳陶壶藏于中国国家博物馆。

印纹硬陶兽首炙炉　战国时期越国文物。2003年3月～2004年12月，江苏省无锡鸿山越国贵族墓出土。

印纹硬陶兽首炙炉通高16.2厘米，长38厘米，宽30.2厘米。呈长方形，口沿向内斜折，四角上翘，浅直腹，平底。4个豹形足。腹部四面各有2个铺首衔环浮雕造型，铺首衔环底纹为网格纹，四角上面和侧面装饰戳印的圆圈

纹，其他部位装饰平行线纹和斜线纹。炙炉是烧炭取暖或烧烤食物用具，印纹硬陶陶兽首炙炉是模仿青铜实用器制作陪葬明器。

印纹硬陶最早出现于距今大约4000年新石器晚期的长江流域地区，其制坯使用的黏土是一种质地较纯、氧化铁含量较低的瓷石类黏土，烧成温度在1100℃左右。印纹硬陶胎体坚硬，叩击之声音清脆，不同于一般陶器浑浊声音。又因其表面饰有斜方格纹、云雷纹等几何纹样，故被称为"印纹硬陶"。印纹硬陶是原始瓷器前身，战国时期是印纹硬陶与原始瓷器大量共生的时期，汉以后逐渐被瓷器替代。

印纹硬陶兽首炙炉藏于江苏无锡鸿山遗址博物馆。

陶鼎 战国文物。1956年10月和1957年8月，北京市昌平镇松园村一农业生产合作社在挖白薯窖时，先后发现两个较大战国墓葬，

一个在村西南角（松园1号墓），一个在村东北角（松园2号墓），两座墓葬相隔约250米。陶鼎出土于松园2号墓，墓主身份可能为燕国中小贵族。该墓出土成套仿铜陶礼器，有鼎、簋、盨、豆、壶、盘、匜、鬲等30余件。

陶鼎通高43厘米，口径28厘米。泥质灰陶，带盖。微敛口，鼓腹，圜底，三兽形蹄足。口沿上双长方形附耳，耳上端外撇，耳上划"S"形纹。半球形盖，盖面有三道凸起的弦纹，第二道和第三道弦纹之间贴塑三卧兽为纽，卧兽头高高昂起，身体半卧。上腹部浅刻涡纹，足跟处模印兽面。陶鼎表面有朱绘痕迹，器形完全模仿同时期青铜器，采用彩绘、刻划、模印等装饰手法，制作精细。

松园墓出土的成套仿铜陶礼器，既有明显时代特征，又有一定地方风格。

陶鼎藏于首都博物馆。

陶牺尊 战国文物。1985年，山东省临淄乙烯厂区战国时期大型古墓出土。乙烯厂区发现两座墓，东西并列埋于同一封土下。据分析，两墓主可能是夫妇。墓室分别由巨石垒砌而成，有大量随葬品。出土青铜器、仿铜陶礼器、乐器、漆器、水晶、玉髓饰物200余件。器形有陶鼎、豆、方豆、莲花豆、盖豆、壶、盘、敦、舟、盆、簋、鬲、罐、瓮、鉴、筐、牛尊、编钟、马、乐舞俑等。其中不少器物在淄博是首次发现。据推测，墓主可能是一相当于大夫身份的贵族。

陶牺尊泥质灰陶，仿青铜牺尊造型，背部有环纽盖。

牺尊为六尊（牺尊、象尊、太尊、山尊、著尊、壶尊）之一，《周礼·春官·司彝尊》云："司彝尊：掌六尊、六彝之位，诏其酌，辨其用与其实。春祠、夏禴，裸用鸡彝、鸟彝，皆有舟。其朝践用两献尊，其再献用两象尊，皆有罍。诸臣之所昨也。秋尝、冬烝，裸用斝彝、黄彝，皆有舟。其朝献用两著尊，其馈献用两壶尊，皆有罍。诸臣之所昨也。凡四时之间祀追享朝享，裸用虎彝、蜼彝，皆有舟；其朝践用两大尊，其再献用两山尊，皆有

罍，诸臣之所昨也。"牺尊作为一种祭祀礼器，自商代已有之，记载于典籍，北宋后期复古风盛行，也铸造有牺尊作为礼器，只是工艺品质差了很多。商周时期，为维护统治秩序，统治者制定森严等级制度。一些用于祭祀和宴饮器物，被赋予某种特殊意义，成为礼制体现，就是所谓的"藏礼于器"。这些器物多由青铜制造，又称"青铜礼器"。战国中晚期，青铜器在社会生活中的地位下降，逐步被铁器取代，由原来礼乐、祭祀、兵器等转变成日常用具。而贵族随葬用礼器，逐步被仿铜陶礼器取代。

陶牺尊藏于山东博物馆。

彩绘陶敦 战国文物。1987年，湖南省汉寿县株木山24号楚墓出土。

彩绘陶敦通高28.5厘米，口径22.3厘米，足高6.5厘米。身、盖有子母口，外形相同，彩绘图案有别，相合呈椭圆形。盖上刻三周凹弦纹，均饰朱色彩绘边框，将整盖分为四层，一层为圆形盖顶，上绘朱色彩绘云纹三朵，云纹内着灰色、朱色、黑色线条和间点白色联珠纹；二层以灰色和黑色为主，刻水波纹一周，着朱色彩绘；二层下部与三层上部间，饰有三扁形兽足纽，兽足朝上，倒立成等距离分布；三层以朱色、黑色为主绘云纹、间朱色点纹一周，云纹内亦着灰色、朱色、黑色线条和间点白色联珠纹；四层与第二层相同。器身圆形微内敛，椭圆形腹，上饰两周凹弦纹，均着朱色彩绘边框。圆底，三扁形兽足，与三兽纽大小、形制等同。腹上部黑色地上用朱色、白色线条绘有不等边三角形、等边倒三角形几何图案五组，且两两相间，形成一周。整器造型优

美，彩绘纹饰布局精致，线条明快流畅。

自战国始，逐渐使用陶礼器代替铜礼器作为随葬品，特别是仿铜器形式的鼎、豆、壶、簠等成套成组出现，其间磨光、暗花、朱绘、线刻等装饰手法广为应用，把陶器制作工艺推进到一崭新阶段。陶胎除火候较低的泥质灰胎、紫胎和黄灰色胎外，也有火候较高的夹砂胎。夹砂胎往往外表髹漆，然后用朱、白、黑色绘三角形几何纹和云纹图案。晚期多以黑衣彩绘居多，而绘朱、白三角形、方形几何图案和柿纹等。可见，沅水下游的陶器彩绘主要是模仿漆器效果，或直接在陶胎上髹漆彩绘。战国时期，楚文化在沅水下游已得到很大发展，常德地区已成为楚人统治的一个中心地带。武陵区、鼎城区、桃源县和汉寿县出土彩绘陶器较为精美，形制独特，具有明显地方特色。其中尤以汉寿县出土彩绘陶器最为突出。沅水下游楚墓出土彩绘陶器数量众多，均为明器。所谓明器，系指仿照实物陪葬品，也称冥器，只

作为陪葬而不能实用。彩绘陶鼎、敦、壶、浴缶、匜、盘等的发现，对研究楚国这一地区政治、经济、文化等，都具有重要参考价值。彩绘陶敦为楚墓出土陶器之精品。

彩绘陶敦藏于湖南省常德博物馆。

陶困 秦代文物。1976年10月，秦俑坑亦工亦农考古训练班在陕西省西安市临潼区城东秦始皇陵东侧上焦村西实习时，探出墓葬17座。墓葬东西向，南北单行排列，间距2~15米。东距秦始皇陵陪葬马厩坑5~10米，西距始皇陵园东外城墙350米左右。1976年10月~2017年1月，先后对其中8座墓进行清理发掘。8座墓葬均为带斜坡墓道"甲"字形墓。墓葬排列间距、位置和墓地选定，都像是经过缜密研议，显系同时埋葬。其中一座墓中未发现人骨外，其他7墓人骨为五男二女，死因似同一时期被肢解或射杀，年龄均在30岁上下。8座墓均一椁一棺，且随葬器物较为丰富。据文献考证，这批墓主人很可能是秦始皇宗室或

大臣，属秦始皇陵陪葬墓。出土陶囷的墓主为男性，下肢发现于填土中，而头则在椁室头箱上，同出一枚桥梁纽铜印章，正面阴刻小篆"荣禄"2字，应为墓主名字。

陶囷通高38厘米，最大腹径39厘米，盖径44厘米，足高4.5厘米。泥质灰陶。圆屋形，攒尖顶，底部圈足，为粮仓之模型。仓盖正中鼓起，中部有一圆孔，孔上加盖，盖上立一小鸟，囷顶做出四条屋脊及瓦棱，出檐较宽，腹部有一长方形小门，位于屋檐之下，囷门周边刻划出门扉状。

囷是中国古代储存粮食一种设备，最早出现于春秋中晚期，《说文解字》云："廪之圆者，谓之囷。"古代储粮方式大体分为两类，一类建于地面，一类建于地下。地上储粮，往往因地制宜，或因公家私家而采用不同方式。大致依形状分为，方形的，叫作仓、廪；圆形的称之囷、京、囤。大囷曰京。若再细分，仓、囷都可藏谷

藏米，而廪则是专门用来藏米的。陶囷模型在春秋晚期到战国早期秦墓中出土最多，战国中期到秦代明显减少。随葬陶囷模型的墓主多和军事有关或占有私田，这和秦国当时实行的因军功而授田或是私田盛行有关。

陶囷存于陕西省考古研究院。

双耳带盖釉陶鍪 西汉文物。1955年4月，江苏省扬州江都县境内汉代木椁墓出土。

双耳带盖釉陶鍪高25厘米，口径12.7厘

米,底径23厘米。折沿,短颈,广肩,肩与上腹部对称竖两只衔环兽面耳,下腹微收,平底微内凹,下设三只矮扁足,上腹部施茶黄色薄釉,余色泽不一。盖面纹饰两层皆为戳印三角纹,以弦纹相隔,耳部为圆圈纹,斜方格纹,肩上与上腹部纹饰五层。造型敦厚有力,又不失精巧细节。两耳虽有很强装饰意味,但能起到稳定盖的作用。盖上既有突起装饰,又有印纹与刻线,呈现出丰富装饰手法。三足稳稳将器身托住。

扬州地区西汉墓葬均出土数量不等陶器,以釉陶器为主,器形较为丰富,以鎬、鼎、盒、壶、瓶、罐为主。西汉早期釉陶器胎质较粗,火候不太高,多以绿黄釉出现,釉层亦不太匀净。但到西汉中晚期,胎质渐变致密,火候升高,多以黄釉出现,釉层匀净,已接近东汉瓷器。该区陶器多以水波纹、叶脉纹、弦线纹、兽面纹、粗绳纹、细绳纹、蕉叶纹、菱形纹等为主。胎质制法有轮制、手制及模制等。

双耳带盖釉陶鎬藏于南京博物院。

朱绘陶胎漆耳杯 西汉文物。1965年,四川省成都市跳蹬河出土。

朱绘陶胎漆耳杯高4厘米,长口径11厘

米,短口径7.4厘米。椭圆形敞口,深腹,弧壁,饼足,两侧有对称新月形耳,耳面上翘,耳唇圆形。泥质黑陶胎,外髹朱漆,内底素面,耳及外壁朱绘纹饰。杯耳及杯外沿朱绘卷云纹,杯外腹朱绘鸟纹及云纹。整个画面用流畅线条勾勒出卷云纹和鸟的轮廓,再以涂抹方式描绘鸟的腹部及颈部。此耳杯构图简洁明快,绘制极其精细,具有西汉漆器装饰纹样典型特征。

耳杯始于春秋战国,盛行于秦汉至魏晋、南北朝,唐代后很少见到。耳杯是用来饮酒,常与樽、勺等酒器配套使用。耳杯材质以漆木器较多,还有铜耳杯、玉耳杯、玻璃耳杯。四川战国秦汉时期,漆耳杯大多以木为胎,月牙形耳,椭圆形杯,有的素面,有的有纹饰,底有平底和饼足底。朱绘陶胎漆耳杯以陶为胎,比较特别,外髹朱漆,为四川汉代陶胎漆器中精品。

朱绘陶胎漆耳杯藏于四川博物院。

黄釉浮雕神话故事纹陶樽 西汉文物。1981年5月,内蒙古自治区包头市九原区召湾汉墓群47号墓出土。

黄釉浮雕神话故事纹陶樽通高22厘米,

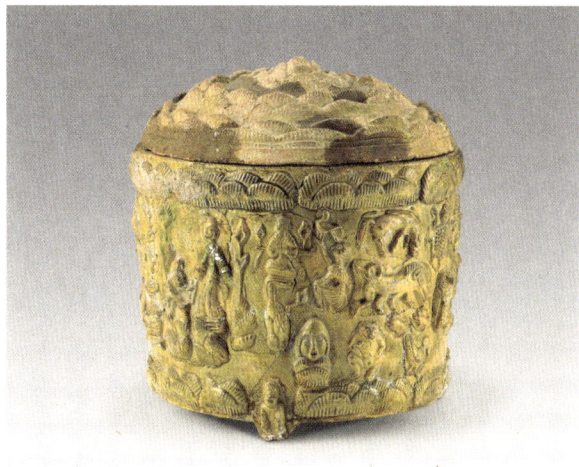

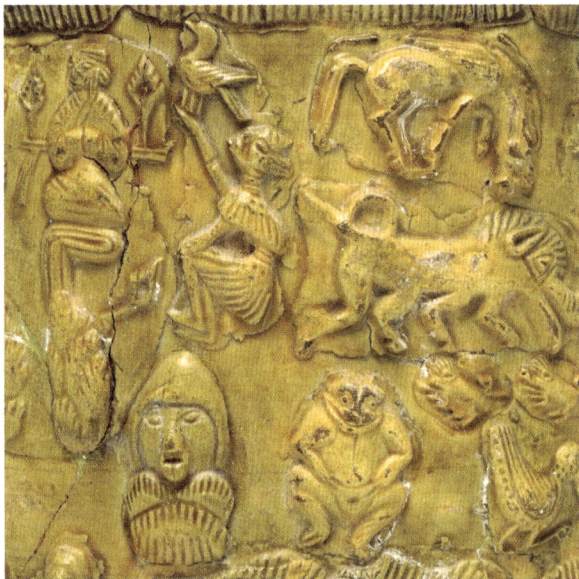

口径18.3厘米，足高1厘米。筒状，带盖。通体施黄釉，壁微斜，口径略大于底径。变体博山式盖，盖缘有两条曲折弦纹，子母口，三蹲熊造型足。腹部近口沿、底部浮雕效果装饰有一周山峦，腹部中间主题纹饰为上古神话、瑞禽怪兽、甲胄武士、舞蹈戏乐图等，共六组图案，第一组图案包括玉兔捣药、神女、西王母、羽人和三足乌。山巅上蹲踞一只翼兔，前肢左握杵右把钵，作舂碓状。旁边有一云鬟神女站立云端，右手提棍，似乎在监视玉兔劳动，山巅上方端坐一中年妇女，庄严肃穆，其身后有凭几，为西王母。在石缝中生长许多灵芝草和桂树，西王母身后蹲踞一怪神，左手扶膝，右手托一只三足乌，作放飞状。第二组图案包括甲胄武士、翼马、雌猪、蟾蜍、坐枭、一角羊、鸡、狸、熊、虎等。第三组图案包括后羿、扶桑树、日、三足乌、长蛇和螭龙。第四组图案包括牛首人身、树冠跂踞、鸡首人身的三个怪物。第五组图案羽人宴乐图，两个身着羽装的人物，赤膊跣足，手舞足蹈，姿态婆娑。第六组图案为一只翘尾回首，惊恐万分的

九尾狐。

黄釉浮雕神话故事纹陶樽造型美观，古朴浑厚，浮雕装饰内容丰富，构图严谨，写实中略带夸张，繁缛中层次分明，具有独特艺术风格。装饰内容以登仙得道、长生不死为主题，配以神话、祥瑞和宴乐内容，反映出当时阴阳五行、黄老思想、神话传说、谶纬迷信在思想领域占重要地位，是研究汉代哲学思想和文化艺术的重要实物资料。

黄釉浮雕神话故事纹陶樽藏于内蒙古包头博物馆。

釉陶井栏　西汉文物。2011年10~12月，河南省洛阳市孟津县平乐镇天皇岭村南出土。

釉陶井栏井口长25.5厘米，宽17.6厘米；井身底长20.8厘米，宽14.1厘米，高10.8厘米；井亭长14厘米，宽9.2厘米，高4厘米；水斗高5.2厘米。泥质红陶，施酱色釉。呈立体长方形，四角作出仿木构的十字交叉接头，整体口小底大。井栏两侧面有方孔，四个侧面有模印菱形柿蒂纹和圆形浮点纹混排图案。釉陶井栏还有配套陶井亭和陶水斗。

新石器时期，中国先民聚居区就开始使用水井来提供生活用水。水井的使用，使人类可在一定程度上摆脱对河流的依赖，从而扩大定居范围。汉代，水井已相当普及，在当时居民生产和生活中占据重要位置。受事死如事生观念影响，汉代生活明器随葬之风盛行，水井也作为生活必需品出现在随葬明器中，这就是在汉墓中经常可见的陶水井。汉代水井普及度很高，通过大量考古发现，其形制主要有土井、圈井和砖井三类。根据用途可分为家庭生活用水（私人水井）、公共生活用水、农业用水和手工业用水。私人水井

往往是私有财产的一部分，因而也被做成明器随葬。正是通过这些明器陶水井，人们才知道汉代一口水井及配套设施的全貌。汉代水井还有井台、井栏、井架、井盖、井亭、水斗等地面配套设施。井台指井栏下突出于地面的小台，或称为台面。井栏置于井口上，是为防止地面污水及杂物进入井内。井架一般为木质，立于井栏两侧，中间架以横木，其上放置滑轮，或是在井栏两或四角放置础石，其上支立井架。井亭是建在井口上方的亭子式建筑，防止雨水、落叶等物进入井内。井盖是直接在井口附上一盖，保护水源清洁。水斗是用来从井中取水器皿，陶器较多。

釉陶井栏存于洛阳市文物考古研究院。

龙虎纹彩陶壶 西汉文物。1953年，河南省洛阳烧沟出土。

龙虎纹彩陶壶通高48.5厘米，口径18.8厘米，底径18.1厘米。扁圆形盖，盘形口，长

颈，圆腹，肩部两侧对称装饰一对模制铺首，高圈足。壶盖及壶身彩绘各种不同纹样，其中盖上彩绘青黄相间流云纹；壶身自上而下装饰多层纹饰带，主纹饰带位于铺首所在肩部，以红彩和黑彩绘制奔腾状青龙、白虎、朱雀，其他纹饰带为三角形纹、锯齿纹和菱形纹等装饰纹样。

汉代彩绘陶器是在烧成陶器上，先涂一层白垩或黄衣，然后用多种颜料描绘花纹图案进行装饰，所用颜料为朱砂、石绿、石青、白垩等矿物质颜料，色彩使用以红、黄、黑、白四色为主，间以橙、赭、青、绿、灰、褐等色，从战国时期单纯原色扩大为复杂间色配置，加强色彩之间对比关系，使画面色调更加丰富和谐。这种色彩设计融合中国传统五行色彩观念。汉代流行四神，即青龙、白虎、朱雀、玄武，对应的方位和色彩，正是汉代信仰祥瑞及升仙观念的体现，因此五行色、四神图案大量出现在用于陪葬的彩绘陶器上，表达人们希望死后升仙、生死轮回的美好愿望。汉代彩绘陶器主要用作随葬明器。汉初厚葬之风盛行。汉文帝时，规定殉葬之物"皆瓦器，不得以金银铜锡为饰"，陶制明器兴盛，彩绘陶器是其中最精美部分。彩绘陶壶是汉代彩绘陶器中代表性器形，仿青铜壶样式，是汉墓常见随葬陶器。

龙虎纹彩陶壶藏于中国国家博物馆。

彩绘陶院落仓楼 西汉文物。2009年，河南省焦作市马村区出土。

彩绘陶院落仓楼通高112厘米，通长66.5厘米，宽43厘米；院落面阔48厘米，进深22厘米。由院落、仓体、楼体组成，各部件可拆卸组合。院落位于主楼之前，三面用墙围成，前

墙中部开设横长方形大门，门周围雕刻出凸起门框及装饰图案，施以彩绘。门洞下部设门槛和凸起止扉石。门内置双扇门扉，可开启闭合，门扉上饰以黄彩，在黄彩上以紫彩、黑彩、白彩绘制出形象生动铺首衔环图案。大门两侧上部檐下左右各出两个挑梁，梁上置一朵斗拱，斗上托墙帽，墙帽上置两面坡式悬山顶。前墙两端转角处出墙柱，上置双阙。阙上置四阿顶，覆瓦垄，瓦条脊；顶下作成叠涩倒方锥形。墙柱上以朱彩绘出斗拱图案，阙上绘制龙纹。在大门两侧前墙上绘两个头戴黑冠、身着橘黄色交领宽袖长袍、腰束带、手捧红色彩绘漆盘男俑形象，两侧墙面上以朱彩绘骏马形象。院内主楼前设台阶式楼梯，通向二楼。门口左侧放置一负粮袋俑、一彩绘侍女俑；右

侧俯卧一条看门犬、一舂米俑、一磨面俑及陶碓、陶磨等。院落檐枋上及阙上、两侧檐和挑梁上均施以红彩、紫彩及白彩。院落屋顶、双阙、门扉、楼梯均可拆卸。主楼为四层重檐结构。一层、二层是仓体，连体结构，为一形制高大长方体，面阔48厘米，进深20厘米，高46厘米。长方体下部凿有四个直径为1.5厘米圆孔，用以加强仓内与仓外空气对流。上部出三个挑梁，横架前廊，两侧山墙上以朱彩划出横线，以示一、二层楼分界。一层指前廊道以下，正中开一方形洞口，正面对称刻画出直条纹、对顶三角形等几何图案，上饰以白彩、红彩和豆绿彩。廊道与地面间，有栏杆台阶式楼梯相连，人可通过楼梯通向二楼，前廊与楼道为卯榫结构，可拆卸。二层前壁上部正中部

及转角处出挑梁，上置一斗三升斗拱，上托檐枋，两斗拱间各开两个竖长方形洞窗，窗户周围绘以红彩，窗户之间以紫彩绘制出几何图案，斗拱正面施以紫彩。仓体顶面开椭圆状孔，上覆四阿顶，四角有四条斜脊，顶面平整，周绕凸棱，以承三层。仓体前墙上绘制出两个男俑形象，右侧山墙墙体一层绘制出一人持杖急行图，上层绘制一"S"形云龙纹。左侧山墙墙体，上层绘出一云龙纹，下层图案因被污染而无法辨认。仓体背面未分楼层，通体绘制一常青树和青鸟图案。常青树右侧绘制一条云龙纹，仓体上部转角处，以红彩绘制出斗拱图案。三层横长方体，下部面阔40厘米，进深13厘米。上部前后出檐，长48厘米，宽20厘米，通高16.3厘米。正面中间出挑梁，上置斗拱，斗拱上承托屋檐。左侧两斗拱间，开一竖长方形门，门周边以朱彩绘制门框。右侧两斗拱间开一方形窗户，三层下设长方形回廊，置于二层屋顶之上。回廊正中开一方形洞口，正面雕刻出左右对称直线纹、对顶三角纹等几何纹组成图案。三层楼体两侧山墙上，绘制常青树图案，背面以褐彩绘出龙首，以紫彩绘制龙身及祥云组成云龙图案。四层横长方体，面阔48.3厘米，进深20厘米，高20厘米。正面中间出挑梁，上置斗拱。两端转角处正面各出一挑梁，斗拱上承托屋檐。每朵斗拱间各开一竖长方形门大窗户，右侧窗户内端坐一彩绘陶俑，长脸，尖下颌，高鼻梁，阔嘴细眼，头戴黑色高冠，身着豆绿色交领袄，朱红色领口和袖口。窗户下为回廊，回廊正面雕刻出左右对称直线纹、对顶三角纹等几何纹组成图案。三层楼体两侧山墙上绘制出肩扛竹竿、竿挑竹篓渔

民打鱼归家图案。背面绘制出虎食鬼魅图案。四层顶面上覆庑殿顶，面阔67.5厘米，宽40.5厘米。正脊中部立一单腿站立、仰脖张嘴向天长鸣朱雀。

四层彩绘陶仓楼是中国少见的通体彩绘陶仓楼，其上彩绘运用直绘法、勾勒法、涂抹法绘画技法；用色有朱红、白、紫、黑、黄（橘黄、土黄）、豆青六种颜色，其中以朱红色、白色、紫色、黄色为主色调，色彩艳丽，对比较强。绘画内容繁多，用笔流畅优美，画面生动，且呈现出运动感，展现出汉代高超绘画技艺，是研究西汉时期储粮技术、建筑技术、装饰艺术及绘画艺术的宝贵资料。

彩绘陶院落仓楼藏于河南省焦作市博物馆。

镂空陶套壶 西汉文物。1993年9月～1994年11月，为配合京九铁路建设，湖北省黄冈市博物馆、蕲春县博物馆组织专业力量，在湖北省京九铁路考古队安排下，对蕲春火车站范围内的茅草山等五个墓地进行考古发掘。茅草山

位于湖北省蕲春县漕河镇枫树林村，西距蕲春县城2千米，在蕲春罗州城东南约2.5千米处，西北距长江支流蕲水河3千米，南邻柳子岗—界岭公路300米，东北是一片逶迤相连丘陵与岗地，正处在京九铁路蕲春火车站范围内。茅草山考古发掘27座墓葬，出土陶器约400件，其中陶壶50件，但这种特殊形制陶套壶仅3件，均出自25号墓。

镂空陶套壶由外壶和内壶套合而成，外壶通高40厘米，口径14.8厘米，腹径26厘米，圈足径17厘米；内壶高26.8厘米，内壶口径5.6厘米，腹径22.8厘米，胎厚0.8厘米。外壶为盘口承盖，长颈斗肩，鼓腹，下腹弧收无底，方折圈足，壶身由上下两半扣合而成，可自由拿起取出内壶。外壶上腹有三角形大镂孔，下腹承托内壶，素面，大圈足。内壶呈小口细颈、球腹圈底状，素面，夹砂灰陶，厚胎，火候较高。

镂空陶壶设计独特，外壶由盖、有大镂空

的上腹部和素面无孔下腹部组成，上下腹部衔接处有三角状榫卯扣合设计，这样上腹部分是不能转动的。内壶则是圜底细颈，壶口比外壶口低很多。有学者认为，陶壶的功用是熏壶。也有学者认为，其并不适合做熏壶，所以还需继续考证。

镂空陶套壶藏于湖北省黄冈市博物馆。

四联陶罐 西汉文物。1953年，广东省广州市华侨新村竹园岗南面近岗顶处出土。由于墓中出土"李嘉"玉印，故此墓被称为李嘉墓。李嘉墓规模较大，随葬物品多，出土器物中有"常御""居室"两字印文，说明李嘉很可能是执掌南越国王室服饰、车驾、用具、玩好的高级官吏或其家属。李嘉墓出土陶器有瓮、罐、瓿、壶、匏壶、提筒、鼎、三足盒、釜、双联罐、四联罐等，铜器有壶、瓿、釜、盂、鍪、方盘、钫、铙、镜、卮等，玉器有璧、印、佩饰等，石器有鼎、暖炉等。此外，还有铁釜、铁矛等。四联陶罐被放置在棺位左侧，表明是一件重要随葬品。

四联陶罐高10.1厘米，长17.9厘米。细泥质硬陶，由4个小罐联结而成，底部共有卷曲形短足6个，其中每小罐底部附足1个，两道横梁下各附足1个。腹壁间饰水波纹、篦纹与细线旋纹。盖面间饰篦纹与细线旋纹，4个盖顶中部有鸟形立纽，口沿各有4个相对纽饰，纽饰两两相同，2个为卷曲形，2个为鸟形。

陶质联体器是岭南地区流行器形，岭南地区果品丰富，该地出土联罐有的内部残存橄榄、梅、李和植物叶子等，表明此类联罐用途可能是盛装干果或调味品。联罐主要流行于西汉前期，有双联、三联、四联和五联数种形

式，延续至西汉后期，到东汉消失。除联罐外，还有联体盒，不过数量较少。该地还出土过器内分割成若干格道的格盒、格盘，用途与联罐、联盒一致。

四联陶罐原存于广州市文物管理委员会。1959年，入藏中国历史博物馆。

带盖刻花陶簋 西汉文物。2001年，整顿湖南省永州市冷水滩区凤凰园地下文物市场时收缴。

带盖刻花陶簋高21.5厘米，口径31厘米，底径13厘米。整体呈棕红色，表面施青釉但大部分脱落。侈口，折腹，圈足。口沿下饰刻划纹，上下皆有孔，其下饰水波纹，腹饰棱形刻划纹及两道弦纹。附盖，盖圆纽，纽有穿孔，

纽四周饰鱼纹和水草纹，并有十小孔，盖有四道凸弦纹，弦内饰水波纹。

簋，盛食器和礼器，流行于商至春秋战国时期，主要用于放置煮熟饭食；也是商周时重要礼器，宴享和祭祀时，以偶数与列鼎配合使用。战国后，簋极少使用，多以陶质取代铜质，为陪葬明器。该器既具青铜遗风，更具西汉审美趣味及地方特色，对研究西汉制陶工艺、造型艺术、祭祀文化及社会生活都具有十分重要的历史、艺术和科学价值。

带盖刻花陶簋藏于湖南永州市博物馆。

彩绘陶百花灯 东汉文物。1972年，河南省洛阳市涧西七里河西北1千米基建施工中，发现一座东汉墓，洛阳博物馆进行抢救性发掘，彩绘陶百花灯即出土于此墓。同墓出土90余件器物，有陶奁、盘、瓮、猪圈及陶作坊模型、博山炉、釉陶壶、方盒、铜镜、铁剑等日常用具，还有乐俑、倒立俑、俳优俑、七盘舞俑等。

彩绘陶百花灯通高92厘米，灯座底径40厘米。通体彩绘，彩绘前先在器表涂白粉，再施红彩，局部画黑彩。整器自上而下分为灯盏、灯柱、灯盘与灯座四部分。顶端为朱雀形圆形灯盏，朱雀昂首、展翅、翘尾，作展翅欲飞

状，口含一圆珠。雀身大部分施红彩，唯双翅与尾上端用黑色线条在白地上勾画出羽毛。雀形盏下承圆柱形灯柱，柱顶部有一周折沿以承灯盏。柱中间伸出两周凸棱，每周凸棱上均等距离分布4个穿孔，孔内各置一曲枝灯盏，共饰8支曲枝灯盏。灯盏长短有别，结构一致，在接近灯柱曲枝部位均伸出一柱形墩，其上都有一端坐的羽人，头耸兔耳，长发飘扬，黑目红唇，肩附双翼，双臂平抬，掌心相对，两腿微张、自然弯曲，脚踏曲枝。曲枝外端为一圆盘灯盏，灯盏口沿外侧伸出一环形鼻，内插扶桑树，灯盏下曲枝上有一柿蒂形饰和一蝉。柱底部为一伏龟，龟头上抬，红目红唇，四肢与

短尾均外伸。灯柱与曲枝灯盏等各部件大多施红彩，局部墨绘连弧纹等几何图案，独扶桑树上仅涂白粉。灯柱底部的龟趴于一圆形灯盘中部。盘折沿，方唇，斜折腹，平底。盘沿上等距离分布8个穿孔，孔内交替插有曲枝灯盏与飞龙。其上插4个曲枝灯盏与灯柱上曲枝灯盏形制相似，唯无羽人与卧蝉。4只飞龙形饰与曲枝灯盏形状相似，龙尾钩于盘沿穿孔内，两后爪自然弯曲，跟部置于盘沿，后足处背部驮一羽人，羽人造型与曲枝灯盏上羽人类似，唯呈屈肢坐于龙背，两臂自然弯曲，搭于膝关节处，两掌掌心向上，平伸下垂。龙昂首嘶鸣，背生双翼，二前爪弯曲成钩，作腾飞状。灯盘与其上的屈枝灯盏、飞龙等部件亦施红彩，盘内壁与外壁绘有红黑交替宽弦纹。灯盘下有灯座相托，灯座呈覆高足杯状。座身堆塑各种形象人和动物，自上而下可分为四层，一层是三只卧蝉。二层饰二人、一猴、三蝉和二虎。三层有二兔、一鹿、二蛙、一羚羊、一狼、一猪、一狗、一蝉。四层为二蝉、二蛙、一猪、一羚羊、一狗、三鹿、二狼。灯座及其上所饰动物也多涂红彩，局部墨绘云纹。

整件百花灯形似枝繁叶茂神树，构思巧妙，辅以镂雕、浮雕、贴塑及模印等技法，展示东汉精湛制作技艺与丰富艺术想象力。有学者认为，这是汉代社会"长生不死""羽化升仙"思想物化表现。其灯座呈覆盆状，与中国古代传说中仙山——昆仑山十分相似。百花灯灯柱即代表昆仑山上的天柱。百花灯上十二曲枝形灯盏，分为三层插在灯柱上，形成三层天盘，分别代表传说中昆仑山上三座城池。灯上所塑朱雀、乌龟、羽人、龙、虎等，都是古代象征

长生和羽化升仙神禽瑞兽。

彩绘陶百花灯藏于洛阳博物馆。

陶磨 东汉文物。1989年5月，湖北省丹江口市均县镇有群众向当地文化站反映，渔民王根生在中午靠岸休息时，无意间发现裸露在地表的陶磨，因其非常完整，就保留收藏起来。丹江口市文化局文物科获悉追回。

陶磨由磨盘、磨扇组成，通高13.8厘米，盘径28.8厘米。泥质夹细沙灰陶，磨盘呈圆盘状，盘边起沿，盘下设三乳钉状足，盘底近缘处与两足间有一方孔。盘正中设磨扇，磨扇由上、下两部分组成，其中下磨扇与磨盘连为一体，下磨扇呈圆台形，中空，顶部无齿，磨脐为一直径约4.5厘米圆形凸起，其正中有一小孔，未穿。上磨扇呈覆盘形，实心，顶部有一圆形凹窝，中间由隔梁分割形成两半圆形凹窝，在两半圆形凹窝底部各有小穿孔，自上而下穿透上磨扇，为磨眼。凹窝隔梁与上磨扇方形轴纽同向，方形轴纽正中设一小穿，亦上下穿透轴纽。上磨扇底部正中略内凹，无齿，在两小穿中间有一小孔，未穿，其与下磨扇顶正中小孔相吻合。为仿东汉时期石磨制作陶磨，在其上、下磨扇顶部小孔及上磨扇方形轴纽小

孔内均发现木屑。因此，推断东汉时期石磨上、下磨扇顶均有小孔，其中置木棍为立轴，固定上、下磨扇，上磨扇轴纽就有小穿，插入木棍为柄，以推动上磨扇转动。

磨，最初叫硙，汉代才叫作磨。耿宝昌认为，陶磨上、下磨扇设置有安装立轴的小孔，俗称"磨脐"，完整再现了东汉时期石磨形态，是一件东汉时期高仿真明器，有重要研究价值。

陶磨藏于丹江口市博物馆。

陶鉴 东汉文物。1954年，四川省彭山双桂乡村豆芽房沟崖墓出土。

陶鉴高31.4厘米，口径57厘米，底径32.3厘米。圆鉴，泥质灰陶，大口，卷唇，圆腹，高圈足。腹部四周有四道凸弦纹，腹肩处有四个铺首，两两相对。圈足上有四道弦纹。

鉴，同"监"。春秋、战国时期青铜器中有自名为"鉴"和"监"的，如安徽寿县蔡侯墓出土春秋晚期吴王光鉴，自名为"荐鉴"，吴王夫差鉴自名为"御监"，战国早期智君子鉴自名为"弄鉴"。有人认为，鉴也可作"滥"，以金为形旁时表示所示之器为铜质，以水为形旁时表示所示之器为盛水器。鉴的意

义有三种，一种是指盛水器，也可用于照面。《说文》金部："鉴，大盆也。"二种是用于盛冰，《周礼·天官》："春始治鉴，凡外内饔之膳羞，鉴焉，凡酒浆之酒醴亦如之。祭祀共冰鉴。"三种是用于沐浴。《庄子·则阳》："灵公有妻三人，同鉴而浴。"鉴有陶制，也有铜质。青铜鉴多作为礼器或陈设之器，未必皆是日用盛水器。陶鉴一般是盛水器。鉴可分为圆鉴和方鉴，最常见器形是圆鉴。

陶鉴藏于四川博物院。

陶船 东汉文物。1954年，广东省广州市先烈路出土。

陶船高16厘米，长54厘米。船体有三个舱室，前舱低矮宽阔，两面坡形篷顶，可能是货舱。中舱稍高，圆形凸面式顶盖，两侧各有一门，可能是卧舱。后舱也叫舵楼，是两面坡形舱顶。后舱旁有一低矮有门小屋，是船上厕所。船头有一防浪小篷及"十字形"船锚，船尾有长方形船舵。两舷还设有撑篙走道，船首两舷各立3根桨架。船上共有6人，科学家按照这些人的身高比例推算，这只陶船所仿照真实船大约有20米长，5米余高，载重5吨左右。

2000余年前，广州已经是中国重要的港口，船舶往来，非常热闹。《山海经·海内经》载"番禺是始为舟"，这里"番禺"是指发明制船技术的神话人物。而秦汉时期"番禺"是地名，即广州市。广州地区汉墓出土不少陶船明器，说明广州在汉代已是中国重要船舶制造和使用地区之一。陶船是当时中型内河航船的真实写照，客货两用。最值得注意的是，陶船所附锚与舵，标志一种抓力相当大的锚在东汉时期已用于航运，而舵作为控制船舶航向的先进设备，也已装备于较为普及的民用船舶上。这是已知能够证明舵用于船舶的最早资料，是中国人对世界航运史的一个杰出贡献。

陶船藏于中国国家博物馆。

绿釉陶楼 东汉文物。1975年，安徽省阜阳地区涡阳县大王店焦窑一号墓出土。

绿釉陶楼高108厘米，宽39.5厘米。红胎绿釉，分为四层，每层可分开。一层正面左右设立柱1根，上承一斗二升拱，柱后有墙，左右各饰坐熊1尊，房檐正面两角脊分别饰1小鸠鸟。二层为舞台，台前设卧棂栏杆，栏杆外侧中心饰坐熊1尊，台前左右两侧各设坐熊立柱1根，上承一斗二升拱；房檐正面两角脊各饰1只小凤鸟，余角脊饰鸠鸟；台中有墙，将舞台

分隔成前后两部分，墙左右设上、下场门，左侧上场门饰铺首衔环，可开关；右侧下场门只有一个门洞，可通后台；前台有2排伎俑，前一俑头梳双髻，双手着地，举足倒立，作"拿大顶"杂技表演；后排有乐俑4人，皆着窄袖长衣，其中，左三俑均为跪姿，左第一、二俑头梳圆髻，双手合拢于嘴部，似在吹奏某种乐器，第三俑头戴平顶帽，双手持箫吹奏，第四俑为坐姿，瑟置双膝上，两手作抚瑟状。三层封闭，四周无门，只设透空花窗，房檐角脊饰鸠鸟。四层为望楼，四面辟长方形门，中央建鼓，上置单檐庑殿式屋顶，屋脊饰大凤鸟1只，余角脊饰鸠鸟。

此件陶楼结构复杂，装饰美观，初步具有后世戏楼演出和观赏效果，为研究东汉时期政治、经济、文化及古代建筑艺术提供珍贵实物资料。有学者认为，陶楼不仅把中国戏台史的起点从10世纪北宋提前到3世纪东汉末年，且打破封闭式戏台来自西方的观点，推翻三面敞开戏台是中国唯一传统的论点。但也有学者持相反意见，认为此陶楼是贵族地主楼居歌娱生活反映，表现仍是室内厅堂的演出。

绿釉陶楼藏于安徽省阜阳市博物馆。

黑褐陶"金饼" 汉代文物。黑褐陶"金饼"由卫聚贤捐赠给西南军政委员会文教部，后移交给西南博物院。

黑褐陶"金饼"高2.1厘米，直径5.8厘米。黑褐色陶质，形制为中心鼓起饼状，模印纹饰，外围两圈联珠纹，中间线状突起部分似两条螭龙，其间饰乳丁纹，背面可见制作时留下指纹，中间阴刻"直十万"三字。

以贵金属作货币最早见于东周，又以楚地最为盛行，常见一种印有铭文"郢爰"金版，可根据使用需要分割为零星小块，并亦有少量龟背形金饼出土。金饼主要流行于西汉，多出土于窖藏和大型诸侯王墓内，部分伴出马蹄金

和麟趾金。在湖南、江苏、河北、陕西等地两汉墓葬和窖藏中都曾有出土。陶金饼是用于陪葬的金饼明器，用陶金饼随葬多见于西汉中后期长江流域一带，江苏、安徽多有发现。陶金饼形制均为弧面饼状，纹饰均为模印，见有螺旋纹，或边沿饰弦纹，中心饰勾云纹和乳丁纹。

黑褐陶"金饼"藏于重庆中国三峡博物馆。

双系陶瓿 汉代文物。1984年6月，湖南省衡阳市铁二中在校内进行教学、办公楼改扩建施工中发现古物，施工人员随即告知校方。衡阳市博物馆得知消息后，立即派出考古专业技术人员朱建中等赶赴施工现场，进行仔细查询、勘探和清理，并征集双系陶瓿。

双系陶瓿高21.2厘米，口径17厘米，腹径32厘米，底径18厘米。基本完整，灰色硬陶，胎质坚硬，敛口，矮直领，斜肩，扁圆腹，平底。最大腹肩径在肩部。肩部对称置泥条捏塑卷云纹双系，其中一系右边有不规则"N"形刻划符号。领下肩部至腹部共饰十组刻划组合纹饰，一组为斜线箆点纹；二组为双线弦纹；三组为两圈方向相反指甲纹；四组为双弦纹；五组为一圈指甲纹；六组为一道宽凹弦纹；七

组为竖短直线组合纹；八组为多道不规整弦纹；九组为三道不规整锥刺纹；十组为细密重弦纹，下腹部无纹。整件器物造型端庄，比例协调，装饰美观，是汉时陶器中珍品。

瓿是汉代一种贮水盛酒器皿，西周至西汉较为流行，多仿青铜瓿造型。进入东汉以后，陶、瓷瓿不再流行，逐渐为罍所替代。专家们认为，双系陶瓿器形大，保存完整，做工精细，纹饰精美，具备很高历史研究价值，是一件不可多得的研究汉代人文历史器物。

双系陶瓿藏于湖南衡阳市博物馆。

楼阁佛像装饰黑釉陶堆塑罐 三国时期吴国文物。江苏省南京市栖霞甘家巷出土。

楼阁佛像装饰黑釉陶堆塑罐高42厘米，腹径26厘米。罐分三层，下层罐腹贴塑佛像、铺首和鱼；中层中间有一门，门前有一尊佛像，门两旁有双阙，阙旁是小罐和佛像；上层为方形小屋，屋壁四面开门，门内各有一尊佛像，方屋

四周塑有一圈佛像。此罐贴塑有20余尊模制佛像，这些佛像结跏趺坐，均有头光和背光。

堆塑罐是汉晋时期长江下游地区流行的一种器形，造型特点是在一个瓷罐肩部以上堆塑几层立体装饰，楼阁佛像装饰黑釉陶堆塑罐造型比早一些的五联罐更复杂，且在罐肩部有明显凸棱，将堆塑分为上下两层，上层在中心楼阁四周堆附四只小罐或小亭，并围绕以仙佛人像、飞鸟异兽、乐伎杂耍等题材。下部罐颈腹间常贴塑动物、人像等内容。这种奇特造型器物从出现在人们视野中开始，就一直是专家学者研究对象。

楼阁佛像装饰黑釉陶堆塑罐藏于中国国家博物馆。

陶院落 三国时期吴国文物。1967年4月，湖北省鄂城钢铁厂在修建职工浴室施工中发现一座古墓。在工厂支持下，鄂城县博物馆对墓葬进行抢救性发掘。此墓是一座有双耳室和墓道单室砖墓，出土釉陶明器多件，如陶院落、房屋、钱纹罐、香熏、灯等。

陶院落一套14件，整体略呈长方形，长54厘米，宽48厘米。四方围墙内置房舍8间，围墙四角墙上各置一碉楼。前墙正中为大门，上有一门楼，五脊庑殿式顶，顶面作瓦纹，檐头有瓦当，四壁均开有窗，楼顶内面刻有"孙将军门楼也"六字。

中国建筑院落格局早在史前末期龙山时代就已出现。院落最大特点是四周有封闭围墙，

这种设计目的主要是防御。民居也采用院落格局的图像最早出现在汉代画像石图像中，其样式和布局并没有定式。东汉时期流行随葬陶制明器，陶院落模型生动展现汉魏时期民居样式和格局，为研究中国建筑发展历史提供了原始资料。

1989年，陶院落从湖北鄂州市博物馆调拨至中国国家博物馆收藏。

灰陶镟（温酒器） 西晋元康七年（297年）文物。1953年，江苏省宜兴周墓墩一号墓出土。一号墓出有铭文砖，记曰："元康七年九月廿日阳羡所作周前将军砖"。周处（236～297年），字子隐。义兴阳羡（江苏宜兴）人，鄱阳太守周鲂之子。周处年少时纵情肆欲，为祸乡里。为改过自新，其自愿去访名师陆机、陆云等，后来浪子回头，功业更胜乃父，留下"周处除三害"的传说。吴亡后，周处仕西晋，刚正不阿，得罪权贵，被派往西北讨伐氐羌叛乱，遇害于沙场。周氏家族为"吴地仕宦最显"之宗族，曾有过"四世显著""一门五侯"的辉煌，但终因树大招风，

为王敦所忌惮，被杀而尽族。周氏是西晋时江南大门阀士族，其家族墓地的发现，对了解当时族葬有一定意义。

灰陶镟（温酒器）一套4件，有樽、樽盖、镟和勺，通高25.4厘米，镟径31.9厘米，勺长15厘米。均为灰陶。镟为三足盘，上承斛。斛为带盖樽，樽外腹部有三组铺首衔环装饰。斛、镟全部轮制，足部及勺为手制。

灰陶镟（温酒器）藏于南京博物院。

釉陶毡帐 北魏文物。1965年，山西省大同市石家寨村出土。1965年11月下旬，石家寨大队农民进行农田基本建设打井时，刨出一些有字古砖，当即保护现场。大同市博物馆工作人员解廷琦、王清诗、员海瑞、解廷凡，文化局高雁彬等人闻讯立即赶到现场，考察后发现是一座北魏时期墓葬。时值冬日，气候严寒，发掘工作一直持续到第二年。墓葬中出土"司空琅琊康王墓表""琅琊康王司马金龙之铭""琅琊王金龙妻姬辰墓铭"三块石墓志，砌墓青灰砖侧面亦有阳文"琅琊王司马金龙墓寿砖"，说明这是北魏琅琊王司马金龙夫妇合

葬墓。司马金龙曾作太子侍讲，官至侍中、镇西大将军、开府云中镇大将、朔州刺史、吏部尚书，曾封琅琊王。两件釉陶毡帐是在2010年重新整理司马金龙墓出土器物时拼接而成，是时代最早的几件毡帐实物模型之一。

釉陶毡帐高29.7厘米，底部长25.10厘米，宽25.8厘米。毡帐又称"穹庐""百子帐""毡房"，是中国北方游牧民族主要居住形式，有圆形和方形两种，可张可合，灵活方便。两件毡帐模型样式相同，皆为方形，用泥片捏成，无底，一侧有门，为毡帐正面。券顶，正面顶部有两个并排方形天窗，用于采光。陶毡帐胎呈红色，一件酱褐色釉，一件绿釉。

低温铅釉陶器出现于西汉时期，西汉中期以后快速发展，成为汉代墓葬中非常重要的一类随葬品。西汉武帝时期以黄釉为主，西汉中期以后低温绿釉陶迅速发展。至北魏时期，尤其是迁都平城之后，中原地区传统低温铅釉陶生产工艺与鲜卑陶器造型和纹饰结合，出现一些独具特色釉陶器，壶和罐仍占多数，釉色以黄褐釉和绿釉为主。

釉陶毡帐藏于大同市博物馆。

白陶粮食加工作坊　隋代文物。1959年5月，中国科学院考古研究所在河南省安阳豫北纱厂发掘一座隋代开皇十五年（595年）墓葬，墓主是隋故征虏将军中散大夫张盛。张盛（501～594年），字永共，南阳白水人，正史无传，历任功曹、左卫殿中将军加龙骧将军，后授积射将军、秦州（甘肃天水）五零县令，隋开皇十四年（594年）死，十五年（595年）与夫人王氏合葬于安阳城北2.5千米白素乡。墓内出土随葬品192件，其中有一套白陶粮食加工作坊。

白陶粮食加工作坊由磨、碾、执铲女俑和持箕女俑组为一套，皆为白陶模制。执铲俑高23厘米，执箕俑高16厘米，磨高14厘米，碾径15.5厘米。磨为两扇，与束腰圆台座结合一体，磨扇之间以阴弦纹凹槽表示，上扇磨面有凸出圆栏，中部有两个输入粮孔，上扇两侧贴有等腰梯式转柄作对称。碾为平底，两个同心圆围栏组成凹槽碾道，以备运行碾磙，内栏

中央竖有碾脐柱，脐柱上套有扁平铲式圆柱形柄，以承凸面带孔圆碾磙。两个劳作俑，身材修长，头顶盘髻，脑后插梳，着窄袖长裙，裙长至地掩足，裙腰高束胸际，裙带下垂，执铲者为站姿，持箕者成俯首坐姿，铲模拟木质、呈方梯形、圆柱形柄，箕模拟柳条编织、类当簸箕。

白陶粮食加工作坊模型有磨、碾、持铲俑、持箕俑。磨，是将压碎去壳后谷物再磨碎、制粉或制浆的粮食加工工具。考古发现最早石转磨出自秦都栎阳，为战国时期制品。碾是转磨或转压粮食的加工工具，用于碾去稻壳、碾粉及精米等。执铲女俑手中的铲呈方梯形，圆柱形柄，柄把较短，适于蹲身或单手操作，应为撮取或清选粮食工具。执箕女俑手中簸箕模拟竹篾、藤条或柳条等编织，三面有边沿，一面敞口，是一种手工簸扬、为压碎后的粮食颗粒去皮的清选工具。粮食加工工具模型再现当时粮食加工场景，为隋代粮食加工技术研究提供一批重要实物资料，也说明隋代统一后农业经济发展迅速。

白陶粮食加工作坊藏于河南博物院。

绿釉莲座塔式罐　唐代文物。1982年9月，河北省蔚县黄梅乡榆涧村一位村民盖房施工时，发现一座唐墓，随即由博物馆工作人员进行抢救性发掘。这是一座唐代中期夫妇合葬墓，墓中出土器物不多，但出土绿釉莲座塔式罐和釉陶凤首壶都个体硕大，造型精美。

绿釉莲座塔式罐形制硕大，通高106厘米，口径16厘米，最大腹径38.5厘米，底径55厘米。红胎，胎质细腻厚重且坚硬，表面施绿釉。小口，方唇外卷，直颈，上腹部圆鼓。子母盖造型精致，葫芦形，盖高27厘米。上腹部有贴塑浮雕铺首衔环及奔兽装饰各4个，铺首衔环和奔兽交错排列。罐身下部贴塑有15个仰莲瓣，器座上窄下阔，呈喇叭形，底座下部饰有两周附加堆纹。

绿釉莲座贴花塔式罐是国内罕见文物珍品，展现北方地区古代佛教艺术传承、技艺，具有明显地域特色和时代特征。

绿釉莲座塔式罐藏于河北蔚县博物馆。

龟形陶砚　唐代文物。1985年11月10日，在河南省三门峡氧化铝厂工地发现一座唐墓，三门峡市文物工作队清理发掘，出土一方龟形陶砚。

龟形陶砚通高4.8厘米，盖高2.32厘米，通长11.02厘米，宽7.51厘米，重130克。泥质灰陶，整体作龟爬行状。龟仰头远视，四足着地，腹部前低后高。附有盖，盖上阴刻几何图案，中间为四个六边形，四周刻饰八卦符号。砚池内残留有墨痕，应为实用器。

龟在古代是通灵和长寿象征，龟与龙、凤、麒麟并称四灵。《礼记·礼运》："麟、凤、龟、龙，谓之四灵。故龙以为畜，故鱼鲔不淰；凤以为畜，故鸟不獝；麟以为畜，故兽不狨；龟以为畜，故人情不失。"《三辅黄

图》卷三："苍龙、白虎、朱雀、玄武，天之四灵，以正四方。"四灵配以四星，龟蛇代表玄武，北方之神，通冥之神。龟背上装饰八卦符号图案是道家文化体现。西汉时出现陶砚，南北朝时期开始模仿秦砖汉瓦样式制作澄泥砚。到唐代，澄泥砚制作技艺已非常成熟，有虢州澄泥砚、青州澄泥砚和绛州澄泥砚等品种，最著名的是虢州澄泥砚，被选为贡品，后来成为历代文人墨客最钟爱的文房用器之一。此砚所反映文房文化的历史信息，具有重要研究价值。其古朴大方的造型，形象生动的神态，巧妙的构思和设计，具有极高艺术价值，可谓砚中珍品。

2000年8月，龟形陶砚被移交给三门峡市博物馆收藏。

三彩双鱼瓶　唐代文物。1975年，江苏省扬州市西门外的扬州师范学院和江苏农学院基建工程中，发现唐城遗址。为配合工程，扬州地区文化处与泰州、宝应、江都等市县有关部门参加，由南京博物院、扬州博物馆、扬州师范学院共同组成发掘工作组，8个月共发掘1100平方米。三彩双鱼瓶是城址中出土少量完整陶瓷器中的一件。

三彩双鱼瓶高23厘米，腹径11.2厘米，底径8厘米。瓶通体呈双鱼形，鱼口即瓶口，瓶身为上腹圆鼓，下腹渐扁圆，高圈足，外撇，两侧有鱼脊，鱼的双脊即为双系，有小孔可系绳。鱼目、鱼鳞刻划成浮雕效果，十分逼真。釉面为黄绿褐三彩釉，以绿釉占主要成分。

中国鱼文化源远流长，考古发现最早鱼形纹饰，可追溯至仰韶文化时期。唐代是中国鱼文化发展中的一个高潮。双鱼自古被寄予中

华传统文化中的和谐、繁盛等吉祥寓意。古代还有"双鲤"捎书之说，古乐府《饮马长城窟行》即曰："客从远方来，遗我双鲤鱼，呼儿烹鲤鱼，中有尺素书。"另《送何员外使湖南》曰："王程尚未复，莫遣鲤鱼稀。"古代亦称书信为鲤素，可见书信与双鱼纹饰及诚信间关系。唐三彩器是在汉代低温釉陶工艺基础上发展而来。三彩器第一次素烧时，必须使胎烧结，温度要达1000℃；第二次上釉可低温烧制，使坯胎不致变形，提高成品率。由于烧成温度不高，对窑炉结构要求不严，不必密封，这样可使氧化焰将釉里的金属充分氧化而呈鲜艳色彩。河南巩义窑是烧制唐三彩著名窑场。

三彩双鱼瓶藏于南京博物院。

三彩榻　唐代文物。1972年因大雨冲刷，陕西省富平县吕村公社吕村大队北吕生产队正

西约250米处，一座墓葬暴露出来，当地群众将部分砖石取出使用。1973年9月30日，陕西省文物管理委员会和富平县文化馆派工作人员前来勘察清理，发现墓主是唐高祖李渊的第十五子虢王李凤和妻子刘氏，为唐高祖献陵陪葬墓之一。该墓由墓道、过洞、天井、甬道、墓室、小龛等六部分组成，全长63.38米。共清理出土文物330余件，其中陶瓷器（包括三彩器）12件、陶俑225件、石刻12件，各种饰物约87件。三彩塌共有2件，均残，此件经修复。

三彩榻面为长方形，高6.5厘米，长25厘米，宽19厘米。四周略有出沿，并有六个壶门，其中前后两侧各有壶门两个，两端各有一个。榻面及边沿施黄、绿、褐色釉，花纹为不规则环形，线条清晰，整体釉色清新淡雅。

榻是一种形制近于床，但功用不同的家具。《初学记》卷二十五引《通俗文》："床三尺五曰榻，八尺曰床。"以尺推算，文中所说榻长约84厘米，床长约192厘米。这件三彩榻是随葬明器，具有唐代皇室榻形制，是研究中国家具历史重要实物资料。又因虢王李凤墓系初唐时期墓葬，故此器对研究唐三彩的出现和发展，亦具有重要价值。

三彩榻藏于陕西历史博物馆。

三彩熨斗　唐代文物。1960年，陕西省乾县唐永泰公主墓出土。永泰公主是唐高宗李治和武则天的孙女，中宗李显的第七女，名仙蕙，字秾辉，死于周大足元年（701年），时年17岁。于神龙二年（706年）与驸马都尉武延基合葬于乾县之北原，陪葬乾陵。1960～1962年，陕西省文物管理委员会对墓葬进行发掘。墓葬随葬品众多，随葬有金、铜器、铁器、玉器、锡器，俑是最多的一类，共878件，分为陶俑、三彩俑、木俑三类，还发现瓷器5件、三彩104件、灰陶器81件。

三彩熨斗高3厘米，长17.3厘米，宽9.5厘米。红胎，轮制和捏塑相结合。侈口，宽斜沿，壁斜直，平底，壁上一侧有条形柄。通体饰黄、绿、白三色釉。制作精细，造型逼真，釉色鲜亮，且出于有明确纪年唐墓，十分珍贵。

熨斗，俗称"烙铁"，是一种用于各种纺织品面料、服装或装裱字画纸张的平整工具，一般为青铜制品。中国是最早发明和使用熨斗的国家，历史可溯至商代，其功能源于一种刑具。至汉代，熨斗才真正成为熨烫衣服的工具。汉魏晋时期，熨斗已成为宫廷或贵族的日常用品。唐宋时期，熨斗进入全面发展盛行时期。使用熨斗熨衣已成为上至君主、下及平民整理衣物的必备工具。唐代时期熨斗造型继承汉代盆式形状，但边缘增加少量装饰纹样用于点缀。后世熨斗造型略有变化，但不出斗和柄相结合的形制。直至民国初期，西方船形带盖熨斗进入中国后，熨斗才成为人们现在所见样式。三彩陶熨斗是给永泰公主随葬明器，也是十分罕见的陶熨斗。

三彩熨斗藏于陕西乾陵博物馆。

彩绘四神陶棺 唐代晚期至五代时期文物。2011年4月，山西省榆次庄子乡南赵村出土。墓葬被发现时原貌已毁，但形制清晰，应为土洞墓。墓葬大体呈西北—东南向，墓道位于墓室东南方向，墓室口用一整块砂石板封闭。棺内发现有骨灰和金属网状物残片。除彩绘四神陶棺外，该墓另出土一件陶塔式罐及铁犁铧。

彩绘四神陶棺为灰陶质地，由棺盖、棺身和棺座三部分组成，通高43～89厘米，通长101厘米。棺身与座连为一个整体，陶棺外表通施浅色红衣。棺盖拱形，前高后低，前宽后窄，前檐呈圆弧形，略上折，中部有一拱尖状凸起。折檐上彩绘云气纹，出檐下绘制缠枝牡丹纹样，用墨线勾勒图案。棺身梯形，前挡板上端有缺损，整体呈前倾状，前高后低，前宽后窄，上窄下宽，前后挡板上端呈圆弧形，棺身浮塑假门窗及四神形象，墨线勾勒，朱、白敷色。棺座为简易须弥座样式，略有残损，前宽后窄，前高后低。棺身前挡板下部贴塑版门直棂窗建筑样式，前挡板上部贴塑有朱雀正面形象，作昂首引颈，展翅高飞状；前挡板边缘彩绘有独朵无叶牡丹连续纹样。左侧板浮塑青

龙形象，身形修长，龙身至龙尾多曲回波折，瞠目，张嘴露齿，龙角分叉向后，耳后长髯，双肩生小翼，蛇尾，三趾龙爪，四肢矫健有力，身躯及四肢用墨线勾勒鳞纹。右侧板浮塑白虎形象，身形与左侧龙形极为相似，圆头圆耳，瞠目龇嘴露牙，身躯及四肢用墨线勾勒虎纹。龙虎形象均腿部较长，作行龙走虎状，翘尾弓身引颈，健步前行。棺身后挡板浮塑赤蛇缠龟的玄武形象，龟圆目，抬颌，伸颈作回首状，龟背上刻格子纹，壳下露出一前一后两肢，赤蛇身绕龟腹，昂首吐信，与龟首相对。

从陶棺内衔接痕迹看，制作工艺应为棺身各板独立成形，贴塑刻画四神形象后与底座拼合烧制，棺盖则单独烧制，烧制后施彩，进一步丰富四神形象细节，并在棺盖及前挡板上绘制装饰性花卉图案。此外，棺前挡板背面和棺盖背面均还刻有制棺编号"五"字。四神形象，自汉以来常见于墓葬之中，多绘制或雕刻在墓室壁、穹顶及墓志等处，应代表镇墓祛邪，护卫墓主灵魂作用。

彩绘四神陶棺存于山西晋中市考古研究所。

镂空仰覆莲座陶瓶　五代时期文物。1981年，湖南省长沙市井湾子国家建委五局1号墓出土。

镂空仰覆莲座陶瓶由器盖、器身和底座三部分组成，通高56.5厘米，腹径19.3厘米，底径20厘米。器盖分三层，最上层为尖顶宝塔形半圆，为空心凸圆柱，多处镂空并装饰两层仰莲纹，中间部分为亚腰形托座，上下各装饰覆莲纹一周，下部为隆起圆形盖。器身为圆口，卷唇，直颈，圆肩，长圆腹下收，肩部装饰一周覆莲纹。下层为双层底座，装饰丰富，上层

为莲花座，下层为圆形空心座，座呈花瓣形，装饰仰覆莲纹各一周，莲瓣间以斜线分隔开。圆形座纹饰又分为三层，顶部装饰一圈周联珠纹，内饰花瓣一周，二层装饰空心孔一周，每孔间隔一长方形块，每一块上饰棱形纹，上下两头饰一朵花。三层饰棱形花瓣纹一周。器物整体造型端庄大方，比例协调，内容丰富，布局合理，疏密有致，重点突出，细部刻画极为生动传神，为难得佳作。

此类瓶可能是专为随葬烧造明器，反映人们祈求田园富庶、六畜兴旺、寄意永进安康的美好愿望，既有现实主义内容，又具浪漫主义色彩。魂瓶作为明器典型代表，反映当时社会宗教信仰、社会生活和丧葬习俗。魂瓶上多种设计因素并行不悖，繁简有致、主题突出，是后世主题性设计典范。"魂瓶"称谓，是后人

根据理解和研究而提出，并非时人称谓。镂空仰覆莲座陶瓶在装饰上多使用莲花纹，而莲花又有佛教圣花之美誉，将其定位为"魂瓶"有据可依。

镂空仰覆莲座陶瓶先存于长沙市文物考古研究所。1986年，长沙市文物考古研究所与长沙市博物馆合并。1988年，镂空仰覆莲座陶瓶随之藏于长沙市博物馆。

三彩舍利匣 北宋咸平元年（998年）文物。1966年，河南省新密县法海寺石塔地宫出土。据宋张哲《法海寺石塔记》记载，法海寺建于宋咸平二年（999年）。传说浙江余姚有位姓仇的大户，有一天梦见自己建造一座寺院和塔，家人和后代会因此得到保佑。第二天，就派人到各地去寻找梦境中地方，找到新密，发现与梦境中景色相似，于是散尽家财，经历

诸多艰辛，历时两年建起一座寺院和一座玉石塔，这座寺院就是法海寺。法海寺虽历经多次损毁和重建，但这座玉石塔一直屹立在寺中。1966年，法海寺玉石塔被人为损毁，塔基地宫也被打开。当时，密县文物保管所所长魏殿臣想方设法保护这些出自地宫的文物，并把刻铭做了几份拓片保存，以防万一。

三彩舍利匣由盖子、匣身和基座三部分组成。高47.3厘米，底边长33.2厘米。胎呈乳白色，是用高岭土制成。器表施红、黄、绿三色釉，并有褐色彩绘。盖子盝顶形，四周边缘立叶形装饰，呈围栏状，四角装饰立体的蝴蝶，盖内刻有题记："咸平元年（998年）十一月三日施主仇知训。"器身为方柱形，四角为绿色贴花角柱，四侧面均有浮雕二天王守护的仿木构门，内壁有题记："咸平元年（998年）十一月三日张家记。"下部基座是仿砖石结构叠涩须弥式，四壁中部各有一尖拱形镂孔，每个镂孔两侧塑有对称麒麟和莲花纹饰。

三彩舍利匣釉色较鲜艳，是宋三彩建筑模型最早实例，也是宋三彩的代表作品。宋三彩承袭唐三彩制作工艺，原料使用高岭土，器物两次入窑焙烧，釉色较多，并不只局限于黄、绿、白色等。

三彩舍利匣藏于河南博物院。

山形三彩枕 辽代文物。1955年，沈阳故宫博物院拨交。

山形三彩枕整体呈"凸"字箱形，高13厘米，宽24.8厘米，长29.5厘米。山形枕面，前低后高，呈斜坡状，平底无釉，上方四角残缺，胎黄褐色、质地粗硬。枕身中空，右侧开一小气孔。枕面边沿外凸，施黄、绿、白三色

釉，枕周四壁浮雕纹饰，枕壁正面图案分为3个正方形区，正方形上置一横框，均有2个方结，似帷帐，中间是窗户，由米格形排列而成，两侧各站立2人，头似梳髻，着灯笼裤，两人似正在交谈。枕两侧面分别装饰一公一母2只回首小鹿，小鹿静静望着在树枝上嬉戏的2只鸟儿。后侧面图案分为五部分，中心图案为树下双鹿，其两侧各有1只坐狮。狮子旁另有2只小鹿，1只回首伫立，1只引颈高鸣。瓷枕整体图案采用剔雕工艺，浮雕感极强，人物、狮、鹿、鸟均为成双成对出现，呈现出一派祥和的辽代契丹族"秋山"风俗景致。

辽三彩作为低温釉陶器，在辽代陶瓷中与白瓷平分秋色，占有相当大比重，不仅有黄、绿、白三色釉品种，其绿、黄单彩器也很有特色。烧造工艺都是制坯后先入窑素烧，再施彩釉二次焙烧而成。辽代烧制釉陶窑场，已发现有内蒙古自治区赤峰缸瓦窑、林东南山窑、阿鲁科尔沁旗水泉沟窑和北京龙泉务窑等处。典型的辽代三彩器，在11世纪中叶后的墓葬中多有出土。辽三彩器形主要有海棠花式大盘、八方供盘、圆盘、方碟、花式碟及罐、炉等，而枕较少，枕面形状以

如意形、椭圆形、扇形、长方形等居多，枕面为山形仅见于山形三彩枕。

山形三彩枕藏于黑龙江省博物馆。

三彩套盒　辽代文物。1970年夏，内蒙古自治区赤峰市翁牛特旗解放营子村群众因修渠取石发现一座辽墓，翁牛特旗文化馆、昭乌达盟文物工作站随即派员进行发掘。此墓为石室木椁券顶单室墓，葬式为合葬，男女墓主人头东脚西，仰身直肢，脸部均覆盖铜面具，应为辽代中期契丹贵族。墓中共出土此式套盒4件，其用途当与汉族漆器果盒相似，是辽代中晚期三彩器精品。

三彩套盒由两件浅盘组成，高4厘米，口径15厘米。浅盘为子母口，浅腹，八曲花瓣形高座，高座表面装饰印花牡丹花叶纹。浅盘大部分施黄釉，牡丹花上施白釉，牡丹叶上施绿釉。

辽代釉陶器生产，既有专门窑场，也有专烧釉陶窑炉。林东南山窑位于辽代上京临潢府故城西南1千米处，是专门烧制三彩釉陶窑场。这里生产的三彩和单色白釉、黄釉器，胎质较细，均作淡红色。烧造时，胎体先施一层白色化妆土，制坯后先入窑素烧，再施彩釉二

次焙烧而成。素烧温度达1120℃左右，胎质瓷化，吸水率降低。由于釉色单一，采用填色技法，釉色界限分明，釉面很少流淌。装饰风格主要以印花为主，少见绘花和划花等。构图讲求对称，纹饰较为繁缛。辽三彩在继承唐三彩烧制工艺基础上有所创新发展，反映出契丹族特有民族风貌和文化特征。辽代陶瓷器以其独特造型的装饰特点，在中国陶瓷史上占有重要地位。

三彩套盒藏于内蒙古博物院。

三彩四神陶棺 辽代文物。1983年，山西省原平县东社镇河底村西出土。

三彩四神陶棺呈长方形，高82.5厘米，盖长72厘米，底长61厘米，底宽44.5厘米。从上至下分为棺盖、棺身、棺座三部分，基本保存完好。棺盖为卷棚式，首端塑有如意形背光，左右两侧与尾端设有浪卷如意云。盖顶部从首端开始有五个宝瓶依次排列至尾端，除第二个和第五个宝瓶尖部残损外，其余三个保存完好。棺身前宽后窄，首端正面塑有屋顶和门窗，脊兽作朱雀首形，门转作十字梅花形，门半启，两侧为直棂窗，门墩呈方形。棺身左侧浮雕青

龙，右侧浮雕白虎，尾端正面浮雕玄武。棺座分为上下两层，上层左右两侧开光，形状不规则，并浮雕龙虎团纹各3个。正面于开光处中央浮雕变形虎头，左、右上角分别浮雕龙首。背面浮雕两个朱雀。下层为壶门座，一周开有9个壶门，分别于左右两侧各开3个，正面开2个，背面开1个。陶棺通体施黄、绿、白色釉。

辽三彩与唐三彩的区别除胎土不同外，主要是辽三彩中无蓝色，施釉不交融，釉面少流淌。四神，指青龙、白虎、朱雀和玄武，是中国古代人民所喜爱的吉祥物。起初称为"四象"，指水、火、木、金分布四方之象。在上古，表示天空东、南、西、北四大区的星象是用东龙、南鸟、西虎、北龟蛇（武）四组动物，是中国古代神话中的四方之神灵。春秋战国时期，由于五行学说盛行，所以四象也被配色成为青龙、白虎、朱雀、玄武。两汉时期，四象演化成为道教所信奉神灵，故而四象也随即被称为四灵。总而言之，四神主要用于军事布阵及起造阴宅和阳宅布局。

三彩四神陶棺藏于山西原平市博物馆。

"上京释迦院尼（法性）"葬记瓦 金代文物。1982年9月，黑龙江省阿城县老南门外，无线电厂为家属区挖自来水管道地沟时，于地下约1.5米深处发现一口石棺，内有1个骨灰罐和2块长条灰瓦。两瓦在棺内原是相叠在一起的，凸面均朝上，相叠两面均有墨写文字。两块葬记瓦均简要介绍墓主身份、丧葬时间和葬地。所记时间一用干支，一用数字，含有互释之意。不同处只是葬记瓦（一）有立葬者4人，而葬记瓦（二）则无。

"上京释迦院尼（法性）"葬记瓦两块

均呈长条形，一块长33厘米，上宽10厘米，下宽12厘米。厚1.3～1.5厘米；另一块长33.4厘米，上宽10.5厘米，下宽11.7厘米、厚1.3～1.5厘米。其中一瓦，背面布纹已被磨得较为光滑，右起竖书楷体汉字5行，文为"上京释迦院尼临坛首座赐紫宣微大师法性，庚申月壬申日化壬戌月甲申日艮时葬于此京北三里地，大金国大定二十三岁次癸卯"。另一瓦，对内面布纹未作任何处理，表面光滑，右起竖书汉字楷体4行，文为："上京释迦院尼临坛首座赐紫宣微，大师法性七月十日化九月二十二日葬于此京北三里地，大金国大定二十三年九月二十二日，永记"。

墨书记述"上京释迦院尼临坛首座赐紫宣徽大师法性"的化葬日期、地点即大金国大定二十三年（1183年）葬于上京三里地。这两块瓦是随同墓主人下葬的，在地下埋葬近800年，

且墨迹如新，尤为难得。该瓦发现，对研究金朝佛教、葬俗及上京地区民族风俗等，提供了不可多得的实物资料。

"上京释迦院尼（法性）"葬记瓦藏于黑龙江省金上京历史博物馆。

印花黑陶瓶　金代文物。1958年7月，内蒙古自治区文化局在昭乌达盟巴林左旗林东镇北山坡清理三座小型古墓，印花黑陶瓶出自一号墓。这座墓葬是旗公安局在此地义务劳动，挖树坑时发现的。长宽约190厘米，圆形穹顶。出土印花仿古陶器2件，白瓷器6件。

印花黑陶瓶高26.4厘米，口径7.5厘米，腹径13厘米，足径9.1厘米。侈口，平沿，细长颈，鼓腹，圈足。器身纹饰满布，为仿古青铜器装饰，口沿下为卷草纹，颈部为云雷纹，肩部和上腹部为夔龙纹，下腹部为乳钉纹和雷纹，圈足上为窃曲纹，各纹饰带间以弦纹相

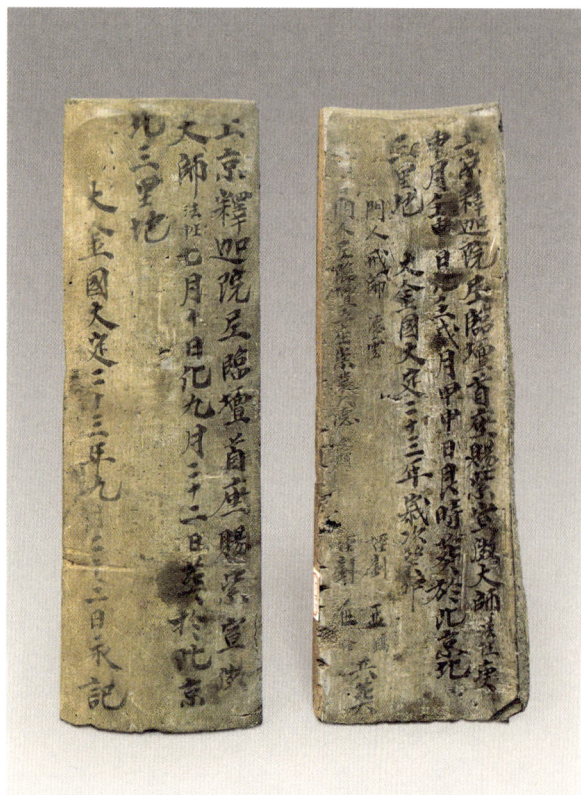

间。为仿青铜器效果，器表还做出青铜器合范的范线，并涂有绿粉。

金代陶瓷器流行仿古纹饰，印花黑陶瓶模仿战国青铜器纹饰，显得古朴高雅，具有鲜明时代特征。

印花黑陶瓶藏于内蒙古博物院。

狮纽陶香熏 元代文物。2005年，陕西省西安市东郊鑫元小区出土。

狮纽陶香熏高34厘米，直径20厘米。熏陶质，广口，窄方唇，筒式体。器盖上部堆塑一雄狮，呈蹲坐状，两足着地，一足戏球，一足挠首。狮尾贴臀卷向右，狮首高扬，张嘴睁目，威风凛凛。狮腹中空，与口贯通，盖沿等距离撮有三孔，当为通气孔，作用在于流入空气助燃。盖及器身皆为轮制，器身呈直腹微向下斜收的平底三足奁式造型。品相完美无缺，是一件精美元代陶器珍品。

狮子，古称狻猊，原产于非洲和亚洲西部等地。唐宋时期文献中，称狮形香熏为"金猊""香猊""宝猊"等，"香猊"本意为涂金的狻猊，借指涂为狻猊形象的香熏。盖子做成狮形，增加高度，气流需通过较长的狮子腹内孔道，最后从狮口流出。这样，由燃烧产生上升气流，便会挟带熏炉上层香烟集中从狮子口中散发，使香气经过过滤，更为纯正和浓郁，真正达到内部结构和外表造型完美结合。陕西西安唐代杨公夫人曹氏墓中，出土过一件狮形香熏，质地为滑石质，由熏盖和熏座两部分扣合而成。

狮纽陶香熏存于陕西省考古研究院。

绿釉陶棺 元代文物。1995年9月，陕西省西安市公安局稽查处在破获倒卖文物案件时，收缴绿釉陶棺。经调查，是富平县佛社村村民私自盗挖出土。

绿釉陶棺泥质红陶，外表施绿釉，前山墙大门部分施黄釉，均属低温铅釉。陶棺为歇山顶式殿堂造型，由棺顶、棺堂和底座组成，前端最高处103厘米，最宽处64厘米，后端最高处91厘米，最宽处49厘米，通长165厘米。棺顶为一端大，一端小的单檐歇山式古建屋宇形。屋顶九脊，正脊两端为鸱吻。鸱吻龙首，口嗌正脊，体为鱼形上卷、鱼尾翻卷顶端，鱼体上有剑把装饰，正脊中部有相背的龙首装饰。正脊下有压当条及正当沟，正吻两侧为垂脊，脊两侧有托泥当沟，脊端有垂兽。屋顶共有四坡，下部有四戗脊。正吻下悬山侧端垂脊呈"人"字形。垂脊人字形面为小红山，小红山下为博脊及立面坡，立面坡两侧为戗脊及戗兽，戗脊前为一兽。屋顶四角上翘，下为螳螂

勾头。在前后左右一周支柱与墙上设一周平板额仿，每一柱头上、柱间额仿上、角柱头上分别设有柱头科斗拱、平身科斗拱、角科斗拱。在前山墙两端角柱上各设有角科斗拱，相对于传统古建角科斗拱，此处较为简化。棺堂一侧山墙高大，另一侧山墙较小，这与一般古建殿堂不同。高大山墙处为正面，较小者为后面。正面有一紧闭大门，门上饰有乳丁，在门上四列五行排列，两扇门共40枚。大门两侧各立一人，再外两侧各有一圆形莲花座，上卧蹲狮，门框外装饰双层高浮雕串枝花叶。两侧角各立一支柱，柱上同样饰高浮雕串枝花叶。正山墙左侧面为棺堂正面，面阔四间。第二间两扇门微开，有一人探身外望。门上饰有乳丁，在门上四列五行排列，两扇门共40枚。门框外饰高浮雕串枝花叶，其余三间为槛墙，每面槛墙

四角装饰折枝花，墙外站两人，槛墙一周饰高浮雕串枝花叶，槛墙间有一立柱相隔。棺堂背面与正面相似，唯有第二开间门紧闭。棺堂由前向后逐渐缩小，屋顶也是由高渐低，由大渐小。底座由宽渐窄，其平面呈不规则长方形，四周有浮雕纹饰，上下共分三层，上两层施凸起串枝花叶，最下一层为素面。

绿釉陶棺，宿白认为是一件舍利棺椁。李辉柄认为，这件陶棺体量大，制作精细，古建的细节表现比较清楚，属珍贵建筑资料。

绿釉陶棺藏于陕西西安博物院。

彩绘三进陶院落 明代文物。1960年，河南省郏县前塚王村东南外发现一座明代墓葬。墓主人王韩，字惟邦，别号双泉，生于正德八年（1513年），死于万历五年（1577年）。嘉靖四十一至四十二年（1562～1563年），"曾

出粟豆四百石以赈饥"，可见墓主当时是一豪门地主。该墓是夫妇合葬墓，出土有两套陶院落模型。

彩绘三进陶院落是一套建筑模型明器，由三进院落及一座牌坊组成，楼高58厘米，牌坊高39厘米，牌坊基座长23厘米，牌坊基座宽15厘米，通长149厘米，宽89厘米。泥质红陶，表面施白色化妆土，绘彩。院落由10座悬山顶房子组成，1座堂楼9座平房，房子与4个耳门、围墙组成"目"字形四合院。大门外是八字墙照壁，前院有"一"字形照壁，前院左角放一乘陶轿，后院右角有一盘磨与一套臼杵，及猪、羊各一。

彩绘三进陶院落建筑模型是华中地区四合院典型样式，可充分反映封建地主家庭庄园形式。加之建筑歇山顶、牌坊、悬山顶房屋，画彩斗拱及覆瓦、脊饰等建筑特点，为研究古建筑史及建筑艺术，提供珍贵形象资料。与宅院配套的成对骑马俑，分别成行的男女迎送宾客俑，生活仆俑，室内桌、椅和床等明式家具及人物装束，为研究明代人生活习俗、家具及服饰，提供可靠依据。

彩绘三进陶院落出土后，存于郏县文化馆。1963年，移交给河南省博物馆收藏。

第三节　陶建筑构件

刻五叶纹陶器　新石器时代河姆渡文化（前5000～前3300年）文物。刻五叶纹陶器发现于河姆渡遗址第一期文化遗存中。河姆渡遗址出土众多陶器，代表器物有釜、罐、盆、盘、钵、纺轮等，部分器物刻画动植物纹及几何纹样。

刻五叶纹陶器粗泥灰陶，器体厚重，器形奇特，形似马鞍。高19.5厘米，残宽19厘米，厚6厘米。正背面平整，底边平直，三侧边凹弧。阴线刻画五片叶子及长方形承托体。五叶粗壮有力，生机盎然；一叶居中直立，其他四叶分于两侧，两两对称，线条自然流畅。叶子画法一致，仅方向有别，长方形承托体下刻画短斜线。

许多学者对刻五叶纹陶器及器表刻划的五叶纹植物纹饰进行研究，有万年青说、水稻说、裂果薯说、"饰有羽毛的冠"说等。陶器用途，有建筑物构件说、图腾崇拜说、祭祀用品说等。有学者认为，五叶纹和长方形承托体组合，很有可能与河姆渡文化中日月纹组合、猪禾纹组合相类似，是对祭祀活动的实物描画。

刻五叶纹陶器藏于浙江省博物馆。

陶水管　新石器时代造律台文化（前2500～前2000年）文物。1979～1989年，河南省文物研究所对平粮台古城进行发掘，证明古城年代属龙山文化，碳十四测年距今约4300年。平粮台古城位于河南省淮阳县城东南4千米大朱庄西南台地上，高出地面3～5米，占地面积5万平方米，民间俗称平粮台，《淮阳县志》记载为"平粮冢"。城址平面呈正方形，边长185米，城墙外角略呈弧形，内角较直，残高3米，宽10米，用小板筑和堆筑法建成，夯层清晰，夯窝明显。城内有高台建筑和平地起建房屋，屋墙皆以土坯垒砌而成，四周还发现有

灰坑、陶窑和墓葬，出土陶、骨、蚌等不同质地遗物及铜渣。古城南北各辟一门，北城门位于北城墙正中稍偏西处，南城门位于南城墙正中，两侧有门卫房的遗存。门道下铺排水管道，铺设方法是在门道下挖出上宽下窄的沟，沟底铺一条套接陶水管道，其上再并列铺两条陶水管道。北端稍高，宜于向城外排水。管道周围填土并杂以礓石块，其上再铺土垫平，作为路面。这种排水管道在古城其他地方也有发现。

陶水管为夹砂灰陶，长35.4厘米，径23.6厘米，一端敛口，一端直口，器壁粗厚，外饰弦纹，是平粮台古城南门门道下方铺设排水陶管道中的一件。

陶水管出土后，存于河南省文物研究所。1991年，入藏中国历史博物馆。

敞蟠纹筒瓦 战国时期燕国文物。1930年春，以教授马衡为团长的燕下都考古团成立，并于同年4～5月对燕下都故城外老姆台建筑遗址进行发掘。1958年，中国历史博物馆工作人员在燕下都遗址做全面勘察和钻探，发现这里建筑群的布局和安排，都做精心规划，是一座庞大复杂的城市。1963～1982年，河北省文物管理部门陆续对燕下都遗址进行发掘与保护。燕下都故城是战国晚期一大城市，遗址位于河北省易县城东南2.5千米处，北易水和中易水之间，地势北高南低。燕下都是燕国南部一重要门户，是从燕上都蓟（北京）前往齐国、赵国等地的咽喉地带。燕下都故城分东城、西城两部分，文化遗存主要集中在东城区域，西城区域可能是战国晚期为加强防御而修建的附属城。燕下都故城高大建筑都位于夯土台上，城内外已探明夯土高台有50余个。其中最高大的

武阳台长140米，宽110米，残高11米，是主体宫殿建筑的台基。老姆台长110米，宽90米，残高12米。小型的如望景台长40米，宽26米。这些夯土台上及周边出土大量板瓦、筒瓦、脊瓦等建筑材料。其中筒瓦就有1500余件，大多有纹饰，如篦纹、回纹、蝉翼纹等。通过个体巨大的蟠敞纹筒瓦，可想见其所在的建筑物是多么宏大和华丽。燕下都考古团发掘老姆台遗址的全部文物资料，在1949年后移交给中国历史博物馆。华北图书古物管理委员会收集的燕下都遗址文物428件、察哈尔省人民政府收集燕下都遗址文物637件，也都拨交给中国历史博物馆。

敞蟠纹筒瓦长90.2厘米，径36厘米。灰陶，制作时先做瓦坯，然后把模制成的蟠敞纹瓦当贴上，烧制而成。此筒瓦形制特大，两端带子母口，瓦面上的蟠敞纹分为三层，上下为交错排列三角纹，中间为三组方形纹饰。

中国已知的时代最早陶瓦是2009年9月在陕西宝鸡市陈仓区桥镇发现的龙山文化时期筒瓦，之后是出土于陕西岐山凤雏1号宫殿基址和扶风召陈建筑基址西周时期陶瓦。陶瓦在建

筑中普遍使用，则是在春秋时期。

黼黻纹筒瓦藏于中国国家博物馆。

大瓦当 秦代文物。1956年，陕西省临潼秦始皇陵区采集。1976年，在秦始皇陵北2号建筑基址曾出土过类似瓦当，直径达61厘米，因其硕大而被称为"瓦当王"。

大瓦当头为大半圆形，面径40厘米，瓦身残，原为半圆。制法为先模制瓦头，再接瓦身。瓦面采用高浮雕刻饰夔纹一对，连续变形的夔纹布满整个瓦当，以镜面对称作左右排列。夔纹反复盘曲，夔首在下，夔尾在上，夔口与底边轮相接，夔足连在弧边轮上。夔身表面以阴刻细线作细部装饰，阴阳分明，突出纹样的立体感，整体线条遒劲有力，极富装饰。

秦始皇陵是中国历史上第一个皇帝陵园。始建于公元前247年，历时38年，动用劳役72万人，移动土方500余万立方米。陵区占地约60平方千米，由内城和外城组成，包括帝陵封土、地宫、陵园内外城城垣与门阙、陵寝建筑和阻水与排水设施，及陵园内外的陪葬墓、陪葬坑等大量陵园设施。著名陪葬坑有兵马俑坑、铜车马坑、石质甲胄坑、马厩坑、动物坑等。

此外，陵区内地上、地下文物遗存极其丰富，已发现各类文物达数万件，包括陶俑、建筑材料、生产工具、生活用具、兵器、礼器、量器、印章等多种类别，为研究秦代政治、经济、军事、文化、艺术等，提供重要实物资料。

大瓦当原藏于陕西省博物馆，1959年，入藏中国历史博物馆。

龙纹空心砖 秦代文物。1974～1975年，陕西省咸阳秦一号宫殿遗址出土。1974年3月～1975年11月，由陕西省文管会、咸阳地区文管会和咸阳市博物馆共同组成秦都咸阳考古工作站，对秦都咸阳第一号宫殿建筑遗址进行发掘，发掘面积3100平方米。发掘表明，一号殿址以夯土高台为宫殿建筑核心，不同建筑依高台而建，包括宫殿主体建筑即殿堂、过厅、居室、坡道、平台、回廊、散水、排水池、窖穴等。这是一处将各种不同建筑单元统一于一个整体的高台宫殿建筑群，在使用功能、通道、采光、排水及结构诸多方面，做合理安排。战国秦汉时期，是中国建筑史上的重要阶段，这座大体量多层楼阁式高台建筑遗址，又是已知最有典型性、代表性的高台建筑遗存，把过去认为汉代建筑施工技术许多特点，提前到战国时代中期或秦代。一号殿址出土很多砖、瓦、地下水管道、陶圈和窖底盆等建筑材料及构件，其中出土的砖主要有方形实心扁砖和长方形空心砖两种，前者用于铺地和镶边，后者用作台阶。长方形空心砖按照砖面纹饰不同，又有单龙托璧、双龙托璧、鱼纹和几何纹等类型。

龙纹空心砖长100厘米，宽38厘米，厚16.5厘米。呈青灰色，体积较大，长方形，中

空，砖内刨泥痕迹明显。砖面线刻二龙托三璧图案，系模印。二龙首尾相衔、相互交织，一龙身饰鳞纹，另一龙身饰三角纹。龙眼圆大，炯炯有神。龙身上扬下卷，龙尾宽大，尾端变细。龙身上下对称装饰着卷云纹和圆圈纹。三璧内饰圆圈纹，璧中心饰"十"字形花瓣。此砖在遗址中皆见于回廊台阶，做法是将长方形泥坯做成实体，然后从中掏泥，中空成型。

龙纹空心砖原存于陕西省考古研究所。1989年入藏中国历史博物馆。

平索戏车及车骑出行图画像砖 西汉文物。1985年，河南省南阳市新野县文化局进行文物普查时，在县城北约12千米的樊集征集到十几件画像砖。经考古调查后共清理古墓51座，其中汉墓47座，汉画像砖墓37座。平索戏车及车骑出行图画像砖出自属西汉晚期39号墓，该墓为双室墓，墓门由五方实心画像砖筑成，三块门柱画像砖内容相同，均为朱雀、阙、执棨戟门吏。门楣画像砖为两块，内容相同，均为平索戏车、车骑出行，这便是其中一块。该墓主人应属中小地主阶层。

平索戏车及车骑出行图画像砖为长方形，长119.5厘米，宽35.5厘米，厚5.5厘米。画面左侧有飞驰两戏车，车上各树一橦。前车橦端蹲一伎，右手拉软索，左手拽一伎之足。此伎身体悬空，几乎与软索保持水平，橦杆中段，

一伎双手握橦平衡。后车顶端与软索相连，一伎缘橦。软索中间，一伎双脚倒挂。右有拱桥，桥下一人荡舟。鱼、龟在水中游动。桥上是车骑出行，主车两马骈驾，驭手执辔，主人端坐。前有导车和导骑，导车一马，一驭手，一乘者；骑吏揎棒。桥右二小吏屈身恭迎。车骑出行上方，一人持杖追逐两兽，右上方二人持剑格斗。画像中，两戏车各用飞车挽引，橦间用平索相连。伎人在疾驰戏车上，在空中履索、倒挂、寻橦。把几种杂技糅合在一起的高难度百戏，文献中未见记载。因此，这幅图像资料是研究汉代杂技艺术极为珍贵材料。

平索戏车及车骑出行图画像砖存于河南南阳市文物考古研究所。

"单于天降"瓦当 西汉文物。1954年，内蒙古自治区包头市召湾汉墓群出土。召湾汉墓群位于内蒙古包头市西郊麻池乡和召湾乡。1953年，由于有人破坏汉墓群，内蒙古文化局报经中央同意，于1954年派遣工作队前去清理，共清理11座残墓，出土文物366件，这件"单于天降"瓦当出土于25号墓。25号墓是一木椁墓，木椁以松木堆砌，木椁外围上下四周均填有一层厚度在10～15厘米碎陶片，其中就有"单于天降""四夷尽服"文字瓦当。

"单于天降"瓦当圆形当面，直径17.1厘米。后有筒瓦相连，筒瓦中部有瓦钉孔。瓦当面如同一圆形篆书阳文印章，表面涂有朱色，宽边缘内以十字格分成四个扇区，每区内有一字，读为"单于天降"。

单于是匈奴最高首领的称呼，"单于天降"含义是指老天让匈奴降服，应该是汉人建筑上的构建。据墓葬及出土物分析，这种瓦当是西

汉时期建筑构件，且仅在包头西郊汉墓群中发现。匈奴是蒙古高原上游牧民族，以射猎为生，经常侵扰汉境。历史上西汉战胜匈奴主要有两次，第一次是汉武帝时期（约前140～前87年），经多年战争，击退匈奴，武帝北巡曾到达包头地区，匈奴则逃到漠北。第二次是西汉宣帝甘露三年（前51年），匈奴经历军事打击、饥荒、五单于争立等天灾人祸后，呼韩邪单于不得不入塞称臣归附于汉。麻池古城是汉代五原郡九原县城和五原县城，其中北城是秦直道的终点九原郡。召湾位于古城西南，是匈奴呼韩邪单于南下觐见汉宣帝时必经之地。据包头市文物专家考证，作为昭君和亲出关所经最后一个汉郡，及降汉单于南下称臣进入中原的必经之地，召湾曾建有驿站或纪念性建筑，所以这些代表特殊意义的建筑构件，只能出现在此地，而墓葬中填铺用的瓦当残件，则是若干年后，由于此入关道路被弃用，建筑逐渐荒废，周围也变成古城居民墓地，建筑残砖断瓦就被取用为建造墓葬填铺瓦块。这些文字瓦当，已有隶意篆书，具有早期汉隶风格。

"单于天降"瓦当藏于中国国家博物馆。

厅堂拜谒及舞乐稽戏图空心画像砖 西汉文物。1985年，河南省南阳地区文物工作队在新野县樊集乡普查中，征集到包括厅堂拜谒及舞乐稽戏图空心画像砖在内的十几件画像砖。据当地群众讲，该砖是1977年新野县樊集乡建初中学校平整土地时发现。

厅堂拜谒及舞乐稽戏图空心画像砖为长方形，残长76厘米，宽36厘米，厚12厘米。画面左侧为厅堂。堂内为拜谒、乐舞等，主人踞坐于榻上，榻前两人跪于席向主人拜谒。下有两人席地而坐，张口对语，其中一人身后有侍卫。席间有方盒、樽及杯盏多只。堂中间有供主人观赏的乐舞。一女伎挥袖而舞，足下一盘，一男优在演滑稽戏。二乐人伴奏，其中一人击拊，另一人弹琴。画上为车骑出行。右下一牛，极其凶悍。

古人以席为坐具，《史记·魏其武安侯列传》："饮酒酣，武安起为寿，坐皆避席伏。已魏其侯为寿，独故人避席耳，余半膝席。"画像采用模制，介于绘画和高浮雕之间，寓巧于拙，画像寓美于朴，呈现出浓郁生活气息，是汉代贵族阶级生活真实写照，体现汉代雕刻艺术的时代特点，对研究汉代建筑史也多有裨益。

厅堂拜谒及舞乐稽戏图空心画像砖存于河南南阳市文物考古研究所。

盘鼓舞画像方砖 西汉文物。1964年8月，文物专干王儒林到河南省新野县征集文物，在县南6千米的后岗村征集到4块汉代画像方砖，其中盘鼓舞画像方砖最为精美。盘鼓舞是汉代一种踏在盘子和鼓上表演的舞蹈，如张衡的《舞赋（并序）》："般（盘）鼓焕以骈罗……历七盘而跳蹀。"盘鼓组合有多种形式，数目不等，按表演者技艺高低而定，有一鼓的，二鼓的，一盘一鼓的，有三、四、五、六、七盘的……舞蹈形式有独舞、双人舞和群舞。此画面中盘鼓组合为一鼓五盘，共三排，第一排为一鼓，第二排二盘，第三排三盘。

盘鼓舞画像方砖为方形，长40厘米，宽39.5厘米，厚4.3厘米，画面凸起，为浅浮雕。主题

画像为一舞伎和一俳优。画面左侧女伎高髻秀颈细腰，着长袖舞衣，婀娜多姿，踏鼓翩跹起舞。女伎足下倒覆五盘，一鼓置于其前，女伎整个身体微向前倾，细腰微拧，右臂向前上扬，长袖顺势向前甩出，左臂上举，长袖与腰间彩饰一起向后飘飞。右腿绷直，足跟抬起，足尖正从一盘上腾空，左腿弯弓，足近鼓边，挺身回头，似从盘上跳跃于鼓上腾起瞬间动作。女伎舞步轻捷灵巧，舞姿优美，长袖和裙裾随舞姿飘拂。在女伎前下方一俳优半蹲，袒胸露背，腹大如鼓，下身穿宽腿喇叭裤，左膝跪地，右腿弓步，左臂平伸至胸部，右臂斜上举，面微上仰，与女伎对视。画面右侧自上而下分三个层面，右上角置一鼎，鼎下方有一樽，樽上放一勺子，舞伎长袖飘然于樽上方，右下方有一常青树。整个画面向人们展示一边饮酒吃肉边欣赏舞蹈的宴客场面。

浮雕画像砖是集雕刻和绘画为一体的工艺品，专为装饰墓室而用，其优美图案模印在砖的平面上，装饰效果甚佳。盘鼓舞画像方砖造型生动，形象逼真，将舞蹈与杂技巧妙结合，体现中国传统舞蹈特殊风格，反映汉代陶塑工艺达到一个新水平，对探讨汉代舞蹈有重要价值。

盘鼓舞画像方砖藏于河南省南阳市博物馆。

"西海安定"瓦当 东汉和帝时期（89～105年）文物。"西海安定"瓦当在青海省海北藏族自治州海晏县西海郡故城出土。西海郡故城俗称三角城，在青海湖东北侧、湟水南岸金银滩上，距海晏县城约1千米。据《汉书》记载，西海郡故城建于汉平帝元始三年（公元3年），下辖5县。该遗址为湟水流域已知发现规模最大的汉代城址。城址平面呈梯形，东西长600～650米，南北宽600米，面积约30万平方米。城墙残高4～12米，下宽8米，顶宽2米。夯土版筑，夯土层厚约6厘米。城有东、西、南、北四门。城内南部较高，有三处隆起地带，应为当时建筑区。在城址内还采集到西汉和王莽时期五铢钱等遗物，出土篆刻有"西海郡虎符石柜，始建国元年十月癸卯，工河南

郭戒造"铭文虎符石匮。

"西海安定"瓦当圆形，直径16厘米，厚3.3厘米。细泥灰陶质，残损。当面书"西海安定元兴元年作当"文字。

瓦当是古代建筑用瓦主要构件。样式主要有圆形和半圆形两种。设立在屋檐用于防水、排水，起到保护木制屋檐檐头作用。由于有装饰图案和文字，增加了建筑美观，也是考古学年代判断重要实物资料。西海郡故城的发掘，是研究汉代青海建制沿革重要实物证据，也是西海郡城址勘定典型实物资料。1988年，西海郡故城被国务院公布为全国重点文物保护单位。

"西海安定"瓦当存于青海省文物考古研究所。

西王母墨绘砖　西晋文物。1999年5月，甘肃省酒泉市敦煌市博物馆清理佛爷庙湾一座画像砖墓，西王母墨绘砖出土于墓葬数米高的照墙上。该砖下层3块砖，分画3只青鸟。此墓葬照墙上同出东王公墨绘砖，与西王母并列排布，下面是腾跃虬屈祥禽瑞兽，层层排布，整个照墙为人们展现出一神异、仙幻的世界。

西王母墨绘砖长方形，长33.1厘米，宽16.1厘米，厚6.1厘米。砖面图案以墨线描绘，有黑色边框，画面正中是一端坐女性形象，着宽袖汉襦，两手相交于宽袖中。头束髻，左侧插垂缨发簪。头顶有华盖，两侧是二手持华盖柄跪姿侍女。经专家考证，这幅图像是西王母坐像。

西王母是中国神话体系中一主要神祇，其信仰至晚于战国时已形成，汉晋时达到鼎盛期。受汉代阴阳学说影响，东王公与西王母相配的图像，成为东汉时期铜镜、画像石上流行题材。《山海经·西山经》曰："又西二百二十里，曰三危之山，三青鸟居之。是山也，广员百里。"郭璞注云："三青鸟主为西王母取食者，别自栖息于此山也。"《山海经·大荒西经》亦曰："（西有）王母之山、壑山、海山。……有三青鸟，赤首黑目，一名曰大鹙，一名少鹙，一名曰青鸟。"郭璞云："皆西王母所使也。"《山海经·海内北经》曰："西王母梯几而戴胜杖，其

南有三青鸟，为西王母取食，在昆仑虚北。"画像砖中以传统神话传说、祥禽瑞兽为主要描绘题材，是两汉以来驱邪升仙流俗观念在这一地区盛行的反映。

西王母墨绘砖藏于甘肃敦煌市博物馆。

"伯牙抚琴"画像砖 晋代文物。1995年，甘肃省敦煌飞机场扩建施工中，发现佛爷庙湾墓葬群，其中编号167号晋墓，出土"伯牙抚琴"画像砖。该墓为土洞墓，墓室坍塌，清理出墨线绘画像砖5块，应是从照壁上脱落下来的。魏晋墓葬中，"伯牙抚琴"与"子期听琴"图像画像砖一般会成对出现在照壁上部。如37号墓"伯牙抚琴"砖位于照壁第五层。以中线为基准，左右对称排列的先是"天鹿（禄）"，然后是"伯牙抚琴"和"子期听琴"图。类似布局还有39号墓与133号墓。

"伯牙抚琴"画像砖长方形青砖，长31.5厘米，宽15.5厘米，厚6.5厘米。砖面略加打磨，在表面涂垩后以墨线绘图。画面中伯牙头戴进贤冠，着袍，左向跪坐抚琴；其左侧有二飞鸟，右侧为吉祥树。

墓葬中以画像砖装饰是魏晋十六国时期流行于河西地区，特别是酒泉、嘉峪关和敦煌的一种墓葬习俗。画像砖画面内容一般成对出现，表现历史人物的多镶嵌在照壁中，与表现祥瑞的灵禽神兽相结合构成一幅完整画面。画面种类繁多，或表现祥瑞珍禽、神话传说，或表现历史人物，或表现社会生活世俗场景，或用特定图案表现宗教文化。"伯牙抚琴"与"子期听琴"的历史故事，据《列子·汤问》记载：伯牙善鼓琴，钟子期善听。伯牙鼓琴，志在高山，钟子期曰："善哉！峨峨兮若泰

山。"志在流水，钟子期曰："善哉！洋洋兮若江河。"伯牙所念，子期必得之。伯牙游于泰山之阴，卒逢暴雨，止于岩下。心悲，乃援琴而鼓之。初为霖雨之操，更造崩山之音。曲每奏，钟子期辄穷其趣。伯牙乃舍琴而叹曰："善哉！善哉！子之听夫志，想象犹吾心也。吾于何逃声哉。""伯牙抚琴"图出现在河西地区墓葬中，一般认为是"升仙""出世"思想的寄托表象。

"伯牙抚琴"画像砖存于甘肃省文物考古研究所。

"滤醋"画像砖 魏晋十六国时期文物。1993年8～11月，甘肃省文物考古研究所报请国家文物局批准，发掘清理酒泉果园乡西沟村魏晋时期墓葬7座，包括较为大型墓葬3座，其中2座是画像砖墓。"滤醋"画像砖出自7号墓，位于后室墓券门东侧，是前室北壁五层画像砖第三层第二块。墓中，还出土大量其他图像画像砖，反映出当时社会生活农耕、畜牧、炊厨、宴乐和兵吏出行或附近游牧民族场景。

"滤醋"画像砖长方形，长34.5厘米，宽17.5厘米，厚4.5厘米。砖面图案是一幅"滤醋图"，一个几架上平放3个陶罐，中间陶罐底部有一小孔，液体正从孔中淌出，流入几架

下摆放盆中。

这批画像砖用简洁线条生动描绘出当时人们平凡的生活场面，基本是当时社会生活写照，是完整认识当时社会的珍贵资料。据学者对此墓葬中画像砖内容研究，推断墓主为有一定地位的中小官吏。西壁四层有连续5块绘有持矛兵吏画像砖，人物画像旁题有鼓史、都伯等小吏职名和部分兵士姓名，应为墓主人属下真实人物。可见，这些人物在军队里曾任过下级官职。

"滤醋"画像砖存于甘肃省文物考古研究所。

出征图壁画砖 十六国时期前秦建元十四年（378年）文物。1999年，甘肃省高台县许三湾西南壁画砖室墓出土。墓中有纪年题铭砖镶嵌在后壁，释文曰："建元十四季十二月十三日安错，早豕作饰富晚成。"建元十四年，是氐族攻灭前凉后建立前秦政权第二年，河西中部黑河流域地区在其管辖范围内。墓壁画砖还有《执枪牵马图》《骑马出征图》《双人并坐图》《树下抚琴图》《扶桑·飞禽·骆驼图》《双人桑园图》等，分别表现出征、儒士和天国三个主题。

出征图壁画砖陶砖呈长方形，长36.5厘米，宽18厘米，厚4厘米。砖面纹饰为墨线绘制，内容是一武士骑马执枪、驰骋出征形象。战马高头、剪鬃、挺胸、屈肢、飘尾，行走状。饰之以辔头、鞍鞯、褥垫。骑士戴盔、着袍、执枪，为武者。

许三湾西南壁画砖室墓葬中出土壁画砖，均以墨线绘制，与河西高台骆驼城、嘉峪关、敦煌等地墓葬壁画大多依照粉本彩绘作法不同，用笔随意，画法拙朴，画面甚至没有画在砖面正中，说明该画出自民间，表现思想内容和艺术价值亦来自河西底层社会。

出征图壁画砖藏于甘肃省高台县博物馆。

"大秦龙兴化牟古圣"瓦当 十六国时期前秦文物。"大秦龙兴化牟古圣"瓦当在河北省易县出土。"大秦龙兴化牟古圣"瓦当应为官府建筑材料，铭文中"龙兴"指前秦建国并

崛起，"化牟古圣"则是对前秦君主的赞颂之词，大意是说君主建立的丰功伟绩可和古代名君媲美。

"大秦龙兴化牟古圣"瓦当直径17.5厘米，有残缺，瓦面中有凸起圆芯，以圆芯为中心划分成8个扇形格，每格中有一字，旋读为"大秦龙兴化牟古圣"。

前秦是由氐族首领苻健建立国家，都城为长安（陕西西安）。第三任君主苻坚在位期间，前秦一度统一中国北方，疆域东至大海，西抵葱岭（帕米尔高原），南控越巂（四川西昌一带），北极大漠，东南隔淮水、汉水与东晋对峙。383年，苻坚为统一中国发动一场规模浩大战争，但在淝水之战中大败于东晋。此后，前秦迅速走向衰落和瓦解，中国北方再度陷入四分五裂局面。十六国瓦当与两汉瓦当明显不同。汉代瓦当多装饰卷云纹，一般用"十"字形双线栏格把瓦面分为四部分，文字书体以篆书为主，隶书较少，也有鸟虫篆。十六国瓦当卷云纹已趋于简化，瓦面一般被分成九格（包括圆芯），书体介于楷隶之间。瓦当铭文中"大秦"指十六国中的前秦。

"大秦龙兴化牟古圣"瓦当藏于中国国家博物馆。

托博山炉侍女画像砖　南朝时期文物。1975年冬，江苏省常州市南郊茶山公社浦前大队戚家村生产队在平整土地时，在一座土墩东北角挖到一些画像砖，当即报告常州博物馆。1976年3月，博物馆派工作人员对画像砖墓进行发掘清理。该墓为单室穹隆顶砖室墓，整体破坏严重，仅甬道西部和墓室西壁保存完整，发现大量画像砖拼砌的人物、神兽、花草等。

墓室西壁保存较为完好，砖画排列整齐有序，以人物、神兽为主要装饰图案，间以花草纹砖。画像砖全部采用模印制成，具有高浮雕特点。无论是墓葬规格，还是砖画构图风格，与同处江南地区南京、镇江等地出土的东晋、南朝早中期画像砖墓存在较大差异。由于墓葬早年遭到破坏，随葬品中没有能够表明墓主身份器物，且墓中一些散落瓷器具有唐代风格。因此，该画像砖墓年代判定一直存在争议。仅从墓室整体结构、画像砖构图风格看，其年代应在南朝晚期。墓中画像砖题材丰富，既有手托净瓶的道教飞仙，也有莲花、狮子等表现佛教思想的图案，表明此墓葬处于道教和佛教交融

并存、互相影响的南朝晚期。

托博山炉侍女画像砖为长条形，高32.2厘米，宽16.5厘米，厚3.8厘米。砖面为浮雕侍女像，脸形丰满，发作双鬟下垂。上身为开领宽袖短衫，双臂向上露出，袖口系两细带，肩有披巾，搭在胸前束成宽结。下身长裙曳地，脚着高云头履。左手托博山炉，炉顶立一小雀，右手似作舞蹈动作，体态婀娜，优雅飘逸。

画像砖为模印而成，画面中侍女肩披帛巾，并束结搭于胸前，是当时流行"赵带流黄裾"装束。与其他六朝时期画像砖人物形象秀骨清像不同的是，此侍女虽身材清瘦，但脸型较为丰满，已初现唐代人物体态丰腴之艺术风格，可看作是六朝至隋唐人物绘画风格转变印证。手中所托博山炉则是汉代至魏晋南朝时期流行焚香器具，因盖高而尖，似高山，且镂孔以使香气溢出，象征传说中的海上仙山而得名。

托博山炉侍女画像砖藏于常州博物馆。

狮纹模印砖 隋代文物。1964年，甘肃省莫高窟467窟前殿堂遗址北山墙角柱处，发现狮纹模印砖，当时砖素面朝上，狮纹朝下，被当作柱础使用。

狮纹模印砖质地疏松，烧制火候欠佳。残长32厘米，宽26厘米，厚10厘米。砖面图像是一侧身蹲坐狮子，昂首扬颈，大眼圆睁注视前方，嘴微张，有胡须，波浪状鬃毛长披脑后，双耳紧贴头部。后肢盘屈蹲坐在山石之上，右前腿抬起，前爪高举展开，似要用力捉握。姿态和神情轻松自在，憨态可掬。

狮子是中国古代颇受欢迎的造型艺术题材，作为装饰纹样，南北朝隋唐时期就很流行。蹲坐式造型石狮大量出现在唐代。狮纹模

印砖上的狮子以形写神，神形兼备，造型上去掉夸张、变形和神瑞化装饰，显示出独特艺术造型魅力。模印砖技法上融合中国传统石雕、模印壁画砖、砖刻等技法，图案块面圆厚、古朴简练而风格鲜明，狮子骨骼健硕，肌肉丰盈而富有动感。

狮纹模印砖存于敦煌研究院。

宝相花纹陶砖 唐代文物。1982～1983年，黑龙江省宁安市渤海上京龙泉府宫城第2号门址发掘时出土。渤海上京龙泉府宫城，位于龙泉府北部居中。1928～1934年，日本学人曾作过几次调查发掘。1963～1964年，中朝联合考古队也曾对宫城正南门进行过发掘，但许多具体情况尚未搞清。1979年，宁安县文物管理所为加固门壁，清理午门址（又称"五凤楼"）东侧门址（1号门址），对宫城城门形制等有新的认识。1982～1983年，黑龙江省文物考古工作队发掘清理午门址和宫城南墙另三座门址（编为2～4号门址）。其中，2号门址位于午门台基址西侧，保存较好。相同或相似宝相花纹方砖在黑龙江省宁安市的渤海上京龙

泉府、渤海砖瓦窑址，及吉林省珲春市东京龙原府（八连城）均有发现，多用于宫殿台基两侧垂带和踏道铺设。

宝相花纹陶砖方形，残缺一角，长41.5厘米，宽41.4厘米，厚6.5厘米。模制，灰褐色胎，质地坚硬，火候较高，其正面模印花宝相花纹。正中以浅浮雕双重宝相花形成同心圆，第一重为八瓣宝相花，第二重为十六瓣宝相花，花芯为一圆形乳丁。每重花瓣形状相同，各不相连。四边一圈对称纹饰，每边中部各有一朵六瓣双重瓣宝相花，其两侧各有两条蔓枝，其顶端带有花叶。四角处为五瓣相连而成扇形宝相花。边缘为一方形突起棱线。砖背面为分布不均匀绳纹，其制法为先在底面衬麻布，然后沿模具底和四周填以陶泥并按实，顶部再以陶泥抹平而成。

此方砖图案美观、秀丽，是唐代渤海国典型建筑材料之一。有研究者认为，宝相花纹具有典型唐代风格，为莲花艺术变化形态。也有研究认为，这是一种以牡丹花为主体的宝相花。

1990年12月14日，黑龙江省文物考古研究所将宝相花纹陶砖连同其他渤海文物10余件，一起拨交黑龙江省博物馆收藏。

胡人牵驼图模印砖 唐代文物。1944～1945年间，由西北科学考察团历史考古组在敦煌佛爷庙唐墓发掘出土。

胡人牵驼图模印砖方形，右下角略有缺损，质地坚硬细密，长35.5厘米，宽34厘米，厚5厘米。图案中骆驼背负沉重行囊昂首前行，双峰凸起，四肢强健。牵驮人行走在骆驼前，头戴中亚塞种人的三角尖顶小帽，高鼻深目，身穿圆领窄袖服，右手紧握缰绳，左手挂短杖。在整体造型上，牵驼胡人和骆驼表现比例适度，细部刻画周密，姿态比例协调，画面四周留有一定空间，静止中富有动感。骆驼及牵驼胡人以浅浮雕形式压制而成。花砖上方，还可见压制时挤出泥土，说明制作花砖使用的是阴刻模板，即在方形模具内填入泥土，整理平整后用模板压制，经阴干后烧制而成。

胡人牵驼图模印砖构图均匀、紧凑，造型

比例适度，神态生动真实，表现手法熟练，从内容到形式均属敦煌文物之上乘。不仅具有较强艺术感染力，且具有珍贵历史价值，真实反映当年运载货物骆驼商队，不畏艰险，日夜兼程，在叮当驼铃中行进情景，刻画出"无数铃声遥过碛，应驮白练到安西"的生动画面，是中西经济、文化交流的历史见证，国际友好往来的象征。

胡人牵驼图模印砖存于敦煌研究院。

彩绘砖雕 五代时期后周文物。1992年1月，陕西省彬县破获一起盗掘古墓案，收缴40余块彩绘砖雕。经调查证实，这批砖雕出自五代后周朔方节度使、中书令、卫王冯晖墓中。此墓位于人迹罕至地区，当地人称"冯宰相墓"，附近地区被称作冯家沟。冯晖生于唐末，死于五代后周末年，是五代历史中重要人物。盗墓猖獗迫使文物部门对该墓进行抢救性发掘，从甬道清理出的浮雕砖与收缴浮雕砖共54块，完整的上下两块拼合成一个完整人物形象，共有28个乐舞人，分置于墓葬甬道两侧，东壁为男性，西壁为女性，各14人，组成乐舞队，吹奏弹拉，载歌载舞。手执乐器有笛、

箫、笙、排箫、琵琶、磬、箜篌、拍板、鼓、长鼓等。这组彩绘砖雕是墓室建筑装饰材料。

这批彩绘砖雕刻工精美，人物生动传神，形象端庄典雅，其数量、质量在同时期砖雕中均属罕见，为研究五代时期的音乐、舞蹈、民俗、雕塑艺术提供了重要资料。

彩绘砖雕存于陕西彬县文化馆。

开芳宴砖雕 北宋大观四年（1110年）文物。1990年10月，甘肃省天水市藉口乡王家新窑村民在平田整地时发现砖室墓一座，甘肃省文物考古研究所得知消息后委派张俊民、庞耀先进行抢救性清理发掘。据墓葬封门题记与墓志砖可知，此墓建造年代是北宋大观四年（1110年），墓主人为王帷习之母，王宝柱之祖母。墓室四壁采用彩绘砖雕仿木结构楼阁式建筑，分三层。底层是须弥座，其上是两层仿楼阁建筑形式。楼阁下层是主体建筑模式，上层主体是"开芳宴"砖雕。开芳宴砖雕由两部分组成，一部分在墓室南壁，为墓主人活动的飨饮区；另一部分在墓室北壁，为乐伎人员演奏区。

开芳宴砖雕飨饮区面高42厘米，宽76厘

米，由5块砖雕组成。其中最中间是一张朱面方桌，上雕刻1件莲花注壶、2件盏托、2件盒，四面有青、白围栏。方桌两侧是高靠背座椅，上施白色椅套。座椅背后各有侍者1人，东侧侍双手平端食盒；西侧侍男抱手而立。墓主人尚未出场，虚位以待。乐伎演奏区主题画面由4块砖雕组成，与飨饮区相对应。由西向东分别是击鼓伎、击磬伎、吹笙伎和击拍板伎。击鼓伎右手拿一小槌，敲击置于桌面横鼓；击磬伎双手持六分刻度磬操，编磬由篪筒置于桌面；吹笙伎双手捧笙作吹奏状；击拍板伎双手持拍板，作演奏状。桌椅、人物、茶盏、乐器等物均先用青砖雕刻，施以底幛，再根据不同需要，以不同颜色彩绘而成。刚出土时，砖面颜色艳丽，后久而干燥褪色。

甘肃地区宋、金时期仿木结构砖室墓发现并不少，但有确切纪年的并不多。该墓的发掘，对研究这一时期墓葬习俗，探讨甘肃地区社会生活与经济状况，具有重要参考价值。

砖室墓发掘结束后，"开芳宴"砖雕被拆取，存于甘肃省文物考古研究所。

杂剧艺人"丁都赛"雕像砖 北宋文物。定海方若私藏。北宋杂剧盛行，反映在葬俗上就是墓室戏曲砖雕的出现。已知发现带有戏曲雕砖的北宋墓葬，主要集中在河南温县、偃师一带，此类墓葬往往在墓主人对面墓壁上，有以杂剧、大曲舞蹈、小唱、说唱、社火装扮等演出场面为题材雕砖，形成历史上一段独特葬俗文化。

杂剧艺人"丁都赛"雕像砖呈长条形，长28.4厘米，宽9.3厘米。青灰色，模制，然后用刀修细节而成。砖面是一浮雕效果女性戏装全身像。女子侧身站立，头上插花，身穿圆领长袍，腰系布带，足蹬高筒靴，后腰插有一团扇，作拱手作揖状。砖面右上方刻有正楷"丁都赛"三字，作长方印章样式。砖四周边缘尚有斧凿刀削痕迹，背面粗糙，未修整，应是镶嵌在墓壁上的装饰砖。

北宋时期，京都汴梁城市生活绚烂多姿，杂剧在勾栏瓦舍和露台表演丰富多彩。据宋人孟元老《东京梦华录》卷七"驾登宝津楼诸军呈百戏"条记载，"驾登宝津楼，诸军呈百

戏，呈于楼下。……杂剧一段，继而露台弟子杂剧一段。是时弟子萧住儿、丁都赛、薛子大、薛子小、杨总惜、崔上寿之辈，后来者不足数。……雅态轻盈。娇姿绰约，人间但见其图画矣。"可见，丁都赛是当时东京（河南开封）名角。北宋都城杂剧演出分为宫廷御用班子，属教坊钧容直管辖（钧容直是北宋禁军番号，属军乐队性质）；民间瓦舍勾栏中杂剧班子。丁都赛是民间"露台弟子"，活跃于北宋徽宗政和、宣和年间（1119～1125年）。每逢元宵节，皇城正门前搭建露台演戏，民间艺人也可登台献艺。

杂剧艺人"丁都赛"雕像砖藏于中国国家博物馆。

绿釉鸱吻 西夏文物。1974年，宁夏回族自治区银川市西夏皇陵6号陵西碑亭遗址出

土。1989年，绿釉鸱吻调拨自宁夏回族自治区博物馆。

绿釉鸱吻个体高大，高152厘米，宽92厘米，厚32厘米。龙首鱼身造型，龙首张牙凸目，形象凶猛。鱼身向上翻卷，鱼尾高高翘起，有跃动感觉。通体饰鳞纹，施绿釉，釉面光亮，威猛生动。

党项人是羌族的一支，早期生活在中国西北青海一带，后逐渐内迁至宁夏、甘肃地区，依附于唐王朝，并在长期掌控夏州地方政权中强大起来。1038年，党项首领元昊建国称帝，国号大夏，因其在宋朝西北方，称之为"西夏"。西夏陶瓷业是在其建国后发展起来的。在其境内已发现瓷窑遗址有宁夏灵武磁窑堡、灵武回民巷、贺兰县插旗口、银川缸瓷井，甘肃武威古城乡等处。西夏陶瓷业在文献中不

见记载。因此，只能从西夏陶瓷遗物来窥见一二。宁夏银川贺兰山东麓的西夏王陵出土了大量釉陶建筑构件。已发现的有白瓷板瓦、琉璃鸱吻、瓦当、滴水、屋脊兽、伽陵频迦等。精致白瓷板瓦、高大龙首鱼尾鸱吻、立体造型屋脊兽和伽陵频迦，都反映西夏较高陶瓷制作工艺。鸱吻是大殿屋顶正中屋脊上装饰物，一般位于屋脊两端，两两相对，鸱吻大小也能说明建筑规模。西夏王陵出土鸱吻有琉璃和灰陶两种，造型均呈龙首鱼身、张口吞脊状。西夏陵出土鸱吻与同一时期河北蓟县独乐寺辽代山门鸱吻、山西大同华严寺金代薄伽教藏殿鸱吻均属同一类型，与宋代鸱吻造型相同。

绿釉鸱吻藏于中国国家博物馆。

红陶鸱吻 元泰定元年（1324年）文物。1985年，甘肃省泾川县飞云乡元朝村出土。一

对。元朝村在一场大雨过后出现山体塌方，大量陶质建筑饰件被冲刷出来，泾川县博物馆及时清理后，发现一处元代窑址，这对红陶鸱吻即发现于该窑址。与这对红陶鸱吻一同清理出来的还有大量瓦兽件，这些瓦兽件大部分为素胎，未曾施釉；但也有少部分局部施有绿釉，应为当时尚未烧制完成饰件。

红陶鸱吻，红陶，素胎，未施釉，一个尾部断裂，一个完整。通高100.2厘米，宽75厘米，厚15厘米。其中尾部断裂鸱吻内背侧阴刻有"皇帝万岁位泰定元年□月十三日讓雨"字样。此对鸱吻造型相同，皆张口眦目，尾折而向上翘起，耳、鼻、牙、须、角、鳞雕刻极为精致，栩栩如生。鸱吻身侧另堆雕一立于祥云之上仙人形象，其中一个头部残缺，只剩躯干；另一个则完整。仙人脖系巾，着短裙，孔武有力。祥云之下及鸱

吻背部顶端各开有一圆洞；其中，背部顶端之圆洞应为插剑之处。鸱吻背上插剑有两个目的，一是防鸱吻逃跑，取其永镇水火意思，另一取避邪用意。

鸱吻是中国古代建筑屋脊正脊两端一种饰物，用以象征辟除火灾，通常在屋脊成对出现。元朝村发现这批建筑饰件，其纹饰雕刻之精美，尺寸之大，数量之多，保存之完整，在国内比较罕见。泾川在元代辖属都元帅府，曾在此立总司，辖邠州，后属巩昌总帅府。如此大型鸱吻构件，反映出当时泾川本地经济及手工业、建筑业发达，也是泾川当时城市地位的一种象征。

红陶鸱吻藏于甘肃泾川县博物馆。

大报恩寺琉璃塔拱门 明代文物。大报恩寺及其琉璃塔位于南京城南中华门外雨花台山麓，是明成祖朱棣为报答与宣扬其父明太祖朱元璋及嫡母马皇后而建。永乐十年（1412年），明成祖朱棣敕工部于南京聚宝门外因火灾毁坏寺塔原址，"依大内图式，造九级一色琉璃塔一座，曰第一塔，以扬先皇太后之德"（《江南报恩寺琉璃塔全图》，嘉庆七年，即1802年报恩寺内僧刻）。该塔完工于宣德三年（1428年）六月，前后历时16年，耗费钱粮银达248万两以上。大报恩寺规模宏大，北从秦淮河畔，南到雨花台山麓，周围长达九里余，寺内有金刚殿、天王殿、大雄宝殿、观音殿、香河桥、法堂等佛教殿堂建筑，有1848间僧房和禅堂供寺僧学习与生活。当时，中国佛教十大宗派都在此设置讲座。寺中最引人注目的建筑，还是这座琉璃塔。琉璃塔高32丈9尺，塔身九层，八面开门，四实四虚，隔层错开。每

层用砖数相等，但体积逐渐缩小，高度增加。底层四周镌四天王金刚护法神像，甲胄披挂，持戈执剑，形象各异。四个拱门以五彩琉璃嵌合，门的两边开窗，窗边缀以陀优钵昙花。二层至九层，各有平座，朱红色琉璃栏杆。每层覆瓦及拱门都用绿色琉璃构件，饰以飞羊、狮子、飞马、白象和各种佛像等图形。塔的外壁全部用白瓷砖砌成，上面镶嵌无数栩栩如生金身佛像。塔顶盘上有铁圈九个，称九级相轮，下面承盘直径12尺，外镀以厚厚的黄金。顶上镇黄金宝珠，重达2000两，以八条铁索固定在檐角。每层角梁下悬金铃鸣铎，共152个，随风摇曳，铃声叮当，引人入胜。各层点篝灯，共128盏，加上塔心室琉璃灯12盏，由100余个小和尚看管，一年四季，日夜通明，每天耗油64斤。塔中间有塔心室，楼梯绕心室而上，越往上，塔身越小，楼梯也愈陡。塔的各层内部有青绿藻井，内壁满布佛龛，每座佛像高不过1尺。清咸丰六年（1856年）太平天国战争中，琉璃塔被人为焚毁。这套作为配件的琉璃拱门，成为后人想象这座宏伟瑰丽天下第一宝塔的唯一具象品。

大报恩寺琉璃塔拱门是明代大报恩寺琉璃塔一套备用构件，门券上形象为藏传佛教密宗所特有法相装饰——六拏具，门顶端神态威武的金翅大鹏鸟，象征伽嚕拏，表慈悲。两侧对称设置龙女，象征那啰拏，表救度之相。摩羯鱼象征布啰拏，表保护之意。狮羊立兽象征福啰拏，表自在相。白象王象征救啰拏，意为善师。据史料记载，建造大报恩寺塔时共烧制三套完整塔身构件，一套用于施工，两套埋于地下，用于以后维修。这座拱门就是当时

备用两套中的一套。这样的拱门在塔上共有64座。

大报恩寺琉璃塔在明清400年间，吸引世界各国人士，并名扬海外，被一些外国旅行家、文学家、美术家列为中古世界七大奇迹之一。

大报恩寺琉璃塔拱门藏于南京博物院。

地震铭文砖　明代文物。1979年6月，宁夏回族自治区固原城南门西侧发现。几名小学生放学后，在固原城南门西侧玩耍时，在已倾塌内城墙壁上发现一块刻有铭文方砖，原嵌在内城墙南门西侧约47米处，上距城墙顶1米，下距城墙地面17余米。固原县文物管理站得知情况后，将地震铭文砖收回。

地震铭文砖平面为方形，边长38厘米，厚6厘米。正面较为平整，棱角四正，背面粗糙。有一右手印记，估计是制砖工人留下的。砖的正面刻有文字17行，每行21～25字不等，共342字，字迹工整，清晰可辨，只是右上角略有损伤，有几字不清，铭文如下：

维□□□□□□□初□日，忽有达贼入境，将各处人口杀死、掳去，官私头畜、家财

尽行抢掠，不下万计，军民惊散，苦不堪言。有陕西苑马寺长乐监监正王，为因本处民无保障，申奏朝廷，敕镇守陕西兴安侯徐、左都御史陈、差委右布政使胡、按察司佥事韩、都指挥佥事荣、平凉府太守张、苑马寺寺丞党、平凉卫指挥马、甘，会同监正王，督集各所属官员人匠军民夫五千余人，于景泰二年七月二十二日兴工重新修补。掘出方砖一块，上刻大金兴定三年六月十八日巳时地动，将镇戎城屋宇摧塌，兴定四年四月二十一日，差军民夫二万余人兴工修筑，五月十五日工毕。既见古迹，可刻留传。景泰二年八月终，工完。虽劳众力之艰辛，永为兆民之保障，上愿：

皇图巩固，德化万方，虏寇潜藏于沙漠，臣民康乐于华夷。

国泰民安，时和岁稔，思王公惠民之心，德无酬报，刻斯为记，千古留名。

景泰二年岁次辛末九月初一日

陕西苑马寺带管黑水口总甲刘彬、张纯刻

地震铭文砖记载明景泰二年（1451年）鞑靼入侵固原，陕西苑马寺官员会同地方官员修筑固原州城之事及参与的许多官员。并记载金兴定三年（1219年）六月发生在固原的大地震，正好印证1994年固原东岳山鲁班庙遗址中出土"地震刻石"所记内容。地震刻石刻于明嘉靖十年（1531年），铭文如下：

维大金兴定三年己卯六月十八日，巳时地动，自西北向此东南。镇戎城壁、屋宇尽皆摧塌，黎民失散。至兴定四年四月二十一日，兴上左军民夫二万余人再行修筑，至五月十五日工毕。复旧有总领都提控军马使，镇戎州太守监修。德政无私，军民皆伏，使西戎不敢侵

犯，安，居民复归本业。虽劳一州之众力，已成千古之基业。以奉皇上之圣德。庚辰岁五月十五日勒石壁左至。

大明嘉靖十年十一月朔日，信士蒲璋恐岁久湮灭，以石易砖，重拜，勒于壁右。

地震刻石与地震铭文砖互为印证，对《金史》记载具有修订作用，是研究中国地震的重要实物依据。

地震铭文砖藏于宁夏固原博物馆。

百子图砖雕建筑构件 清代文物。

砖雕百子图建筑构件，又名"百子图"砖雕，一套8件，每件长38厘米，宽27.3厘米，厚7.7厘米，是徽州古建筑门罩构件的一部分。砖面雕刻嬉戏儿童近百个，有在亭台楼阁前做游戏，有坐在案台旁读书。中心一件砖雕刻厅堂一间，堂梁上悬"百子堂"三字匾额，一儿童扮成"大王"坐于堂上，身后两童、堂前四童侍立左右，堂下雕刻两尊狮子，旁边又有几个儿童嬉戏。综观整个画面，以深浮雕技法所刻，人物姿态各异，层次分明，精巧细腻。

"百子图"是中国古代传统纹样之一，

体现的是多子多福文化观念。"百子"典故最早源于《诗经·大雅·思齐》，其中有"则百斯男"之句歌颂周文王子嗣众多，相传周文王生有99个儿子，后来在路边又收得一义子（雷震子），因此有"文王百子"之说。一般认为"百子图"纹样始于宋代，南宋词人辛弃疾《鹧鸪天·祝良显家牡丹一本百朵》中有"恰如翠幕高堂上，来看红衫百子图"词句。"红衫百子图"应是指刺绣在红色衣衫上百子图纹样，可以说"百子图"纹样不迟于南宋。明清时期，百子图应用非常广泛，明代徽州人程君房《程氏墨苑》中就收录有百子图墨；清乾隆年间桃花坞年画中，也有百子图题材作品。

百子图砖雕建筑构件藏于安徽博物院。

山水人物图砖雕门罩　清代文物。山水人物图砖雕门罩从安徽省歙县深渡镇征集。

山水人物图砖雕门罩又名"游春图"砖雕，由大大小小86块砖雕组成，高137厘米，总长379厘米。主体部分为一组9块砖雕构成"游春图"，所刻骑马游人、亭阁宝塔、小桥流水、山石树木，无不精细入微，形象逼真。画面左端河面波光粼粼，河边垂柳已吐新芽，对岸山石间山花烂漫，马儿正低头食草。再往

右刻一亭阁，亭内二人对坐于桌旁交谈，亭外有四人正眺望远处山岗，作闲聊状。从左起第四至第八块，雕刻九人骑马踏春场景，三骑同行且慢驾闲谈，一骑趋驾前行，二骑勒缰止步回望，背景是山石嶙峋、松柏苍翠、芳草青青，杨柳吐新，一派春意盎然景象。最右端又以亭台、河水、垂柳衬景，整幅游春图画面精彩纷呈，让人目不暇接。游春图上下端以两组小件砖雕花边装饰，纹饰细腻，间以瑞果、花草、鱼纹等点缀。再往上是4块独立砖雕，从右往左分别是渔、樵、耕、读四幅场景。"渔"画面刻小桥、柳树与小河，河边一渔夫张网撒入河中，身后一人正整理鱼篓；"樵"画面雕刻亭台、松树，一樵夫卸担，坐

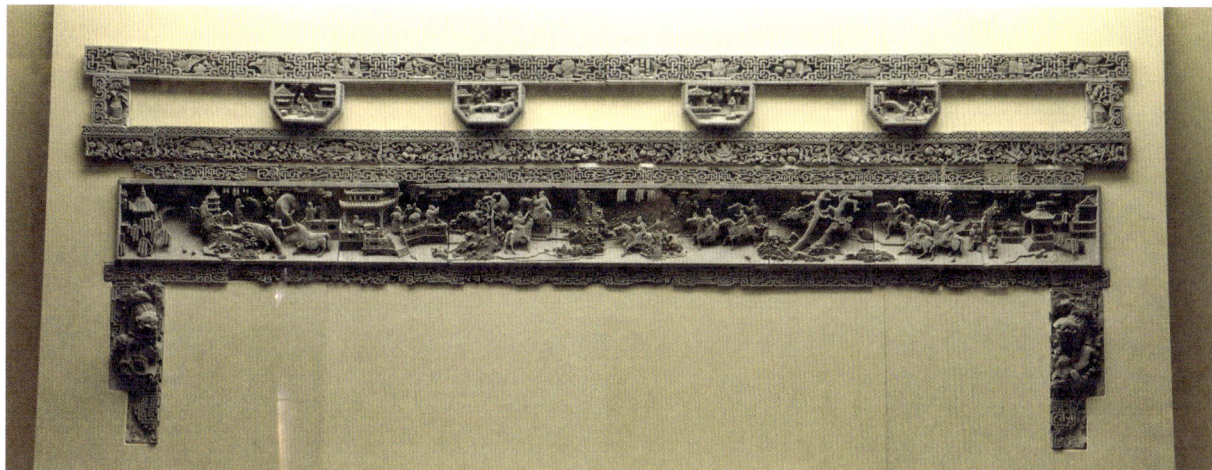

在石凳上休息，旁边走来一老者，似与之攀谈；"耕"图刻画小桥、河流与松柏，右边有一农夫扛犁驾牛，耕牛低头在河边饮水，小桥上有一人肩扛锄头，止步回视，描绘应是劳作一天，悠闲回家场景；"读"画面左右刻亭阁与房屋，院落中间坐一长须尊者持书而读，旁立一书童侍立其侧。"渔、樵、耕、读"画面反映徽州人日常生活状况，所谓耕读持家。在"渔、樵、耕、读"砖雕周边配有两组砖雕花边，上排与左、右侧为一组博古图砖雕，即以花瓶、鼎彝等为装饰图案，下排则是一组瓜果及缠枝花卉纹图案砖雕。整组砖雕门罩左下与右下，是两块狮纹砖雕。右为雄狮，其前右足踏一只绣球，并有一只小狮嬉戏于前。左为雌

狮，前有两只精神抖擞小狮立于左右。

门罩是古建筑门楼上装饰构件，明清时期徽州地区大户人家极为重视门楼建造，因门楼代表徽州人家身份、财富和品位。民间常说"千金门楼四两屋"，形容修建宅第时建造门楼的重要性和地位，从门楼装饰奢华可见一斑。砖雕山水人物纹门罩，布局严谨，各组图案、纹饰相得益彰，浑然一体，巧夺天工，富丽堂皇，代表明清时期徽州砖雕艺术最高水平。

山水人物图砖雕门罩藏于安徽博物院。

"太平天国"字铭瓦当 清代文物。1974年，浙江省金华太平天国侍王府西院收集。金华太平天国侍王府西院在维修中，一进西次间天花板上发现多方"太平天国"字铭瓦当，但

多为残片。

"太平天国"字铭瓦当模印烧制，前为滴水，后接板瓦，共2块，其一通长16厘米，通高9厘米，最宽16.5厘米；其二通长15厘米，通高9厘米，最宽17.5厘米。在瓦当回字纹框内有"太平天国"四字。"国"中"玉"字在框内实为"王"字，制作时以太平天国文字规范为准。此类字铭瓦当在太平天国时期建筑中存量极少，仅在金华地区有所发现。

金华侍王府在金华城关之东，唐宋时为州治所在，元时为浙东道宣慰署、肃政廉访司署，明初朱元璋曾驻于此，后为巡按御史行台，清时为试士院。1861年太平军攻克金华，侍王李世贤即在此召集工匠，大加修葺。这批"太平天国"字铭瓦，很可能由侍王李世贤下令烧制，应为浙江金华地区窑工自行设计和烧制，既是建筑装饰，也具有一定政治意义。清同治二年（1863年）太平军撤出金华，侍王府不仅保留规模宏大建筑群，且还保留大量壁画、彩图、木雕、石雕、砖雕等珍贵艺术品，为研究太平天国时期建筑与艺术提供宝贵资料。

"太平天国"字铭瓦当藏于浙江省博物馆。

第四节　陶塑及其他

陶猪　新石器时代河姆渡文化（前5000年～前3300年）文物。1973底至1974年初，浙江省文物管理委员会和省博物馆为配合农田水利建设工程需要，对河姆渡遗址进行第一期考古发掘，在早期文化层中发现陶猪。

陶猪高4.2厘米，长6.7厘米。手工捏塑而成，头部狭长，口鼻上翘，鬃鬣上扬，身形劲健，腹部下垂，四足粗短。造型简洁，生动传神，是上古时代一件难得艺术佳作。新石器遗址中出土陶塑制品，一部分人和动物形象带有神秘色彩，可能与原始信仰有关。而另一类制作随意，造型写实，小巧，简单，且情趣盎然动物陶塑，则很可能是信手捏制把玩之物，或是孩子们的玩具，这件陶猪即属于后者。

猪是六畜之一，中国家猪是远古先民直接从本地区野猪驯化而来。野猪与家猪体型不同，野猪前躯大，后躯小，前后比例约为7：3；经人工驯养家猪经不断改良，前躯与后躯比例约为5：5。河姆渡遗址陶猪出上于遗址第四文化层，属河姆渡文化早期，陶猪体型虽与野猪仍有些近似，但前躯已变短，腹部明显下垂，人工饲养驯化迹象明显。这表明距今六七千年前，河姆渡文化时期已出现家猪驯养，猪已成为主要家畜，是人们食物一个重要资源。新石器中晚期，中国黄河流域和长江流域很多遗址都发现有大量猪骨。中国北方大汶口文化还流

行以猪随葬习俗，墓中随葬数量不等的猪，象征墓主人生前拥有财富差别。

陶猪原收藏于浙江省博物馆。1989年，入藏中国历史博物馆。

孕妇陶塑像　新石器时代红山文化（约前4100～前2900年）文物。1979年，考古工作者在辽宁省朝阳喀左东山嘴发掘一处新石器时代红山文化祭祀遗址，主要由北侧长方形台基及南侧圆形台基组成。在南侧圆形台基附近出土数个大型坐式人物塑像残片，及一群小型裸体孕妇陶塑像，这些陶塑像残高为5～8厘米，腹部凸起，臀部肥大，通体打磨光滑，有的还涂有一层红色陶衣，女性特征鲜明。

孕妇陶塑像残高7.8厘米。红陶质，头

部、右臂和双足缺失，左臂屈于胸前，裸体，腹部凸出，孕相明显。

旧石器时代晚期至新石器时代初期，小型孕妇塑像在亚欧大陆有广泛地理分布，法国、奥地利、俄罗斯等地均有发现，多为石雕材质，总体风格一致。裸体，乳房高耸，肚子硕大，突出表现出女性作为生育者形象。在古罗马神话中，维纳斯是爱与美之神，也是生育女神。因此，考古学家和艺术史家便把史前这种女性裸像通称之为维纳斯。中国除喀左东山嘴外，维纳斯像还在河北滦平后台子赵宝沟文化遗址、内蒙古白音长汗兴隆洼文化遗址、陕西扶风案板仰韶文化遗址等处发现，或为陶塑，或为石雕。学术界普遍认可，东山嘴祭祀遗址和小型孕妇塑像揭示上古时代原始宗教某些重要特征，但对这些特征具体解释众说纷纭，还没有统一认识。一种比较通行观点认为，小型孕妇塑像显然代表生育、繁殖理念，大型坐式人物塑像或许就是祖先崇拜偶像，方形和圆形祭坛则可能象征天与地。

孕妇陶塑像藏于中国国家博物馆。

彩绘乐舞陶俑群　战国文物。1990年7月，山东省文物考古研究所为配合济（南）青（岛）公路建设工程，在章丘县绣惠镇西北女郎山西坡取土场清理一座战国中期大墓，出土陶俑等各类器物300余件。传此墓为齐国大将匡章之墓，彩绘乐舞陶俑群出自其二层台1号陪葬墓。

彩绘乐舞陶俑群共38件，均为泥质黑陶捏塑而成。高约7.6～8.8厘米。其中有歌唱俑1件（女性）、舞俑10件（均为女性）、演奏俑5件（均为男性）、观赏俑10件（均为女

性）及乐器4件、祥鸟8件，共六类。歌唱俑梳着扁圆饼状偏高髻，圆脸，施粉红彩，胸部丰满，身穿浅红色白点长袍，背后露有红点装饰曳地长裙，右臂屈于胸前，左臂自然下垂，张口挺胸作歌唱状。舞俑有长袖和短袖两种，均梳左高髻挽右小髻，面施粉红彩。短袖舞俑手心均有一圆孔，说明手中应持有某种道具。演奏俑均头戴翘角高冠，面施粉红彩，身着黑衣长袍，双肩披挂红彩带；二击鼓俑双手持棒作击鼓状；抚琴俑端坐案后，双手抚琴；敲钟俑双手执槌作敲击编钟状；敲磬俑双手握槌跪坐击磬。观赏俑均梳偏左高髻挽右小髻，其中一件右手下垂，左手捧腹，其余皆袖手而立。祥鸟分为两种，一种尖嘴、长颈，头部施红黄两色，身浅红色，尖尾上翘，双足并立；另一种身灰黑色，宽扁尾支地，双足分立。

陶俑作为明器，在乐舞场景旁配8件祥鸟，应展现墓主人死后进入仙界生活场景。在中国先秦文献中，有关祥禽善解音乐说法，如《韩非子·十过》曰："师旷……援琴而鼓，一奏之，有玄鹤二八，道南方来，集于郎门之垓。再奏之而列。三奏之，延颈而鸣，舒翼而舞。"这8只大陶鸟闻乐来集、与乐曲共鸣神态刻划得惟妙惟肖。这组陶俑形神兼备，生活气息浓郁，是战国贵族观赏乐舞场景再现，也是战国陶塑精品之作。

彩绘乐舞陶俑群藏于山东博物馆。

彩绘陶鸭　战国文物。1954年1月，河南省郑州二里岗发掘出土。

彩绘陶鸭通高28.6厘米，通长35厘米，通宽26厘米。泥质灰陶，由鸭身、双翼、尾和双足六部分组成，腹内中空。陶鸭为分模制作，

组合成为一体，尾、翅、足皆有榫头，可拆装。鸭昂首张嘴作鸣叫状，颈部细长，腹部呈椭圆形，脊背中央有一小圆孔，两翅平面作新月形、呈弧形围绕身侧，尾呈平直、平面作梯形，双腿直立，双足呈扇形站立状。鸭身不同部位分别绘有红、黑、黄、白四种色彩，颈部间以黄彩粗线，眼睛、嘴喙涂黄彩，口腔、下腹、两足涂红彩，其余皆饰黑衣白彩相间纹饰做羽毛饰。

陶鸭头部与身体采用写实表现手法，而衔接上双翅、尾与双足则省去细节采用几何形抽象表现手法，抽象与具象结合，形成简与繁对比，使陶鸭引颈鸣叫主题更加突出。整件器物，制作精巧，技艺考究，是战国时期珍贵的雕塑实物资料。

彩绘陶鸭藏于河南博物院。

铠甲将军俑 秦代文物。1974年3月29日，陕西省临潼县西杨村农民在村南挖井时，发现残缺陶俑身躯、残破俑头、成束铜镞、铜弩机等。临潼县晏寨公社干部房树民将情况向临潼县文化馆汇报。县文化馆文物专家赵康民等人赶赴西杨村，收集已出土陶俑残体，并对

现场做进一步调查和清理发掘。在上级领导批准下，陕西省成立考古发掘队和发掘领导小组。7月15日，考古队进驻西杨村考古工地。经发掘，一号俑坑平面呈东西向长方形，东西长230米（包含门道）、南北宽86米（包含门道），距地表深4.5～6.5米，占地面积14260平方米。俑坑由东、西两端长廊、11条东西向过洞及四周20个门道组成。东端长廊内是作为军阵前锋步兵俑；西端长廊内是作为军阵后卫步兵俑；南、北两侧过洞内是作为军阵翼卫步兵俑；中间九个过洞内是战车与步兵相间排列军阵主体。这种布局是根据军阵编列需要设计。由已发掘出部分估计，一号俑坑应有陶俑、陶马6000余件，战车40余辆。

铠甲将军俑高197厘米。身材魁梧，长方

面庞，络腮胡，神态严肃，气势威武。头戴鹖冠，冠覆高束之辫髻，冠缨结于颔下，飞飘胸前。身穿内长外短重袍，外披革、札合缀彩色鱼鳞甲，甲前摆呈倒垂弧边三角形，周缘绘有几何纹图案。胸背部和肩头革质上各有带头花结数朵。双肩有短小披膊（护肩甲），胫部缚护腿，足穿方口齐头翘尖履。双手交垂于腹前作拄剑状（其附近伴出青铜长剑一柄）。

秦始皇兵马俑坑是秦始皇帝陵陪葬坑，位于秦始皇帝陵东侧1.5千米处西杨村南，已发现三座俑坑，占地面积达2万余平方米，内有和真人、真马大小相似陶俑、陶马近8000件。陶俑、陶马排列按照当时军阵编组。一号坑是以战车与步兵组合排列长方阵；二号坑是战车、步兵、骑兵混合编组曲形阵；三号坑陶俑作仪卫式夹道排列，是统帅一、二号坑指挥部（古称军幕）。秦始皇兵马俑是秦国强大军事力量缩影，为研究中国古代军事史、科技史、思想史提供珍贵实物资料。秦俑形象各异、神态生动，在中国古代雕塑艺术史上起着承前启后作用，具有划时代意义。1987年，秦始皇陵及兵马俑坑被联合国教科文组织批准列入《世界遗产名录》，并被誉为"世界第八大奇迹"，成为中国古代辉煌文明杰出代表。铠甲将军俑多次参加全国巡展和出境展览。

铠甲将军俑藏于秦始皇帝陵博物院。

鞍马 秦代文物。1976年，陕西省临潼秦始皇陵二号兵马俑坑出土。二号兵马俑坑位

于一号兵马俑坑东端北侧约20米处。1976年5月，进行钻探和初步试掘。发掘表明二号俑坑平面略呈曲尺形，结构大概分为四个单元，第一单元长廊内有立式俑，过洞内有跪射俑；第二单元每条过洞内有8乘战车纵向排列；第三单元过洞内有19乘战车，每乘后有若干步兵俑，最后以骑兵俑作为殿军；第四单元过洞内有骑兵俑排列长方形军阵。从试掘情况推断，二号俑坑内应埋藏陶俑、陶马1300余件。

陶马身高172厘米，身长203厘米。作伫立状，四腿粗壮如柱，昂首挺胸，两耳前耸，目圆似铃，张口作嘶鸣状，体形特征类似河曲马。马背雕有两端略微隆起中部下凹鞍垫。鞍质地似为皮革，鞍面为白色，上面缀有八排粉红色鞍钉。鞍上有条类似皮质扣带盘绕马腹，把鞍紧紧固于马背上。鞍下衬绿色鞯。鞍两侧及前后两端缀有叶形及条带形彩带作为装饰。秦始皇陵兵马俑坑出土陶马有两种役使方式，用作挽拽战车，即车马；披有鞍鞯、用作骑兵坐骑，即乘马。此马即属后者。过去认为中国马鞍出现始于汉，秦俑坑骑兵马出土证明秦王朝时已有低桥鞍，只是还没有马镫。陶马制作方法是先分别制出马头、颈、躯干、四肢、尾巴和耳朵，经拼装黏合在一起后，再经重新覆泥修饰，雕刻成形，之后和陶俑一样进行焙烧和彩绘。

秦始皇陵兵马俑坑已出土600余件陶马，是秦人素善养马真实写照。史籍记载，秦人祖先造父以善驾车著称，徐偃王发动叛乱时，为周穆王驾车，曾日行千里以解救叛乱。秦非子善养马，周孝王时在汧渭负责养马事宜。战国时期，秦国养马业发展迅速，从中央到地方都

设有养马场"厩苑"。睡虎地秦简记载，乘马选拔事宜。规定乘马身高要达5尺8寸（约1.33米）以上，奔驰和系羁要听从指挥。先征取乘马，再从军队中挑选骑兵。到军后考核，如果马被评为下等，县令、县丞、县司马各罚二甲，县司马并被革职永不叙用。可见秦代对乘马挑选十分严格。二号俑坑兵种齐全，是兵马俑坑中的精华。

鞍马藏于秦始皇帝陵博物院。

彩绘载人载鼎陶鸟 西汉文物。1969年4月，山东省和济南市博物馆对济南市北郊无影山西汉墓进行发掘，清理西汉初期土坑竖穴墓葬14座。载人载鼎彩绘陶鸟由11号墓中出土，一同还出土彩绘乐舞杂技陶俑和彩绘负壶陶鸠。

彩绘载人载鼎陶鸟高53.3厘米，长45厘米，宽37.5厘米。泥质灰陶，鸟形似鸠，昂首伸颈，双目直视前方，短喙，头小胸凸，头与胸部绘鳞状羽纹，双翼左右平展，长尾微微上翘，双腿粗壮有力，稳踏于方形底座之上。鸟

背上立有三人，其前面二人，均着朱色宽衣博服，头饰环形高髻，拱手对立；另一着赭色衣侍者，双手撑圆盖伞，立于中后。鸠鸟两翼上各载一鼎，形制相同，方耳，浅腹，菌状钮盖，鼎腹绘心形朱纹，人形足。该器形体硕大，鸟形生动，展翅欲飞，似传说中的鸠鸟。鸠为吉祥之鸟，载美食满鼎，愿长生不老。

据文献记载，鸠鸟是一种运日毒鸟，形状如雕，长颈赤喙，喜欢吃蛇，具有超自然消化和生殖能力。在中国古代，鸠鸟被视为吉祥物。周代设专职纲捕鸠鸟官职，献鸠鸟以敬养老人，如《周礼·罗氏》载："罗氏掌罗鸟，蜡则作罗襦，中春罗养鸟，献鸠以养国老。"《周礼》又载："罗氏献鸠养老，汉无罗氏，故作鸠杖以扶老"，意思是说，汉代已没有专门捕捉鸠鸟献给老人罗氏，只取鸠鸟长寿吉祥之意，将手杖之首雕成鸠鸟，送给老人，希望老人们能够得到鸠鸟保佑。周人献鸠养老逐渐演变为授"鸠杖"以敬老汉代礼制，正如《后汉书·礼仪志》所载："年始七十者，授之以王杖，铺之糜粥。八十、九十有加赐。王杖，长九尺，端以鸠鸟为饰。鸠者，不噎之鸟也，欲老人不噎，所以爱民也。"彩绘载人载鼎彩绘陶鸟寄托人们对亡者死后飞升上天，衣食无忧，自由自在理想生活美好祝愿。2000年前，陶塑匠人已能熟练运用塑、堆、捏、贴、刻等表现技法，巧妙将鸟、人、鼎和盖伞组合，外饰以丰富彩绘纹饰，不仅体现创作者审美情趣和伦理思想，更说明在西汉时期济南地区制陶工艺已达到相当高水平，尤其在造型艺术上取得突出成就。

彩绘载人载鼎陶鸟藏于济南市博物馆。

彩绘陶马俑　西汉文物。2006年6月，山东省青州市谭坊镇在基建取土时发现一大型陪葬坑，考古部门随即对其进行抢救性发掘。经过3个月钻探发掘，共发掘清理陪葬坑1处，陶窑和灰坑各1处，钻探出一座大型"甲"字形土坑竖穴墓，墓室正方形，边长35米，墓道长40米。陪葬坑位于墓室西北角，出土遗物有陶车马、兵马仪仗俑、侍俑、牺牲俑、陶礼器及大量明器性质金属兵器（以铁器为主）。陶俑达千余件，均彩绘精美。其中彩绘陶马数量约350件。西汉时，此地属菑川国故地。据《汉书·地理志》记载，菑川国是齐国之地，汉文帝十六年（前164年），封齐悼惠王刘肥之子刘贤为菑川王，始封。至新莽二年（前10年）国除，历时170余年。推测此墓为某一位菑川王墓葬。

彩绘陶马俑立姿，体形健壮，造型稳重，额首挺胸，双耳直立，两眼圆睁，嘴部微张，背脊微凹，臀部圆厚，前腿直立，后腿微曲，马尾下垂，在梢部挽结。马通体彩绘，以白、枣红和绛红色为主。马饰齐全，如马络头、鞦（胸部、腹部）和鞍等，马鞍内彩绘图案，并填以白、紫等颜色。

青州汉墓陪葬坑出土彩绘陶马，按体形大小分为两种，较大马一般与等级高骑俑相配，其中配在陶车前马身最为高大健硕，且马具、马饰一应俱全。陶马鼻、眼、耳、尾等局部轮廓非常逼真，马头、颈、四肢与躯干各组成部分分开制作，或部分烧前用泥翻合在一起，分别以记号标记相配。彩绘陶马整体色彩艳丽，采用大红、枣红、白、雪青、绿、紫、黑等色彩，马头、马具纹饰线条流畅、图案丰富，马身色彩绚丽、绘工精湛表现当时高超绘画技艺，为研究汉代服饰、马具、制陶工艺和彩绘工艺提供珍贵实物资料。

彩绘陶马俑藏于山东青州市博物馆。

陶舞俑 西汉文物。1954年，陕西省西安市白家口出土。

陶舞俑高50厘米。杨柳细腰，面容清秀，长发中分，并拢至头后肩背处，挽成扁平式髻。内穿交领长袖白色舞衣，外罩红色交领宽袖长袍。上体前倾，右臂上举，广袖拂于右肩上，左肩微微下倾，手臂垂直向后甩袖，衣袖飘飞。双膝微向前趋，根据身体造型，可判断为左脚在前，右脚在后。整体动作流畅优美，刻画出一个舞蹈动作定格瞬间。

《西京杂记》云"曳长裾，飞广袖"，陶舞俑表演正是汉时流行"长袖舞"。长袖舞是以肩为根节，以肘为中节，以手为梢节，通过指、腕、肘、肩协调配合，完成身袖合一舞蹈动作。汉代继承春秋战国时期舞蹈艺术，尤其继承和发扬"楚舞"折腰、舞袖风格。汉代墓葬中，长袖舞人形象很常见，既有长袖舞蹈雕塑，又有长袖舞蹈玉人。

1959年，陶舞俑入藏中国历史博物馆。

乐舞杂伎俑群 西汉文物。1969年4月，山东省济南市北郊无影山南坡一处西汉墓地出土。山东省和济南市博物馆对该墓进行勘探后，共清理出墓葬14座，这组俑群即出自11号墓。该墓为简单土坑竖穴墓，前端两侧有砖砌八字墙，其间放置随葬陶器，乐舞杂技陶俑群即置于墓主人旁。墓葬形制和出土器物仍保留浓厚战国气息，但因邻墓发现有2枚西汉文帝半两钱，故初步认定墓葬年代属于西汉前半期。

乐舞杂伎俑群座长67.8厘米，宽47.5厘米。表现一个乐舞杂技宴乐场面。陶俑21人（应为22人，缺1奏乐人），皆施有彩绘，固定塑造在一个陶盘上，表演者在陶盘中央，后面是乐队，两侧是观众。表演者7人，分2组表

演。左边两人为女子，面颊施朱，长髻垂背，分别着白色和红色修身花衣，挥动长袖，相向起舞。右边4个表演杂技男子头戴尖顶赭色小帽，身穿紧身及膝短衣，腰束白带。前2人双手着地，举足倒立，相对作"拿大顶"表演。再后2人，一向后折腰，另一人作柔术表演。在两组表演者前方，一人身着宽大朱衣，束腰，头稍后仰，双臂向两侧张开，似在作舞；乐队7人（共为8人，缺1人），排列在表演者后方，左起2女子长髻垂背，着绕襟花衣，长跪吹笙。余5人为男性。吹笙者右侧为一鼓瑟之人，束发成环形，双手作举而欲抚状。鼓瑟者右侧为一击扁形小鼓者，小鼓有座。次为击磬者。有磬1对，悬于架上，1人执棒欲敲击。最后为1人击建鼓；观众7人，位于表演者左右两侧，即盘之两端，长衣广服，袖手而立，作观赏状。右侧3人，戴冕形冠，面前置两壶，壶有盖，绘朱彩。从3人冠服及面前置有酒器判断，当为举行宴会、欣赏乐舞贵族。另4人在盘之左侧，头发亦束成环状，高耸于顶上，与鼓瑟人相同，似非贵族。也有学者认为，此7人并非观众，而是"讴员"（歌唱者）。

乐舞杂伎俑群以成组立体形象展示汉代乐舞百戏及宴乐真实场景，人物主次分明，布局井然有序，为研究西汉时期音乐、舞蹈、杂技艺术，提供极其珍贵实物资料。

乐舞杂伎俑群藏于济南市博物馆。

跪坐吹笛陶男俑 东汉永元十四年（102年）文物。1941年，四川省彭山550号汉墓出土。

跪坐吹笛陶男俑高27.9厘米。浅黄色，模制，深目高鼻，为一胡人。男俑呈跪坐姿势，两颧耸起，头上一窄圈围发际，其合处不收，

一条下垂如尾，顶上高起如屋，似为左右两片合成，颈上圆领一层，似穿直衿。胡人双手持竖笛吹奏，五官及人体各部位比例都塑造得相当准确，整个陶俑风格粗犷稚拙、憨态可掬。

汉代以前，古人皆跪坐。《礼记·曲礼上》："坐而迁之。"《疏》曰："坐，跪也。"汉代，中原地区人们开始盛行坐床、榻习俗，在床、榻上仍为跪坐。而西域胡人来中原仍习惯席地跪坐，在自己领地则不受礼法约束，皆为箕踞坐。在张骞通西域前，随边境关市开放，及匈奴战俘俘获或奴仆赠与等原因，中原及四川等地就有胡人出现，在张骞通西域后，胡人渐渐频繁往来汉朝疆域内。跪坐吹笛陶男俑形象说明胡人对内地汉文化和汉代生活影响，体现西北少数民族与汉代政权密切关系。

跪坐吹笛陶男俑藏于南京博物院。

绿釉六博陶俑 东汉文物。1972年，考古工作者在河南省三门峡市灵宝县张湾发掘四座

汉代墓葬，出土一批精致陶明器，绿釉六博陶俑出土于3号墓。

绿釉六博陶俑高24厘米，长28厘米，宽19.2厘米。博具与俑均用泥质红陶制作，通体施低温绿釉。博具为长方形盘，盘的一边设六条长方形箸，另一边放置一小方盘即方形博局，博局上两方各有六枚方形棋子，中间有"水"和两枚"鱼"，从而构成一套完整博局；两位衣着整齐对博者跽坐于榻上，各踞棋盘一端，一人双手平摊，另一人双手上举，似乎是在为谁先行棋而互相礼让；两俑与盘皆设置在一张坐榻上，整器描绘两名男子踞坐于一方形坐榻之上博弈场景。该器物坐榻、博具齐全，人物形象谦逊恭敬，刻画细致入微，生动逼真，形象再现东汉人棋弈形象。

博戏是古代借助骰子以对博的娱乐项目统称，六博是其中比较典型的一种。六博发明很早，据研究最迟不会晚于商代。春秋战国时期，六博成为人们十分喜爱的娱乐活动，当时称博戏。秦汉时期，更加流行。西汉时朝廷

里设有博待诏官，汉代不仅出现专门研究博术的人和著作，还出现一些专以博戏为业的人，这些人被称为"博徒"。六博行棋方法主要包括大博和小博两种，大博用骰6枚，称为"箸"；小博用骰2枚，称为"茕"。东汉时期，对六博形制进行革新，出现小博，这种博法除各方各有6枚棋子外，分别布于棋盘12曲格道上，之间名为"水"，另外双方还各有一枚圆形棋子，称作"鱼"，"鱼"置于"水"中，行棋多少是根据掷茕数字决定，以先得到六根博筹者为胜。

绿釉六博陶俑藏于河南博物院。

击鼓说唱陶俑 东汉文物。1957年，四川省成都市天回山崖墓出土。天回山在成都北门外10千米天回镇附近，山丘平均高度60～70米。这里崖墓很多，在10世纪就有记载，多数被盗。1957年2月下旬，重庆铁路管理局工程处在施工中，在位于巫家坡半山腰处凿出几座崖墓。四川省博物馆获悉后，派出匡远滢、刘志远前往调查并清理。调查发现，这里是一

327

崖墓墓葬群，每座墓相距2～3米，呈"一"字形排列。部分墓葬在爆炸施工中被毁坏。经32天考古清理，出土大量陶俑、陶器皿、陶明器等，击鼓说唱俑出自3号墓南三室前过道。此墓石棺内还出土1件精美错金铁书刀。书刀是汉代一种文房用具，因竹简和木牍是汉代主要书写材料，发生误笔时，需一种修治简牍小刀，当时称为"书刀"。这件精致书刀应是墓主人随身用品，也表明墓主人身份当属文官类。

击鼓说唱陶俑高55厘米。头上戴帻，额前有花饰，袒胸露腹，两肩高耸，赤足着裤，左臂环抱一扁鼓，右手举槌欲击，张口嬉笑，神态诙谐，动作夸张，表现一位"俳优"正在表演形象。

"俳优"是比较原始俳谐性质综合伎艺表演者，其伎艺包括乐舞、杂技、滑稽等诸多成分，身份属卑贱伎艺人，具有奴隶性质。据先秦文献记载，"优"是一种"以调戏为事"伎艺。到战国时期，"优"被进一步称作"俳优"。两汉时期，"俳优"身份地位进一步下降，在娱乐圈也是地位低下阶层，这点从其性别、年龄、衣饰诸多方面都能看出。乐人、歌者、舞者中男性、女性都有，而"俳优"大都是成年男子，面目丑陋，身躯臃肿，上身袒裸，只是下身穿裤，从未见有衣冠整齐者。击鼓说唱俑是东汉晚期"俳优"装束真实写照，其往往随侍主人左右，作即兴表演，随时供主人取乐，当时皇室贵族、豪富大吏蓄养"俳优"之风甚盛，因此作为贵族生活一部分，"俳优"明器陶俑也出现在贵族墓葬中。

击鼓说唱陶俑藏于中国国家博物馆。

绿釉陶鸭 汉代文物。1959年，长江流域文物考古所湖北分队对湖北均县"双冢"两座墓进行清理。两座墓南北相连，南冢为1号墓，略偏于东；北冢为2号墓。两墓早年多次被盗，已见盗洞七处，扰乱甚为严重，凌乱残骨和棺灰及棺木朱红漆木夹杂在整个墓室淤泥中。1号墓遗留器物极少；2号墓还保留有许多遗物，出土绿釉陶器12件，陶器5件，瓷罐2件，铜钱约2000枚，银圈2件，小银圈1件，骨质装饰品5件。

绿釉陶鸭高8.5厘米，长27厘米，宽9厘米，圈足径6.2～6.9厘米。呈低颈前伸状，嘴微抬，拱背探首，双翅合收，短尾翘起，腹下圈足。背两侧翅膀上印有羽毛纹，短尾上也有凸起的短直棱纹。鸭身施棕绿色釉，釉不及底。圈足下腹部呈现出红色陶质。

鸭是由野生驯化而来，商代就已驯养成功。秦汉时期，鸡、鸭、鹅已成为三大家禽，汉墓中常用陶鸭模型随葬。

绿釉陶鸭藏于湖北省博物馆。

釉陶佛像 三国时期吴国文物。1992年初，湖北省鄂州市亿斤粮库建设施工时发现墓葬，由湖北省考古研究所和鄂州市博物馆联合组成考古队，进行文物勘探，共探明墓葬15座，并配合工程建设于年底组织抢救性发掘，清理出东吴至南朝时期墓葬11座。两次发掘清理12座墓葬共出土青瓷器、釉陶器、陶器、金银器、铜器、铁器等191件。其中2号墓出土"永安四年"纪年铭文砖，"永安"应为三国时吴景帝孙休年号，永安四年即261年。釉陶佛像出于4号墓前堂与棺室间过道内，出土时其两侧各分列一侍俑。

釉陶佛像通高20.6厘米，宽13厘米。通体施酱褐色釉，五官清晰，头戴披肩帽，面部扁圆，大眼短鼻，嘴形不太明显，帽巾垂于耳沿。短肥颈，耸肩，宽腹。身着通肩大衣，衣褶清晰，两手交叠于腹部，作跌坐状。

在已知考古材料中，长江中游地区时代最早佛教遗物是武昌莲溪寺永安五年墓出土鎏金铜佛饰和4件"白毫相"俑，而单独以佛像形式出现则还未见确切报道。根据4号墓葬形制及出土器物与2号墓葬相比较，得出结论，塘角头出土佛像4号墓早于有纪年"永安四年"2号墓。如这一推断成立，釉陶佛像是国内所见

早期的佛像，为研究佛教造像提供了新资料。

釉陶佛像藏于湖北省鄂州市博物馆。

陶独角兽　三国时期文物。南京博物院征集。

陶独角兽高13.9厘米，长26.5厘米。陶土捏塑成形。四肢粗壮，头上塑两耳和长独角，独角朝前耸立。兽面塑成人脸形，高鼻有短须，身形较为简练，表面没有过多装饰。

三国时期陪葬明器多有此种器形，额顶"独角"，统称为"独角兽"。是否属同一物种，学术界认识还很不统一，常见有"角端""麒麟""獬豸"几种说法。清末民初徐珂编撰《清稗类钞》对角端记载为："角端产瓦屋山，不伤人，惟食虎豹，山僧恒养之以自卫。"对獬豸，东汉杨孚所撰《神异经》："东北荒中有兽，如牛，一角，毛青，四足似熊，见人斗则触不直，闻人论则咋不正，名曰解豸。"麒麟，《清稗类钞》记载："麒麟似鹿而大，牛尾马蹄，有肉角一，背毛五彩，腹毛黄，不履生草，不食生物，圣人出，王道行，则见云。"从几种神兽记载看，"角端""麒麟""獬豸"特征不同，确非一物。陶独角兽既不似"角端""獬豸"，更不是麒

麟。实际上，就是赋予神话色彩镇墓兽。

陶独角兽藏于南京博物院。

彩绘持盾武士陶俑 东晋文物。1964年5月，江苏省南京市富贵山暴露出一段砖砌排水沟。根据这一发现，同年10月26日～1966年1月4日，南京博物院对该地调查发掘一座东晋时墓葬。富贵山在南京市内东北隅，高80米，东连钟山（紫金山），据《建康实录》卷八一记载，东晋康帝、简文帝、孝武帝、安帝及恭帝等皆葬钟山之阳。1960年11月，在山之东南麓，距此墓约400米处，曾发现晋恭帝玄宫石揭（墓前石碑）。有学者认为，这一带当为晋陵所在。此墓虽经早年盗掘，仍出土遗物71件，其中陶俑有4件，彩绘持盾武士陶俑是其中一代表作。

彩绘持盾武士陶俑高52.8厘米，最大径14.5厘米。灰陶质地，中空。头部戴冠，圆脸，方耳，着三重衣，内层为圆领，外二层右衽，束腰短衣，下穿阔脚及地长裤，脚蹬凤头鞋，一手作握矛状（已失），一手执盾（手未塑出），仅做出小臂，盾后有一圆锥状榫，插入袖筒中，盾呈圭形，表面有红彩，边缘及中脊凸线不施彩。

执盾武士俑在六朝墓中常见，如郎家山、石门坎、红毛山等地均有出土，但以这件最为完整，造型最为优美。

彩绘持盾武士陶俑藏于南京博物院。

泥塑笼冠女吏头像 北魏文物。1979年，出自北魏迁都洛阳后建造大型寺庙永宁寺。永宁寺遗址在洛阳市东郊15千米"汉魏故城"内，东北距北魏宫城南门基址约1千米，东约250米处即为北魏洛阳城内铜驼街遗迹。遗址

中央尚留有一座高大土台，残余土坯、红烧土块等建筑遗存清晰可见。1979年春，考古工作者开始全面发掘该遗址，首先发掘遗址中心建筑木塔基址。在永宁寺塔基多次发掘清理中，共出土2000余件彩色泥塑像残件，以大量人物塑像为主，也有一些景物塑件，俱为当时塔内与敬佛有关雕塑品。由于木塔焚毁时这些塑像与塑件被损毁过甚，塑像身首俱已分离，塑件也无一完整或可复原者。

泥塑笼冠女吏头像高约7厘米。为手工捏制，其身体部分残失，是头戴笼冠女吏形象。塑像面容清秀，顶束发髻，略带微笑。泥塑个体不大，但泥质细腻，塑工精湛，生动秀美，比同期石窟造像更精美，是中国雕塑史上罕见艺术精品。

北魏孝文帝太和十七年（493年），随都城迁至洛阳，在洛京宫室营建同时，佛教寺窟营造也从平城带到洛阳。永宁寺建于北魏孝明帝熙平元年（516年），由笃信佛法灵太后胡氏主持修建，规模之宏大为洛阳千寺之冠，是当时著名的皇室寺院。神龟二年（519年），永宁寺塔九层木塔建成。孝武帝永熙三年（534年）二月，雷电击中永宁寺塔引发大火，木塔从建成到被焚毁，仅仅16年。

泥塑笼冠女吏头像藏于河南博物院。

彩绘杂技陶俑 北魏文物。2000年，山西省大同市曹夫楼村出土。为配合雁北师范学院扩建工程，大同市考古研究所文物钻探队在其新征土地范围内进行全面文物钻探，共发现北魏、明、清和近代各时期墓葬百余座。彩绘杂技陶俑出土于编号为2号墓砖室墓。

彩绘杂技陶俑共9件，高约24.6～27.7厘

米。泥质灰陶，其头、身双模合制，四肢和手另外捏塑，制成胎体之后组装成型。陶俑深目高鼻，具有西域人典型特征，头戴黑色风帽，身着饰有白色花卉图案红色圆领窄袖长袍，腰系革带，脚穿黑靴，表现杂技"缘橦"和演奏乐器时动作场面。"缘橦"又名"缘竿""缘大橦"，即杂技中高竿表演，早在先秦时就已出现。汉代通常称之为"缘橦"或"都卢寻橦"。其所攀之橦，起初立于地面，以后又发展为"额上缘橦"，即表演者以额头顶竿。魏晋南北朝直到唐代，此戏流行不绝。杂技陶俑表演"缘橦"有3件俑，一俑头顶高竿，稳如磐石，一童子双腿夹竿，头和胳膊向后扬起，另一童子腰顶竿巅，四肢下垂。另外6件俑各司其职，一位似在保护表演者的安全，一位似在指挥，另外4位持横笛、琵琶和鼓类等乐器伴奏。

与这组杂技俑相类似资料还有数处。如云冈石窟第38窟也雕刻基本相同"缘橦"杂技和伴奏乐队；1997年发现的大同智家堡棺板画，画面展示一幅紧张激烈乐舞杂技场面；2005年大同发现沙岭北魏壁画墓，在导骑和马上军乐后面，有额上顶橦杂技表演。

彩绘杂技陶俑藏于山西博物院。

萨满巫师彩陶俑　东魏文物。1976年春天，河北省磁县大冢营村农民春耕时发现一座古墓。1978年，经河北省文物部门批准，专家和考古发掘队对古墓进行发掘清理。从出土青石墓志铭记载可知，这座墓是东魏大丞相高欢第九个儿子高湛妻子茹茹公主闾氏墓葬，规模庞大，随葬品极其丰富，萨满巫师彩陶俑就出自此墓。4世纪末，柔然族在中国北方草原上

兴起，这个民族与北魏有密切政治、经济文化联系。在北魏被分裂成东魏、西魏形势下，由东魏高欢政权支持起来的茹茹王阿那瓌，很想继续利用东魏力量。东魏为联合柔然族牵制西魏进攻，也想与茹茹王联盟。于是，东魏丞相高欢决定让自己第九子高湛（561年即位北齐武成皇帝）与阿那瓌孙女茹茹公主联姻。这一年高湛8岁，茹茹公主5岁，是一对政治联姻娃娃亲。定亲后，茹茹公主被接到中原过着锦衣玉食尊贵生活，与高湛一起读书学习，快乐长大。可不幸的是，茹茹公主在13岁那年因病去世，厚葬于邺城（河北邯郸）。

萨满巫师彩陶俑高29.8厘米。是一位长须老者形象，头戴红色浑脱帽（毡帽），身穿圆领广袖红色曳地长袍，左手持锯齿伏法器，右手向前抬起，笑容可掬，作欲起舞状。学者研

究认为，此类造型塑造是萨满巫师跳神形象。

萨满教是中国古代北方少数民族信奉的宗教，在中国历史舞台上显赫一时。萨满巫师地位很高，与北方少数民族帝王共同建构一种典型的政治宗教形态。

萨满巫师彩陶俑藏于河北省邯郸市博物馆。

陶牛车 北齐文物。1955年，山西省太原市西南蒙山山麓的太原胜利器材厂取土工地发现一座小型土洞墓。墓葬并未经科学发掘，陪葬器物在发现后即被直接取出，送交给晋源文化馆，然后转交山西省博物馆。发现文物有墓志一合，陶俑及模型明器40余件。根据墓志记载，张肃俗是代郡平城（山西大同）人，魏故龙骧将军、中散大夫、豫州长史、镇城大都督、长安侯张子霞第四子，北齐天保十年（559年）26岁时卒于邺下（河北省临漳县），当年十一月葬于晋阳（山西太原）三角城外。

陶牛车牛高23.2厘米，车高31.2厘米。牛体格健壮，仰天长鸣状，似在发力。车厢较小，呈长方体，车顶呈卷棚，且出檐较长，前面雕刻有窗户，后置小门，供乘车人上下。车轮呈饼状，阳刻，车辋和辐条九根，车軎凸

出，木制双辕，辕已朽。外施红、白、黑色彩绘，色调鲜明，保存较好。

陶牛车模型是张肃俗墓随葬明器，也是当时日常生活中实用牛车写照。在这一时期，牛车地位开始上升，甚至超过马车，皇帝、官员马车、牛车并用，牛车较多成为出行车辆，是魏晋时期主要交通工具。

陶牛车藏于中国国家博物馆。

彩绘陶骆驼 北齐文物。1981年，山西省太原市晋源区晋祠镇王郭村北齐娄叡墓出土。娄叡墓为"甲"字形砖室墓，由封土、墓道、甬道、天井和墓室组成，共出土随葬品848件（组），包括陶俑、陶生活用具模型、釉陶生活用具、玉器、石雕等。墓主人娄叡为鲜卑人，是北齐外戚、重臣，历任司空、司徒、大将军、大司马、太尉、太师、太傅等，封东安郡王，卒于北齐武平元年（570年）。

彩绘陶骆驼高35厘米，长32厘米，宽18厘米。小耳，短尾，黑色颈毛，颈部挂有饰联珠纹黑色驼铃带，背负满载货物的灰色垂橐，橐下面为帐篷杆（圆顶蒙古包插杆及插杆圆形架）及白色丝绸，橐顶上平放帐篷顶圈，前部两侧各挂两个枣核形物品，或是水袋，或是水壶之类盛水器，足部已残。

彩绘陶骆驼通体驼色，头高昂，仰天嘶鸣，体态高大健壮，精神昂扬向上，再加上丝绸之路最为典型商品丝绸，及流行于中亚、西亚联珠纹，这一载物骆驼正是北齐时期中西方经济、文化密切交流最好例证。

彩绘陶骆驼藏于太原市博物馆。

彩绘武士骑马陶俑 隋代文物。1976年，山东省嘉祥县满硐公社杨楼村一位村民在村西

南英山脚下发现一座隋开皇四年（584年）壁画墓，后将此墓定名为"英山一号隋墓"。因墓室破坏严重，仅清理出石墓志及少量陶俑。据墓志铭得知，墓主为徐敏行，字纳言，是仪同三司前恒山太守徐之范次子，梁司农卿萧溉之外孙。生于梁武帝大同九年（543年），死于隋文帝开皇四年（584年），曾经历梁、北齐、北周和隋四朝。其原籍是"东莞姑幕"（山东沂水县东北），至十二世祖饶才迁到江南，《北齐书》将其籍贯写作丹阳，实际上应是山东。徐敏行10岁随父北上，后被开府段德渊引为"行参军"，从此踏入仕林。如墓志铭上所说，"蒙稚江源，讵减参玄之幼，经过夏首，无惭辨日之童"。又誉称其在言官之时"纶言散泽，槐路生光，实简帝心，能令公喜"。看来其是有才华也会办事的人。徐敏行中年仕途坎坷，心情抑郁；加之丧父之痛，在

开皇四年春染疾而亡。其妻海陵太守北平阳侯之女也于同年十月"哀悴"身死。因此，英山一号隋墓是一座夫妻合葬墓。

彩绘武士骑马陶俑通高27.2厘米，马高24厘米。灰陶，手工制作。全身施彩以朱、墨为主，间有青、绿，或勾金色。出土后彩色大半脱落或变浅。马立于长方形平板上，昂首挺立状，眉骨突出，双眼圆睁，竖耳，并在马鼻和颈部嵌入方形铁轴，防止断裂。马尾残断，鞍具髻辔齐全，马鞍四周印有树叶形花纹。造型圆浑小巧，腿矮身短，甚是肥壮，类似蒙古马。鞍上一武士男俑，骑马俑头戴卷檐船形战帽，身披软甲，肩佩璎珞式肩章，腰束宽带，足蹬短靴，右手扶于马鞍上，左臂前屈握拳状，拳心有小孔，可能原持有木制兵器，已朽坏脱落。男俑面露微笑，神态安然，像一位凯旋的战士，面目似汉人。

彩绘武士骑马陶俑藏于山东省济宁市博物馆。

彩绘骑驼陶俑　隋代文物。1980年，山西省太原市西郊沙沟村斛律彻墓出土。该墓葬纪年为隋开皇十七年（597年）。1980年4月，被山西太原西南郊沙沟村村民在村西取土时发现，山西省考古研究所朱华、畅红霞和太原市文管会申承金接到报告后前往清理。墓葬内随葬器物较为丰富，共382件，其中大多数为模制陶俑及动物模型。墓中出土墓志记载，斛律金至斛律彻四代人的历史，是研究北齐、北周乃至隋代历史的重要资料。

彩绘骑驼陶俑高45.5厘米。为红陶材质。骆驼高大健壮，昂首挺立，张嘴嘶鸣，短尾上翘，双峰间驮皮囊，囊端饰虎头图案。皮囊上

坐一人，浓眉，深目，高鼻，头戴圆毡帽，身着圆领窄袖衫，左手紧握缰绳，右手握拳高举，两腿一屈一伸。人物与骆驼造型生动，惟妙惟肖。

随着隋朝与西域关系日益密切，西域诸国不断遣使朝贡，中西贸易交流日趋频繁，骆驼已成为丝绸之路上主要交通运输工具。驼队满载中原地区丝绸、瓷器、铁器、纸张、金银器等物品，出口到中亚和西亚国家，又将中亚和西亚特产香料、珠宝、毛织物等物运往中原。新疆、陕西等地发现波斯银币、阿拉伯金币等，在中亚撒马尔罕发现唐代铜镜、铜钱、丝织品、三彩器等，成为见证中国对外交往历史的实证。彩绘骑驼陶俑正是中、西亚商人劳碌奔波于丝绸之路的真实写照。

彩绘骑驼陶俑藏于山西博物院。

三彩载乐骆驼俑　唐开元十一年（723年）文物。1957年2月，陕西省西安市西郊南何村

北基建施工中发现鲜于廉墓，墓室和墓道在施工中被毁坏。此墓有多个盗洞，应多次被盗，但墓中遗物仍然不少，有三彩陶俑21件，红陶俑103件，墓志一合。据墓志记载，鲜于廉，字庭诲，渔阳人，官职为"云麾将军，右领军卫将军，上柱国，北平县开国公"。其祖上就是北方官僚贵族，其出身军伍之中，因在玄宗朝平定内乱有功，从一个低级将领升至后来高级将军。

三彩载乐骆驼俑高58.4厘米，首尾长43.4厘米；舞俑高25.1厘米。骆驼昂首站立，背上驮载2个汉人和3个胡人男子组成表演组合。中间1个胡人在跳舞，其余4人面向外围坐在舞者周围演奏。演奏者手中乐器仅残留一把琵琶。据夏鼐研究，应是一人拨奏琵琶，一人吹筚篥，二人击鼓，均属胡乐。

载乐骆驼俑表现应是长安百戏中一个杂技节目。唐代百戏留下记载有盘杯伎、吞剑伎、

狝猴缘竿伎、透飞梯伎等。当时，在长安城东市和西市都有专门百戏班子，除自主演出外，也可让人们花钱雇演。唐玄宗曾"召两市杂戏以娱贵妃"。骆驼载乐表演集杂技和演奏于一体，双峰骆驼身高一般2米左右，负载力可达250千克，五位艺人在驼背没有围栏平台上载歌载舞属高难度技艺，需训练有素。

三彩载乐骆驼俑藏于中国国家博物馆。

彩绘文吏陶俑　唐开元十八年（730年）文物。2001年4月23日，甘肃省庆城县北区开发时，发现墓葬22座，县博物馆闻讯后，立即派员赶赴现场，对墓葬进行抢救性发掘。其中，以唐穆泰将军墓最为考究。根据墓志记载，墓主穆泰为陇西天水人，生于唐高宗显庆五年（660年），历任庆州洪德镇副将、灵州河润府左果毅都尉、丰安军副使、定远大使等

职，例授游击将军上柱国衔。玄宗开元十八年（730年）二月廿九日卒于庆州，享年七十。葬于庆州城北2.5千米处，即庆城县城关镇封家洞村赵子沟中山梁畔。

彩绘文吏陶俑高59厘米。呈站立微扭身状，头戴方斗形小冠，浓眉上翘，目圆鼻尖，两耳硕大下垂，方口露齿，下颌络腮胡须浓密反卷，面部棱角极为分明，双手合抱于左腹下，弓腰鼓腹，脚穿黑色反卷式云头靴。身着宽袖套袍，腰系黑丝带，色彩大部分已脱落，仅存眉须、口红、白红丝带。

彩绘文吏陶俑藏于庆城县博物馆。

彩绘十二生肖陶俑　唐代文物。1955年3月26日，陕西省西安市东郊韩森寨附近工地发现一座唐墓，陕西省文管会第一文物清理工作组派俞震和王玉堂前往清理。该墓出土随葬品很丰富，陶俑类有51件，有男俑、女俑、十二生肖俑、天王俑、镇墓兽俑等。彩绘十二生肖陶俑十分完整，位于墓室东半部，自北往东往南往西排列，鼠马呈子午线排列。

彩绘十二生肖陶俑高36.5～42.5厘米。生肖造型作兽首人身，兽首分别为鼠、牛、虎、兔、龙、蛇、马、羊、猴、鸡、狗、猪十二生肖形象。人身直立，身穿交领宽袖衣，长垂至足，两手笼袖置于胸前，俑身涂有红绿彩装饰。

十二生肖是十二种动物与十二地支相配产物，在古代日常生活中被广泛使用，随葬品生肖俑是其中较具特色的一个种类。发现最早十二生肖图像出现在北齐娄叡墓壁画和磁县湾漳大墓。从隋代至宋代，随葬十二生肖俑一般为陶制品，亦有少数为石制。早期生肖俑形象比较写实，为单纯动物形，在后来发展中，

生肖俑艺术成分逐渐增加，成为以动物和人物相结合的形象，其主要类型有兽首人身，即以十二生肖动物头像配以人身；人首人身，或抱一生肖动物，或将动物置于肩上，或在冠顶附加生肖动物。唐代流行身着袍服站立兽首人身或抱不同生肖动物人物形象，唐末至宋，演变为在人物冠上饰以动物形象。

彩绘十二生肖陶俑藏于中国国家博物馆。

三彩载物骆驼俑 唐代文物。1959年6月下旬，陕西省西安市西郊中堡村发现一座唐墓，陕西省文管会即前往清理，发现墓顶已被挖去一部分，墓室大部分器物保存比较完整。该墓是一座土洞墓，方向正南北，墓室长3.5米，宽2.2米，中宽2.26米，呈长方形。墓室残存两壁高80厘米。镇墓兽和天王俑对称放在墓室门内，墓室南部放置一对马俑和一对骆驼俑，牵马和牵驼人俑各站立在前，女俑、猪、狗、羊等均在墓室中部，亭、三彩罐、房屋分布在墓室东北部，开元通宝钱一枚放在死者头部。

三彩载物骆驼俑高47.8厘米，长38厘米。

通体施褐色釉，昂首嘶鸣。颈部上下、前腿上端、双峰施白色釉，采用戳印法，以突出其浓密毛发。背上垫草绿色带白花椭圆形毡毯，双峰间塑出仿木制鞍架，上搭两端装饰有虎头图

案驮囊，可见束绢、野雉、兔子、山羊等物，也表现出商队旅途中给养。

这件三彩驼雕塑手法细腻，写实性强，生活气息浓郁，是丝绸之路上骆驼商队真实生活再现。

三彩载物骆驼俑藏于西安博物院。

人首龙身俑 五代时期闽国文物。1965年，福建省福州市郊战坂乡新店公社战坂大队社员在莲花峰东室山筑路时，发现一座墓葬。福建博物院和福州市文管会派员前往实地调查，随后进行发掘。莲花峰是福州城北主峰，上锐下圆，形若莲花。其东西二麓分别称为东室山和西室山，五代闽国王室墓地就在此背山面海之地。据此墓中出土墓志可知，这是五代闽国第三代闽王王延钧夫人刘华之墓。刘华，字德秀，系南汉南平王次女，封燕国明惠夫人，后梁贞明三年（917年），嫁与闽王王审知次子、闽国第三主王延钧，后唐长兴元年（930年）卒于闽。

人首龙身俑通高10.7厘米，通长41.5厘米。泥质灰陶，陶质较坚硬，烘烧后上过彩绘，部分已脱落。龙身两端各塑有一人首，呈匍匐卧地状，人首仰面朝天，面部敷有一层白粉、五官刻画形象逼真，头顶有发髻，并涂有

黑色，发髻用一红色彩带扎缚。龙背脊涂有红色颜料，大部分已脱落，背脊上部有3个尖状突起，龙身上下两侧各有一条弦纹刻线，上面的略浅、下面略深呈凹槽状。

唐宋墓葬中，经常有一些造型比较特殊明器出土，如人首龙身俑、人首鱼身俑、人首蛇身俑等，颇为引人注目。这类明器被称为神怪俑，放置在墓葬中主要起到镇墓、辟邪、压胜作用。刘华墓所出人首龙身俑，在同时期其他墓葬中亦有发现，如南唐二陵中就出土有类似人首龙身俑。对这类人首龙身俑，学术界观点不一，蒋赞初推测，这类人首蛇身俑可能代表的是伏羲、女娲；而徐苹芳则认为，这类人首龙身俑即《大汉原陵秘葬经》所记自天子至庶人墓中"墓龙"。另有学者提出，人首龙身俑并非"墓龙"，而是"地轴"或"勾陈"。刘华墓虽被盗过，但依旧出土不少随葬品，其中陶俑是最多一类，器形比较完整有48件，有女俑、男俑、神怪俑、神兽俑等。这些陶俑，是研究闽国陶塑艺术珍贵实物。

人首龙身俑藏于福建博物院。

人首蛇身陶俑 五代时期南唐保大元年（943年）文物。1950年，江苏省南京市郊陵旁村中孩童到陵上玩耍，于盗洞中捡得明器和

陶俑，引起相关方面重视。1950～1951年，由南京博物院组织发掘。南唐二陵位于南京市江宁区祖堂山南麓，包括李昪钦陵和李璟顺陵，东为钦陵，西为顺陵。二陵相距约100米，均依山为陵，冈阜环抱，地势甚佳。1951年，人首蛇身陶俑出土于南唐钦陵。

人首蛇身陶俑长45.3厘米。用黏土塑造。呈两条人首蛇身互相缠绕姿态，两人首方向相反。人首圆脸光头，颈下有蛇鳞。

人首蛇身陶俑与《山海经》中山神形象相仿，《山海经》中记载："自单狐之山至于堤山……其神皆人面蛇身。"由此看来，此俑是以山神为主题镇墓俑。镇墓俑反映当时社会世俗生活中信仰观念，人们祈求神灵来守护死者亡灵。2001年9月，人首蛇身陶俑曾赴日本参加巡展。

人首蛇身陶俑藏于南京博物院。

四神琉璃陶塑　北宋元祐六年（1091年）文物。1978年2月，江苏省溧阳县竹箦公社中梅大队发现两座砖室墓，相距1米左右，镇江博物馆、溧阳县文化馆对该墓进行发掘和清理。这是一对夫妇并葬墓，根据墓志得知，墓主为李彬，是北宋时期当地一位地方富豪，虽"累世不仕"，但四代经营，"货积巨万"。其夫人潘氏。两人于北宋元祐六年（1091年）先后去世。两墓形制结构完全相同，均为长方形券顶砖室，比以往苏南地区发现宋代砖室墓砌造得更讲究一些。该墓出土各种神像、佛像、陶瓷器、金属器等丰富随葬品，这组四神陶塑在墓中出土时排列位置是，左为青龙、右为白虎、朱雀居前、玄武在后。一同出土还有"五星神"、部分"二十八宿"塑像、

"功曹"俑、真武像、力士俑、"金刚神像"等。有学者认为这些塑像分别与《大汉原陵秘葬经》中所记载的"十二辰俑""仰观伏听"俑、"天关地轴"俑、"廉路神"俑、"当圹当野"俑等特征相符，认为该墓是一座具有浓郁道教丧葬风俗特征的北宋时期墓葬。

四神琉璃陶塑琉璃青龙高46.5厘米，长68厘米。青龙为东方之神；张口怒目，四肢粗壮有力，足为五爪，龙尾向上，足部及耳后皆有鳍，龙体刻鳞甲；身首施绿色琉璃釉，脊鳍为黄色琉璃釉。琉璃白虎高41厘米，长61厘米。白虎为西方之神；双眼圆睁，足为五爪，虎尾向上，周身刻出鳞甲；此虎在工艺制作方面，匠心独运，别具一格，神态逼真，机灵可爱；身及首部均为淡黄色琉璃釉，脊为姜黄色釉。琉璃陶朱雀高26厘米，长29厘米。朱雀为南方之神；长冠高耸，双翅展开，胸部突起，翘尾，身以粗细线条刻出羽毛，施琉璃姜黄釉。琉璃玄武高17厘米，长21厘米。玄武为北方之神；其形象是龟蛇合体，龟伏地作爬行状，龟背隆凸，蛇盘绕龟体，蛇身披鳞，龟首上仰与蛇首相对而戏，刻划极为传神；玄武为红陶，无釉。

宋代是陶瓷业极盛时期，陶瓷窑场遍布全国。从4件文物胎土、质地、造型、釉色等看，可能为宜兴窑产品。宜兴窑在江苏宜兴丁蜀镇，烧陶瓷历史悠久。

四神琉璃陶塑藏于江苏镇江博物馆。

琉璃陶建筑模型　北宋元祐六年（1091年）文物。1978年2月，江苏省溧阳县竹箦公社中梅大队两座砖室墓出土。与四神琉璃陶塑同一砖墓出土。

琉璃陶建筑模型琉璃陶楼通高46厘米，广41厘米，深29.5厘米。分上下两层，重檐歇山顶。屋面坡度较陡，正脊两端为鸱尾，岔脊上有3个上翘尖角。上层檐柱6根，两边檐柱均向内斜，形成"柱侧脚"。下层后檐柱为4根，前檐柱两根，靠左山墙有一楼梯通往楼上。屋中设一桌一椅，两旁站有男女侍俑各一。男侍俑着圆领窄袖长衫，腰束带，双手合抱；女侍俑着交领长袖衫，双手捧托盏。陶楼除屋面瓦楞施深绿色琉璃釉外，余皆为姜黄色釉。琉璃陶水榭分前进、后进，中以小桥相连，前进通高25厘米，广24.7厘米，深16.5厘米；桥长21.5厘米；后进通高47厘米，广30.4厘米，深36.5厘米。水榭为水上建筑，前进为歇山顶高台建筑，正脊两端为鸱尾，檐下无柱，有左右山墙，前后相通，高台前设台阶三级。后进亦为歇山顶高台建筑，屋面坡度较陡，正脊两端为兽头，垂脊下为坐狮，檐下4根圆柱，其上部均微向内倾斜，莲花柱础，左右前方均通，仅后方有墙。榭内设一椅一桌，两旁站男女侍俑各一。台基四周设置勾栏，饰葫芦及圆形装饰。台前架设一拱形小桥，中狭，两端较宽，与前进相连。屋面施深绿色釉，余皆施姜黄釉。琉璃陶凉亭通高38.5厘米，广32.5厘米，深28厘米。歇山顶高台建筑，屋面坡度较陡，正脊两端为兽头，垂脊两端塑有坐狮，岔脊上有3个上翘尖角，檐下四圆柱，莲花柱础。亭三面无墙，仅后方有墙，亭内三面设椅、阑，中置一桌一椅，旁站男女侍俑各一。屋面深绿，下部为姜黄色釉。

琉璃楼亭轩榭建筑模型十分精美，做工精致，布局合理，比例协调，其屋顶较高坡度，

正脊两端兽头，垂脊上蹲兽，岔脊上尖角，柱子微向内斜，雕刻莲花柱础，是宋代建筑风格真实写照，展现一个显具江南特色较为完整庭院布局，为研究宋代建筑、葬俗、雕塑艺术和社会生活提供丰富实物资料。

琉璃陶建筑模型藏于江苏镇江博物馆。

彩绘泥塑菩萨立像 北宋文物。1965年，浙江省温州市白象塔出土。白象塔原称白塔，位于浙江省温州市瓯海区白象镇。据明代释成钦《永嘉白塔寺重修宝塔募缘疏》、民国释显培等人《重修白象宝塔记》记载，此塔修建于唐代贞观年间（627～649年），塔第一次大修于北宋咸平年间（998～1003年）；明嘉靖十二年

（1533年），白塔寺住持成钦率众进行一次修葺；至民国再次修葺。1949年后文物普查中，发现白象塔因受风雨长期浸蚀，塔身第三层西南面塔砖已溃碎，第三、四层还有多处裂缝，整个塔倾斜度达1.98米，无法再进行维修加固，随时有坍塌危险。为保障塔周围学校、医院及村民生命财产安全，1964年经浙江省文物管理委员会批准，决定予以拆除。1965年2月，温州市政府、文化局、建筑公司、文管会等单位组成拆塔委员会，由省文管会朱伯谦主持测绘、清理；姚仲源、徐定水、江仲贤、颜洪弟等参加这一工作。在逐层拆除中，发现大批文物，分别藏在塔壁砖砌方形窖穴（天宫）内，共出土各类文物1000余件，其中以北宋泥塑彩绘菩萨、天王、力士、伎会和供养星像为最多，其次有北宋漆器、砖雕、木雕、青瓷、铜器、印经、写经、绘画及唐宋钱币等。在塔内二、三层发现"政和五年（1115年）六月"朱笔铭文砖5块，系砖砌方形窖穴（天宫）盖砖；二层还发现有铭文砖，边印阳文"崇宁三年（1104年）岁次甲申十月十一日吉造"。这些纪年说明，在宋徽宗崇宁至政和年间，此塔经历大修或重修。塔中出土彩绘泥塑42件，保存较完整31身，题材包括菩萨、舞伎、力士、天王、供养像等。彩绘泥塑菩萨立像出自一层第六面，编号137号，是这批彩塑中最为精美一件。

彩绘泥塑菩萨立像通高64厘米。以杉木条做身体骨架，敷上黄泥和短麻丝捣合成泥土后塑成形，然后再敷以一层由细白泥和细麻丝黏合并拌入桐油而成泥土，最后施色而成。菩萨立于莲座上，高髻华冠，宝缯垂肩，面部圆润清秀；上身着红色菱格纹交领襦衣，肩披石绿色缠枝花描金帔巾，袒胸露臂，项饰璎珞，臂腕戴钏。下着赭红色长裙，腰束石绿色蜂窝纹描金围裙。双手合十，赤足，体态优美自如。

经专家研究，这批塑像为瓯塑中著名油泥塑，其工艺是在塑像捏塑成型后，再敷以一层由细麻丝黏合并拌入桐油混合而成的细白泥，最后施色。这种细白泥，是当地制造瓷器原料土，由于这种细白泥十分细腻坚韧，经精心雕琢后，塑像面相、肌肉质感、衣着褶纹等得到充分表现。这批彩塑艺术水准较高，是存世北宋彩塑代表作，也是此塔遗存文物中最有价值艺术珍品。

彩绘泥塑菩萨立像藏于浙江省博物馆。

三彩舞蹈杂剧俑 南宋文物。2001年1月，陕西省汉中市汉台区省建十公司建筑工地发现古墓葬。4～8日，汉中市博物馆派工作人员进行抢救性发掘。墓葬位于汉中市汉台区陈

家营省建十公司院内，曾遭受严重破坏，仅余部分甬道和墓室。随葬器物有釉陶器、铜器、铁器、金银器、料器。其中杂剧俑19件。出土3枚钱币，其中最晚为北宋末"政和通宝"，初步断定墓葬年代为南宋时期。

三彩舞蹈杂剧俑共4件。1号俑高30厘米，宽14厘米。头左前倾，扎帕巾，穿半臂绿短袍，敞开衣襟，短袍外围短裙，下穿黄点长裤，双手一上一下正在敲击，立于方形踏板上。2号俑高27厘米，宽10厘米。俑为立姿。头左偏，口大张。头戴绒球圆帽，腰挂小鼓，双手做击鼓状。腰围黄点短裙，立于方形踏板上。3号俑高29厘米，宽10厘米。头梳高抓髻，内穿紧袖长衣裤，外穿半臂花短袍，腰围黄花短裙，双手横握觱篥低头吹奏，立于方形踏板上。4号俑高28.5厘米，宽13厘米。头左倾，梳抓髻，上身穿圆开领半袖短衣、长裤，

短围裙，双手正向下拍击，双腿屈弓，立于方形踏板上。

该墓葬仿木建筑结构，特别是其中斗拱和坡檐，是研究汉中宋代建筑发展史珍贵实物资料。墓中出土数量较多的三彩杂剧俑，其内容涉及音乐、舞蹈、杂剧、说唱等艺术形式，是研究宋代戏曲和宋代艺术不可多得实物资料。

三彩舞蹈杂剧俑藏于陕西汉中博物馆。

三彩舍利塔　金代文物。1976年，河北省灵寿县幽居寺旁发现三彩舍利塔，由灵寿县文化馆苏云山捐赠给正定县文物保管所。幽居寺建于北齐时期重要寺院。据《灵寿县志》记载："北齐赵郡王高叡，历选太行胜概，得朱山之阳，建祁林寺（幽居寺）。置僧舍二百余间，择行僧二千余众居之。齐亡，寺亦荒废。继盛于元大德间。"

三彩舍利塔高78厘米，底径30.5厘米。仿木结构建筑塔，分为塔身、下层檐、上层檐三节，分别烧制，然后组装。整体施彩色铅釉，重檐六角攒尖顶，塔截面呈六角形，塔基为须弥基座。顶呈六角攒尖式，上置塔刹宝顶，下施戗脊，脊端装戗兽，下饰套兽。脊、斗栱及门施黄、褐釉，其余均施绿釉。正面假门上方刻行书4行9字"捨利之塔，烧身刘五戒"，塔身右侧刻3行17字"时大安贰年四月初八日烧身刘五戒记"，塔身左侧刻3行27字"时大安二年三月初四日起建，功德主王五戒刘王五郎小院使做造"。据铭文可知，大安二年有刘姓者烧身在先，大安三年王姓人为做功德而出资烧造此塔。辽、金均用过大安年号，辽大安二年为1086年，金大安二年为1210年。塔出土地曾为宋辽交界带和金所辖，学者认为此塔应为

金代遗物。

塔为佛教建筑，原为瘗藏佛之骨灰舍利之用。在佛教中除佛祖外，其他有德行修养僧人骨灰亦可视为舍利。三彩陶舍利塔造型别致，制作精湛，施釉鲜艳，塔仿木结构建筑造型和三彩釉色代表金代陶器制作水平，是研究金代三彩器重要标准器，并为金代建筑研究提供珍贵参考资料。

三彩舍利塔存于河北省正定县文物保管所。

孝子故事雕塑　金代文物。1973年，山西省稷山县马村出土。马村位于稷山县西南5千米汾河北台地上，著名元代建筑青龙寺就坐落在该村西南隅。1973年，当地群众在青龙寺西

南方向约300米"百墓"一带挖出仿木构砖雕金墓三座。6、7月，山西省文管会派人前往清理。1978年秋、1979年冬，又两度对该墓地进行普探，又发现砖墓11座，发掘6座。该墓地前后共发现砖墓14座，清理发掘9座，编号为马村1~9号墓。孝子故事雕塑发现于马村4号墓，摆放在墓室四壁回廊下，本身有编号，少数有题名，自东边南端逆时针方向顺序排列。

孝子故事雕塑一套24件，高20厘米左右。呈砖灰色，雕塑内容为孝子故事，除第十、十九件内容不明外，其余各组故事分别为"舜耕历山""闵损单衣顺母""刻子鹿乳奉亲""曹娥哭江寻父""郭巨为母埋儿""王祥卧冰求鱼""刘殷泽中哭芹""杨香搤虎救父""赵孝宗舍己救弟""鲁义姑舍子全侄""董永卖身葬父""鲍出救母""田氏兄弟哭活紫荆树""丁兰刻木奉亲""孟宗哭竹生笋""杨乙乞养双亲""韩伯愈泣杖""王武子妻割股奉亲""原谷谏父孝祖""曾参行孝""刘明达卖子孝父母""陆绩怀橘孝母"等。

二十四孝故事大都取材于西汉经学家刘向编辑《孝子传》，也有一些故事取材《艺文类聚》《太平御览》等书籍。"孝"是中国古代重要伦理思想之一，元代郭居敬辑录古代24个孝子故事，编成《二十四孝》，序而诗之，用训童蒙，成为宣传孝道通俗读物。后又有人刊行《二十四孝图诗》《女二十四孝图》等，流传甚广。在传统木雕、砖雕和刺绣上，常见这类题制图案。宋金墓中，完整二十四孝故事本就鲜见，以雕塑形式出现更为难得，孝子故事雕塑是一套不可忽视艺术珍品。

孝子故事雕塑藏于山西博物院。

骑驼胡人击鼓陶俑　元代文物。1978年4月，陕西省户县秦渡公社张良寨大队村北约500米处发现三座元代墓葬，陕西咸阳地区文物管理委员会与户县文化馆共同进行发掘。这

三座墓呈西北、东南向排列，属一个家族祖孙三代，祖父贺贲、父亲贺仁杰、子贺胜。根据墓志记载，贺氏家族原为河东隰州人（山西临汾市隰县），贺胜曾祖时迁到长安。《元史》中有关于贺贲向元世祖忽必烈献白金记载。而贺胜是被帖木迭儿陷害而死，后于泰定初年（1324年）"昭雪其冤"，第二年"乃赠公推忠宣力保德功臣，太傅，开府仪同三司，上柱国，追封秦国公，谥惠愍"。而于"泰定四年（1327年）十月初三日奉以归葬焉"。三座墓葬中，以贺胜墓中随葬品最为丰富，有131件。主要是各类陶俑，骑驼胡人击鼓陶俑就是出自此墓。

骑驼胡人击鼓陶俑通高42厘米，宽35厘米。泥质灰陶，站立骆驼昂首，目光平视前方，背上垫一花毯。一胡人形象人骑坐在骆驼

背上花毯上，手持鼓槌，欲敲击面前放置一圆形小鼓。骑俑头戴尖顶小帽，深目，高鼻，络腮胡须，上穿圆领交襟短大衣，束腰带，腰后系一物。下着长裤，脚穿长筒毡靴。

元代丧葬文化特别是汉人墓葬中，常常会有大量陶质礼器、侍奉陶俑群和出行陶俑群陪葬。由于民间习俗与信仰等方面差异性，陶俑组合及位置摆放逐渐形成具有时代性和地域性特色造型和选择，陶塑品质也具有典型时代特点。骑驼胡人击鼓陶俑制作精细，是元代兴盛时期手工艺品代表作。

骑驼胡人击鼓陶俑存于陕西户县文化馆。

彩釉仪仗陶俑 明成化年间（1465～1487年）文物。1988年，贵州省遵义县团溪镇白果村雷水堰上组一座墓葬出土。此墓连续多次被盗，贵州省博物馆会同当地文物部门进行抢救

性清理，墓葬是单室石墓，墓中主要有彩釉仪仗陶俑（1组）及少量陶、铁、漆器物，未发现墓志等文字资料。墓室前方立有3通墓碑，中间1通碑面正中刻篆书"皇赠昭勇将军播州宣慰使司宣慰使杨公之墓"，上款楷书"明成化十九年龙□癸卯二月十九日良吉"，下款楷书"孝子昭勇将军播州宣慰使司宣慰使杨爱立"；左侧1通碑面正中刻篆书"明故播郡淑人田氏之墓"；右侧1通碑文为"明故播郡夫人俞氏之墓"。文献记载，播州宣慰使杨爱之父即杨辉，发掘者据此推定该墓为杨辉墓，并按遵义地区宋明墓葬统一编号顺序编为10号墓，这套陶俑被定名为"杨辉墓彩釉仪仗陶俑"。杨辉（1432～1483年）字廷彰，号退斋，播州杨氏世袭25世，明正统十四年（1449年）17岁袭播州宣慰使司宣慰使，成化十九年

（1483年）去世。2015年，贵州省文物考古研究所会同遵义县文物管理所，对新发现三室石墓及周边进行勘探和发掘，证实与10号墓同属一个墓园，且有密切关系，故编号为11号墓。该墓葬也曾多次被盗，破坏严重。发掘仍出土陶、铜、金、银等随葬器物（包括残件）共120余件，更为重要的是，三个墓室分别出土墓志铭及买地券。其中一合置于石函内，志盖和志石均为边长85厘米正方形，志盖厚6厘米，内面篆书铭文"宣慰使退斋杨公之墓"；志石厚8厘米，正面竖刻楷书1000余字，记载墓主杨辉生平事迹。另一合为杨辉夫人田氏墓志铭，买地券则明确记载"故夫人俞氏"。由此确认，11号墓才是真正杨辉及其夫人俞氏、田氏合葬墓，而10号墓则可能是杨辉"疑冢"或"风水冢"。

彩釉仪仗陶俑共70件，通高18～25厘米。经修复整理，计有牵马俑1件，骑马捧印陶俑1件，侍者立俑13件，鼓乐立俑13件，持物立俑14件，骑马持物俑14将，骑马背物俑8将，骑马武士俑6件。皆为夹砂灰陶，施彩色釉，塑造手法稍显粗犷。

彩釉仪仗陶俑数量众多，阵容庞大，是贵州境内出土数量最多一组陶俑。

彩釉仪仗陶俑藏于贵州省博物馆。

珐华胡人乐舞俑　明代文物。1980年6月，山西省朔县煤炭公司一工人在县城西关外取土时，发现一只瓷罐，地点距县城西门约500米，当地群众称此处为大庙遗址。瓷罐胎体厚重，大口，圆唇，肩饰两组双桥系，平底，内外施黑釉，罐口覆盖两片板瓦。罐内盛放17件珐华塑像，4件珐华胡人乐舞伎俑即其中一部分。珐华塑像出土地点旧为社稷坛，"在州西关内，嘉靖十一年知州毕鸾以五岳庙变置，……后废，……万历三十六年知州许尔忠重修，……后废"。出土时，表面有一层烟熏黑垢，可能是当时五岳庙或社稷坛供奉之物。

珐华胡人乐舞俑一套4件，高23.5～24.5厘米。分别是拍鼓乐伎、琵琶乐伎、拍板乐伎和舞伎。其中，拍鼓乐伎形象为头戴螺纹尖顶幞头，身着圆领镶边窄袖过膝衣，肩着云纹披肩，双手持拍鼓置于胸前，作拍击状，腰系绦带，足穿靴，下连仙山台座。琵琶乐伎形象为头戴尖顶花纹彩帽，身着交领镶边窄袖过膝衣，双手持琵琶置于胸前，作弹拨状，腰系绦带，外加镶边短袖对襟长衫，足穿靴，下连仙山台座。拍板乐伎形象为头勒带束发，身着镶边束袖过膝衣，右肩袒露，双手置于胸前，左手持拍板，右手握球形敲击物，腰系绦带，足穿靴，下连仙山台座。舞伎形象为头戴尖顶彩帽，身着镶边长袖过膝衣，右臂上举，左臂下垂，两手藏于袖内，袒胸露腹，足穿靴，下连仙山台座，身体裸露部分露素胎，刷一层白粉，座下沿和底部均露素胎。四乐俑的发饰、帽、衣服、披肩、足靴等均施各色珐华釉。

珐华是陶瓷器一种装饰技法，又名"法华"，创始于元代，兴盛于明代，清代仍有少量烧制。珐华最早是在山西省南部蒲州阳城、高平和晋城一带烧制。装饰手法采用彩画技术中立粉方法，在修好胎体上先雕刻花纹图案轮廓线条，再于纹饰轮廓线中堆起凸起线条，入窑高温烧成素胎，以蓝、白、黄、紫、绿、孔雀蓝等彩釉，填出底子和花纹色彩，二次入窑低温烧成。珐华纹饰具有立体感，以黄、绿、

紫三色居多，色彩艳丽，线条生动，形象简练，具有独特山西地区风格和特殊装饰效果。明景德镇曾仿烧珐花品种，但均为瓷胎，与山西珐华有很大区别。

珐华胡人乐舞俑藏于山西博物院。

立人陶范　春秋时期晋国文物。立人陶范属著名"侯马陶范"中一块。侯马古称"新田"，为"春秋五霸"之一晋国都城，位于山西省境内。晋国遗址位于侯马市汾河与浍河交汇处三角洲上。1952年首次被发现，1959年开始发掘，1961年入选国务院公布第一批全国重点文物保护单位。晋国遗址陆续发掘50余年，出土文物10余万件，著名"侯马盟书""东周铸铜遗址""侯马陶范""晋侯鼎""空首布币"等，曾轰动海内外的考古发现都出自这里。

立人陶范高10.7厘米，上宽7.7厘米，下宽4.4厘米，是春秋晋国铸造青铜立人时使用泥质陶范一半。范中一男性正面形象十分清晰，男子并足站立，双手高举，头戴冠，身着及膝右衽长衣，腰部系带，腰侧斜插一物。衣服上装饰勾连"T"形纹和云雷纹十分清晰。立人陶范上还有用来合范榫卯设计和浇铸入口设计。

侯马铸铜遗址是晋国遗址重要组成部分，位于侯马市西部晋城遗址牛村古城之南（平阳机械厂及周围）。遗址是已发现东周时期规模最大、数量最丰富铸铜作坊遗址，出土大约5万块铸铜用陶范，陶范上多刻有精细纹饰，揭示东周时期铸铜技术及工艺水平，为研究中国青铜器铸造工艺和科学技术提供极为珍贵实物资料。

立人陶范藏于中国国家博物馆。

"枎笺当忻"连布陶钱范　战国文物。1983年10月～1984年4月，河南省文物考古研究所新郑工作站为配合新郑县予新制药厂片剂楼基建工程，在新郑县城关乡大吴楼村东北"郑韩故城"外廓城（东城）中部城墙内，对东周时期铸铜作坊遗址进行为期6个月发掘。该件陶范即出土于郑韩故城21区T9内。T9文化层堆积较薄，出土遗物较少，已知出土器物有陶釜、碗、豆、灰陶板瓦等，其器形基本符合战国晚期典型特征。

"枎笺当忻"连布陶钱范长18.5厘米，上端宽6厘米，下端宽10.7厘米，厚3.5厘米。为四腔背面范，上窄下宽，左边呈弧形。范体由泥质灰陶制成，结构细密。范角有"介"字符号。范内铸四个阴文钱模。

"枎笺当忻"连布陶钱范是战国中晚期时楚国铸钱工具，为探讨战国时期货币铸造，研究楚国货币及社会经济提供了实物证据。

"枎笺当忻"连布陶钱范藏于河南博物院。

饕餮纹陶模　东周文物。1957年，山西省侯马市晋国遗址出土。

饕餮纹陶模长42厘米，宽18厘米。属鉴类腹部模，采用高浮雕技法雕刻而成，主线条粗犷刚劲，细线条精致细腻。图案为兽面纹，各

部位刻划明确，椭圆形双目，眉毛向上卷曲，耳为虎耳形状，双角向左右两边展开后又向下钩曲，兽口大张，尖锐獠牙外露，表情十分凶恶。在主纹内以鳞纹、斜角云纹、斜线纹等作为填充纹饰。

1952年，侯马晋国遗址被发现，随后陆续开展考古调查、发掘。20世纪60年代初，是侯马考古规模最大、人数最多时期，其中侯马铸铜遗址"考古大会战"调用全国一大批初出茅庐考古工作者先后来到这里，最多时有上百人参加发掘，场面蔚为壮观。1960～1962年"三年困难时期"，侯马铸铜遗址成为全国极少数未停工且参加人数最多的考古工地，为全国其他文博单位锻炼一批业务骨干。

饕餮纹陶模藏于山西省博物院。

神兽纹腰饰牌陶模具　战国晚期至秦代文物。1999年11月～2000年2月，陕西省考古研究院西安北郊考古队对西安乐百氏食品有限公司（位于西安北郊北康村北）厂区内发现古墓葬进行清理发掘，共发掘战国、秦汉及唐宋时期墓葬57座。其中战国至秦代墓葬34座。神兽纹腰饰牌陶模具出土于一位秦国名"苍"铸铜工匠墓葬中。出土25件陶模具中，有5件浮雕式人物纹或动物纹饰牌陶模具。图案精美，

形象生动，写实性强，具有很高艺术和研究价值，属典型鄂尔多斯式青铜文化风格，为国内首次发现并引起海内外学术界极大关注。

神兽纹腰饰牌陶模具长9.4厘米，宽7厘米。为长方形腰饰牌模具，上有3个长方形小凹槽，背面附有草拌泥。以模具铸出腰饰牌带有绳索纹边框，内装饰一后肢朝上翻转蹄足神兽，神兽头生大角，角上装饰有带耳钩喙鸟首，尾端也装饰有带耳钩喙鸟首，神兽肩部和臀部装饰有螺旋纹。在神兽鼻部有一椭圆形孔，是腰饰牌系结用穿孔。

神兽纹腰饰牌陶模具与宁夏固原三营乡出土长方形神兽纹金腰饰牌相比，区别在于固原三营乡出土腰饰牌神兽嘴部还能看出是钩喙，而这件模具上神兽钩喙基本消失，表明陶模具年代比三营乡出土腰饰牌年代稍晚。

神兽纹腰饰牌陶模具存于陕西省考古研究院。

长沙窑"会昌六年"陶印模　唐会昌六年（846年）文物。1986年，长沙市民余长虹回家探亲，路过长沙窑窑址区采集到此印模，后上交长沙市文物考古研究所收存。

长沙窑"会昌六年"陶印模通长8.5厘米，通宽6厘米，厚2.8厘米。陶质，纪年印模，形

状近似于长方形，下半部已断裂。陶模正面呈凹槽状，凹槽顶端平整，由上至下逐渐缩小。从形状推测，陶模是用来制作柄或擂捶之类器物模具。陶模四周及背面较为平整，背面竖向刻有两行较为潦草文字，共6字，一行刻写"会昌六年"，一行刻写"一赵家"。

"会昌"为唐武宗李炎年号（841～846年），"会昌六年"即846年，"一赵家"据推测应是制作者或作坊主姓氏。根据所刻写文字可知，该印模即为唐武宗"会昌六年"时期，由一位赵姓制作者制作而成。纪年文字直接刻写在器物胎体上，为长沙窑研究提供十分难得翔实而准确实物资料。作坊名是长沙窑瓷器上运用商业广告题材最多的一类。起初是作为官府作坊"物勒工名"管理手段，后来被长沙窑工匠转变为商业广告或品牌或商标。物勒工名是古代官府作坊重要管理手段，规定工匠要把自己名字刻在产品上，以便工匠对自己生产产品负责。《唐律疏议》中明文记载："物勒工名，以考其诚，功有不当，必行其罪。"在商品上刻上作坊主姓氏，既能显示自身对产品负责态度，加强消费者对产品信任度，又能宣传本作坊，达到扩大销售目的。长沙窑"会昌六年"陶印模虽形制简单，但其刻字纪年，意义深远，影响后世，为长沙窑纪年陶瓷器中不可多得之作。

2003年11月，长沙市文物考古研究所将长沙窑"会昌六年"陶印模移交给长沙市博物馆收藏。

"永州官人"铭文陶窑具　北宋大中祥符七年（1014年）文物。2002年8月，湖南省永州市冷水滩区三多亭窑址出土。为配合永州市冷水滩区城市基本建设，永州市文物管理处组织对三多亭窑址进行抢救性发掘，出土大量青瓷器物和陶质窑具。"永州官人"铭文陶窑具是其中具有断代意义的代表性窑具器物。

"永州官人"铭文陶窑具高10厘米，底径6厘米。黄色陶质，属模型器。平底，束腰，顶部残损呈尖圆形。腰横状阴刻有"永州官人□丁岁大中祥符七年四月初五日作德"、竖

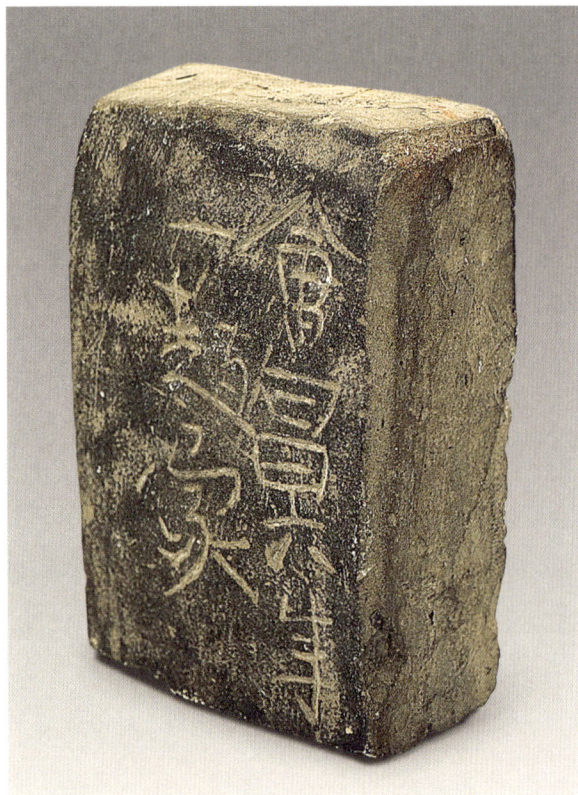

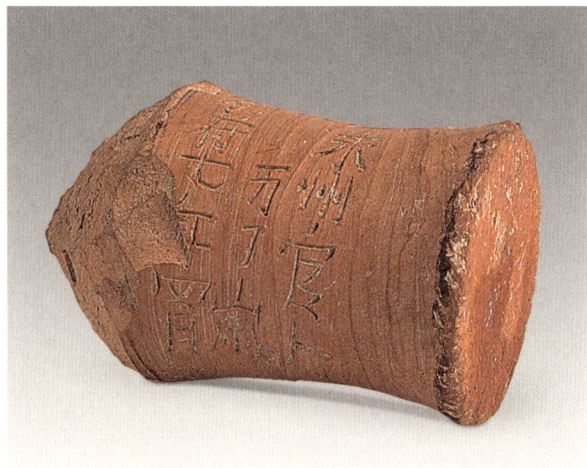

状阴刻"唐脱五记使用"等字样。大中祥符（1008～1016年）是宋真宗赵恒（968～1022年）使用第三个年号，大中祥符七年，即1014年。"永州官人"铭文证明三多亭窑址是宋代一处与官方有联系的窑场。

"永州官人"铭文陶窑具对研究古代陶瓷器制作工艺具有断代标准器作用，证实永州三多亭陶瓷窑历史地位。

"永州官人"铭文陶窑具藏于湖南永州市博物馆中。

吉州窑方纽花鸟纹陶模　南宋文物。20世纪80年代，吉安市文物商店从吉安县永和镇收购。

吉州窑方纽花鸟纹陶模通高5厘米，直径10厘米。泥质灰陶。圆弧底，顶部正中有一方纽，握痕清晰。模具边缘设一圈凸弦纹，弦纹周边磕损，弦纹内侧以外圆内方的钱纹平均分成四格，格内分别堆塑纹饰有两处对称菊花纹、飞鹤纹和叶脉纹。陶模顶面稍有裂纹，弦纹内纹饰精美而雅致，画面构图简约明快，构图方式灵活，动静结合、笔法犀利、自然飘

逸，给人以张扬但不浮夸，简约而不简单之感，丰富内涵蕴藏在简单纹饰之中。陶模底部圆润，稍有磨损。

古代吉州窑陶瓷上常用菊花纹。古神话传说中，菊花被赋予了吉祥、长寿含义，也常喻为德行高洁君子。叶脉纹与木叶纹有关联，与吉州窑中木叶天目创造性工艺有异曲同工之妙。飞鹤纹则象征吉祥、长寿，松鹤延年等寓意。整个碗模图案有吉祥、长寿、平安和幸福寓意。

1981年3月13日，吉州窑方纽花鸟纹陶模从吉安市文物商店移交至吉安市博物馆。

第五节　青釉瓷器

原始瓷豆　西周文物。1954年12月，陕西省长安县斗门镇北普渡村出土。同年10月6日，村民杨忠信在自家院子内挖地瓜窖时，发现20余件器物，包括2件瓷豆和一些青铜器，其中1件铜盉上有铭文57个。由同村村民李春才介绍，杨忠信将其送到西北历史博物馆。通过铜盉上铭文，可知这是一座西周穆王时期（西周中期）贵族墓葬。11月9日，陕西省文物清理队在杨忠信家宅基地下，发现一座西周古墓，墓室长4.2米，宽2.15米。至12月19日，清理出文物400余件，其中青铜器27件，陶瓷器22件，包括4件原始瓷豆。4件瓷豆尺寸、装饰基本相同，仅有凸弦纹一道或两道之别。

原始瓷豆高7.9厘米，口径15.4厘米，足径7.8厘米。敛口，边缘微变形，外壁有一道凸弦纹和数道凹弦纹，浅腹，高足外撇。胎呈灰色，内外施青色薄釉，釉色不均匀，整体造型不甚规整。

据文献记载，普渡村共发现三批西周文物，第一次于1949年前；第二次于1950年村民李存才掘出几件器物，由西北历史博物馆收藏；本批为第三次。原始瓷豆是西北地区已知发现最早的原始青瓷器。

原始瓷豆藏于中国国家博物馆。

原始瓷印纹筒形罐　春秋文物。1980年，浙江省龙游县溪口公社郑家大队出土。

原始瓷印纹筒形罐通高31.3厘米，口径22.5厘米，底径19.7厘米。直口，折肩，深腹，腹微鼓，平底，整体呈圆筒形。肩部贴塑一对绳形系。外饰青灰色釉有玻璃质感，有垂流釉现象。罐腹模印变形蟠螭纹，亦说云雷纹；因筒形罐上下直径不一致，故下层纹饰间

距略宽松。

大多原始瓷因釉料中含铁量较高，呈现青灰色或黄绿色。器物成形方法既采用轮制法，也保留泥条盘筑法，装饰技法多采用模印拍压、戳印、刻划等。原始瓷印纹筒形罐造型稳重大气、印纹清晰，是春秋时期原始青瓷代表作。

原始瓷印纹筒形罐藏于浙江省衢州市博物馆。

原始瓷戳印纹甬钟 战国文物。2003年3月～2005年6月，当地考古人员在江苏省鸿山开发区进行抢救性发掘，发现7座战国土墩墓。其中丘承墩墓为该地区特大型墓，外形为长方形覆斗状，出土随葬品1098件。随葬品中有青瓷器581件，包括青瓷乐器140件。青瓷乐

器中有甬钟26件，形制相同，大小不一。墓中虽没有文字可考，但根据出土文物与周围同类墓葬考古资料对比，被认为是一座仅次于浙江绍兴印山越王陵的特大型贵族墓，身份不亚于中原地区士大夫。

原始瓷戳印纹甬钟高40.6厘米。甬钟前后共有36个枚，鼓部刻有长方形框，框内填有戳印"C"形纹。胎色灰白，胎质较坚硬，内外施青釉，釉色青中泛黄，局部有少许剥釉。

鸿山开发区青瓷乐器的出土为中国古代乐器史研究提供了实物资料。

原始瓷戳印纹甬钟藏于南京博物院。

原始瓷戳印纹提梁盉 战国文物。1987年，浙江省绍兴县皋埠镇上将乡上蒋村出土。

原始瓷戳印纹提梁盉通高21.3厘米，口径8.4厘米。整体呈扁圆形，直口圆肩，盉口覆圆形盖。圜底接三只兽形蹄足；腹部贴塑一曲管状流，流口为龙首形。盉肩部设半圆形提梁，提梁似龙身（夔龙），上有两处锯齿形装饰，似龙背鳍。腹部上端有一圈宽带纹，肩与腹中部上下各有一周双弦纹，弦纹之间戳印"S"纹。胎为灰白色，通体施青黄色薄釉。

原始瓷提梁盉最早出现于西周时期，多仿青铜酒具，装饰手法以戳印、刻划、捏塑为主。

原始瓷戳印纹提梁盉藏于越国文化博物馆。

青釉"茶"字印花四系罍 东汉晚期至三国初期文物。1990年4月19日，浙江省湖州博物馆考古部接到报告，在距湖州市西北约12千米弁南乡罗家浜村，农民在取土时发现一古代砖室墓，博物馆考古人员赶赴现场进行抢救性发掘。该墓保存完好，高1.8米，有前后两室；前室出土有瓷器、铜器、铁器、漆器等10余件器物，包括青釉"茶"字印花四系釉罍。该墓虽然没有纪年，但根据器物类型和墓葬形制分析，属东汉晚期至三国初期。

青釉"茶"字印花四系罍通高33.7厘米，口径15.5厘米，最大腹径36.3厘米，底径15.5厘米。直口，矮颈，圆肩，鼓腹，平底略内凹，整体近似圆球形，肩部饰两道粗弦纹，有对称的四系。肩上刻划有一隶书"茶"字，字迹清晰规整。罍腹自上而下有十余层印模拍打三角竖线纹和菱形纹。胎质较粗松，通体施青褐色釉，施釉不及底。

博物馆工作人员对出土物进行清理后，在一青釉四系釉罍的肩部发现一隶书"茶"字，

这是中国江浙一带发现最早带有"茶"字款储茶器。该罍与盆、勺、碗组合出土，对湖州茶文化研究具有重要作用。

青釉"茶"字印花四系罍藏于浙江省湖州博物馆。

青釉镂孔熏炉 三国时期吴国赤乌十二年（249年）文物。1991年7月，湖北省鄂州市钢铁厂附属饮料厂工地发现一座六朝时期砖墓，湖北省文物考古研究所、鄂州市博物馆进行抢救性发掘。墓室长14.5米，宽5.68米，墓葬曾被盗，但仍出土各类随葬品380余件，其中青瓷198件。在1件鎏金青铜弩机上，有错金铭文"将军孙邻弩一张"，证实墓主为三国时期吴国赤乌十二年（249年）去世的威远大将军孙邻，孙邻父亲孙贲在《三国志》卷五十一《吴书·宗室传》中有记。

青釉镂孔熏炉高27.5厘米，口径27.8厘米，上腹径38.3厘米，足径27.4厘米。簋形器高29.8厘米，腹径40.7厘米，口径28厘米，底

径28.8厘米。熏炉由上下两部分组成。上半部似罐，腹壁有六层镂空圆孔。炉口有盖，盖顶贴花瓣形圆纽；腹部有半圆形提耳，两耳间贴塑一装物小筒，筒上端呈筒瓦状，中部有一周突棱。炉下半部为簋形器，器表戳印菱格纹，足部刻网纹。通体施青釉，釉色偏黄，釉色较光亮，有部分脱落。

青釉镂孔熏炉藏于湖北省鄂州市博物馆。

越窑青釉印花卣 三国时期吴国赤乌十二年（249年）文物。1984年6月初，安徽省马鞍山市沪皖纺织联合公司在雨山乡安民村林场扩建仓库工地，发现一座三国时期砖室墓。当地考古工作者进行发掘，该墓虽早年曾被盗，仍发掘出80余件漆木器，33件瓷器，6000余枚铜钱。根据墓内出土木刺、木谒上墨书等认定，墓主人是三国时期吴国右军师、左大司马朱然。

越窑青釉印花卣通高22.3厘米，口径11.4厘米，腹径22.8厘米，底径12.8厘米。直口，折肩，圆腹，撇足，肩部印有联珠纹及菱形网

格纹，4个兽形铺首紧贴于壶肩，器表施青釉釉色较均匀。

据《三国志》卷五十六《吴书·朱治朱然吕范朱桓传》中记载，朱然生于东汉光和五年（182年），十三岁过继给舅父朱治，后因作战保卫吴国有功，颇受孙权重用，官职不断升迁。朱然卒于三国时期吴国赤乌十二年（249年）春三月，终年68岁，孙权为之素服举哀。长江中下游地区已发现六朝墓葬2000余座，其中三国吴墓葬有300余座，朱然墓是已发掘东吴墓葬中身份最高、墓葬规模最大的。

越窑青釉印花卣存于安徽省马鞍山市文物管理所。

越窑青釉"赤乌十四年"款虎子 三国时期吴国赤乌十四年（251年）文物。1955年，江苏省南京市赵士岗4号墓出土。

越窑青釉"赤乌十四年"款虎子高15.7厘米，长20.9厘米。器身呈茧形，腰微束，四足屈于腹下，圆筒形口，腹上有弓背奔跑走兽形提梁，胎质灰白，全身施淡青釉。器腹一侧有釉下铭文"赤乌十四年会稽上虞师袁宜作"13字，另一侧有"制宜"2字。"赤乌"是三国时期东吴孙权第四个年号，赤乌十四年即251

年，会稽上虞即绍兴市上虞区，师袁宜是制瓷工匠名字，短短13字将制作年代、烧制地点和窑工姓名全部表明。

虎子作为便溺之器，早在商代已有。东汉晚期浙江上虞、慈溪始出现青釉虎子，造型大致相似，仅细部有所不同，多为茧形圆口。通常认为，虎子仅仅是一种盛溺亵器，但此器铭文提示该虎子可能有其他用途。研究者认为，该虎子铭文标明吴帝年号和瓷工本人姓名，不可能是亵器，应为盛水容器。越窑青釉"赤乌十四年"款虎子出土后并未马上引起注意，待工作人员清洗掉泥土后，发现器身上13个刻字，才认识到其独特和历史价值。越窑青釉"赤乌十四年"款虎子是发现纪年瓷器中铭文最早的一件。2013年8月，越窑青釉"赤乌十四年"款虎子被国家文物局列入第三批禁止出境展览文物目录。

越窑青釉"赤乌十四年"款虎子藏于中国国家博物馆。

青釉虎形插器　三国时期吴国文物。1956年5～12月，为配合鄂州铁路段修建，武汉大学联合湖北省博物馆、鄂城县文化馆等单位共同对朱家垴、秋家山等六朝时期75座墓葬进行发掘，青釉虎形插器出土于一座三国时期吴国中期墓。

青釉虎形插器通高32.3厘米，身长14.5厘米，管长20.8厘米，口径3.2厘米。兽首清瘦，直颈张口，双目圆睁，两耳直立，四足略呈矩形。背负竹节形长管，腹前饰有箆纹图案，兽身刻多道细弦纹，臀后贴塑绳形兽尾，四足刻划清晰。胎色土黄，釉色偏黄绿，造型奇特精美，极为罕见。

有研究者认为，这类器物为水注，但多数研究者认为，插器的可能性更大。

青釉虎形插器藏于湖北省博物馆。

越窑青瓷羊　三国时期吴国文物。1958年，江苏省南京市清凉山的三国吴墓出土。出土时为一对，两件造型和尺寸近似，另一件由南京博物院收藏。同墓中，还出土底部刻有"甘露元年五月造"款熊柄青釉灯，甘露元年为265年，是三国时期吴国孙皓统治时期。

越窑青瓷羊高25厘米，长30.5厘米。羊作跪伏状，前肢跪屈，后肢前伸，体内中空。昂首张口，双目凸睁，双角绕耳向前弯曲，头顶有一圆孔，与体内相通，臀后有短尾。脊背刻划羊毛分披两侧，腰间饰羽翼纹，四肢饰漩涡

纹，胎质较细腻，胎色灰白，通体施青釉，釉色青中泛黄，釉色滋润明亮。

古代"羊"与"祥"通用，以表吉祥，将其形象入葬，以避不祥。青釉羊用途，尚有不同观点。有学者认为是烛台，亦有学者认为是水注。越窑青瓷羊肥硕躯体与细瘦四肢似不协调，但看上去有稳重感，是一件不可多得的艺术精品。

越窑青瓷羊藏于中国国家博物馆。

越窑青釉划花辟邪插器 西晋元康七年（297年）文物。1983年，江苏省江宁县谷里乡梁塘村出土。当地不少村民家墙壁上砌有"元康三年""元康七年"文字纪年砖，都是从山上古墓中取来。1982年年底，当地村民用推土机平山造田时，发现砖室古墓。1983年，南京博物院进行发掘和清理。该墓封门墙上刻有"元康七年八月陈氏作"纪年砖，出土随葬品20余件，青釉瓷器占多数。

越窑青釉划花辟邪插器高8.6～9.4厘米，长13.2～13.5厘米，宽6～6.1厘米。辟邪呈蹲踞状，昂首挺颈，瞪目翘鼻，张口龇牙，颌下刻划长须，茂密至胸，脊背鬃毛两分下垂，

毛尖卷曲上翘，两肋生翼，四肢前屈，尾为蕉叶形，躯体硕壮。器身背部有一筒状插孔，高1.7厘米，孔径2.5厘米。胎色浅灰，通体施青釉，内壁及四爪尖无釉。釉色较明亮。器形规整，纹饰清晰。该墓出土4件辟邪插器，形状、尺寸近似，纹饰略有差异。其中一件腮须上卷，颌须较长，背鬃也与其他三件区别较明显，应是雌雄之别。

辟邪插器在同期墓葬中虽常有出土，但多为单件，该墓一同出土4件十分罕见。

越窑青釉划花辟邪插器藏于南京博物院。

越窑青釉神兽形尊 西晋永宁二年（302年）文物。1953年3月，江苏宜兴城内东南发现两座西晋墓，1号墓中墓砖刻"元康七年九月""西平将军"周处墓。1976年，为配合基本建设，南京博物院和宜兴市文化馆联合对该地进行第2次发掘，又发现四座西晋墓。为西晋江南门阀士族周氏家族墓，称周墓墩墓地。越窑青釉神兽形尊出土于4号墓中后室棺床旁。出土时，发现尊腹内存有一些动物骨骼。墓砖上有反刻文字："永宁二年（302年）七月戊寅朔十三年庚寅"，"江宁周令官内侯之

砖"，墓主为周处父亲、江宁县令周鲂。

越窑青釉神兽形尊通高27.9厘米，口径13.2厘米，腹径23.5厘米，底径16厘米。整体似一蹲坐神兽，兽顶为器口，兽身为器腹。兽首昂起，兽目突睁，口含一颗大圆珠，颌下长须垂至腹部；四肢形似穗辫纹，上肢前伸爪上屈，下肢屈腿而蹲，两侧刻划双翼纹，背后有耸起脊毛五撮。整体以堆塑、贴塑及刻划手法装饰。胎为灰色，通体施青釉，釉色均匀、细腻光亮，器底刻有"东州"二字。

越窑青釉神兽形尊造型奇特且夸张，为西晋时期越窑精品。2013年8月，越窑青釉神兽形尊被国家文物局列入第三批禁止出境展览文物目录。

越窑青釉神兽形尊藏于南京博物院。

湘阴窑青釉骑俑　西晋永宁二年（302年）文物。1952～1958年，为配合湖南省长沙市郊基本建设工程，湖南省文物管理委员会文物清理工作队（1958年与湖南省博物馆合并设置文物工作部）陆续清理古墓葬4600余座，其中两晋墓葬有27座。湘阴窑青釉骑俑出自21号西晋永宁二年（302年）墓葬中，此墓位于新生电机厂工地，因墓中有一块砖侧面印有阳文篆书"永宁二年五月十日作"，而知其具体年代。

湘阴窑青釉骑俑高22～24厘米。共7件，骑吏俑6件，骑乐俑1件，均为金盆岭晋墓出土。灰胎，施青釉，釉很薄且大部分已脱落。整体造型相近，马体较矮，昂首，露齿，四足直立，马尾偏左垂贴于左后腿处，马头装饰有当卢等，有镳无缰，马头上置有前倾独角状物，起扶手用途。马胸前均有方形挡牌，马背上有鞍、鞯鍪，大部分没有马镫，只有2件在马左侧障泥处有一个近似三角形马镫，系于鞍子前缘上。马上骑吏着进贤冠和长衣，左手或右手执简册，部分俑腰左侧配有短匕状物。骑乐俑的马饰同前，衣冠与吏俑不同，头戴环状高冠，着花纹长袍，正吹奏一曲状乐器，左手握扶手，右手握一角状物。

对这批湘阴窑青釉骑俑传统解读是，"方版是向上级报告公务用的，上面简要写着要报告的公务内容。持方版的陶俑身份应是县官的掾属，也就是县政府职能部门的负责官吏"。姜生从墓葬形制及特殊布局上分析此墓是"模拟北斗形状而营造，其宗教蕴义至深。而所出众俑大多为官吏形象，绝非料理日常事务的家丁奴仆，而是来自天界守卫、接引墓主升天的仙界真官"，表达墓主人"太阴炼形"信仰及"飞升成仙"终极理想。湘阴窑青釉骑俑中，有马镫形象骑俑具有特殊意义，为考古发现中最早的马镫模型，虽只有单侧马镫，应是上马所用踏具。马镫出现和发展，在冷兵器时代战争中具有划时代意义。至4世纪前期，单侧马镫逐渐发展为双侧马镫。马镫成为马具重要组

成部分，使骑乘者不再过多消耗体力就能确保身体平衡。马镫使用，也为组建重装骑兵奠定基础。美国罗伯特·K.G.坦普尔认为，"如果没有从中国引进马镫，使骑手能够安然地坐在马上，中世纪的骑士就不可能身披闪闪盔甲，救出那些处于绝境中的少女，欧洲就不会有骑士时代"。"因为没有马镫，负担如此沉重的骑手势必很容易跌下马来。中国人发明了马镫，使西方有可能出现中世纪的骑士，并赐予我们一个骑士制度的时代"。

1959年，长沙南郊金盆岭出土7件湘阴窑青釉骑俑调拨至中国历史博物馆。

青釉贴塑黄鼬提梁鸡首壶 西晋文物。浙江省余姚市区西南有魏晋时期古墓群，面积约1000平方米，由五座小山组成，形成金字状，故称五金墩。1995年，浙江省余姚市文物管理委员会，得知肖东镇五金墩发现一座古墓，经前往清理，在一券顶砖室墓内出土随葬品10

件，青釉贴花黄鼬提梁鸡首壶为其中一件。

青釉贴塑黄鼬提梁鸡首壶通高23.7厘米，口径11.9厘米，腹径18.2厘米，底径12厘米。壶为盘口，短颈，溜肩，鼓腹，平底。肩部一侧贴塑一鸡首，尖喙张开为流，流与腹相通，壶腹对侧为鸡尾。壶上塑一半圆状黄鼬形提梁，鼬竖耳弓身、两前爪伏于壶口边，探头张

口，对准鸡首作欲噬状，两后爪紧夹鼬尾于壶沿上，环梁两端各塑一蹲坐人物（一说胡人，一说造像），起到梁与壶体加固作用。壶身贴塑四朱雀、两铺首，饰连环纹、弦纹、网格纹、覆莲瓣纹。通体施青色釉，釉面不均匀，有细小开片。

鸡首壶创烧于三国末年，作为生活实用器和随葬冥器曾在魏晋南北朝时大量生产，隋以后逐渐消失。青釉贴塑黄鼬提梁鸡首壶造型奇特、构思巧妙，是西晋时期罕见精品。

青釉贴塑黄鼬提梁鸡首壶藏于浙江省余姚市博物馆。

越窑青釉胡人骑狮插器 西晋文物。曾名胡人骑狮水注、胡人骑狮灯座。2003年4月30日，山东省临沂市洗砚池街扩建王羲之故居时，发现两座西晋古墓，当地考古工作者抢救性发掘。其中，1号墓为双室券顶墓，东室葬有两位1~2岁婴幼儿，西室葬有一位7岁左右儿童。墓中出土随葬品273件／套，包括越窑青釉胡人骑狮插器。墓中有文物底部朱书文字："大康七年李次上牢""大康八年王女上牢""十年李平上牢"。"大康"即"太康"，是西晋武帝司马炎第三个年号，大康十年为289年。推断墓葬最早为西晋晚期墓，属于司马氏家族墓地。

越窑青釉胡人骑狮插器通高27.1厘米，狮身长20.5厘米，宽10.1厘米。胡人面庞宽，凸目浓眉，鼻梁粗高，双耳硕大，络腮胡须，左手紧揪狮耳，右手执格纹便面于右胸前。身穿圆领长袖衫，外套半臂对襟袄，袄面饰有梅花纹，头戴圆筒形卷檐高帽，帽筒为插器口，帽后两带交叉下垂，帽檐下刻有一周菱形网格

纹，凸显出绒毛厚重质感，下着十字纹长裤，足蹬网纹靴。骑坐在雄狮背上。

越窑青釉胡人骑狮插器通体施青绿色釉，釉面光亮。

越窑青釉胡人骑狮插器藏于山东省临沂市博物馆。

瓯窑青釉点彩牛形灯盏 东晋升平三年（359年）文物。1956年，浙江省温州市瑞安县桐浦乡桐溪村，发现一座东晋升平三年（359年）纪年砖墓，墓中出土瓯窑青瓷点彩牛形灯盏。

瓯窑青釉点彩牛形灯盏通高13.5厘米，底径17.5厘米。灯盏为镎于形圆柱体，中空，置于浅盘中。牛头前伸，作探视状；柄置于牛脊背部，下缘与底盘相接，形成上细下粗半圆形

把手。灯柱顶端与末端上下各有一孔。胎色灰白，施青黄色釉。牛眼及吻部绘有褐色点彩。

瓯窑位于浙江南部温州一带。西汉时期开始生产原始瓷器，东晋中后期开始兴盛。《景德镇陶录》载："瓯，越也，昔属闽地，现为浙江温州府，自晋已陶，当时着尚。"中华人民共和国成立以来，浙江省温州地区发现一些东晋、南朝时期墓葬和窑址，其中出土不少褐彩青瓷。瓯窑青釉点彩瓷器，为同类器中上品。

瓯窑青釉点彩牛形灯盏藏于浙江省博物馆。

青釉唾壶 北魏太和八年（484年）文物。1965年11月，山西省大同市石家寨村民们打井时发现司马金龙墓。12月，大同市博物馆组织人员进行发掘。1966年，完成考古清理。墓中出土随葬品454件，包括大量陶俑（367件）和木版漆画、铁器残片、葬具、墓砖、石刻及存放在墓葬后室甬道中部青釉唾壶等，器形多属于汉文化范畴。司马金龙卒于北魏太和八年（484年），根据墓砖文字："琅玡王司马金龙墓寿砖"及两方墓志，并据《魏书》卷三十七得知，其妻卒于北魏延兴四年（474年），墓主卒于太和八年（484年）。因此，

这是一座二次葬墓。其父司马楚之原为东晋高官，后降于魏，任琅玡王，金龙继父业，地位显赫。

青釉唾壶通高19.7厘米，口径12.8厘米，底径14.2厘米。壶盘口，束颈，扁圆形腹，饼足。颈、腹处各有一周弦纹。胎为浅赭色，质较粗。通体施青黄色釉，有细小冰裂纹，造型规整稳重。

唾壶是一种卫生用品，也称"唾器"，青釉唾壶始见于东汉晚期，初为大口、形似尊，后逐步演变为盘口，扁圆腹，南朝时有的还配有盖和托盘，更加卫生实用。六朝时期，生产数量较大，南方墓葬中常有出土。北魏司马金龙墓出土青釉唾壶说明中原地区也开始使用这类卫生用具。

青釉唾壶藏于山西省大同市博物馆。

青釉覆莲座插器 北魏文物。2004年，配合国家南水北调工程考古探查中，河北省石家庄市赞皇县西高村南岗坡地，发现北魏时期9座墓葬（后定名为北朝赵郡李氏家族墓）。2011年6月，中国社会科学院考古研究所、北京大学考古文博学院联合对墓群进行科学发掘。青釉

覆莲座插器发现于李弼夫妇墓，李弼是北朝太尉府行参军，孝昌元年（525）卒于河南洛阳，孝昌二年（526）迁至赞皇县。可谓落叶归根。李弼夫妇墓是墓群中规格最高的青砖墓，有斜坡墓道，墓室地面及四壁涂有白灰。

青釉覆莲座插器高20.8厘米。五只杯盏（缺一）排列于横架上，底座为覆莲倒扣碗形高台座，也称供台。碗底突出一短柱形托柄，其上有一双层方形托，托座上横一长方形柱体梁架。胎质坚实、胎色红褐中泛灰。施青釉，釉质青翠明亮，玻璃质感较强。造型规整，大气稳重，纹饰刻划流畅，外侈莲瓣纹，采用深刀雕刻，工艺精湛。

北朝赵郡李氏家族墓群出土随葬品丰富，纪年明确，是已发现少有的北朝大型家族墓地，具有重要学术价值和历史意义。青釉覆莲座插器是北朝时期青釉瓷器佳作。

青釉覆莲座插器藏于河北博物院。

青釉龙柄鸡首壶 北齐武平元年（570年）文物。1979年4月～1981年1月，山西省考古所、太原市文物管理委员会等单位对太原市南郊王郭村西南1千米的娄叡墓进行考古发掘。娄叡墓虽曾多次被盗，仍出土随葬品800余件，其中瓷器70余件。墓中出土一合墓志，志盖有文"齐故假黄钺右丞相东安娄王墓志之铭"16字。墓主娄叡为鲜卑人，官至大将军、大司马、尚书令等职，武平元年（570年）入葬，在《北齐书·娄昭传附娄叡传》《北史》中都有记载。

青釉龙柄鸡首壶通高48.2厘米，腹径32.5厘米。盘口微撇，长颈，颈部阴刻四周粗弦纹，龙口双唇紧衔盘口，龙颈细长与壶肩相连，形成手柄。壶上腹浑圆，中部有一周凸棱，下腹渐收。肩有六系，龙柄对侧塑鸡首形流。壶腹贴垂莲和忍冬纹，下腹塑有四只凤鸟。胎厚质坚，通体施黄绿色釉。

青釉龙柄鸡首壶藏于山西博物院。

青釉高柄莲瓣纹灯 北齐武平二年（571年）文物。2000年12月，山西省太原市迎泽区郝庄乡王家锋村村民发现有人盗窃村东"王墓坡"高大土冢（当地人称），立即报告相关部门。经考古人员发掘，该墓虽多次被盗，仍有随葬品550余件。在200余件青黄釉瓷器中有4盏青釉灯，包括青釉高柄莲瓣纹灯。通过墓志铭可知，墓主为北齐太尉徐显秀，《北齐书》《北史》《隋书》《资治通鉴》等史料中均有记载，徐显秀因作战勇敢，屡建功勋，被封为武安王，历任徐州刺史，拜司空公，再迁太尉。北齐武平二年（571年）正月，徐显秀因病卒于晋阳家中，享年70岁。

青釉高柄莲瓣纹灯通高48厘米，灯盏口径14厘米，灯座底径18厘米，柄长31厘米。分为盏、柄、座三部分。盏为浅钵形，口沿微内敛，外饰两道弦纹，贴塑八瓣仰莲。灯柄呈柱状，自上而下刻划四组双弦纹，每组之间由一串联珠与弦纹组成一条宽带纹。灯盏底座贴塑八瓣覆莲，底足下边缘刻划两道粗弦纹。莲瓣均以双线勾边，瓣尖上翘。胎质较疏松，烧造温度不高，器物表面施有青黄色低温釉，釉色欠均匀且有细小冰裂纹。

青釉高柄莲瓣纹灯，反映出北齐时期青瓷制作水平。

青釉高柄莲瓣纹灯藏于山西博物院。

青釉刻覆莲纹盖罐 北齐武平七年（576年）文物。1975年8月，河北省磁县东槐树村村民在农田水利建设工地，发现一座古墓。9月23日，河北省文物管理处组织人员进行考古发掘，该墓出土墓志一合，随葬品500余件，其中瓷器17件，青釉刻覆莲纹盖罐共2件。墓志盖上刻文"齐故侍中假黄钺左丞相文昭王墓志铭"16字。志文为隶书，约1197字。由此得知，墓主人是北齐皇族高润，因患病卒于武平六年（575年）八月，第二年武平七年（576年）

葬于邺城西北三十里釜水之阴，终年33岁。北齐开国时封为冯翊王，曾任右仆射、都督、定州刺史等职。在《北史》《北齐书》均有简略记载。墓志内容补充《北齐书》等资料不足。

青釉刻覆莲纹盖罐通高37.8厘米，口径12.7厘米，底径13.5厘米。短颈圆肩，鼓腹，平底。罐盖顶部突起，花蕾形圆纽，盖沿宽大，盖面饰莲瓣纹。肩部同样饰莲瓣，花瓣肥厚，瓣尖外翘，花瓣周边采用双线勾边，每片莲瓣上有一横"S"形纹饰。罐腹上部两道凸弦纹。胎为灰白色，胎质粗厚较坚实，器身施青釉，釉色泛黄。

青釉刻覆莲纹盖罐存于河北省磁县文物保管所。

青釉印花兽纹碟 北周宣正元年（578年）文物。20世纪50年代，西北文物工作清理队在咸阳市底张湾一带发掘一些北周墓葬。1986年，为配合咸阳国际机场改扩建工程，重点对该地区古墓进行发掘清理。1988年8月，在建设机场宿舍楼时，发现独孤藏夫妇墓。在墓室与墓道交接处发现墓志一方，墓志边长54

厘米，横纵29行，共777字。墓志盖上阴刻楷书"大周金州刺史五平公独孤使君之墓志"16字。该墓未被盗掘，发现随葬品146件，其中瓷器14件，青釉印花兽纹碟置于墓东北角。独孤藏（543～578年），鲜卑人，沧州刺史，其家族是北朝后期的大贵族，北周、隋、唐三代皆为外戚。

青釉印花兽纹碟高2.8厘米，口径11.7厘米。侈口，浅腹，平底。内壁饰弦纹、联珠纹，盘底印猛兽，似虎擒羊，兽前爪腾空飞跃，回首而望，周围环绕卷草纹及三只奔虎，最外层由不规则的菊瓣纹和点纹组成。该盘胎质呈灰褐色，质地较坚硬，内外施青黄色釉，器形周正，印纹清晰。

青釉印花兽纹碟为北周青瓷代表作。

青釉印花兽纹碟存于陕西省考古研究院。

青釉仰覆莲花尊 北朝时期文物。河北省景县封氏墓群有18座墓，葬有封氏家族五代人，坟茔集中、封土高大，附近农民称之为"十八坟"，并传说坟地中有"十八仙"。经常有人来此烧香上供，求"十八仙"保佑。1948年，土地改革后，附近两个村的村民挖开墓群中4座墓，取出随葬品300余件，有陶俑、瓷器、铜器、玻璃器若干及5合墓志和1方墓志盖，这批器物后被华北人民政府收集。1955年，中国历史博物馆派人进行复查，发现相似莲花尊一共4件，出土于封隆之（北齐齐州刺史）妻子祖氏墓和封子绘（北齐祠部尚书）与妻子王氏合葬墓中，每墓出土2件，另外3件藏于故宫博物院与河北省文物保护中心。封氏家族在5～6世纪时，是北方名门望族，《魏书》《北齐书》《北史》《隋书》《新唐书》及

《景县志》中记载有封氏一族六七十人之多，大多居高官显位。封氏墓群五代人中第一代封魔奴为魏高城侯、怀州刺史；武定三年（545年）卒于代京（山西大同），死后37年，儿孙将其迁回原籍河北省景县，此后封氏族人无论在何处做官，逝世后均葬回故土。

青釉仰覆莲花尊通高63.6厘米，口径19.4厘米。莲瓣形盖，圆唇，侈口，长颈，椭圆形长腹，高圈足，底部外撇。口沿下有对称的桥形耳，肩部有复式系6个，颈部饰3组凸弦纹，第二组弦纹下有6个贴塑团花，团花轮廓由联珠纹组成，第三组弦纹下贴塑团龙纹。腹部饰五层浮雕莲花，第一、二层为双瓣覆莲，第二层贴塑菩提叶，第三层莲瓣尖最为凸出，形成腹部最大直径；瓣尖上聚积较厚的釉，青绿色玻璃质釉晶莹明亮。下腹第四、五层均为仰

莲，瓣尖略向外凸起，足胫处也有两层覆莲。

青釉仰覆莲花尊器形硕大，装饰华美，使用浮雕、模印、贴塑、刻划等技法，纹饰繁缛精美。值得注意的是，团花上联珠纹源自中、西亚装饰艺术，是萨珊、粟特等国金银器和玻璃器常见纹饰，联珠纹与龙纹、莲花纹同时呈现在一件器物上，是中外文化交流融合的见证。大部分学者认为，莲花尊用途或与佛教有关，因莲花纹经常出现在佛教典籍和佛教艺术中，有佛门圣花之誉，也可能是当时官宦、贵族为随葬而烧制的明器。

青釉仰覆莲花尊藏于中国国家博物馆。

淄博寨里窑青釉莲花尊 北朝时期文物。1982年6月，山东省淄博市淄川区龙泉公社和庄村村民在一地势较高"乱岗子"取土时发现一墓葬。墓室用石块砌成，有斜坡墓道，墓室长2.6米，宽1.66米，深4米，墓内有一具人骨架，淄博寨里窑青釉莲花尊就出自该墓。

淄博寨里窑青釉莲花尊高59厘米，口径13.1厘米，底径16厘米。形体高大，喇叭口长颈，椭圆形长腹，圈足较高底部外撇。胎质较粗，胎骨坚致。全器满施青釉，釉面薄而均匀，釉色青中泛黄。颈部饰8道凹弦纹，肩部饰一周粗绳纹，下有4个弧形系。各系之间饰4组模印宝相花，腹上部饰21个覆莲瓣纹，莲瓣凸起，丰满肥厚，莲瓣尖向外微卷。腹中部饰两周忍冬花图案，腹下部饰双层仰莲瓣纹，足外堆塑十一瓣覆莲。该尊器形硕大，装饰华美，使用浮雕、模印、贴塑、刻划等技法，纹饰繁缛精美，具有极高艺术水平。整体以莲瓣纹、忍冬花、宝相花为主要装饰，具有明显佛教特征，体现南北朝时期佛教文化盛行。

国内出土南北朝时期青瓷莲花尊有多件，淄博寨里窑青釉莲花尊所饰仰覆莲瓣纹为南北朝时期莲花尊常见纹饰，而尊腹所饰忍冬花图案是其他莲花尊所没有的，忍冬花图案与淄博寨里窑所出青釉瓷片上忍冬花图案相同，由此证明淄博寨里窑青釉莲花尊为淄博寨里窑所产。此莲花尊成为国内同类器物中唯一可确定生产窑口的一件，尤其珍贵。

淄博寨里窑青釉莲花尊藏于淄博市陶瓷博物馆。

青釉贴花龙柄壶 北朝时期文物。1980年1月30日，河北省沧州市西郊第一砖厂工地一座古墓中出土。该墓初定为唐代初年墓葬。因同墓出土青瓷碗与北朝时期碗器形、风格相同，青釉贴花龙柄壶下部装饰也保留有北朝遗风，专家们又更定为北朝墓。

青釉贴花龙柄壶通高39.5厘米，口径9.5厘米，腹径15厘米，足径10.5厘米。盘口，长颈内束，橄榄形腹，圈足，圈足下有一环形托，壶身一侧从口沿至壶托贴塑一螭龙为把手。壶身从上至下施联珠纹、仰莲纹、俯莲纹、双弦纹、俯叶纹、狮面纹、葡萄纹、垂叶纹、火珠纹、宝相花。螭龙从底部沿壶腹向上攀爬，龙嘴紧衔壶口作汲水状，龙身饰满鳞纹，前爪撑于壶肩上，后爪蹲踏于壶托边缘。胎为灰褐色，釉色青灰，釉面匀净光亮。

青釉贴花龙柄壶器形高大，装饰繁缛华丽，可见北朝时期制瓷工匠精湛高超技艺。

青釉贴花龙柄壶最初收藏于河北省沧州市文物局，后入藏沧州市博物馆。

越窑青釉刻花莲瓣纹六系盖罐 南朝时期文物。1994年11月，江苏省泰州市西郊苏北

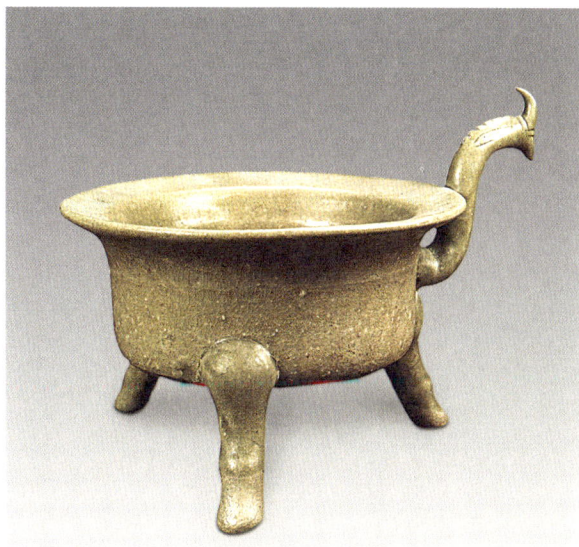

电机厂，在仓库工地挖地基时，发现一处2米见方窖坑，泰州市博物馆主持考古发掘，出土16件南朝青瓷器，有鸡头壶、盘口瓶、四系罐等，均为越窑产品，越窑青釉刻花莲瓣纹六系盖罐即为其中精品。

越窑青釉刻花莲瓣纹六系盖罐通高28厘米，口径15.5厘米，腹径28厘米，底径16厘米。球形腹，平底；圆形盖，上有方纽，盖面刻划八组双重莲瓣纹。肩部有六只横向桥形系，罐肩部有一周覆莲瓣纹，下部刻仰莲瓣纹，两者之间为一周缠枝卷草纹。胎色灰，施化妆土，施青釉，釉面匀净、釉色莹润。

六朝青瓷多发现于长江以南，此为首次在长江以北发现，可知六朝时青瓷已越过长江，在江北得到使用。

越窑青釉刻花莲瓣纹六系盖罐藏于江苏省泰州市博物馆。

青釉醮斗 南朝时期文物。1975年初，福建省福州市西郊洪塘乡金鸡山，某驻军医院工地发现一群古墓葬，经文物部门探测，除明清墓葬以外，有汉墓2座、南朝墓18座、五代

墓2座。在保存较完整7座南朝墓中，清理出随葬品162件，近150件为青釉瓷器，分20余个种类，主要是生活用品。瓷质醮斗共8件，形状基本相同，仅有1件为锥状足，其余7件为蹄形足，均与火盆同出。青釉醮斗出土于6号墓中，墓中出土随葬品18件，存放在墓室前端，醮斗置于随葬品中间部位。

青釉醮斗高11.2厘米，口径12.7厘米，底径9厘米。醮斗敞口，宽折沿，直腹，平底腹壁中部附一鱼尾状曲形手柄，腹下置三只蹄形足。胎色浅灰，施青釉，釉色青灰偏黄，釉面均匀明亮。

醮斗盛行于汉至魏晋时期，为当时温酒具。青釉醮斗藏于福建博物院。

青釉博山炉 南朝时期文物。1965年6月初，福建省闽侯县造纸厂内发现一座南朝墓砖室墓，福建省博物馆考古人员进行发掘，墓葬顶部已被损毁，因造纸厂投入人力积极进行安全保护，整体损失不大。该墓是一座砖构券顶单室墓，全长5.8米，宽2.3米，高3.5米。墓葬中，没发现有明确纪年随葬品，研究人员根

越窑青釉刻花缠枝纹灌药器　南朝时期文物。上海博物馆征集。

越窑青釉刻花缠枝纹灌药器高6.1厘米，长16厘米。形似茄子，一端呈圆鼓腹，另一端为细管状流，腹部有一鸡心状小开口，造型小巧玲珑。小平底露胎。通体釉色滋润明亮，呈青黄色。器身刻缠枝纹，线条自然流畅。南朝时期受佛教影响，流行刻花纹样主要是莲瓣纹和忍冬纹，以双线刻划缠枝纹实为罕见。

越窑青釉刻花缠枝纹灌药器可能是医生给患者灌药所用器具。造型奇特罕见，为越窑瓷器中精品。

越窑青釉刻花缠枝纹灌药器藏于上海博物馆。

洪州窑青釉刻划莲花纹托碗　南朝时期文物。2005年3月，江西省南昌县博物馆征集。

洪州窑青釉刻划莲花纹托碗即饮茶器，亦称托盏。通高5.7厘米，碗高4.4厘米，碗口径9.7厘米，碗底径3.5厘米；托高2.9厘米，托口径14.2厘米，托底径7.3厘米。由碗与托盘组成。碗为深腹，口沿内外各饰一道弦纹，碗内心一周阴刻莲花纹，花心为五同心圆，外五花瓣围绕。托为敞口，弧壁，内有浅浮雕双层莲花纹，莲花中心有一周凸圈，恰好围绕碗

据墓葬形制、墓砖花纹和随葬品分析，该墓为南朝齐梁时期墓葬。

青釉博山炉通高20厘米，炉口外径8.6厘米。全器由炉盖、盏和炉盘三部分组成，盖顶中央为一人头，眼、口、鼻清晰可见，头顶上耸有三只尖角；下堆塑莲瓣，缭绕烟气可从莲瓣间升腾。莲瓣下塑多束火焰纹，炉盘敞口，直腹，平底，正中置一小盘，小盘上托一盏，盏与炉体扣合。胎色灰白，胎质坚实，施青灰色釉，釉色虽不甚均匀，但较莹润。

博山炉是熏炉一种，盛行于汉至魏晋时期，除青铜质地以外，汉墓中也出土较多陶瓷质地熏炉，因盖似山峰，故称博山炉。

青釉博山炉藏于福建博物院。

足，起到稳定作用。灰白胎，施青釉，积釉处呈水绿色。

东晋、南朝江南饮茶之风渐盛，因而出现专用饮茶青瓷器。洪州窑青釉刻划莲花纹托碗装饰采用剔、刻、划方法，在器物表面形成立体感莲花，呈现出花中托器，器在花中美感。莲花乃佛门清净圣花，曾有诗云"南朝四百八十寺，多少楼台烟雨中"，莲花纹饰装饰手法也与当时佛教盛行有关。

洪州窑青釉刻划莲花纹托碗藏于南昌县博物馆。

青釉莲花纹五盅盘 南朝时期文物。1964年8月5日，福建省文物管理委员会与建瓯县文化科在建瓯县水西林场山麓清理两座南朝墓葬。一号墓为单室砖砌券顶墓，墓中随葬品约十四五件，多为青釉瓷器，有瓶、碗、罐等，青釉莲花五盅盘出土于一号墓墓室前部。

青釉莲花纹五盅盘通高4.1厘米，盘径23.5厘米，盅高4厘米，盅口径7厘米。由5只小盅和1只圆盘组成。盘口稍内敛，浅腹，平底。盘底中心刻划有莲蓬、莲子，周围刻划一圈莲瓣纹，莲蓬外与莲瓣外各饰有三周弦纹，花纹有明显立体感。盘上置5件规格相同小盅，盅为敞口，曲腹，平底，实足。胎质略疏松，施青灰色釉，釉面较莹润，局部有剥釉，盘底露胎。

青釉莲花纹五盅盘藏于福建博物院。

洪州窑青釉插器 隋代文物。1977年，发现洪州窑。1979年秋冬时，江西省博物馆考古队进行首次考古发掘。1997年，洪州窑青釉插器在江西省南昌市富山乡出土。

洪州窑青釉插器通高12.8厘米，口径6.3厘米，底径9.1厘米。中间为一大瓶，长颈，丰肩，扁圆形腹。肩上7件大小相同管瓶，环绕在大瓶肩上；小瓶瓶口略高于大瓶，口微内敛，短颈深腹，与大瓶不相通。除足外，器体满施青绿色釉，釉色莹润。表面有细小开片。

洪州窑为唐代六大名窑之一，创烧于东汉晚期，南北朝时最为兴盛，唐五代时衰败，有800余年历史。存世37处古窑场，横跨6个乡（镇）。洪州窑隋代产品特点突出，器形丰富实用，胎质细腻坚硬，釉色以青白、青灰为主。釉面玻璃质感较强，普遍有冰裂纹，纹饰简朴生

动，刻划、镂空、戳印、点彩等技法并存。

洪州窑青釉插器藏于江西省南昌市博物馆。

寿州窑青釉戳印莲瓣纹盘口四系壶　隋代文物。1987年，安徽省合肥市白水坝八一齿轮厂出土。

寿州窑青釉戳印莲瓣纹盘口四系壶通高41.87厘米，口径14.2厘米，腹围22.8厘米，底径12厘米。盘口微侈，长颈，内束，鼓腹，底足外撇。颈、肩处戳印草叶和团花纹，肩有四个环形系，腹部上下刻划四组粗弦纹，之间戳印莲瓣纹、梅花纹、卷草纹，纹饰纤细清晰。施青黄釉，造型稳重端庄，为隋代寿州窑精品。

寿州窑位于安徽省淮南市南郊，距寿县县城40千米的田家庵区上窑镇一带。20世纪50年代，治理淮河工程中，曾出土许多青黄釉瓷器，釉色莹润，器形多样。1960年2月，寿州窑窑址被发现。寿州窑始烧于六朝末，隋代以

前主要生产青釉瓷器，唐代烧制黄釉瓷器胎釉俱佳，后因原料匮乏而停烧。

寿州窑青釉戳印莲瓣纹盘口四系壶存于安徽省文物考古研究所。

越窑青釉徐府君墓志罐　唐会昌二年（842年）文物。1980年7月，浙江省余姚市胜归山（亦称圣龟山）东南麓，发现一座唐代墓葬，曾多次被盗，仅剩越窑青釉徐府君墓志罐，为余姚市文物管理委员会征收。罐外壁刻有"唐故东海徐府君墓志铭并序"一篇计289字，从右到左21行，每行3～18字不等。通过志文可知：墓主人徐胜，享年49岁，染疾而终，卒于唐武宗会昌初年（841年）冬，会昌二年二月七日迁于此地。墓志罐是其侄子徐弼迁墓至圣龟山东南时，为其叔父镌刻、烧制。内容记录

徐胜家世，包括曾祖父徐乔、祖父徐尧、父亲徐环及子女等人概况。

越窑青釉徐府君墓志罐通高31厘米，罐高22厘米，口径13.5厘米，罐壁厚1.2厘米。罐呈圆柱形，有双层荷叶形翻沿式盖，盖顶塑宝珠纽，盖与口粘连在一起，罐为深腹直壁，平底，底有梅花形五个小孔。胎质紧密，釉色青黄，釉面莹润。

越窑青釉徐府君墓志罐，为研究唐代户籍制度、嫁娶风俗提供了重要资料。

越窑青釉徐府君墓志罐藏于浙江省余姚市博物馆。

越窑青釉八棱净瓶 唐代文物。1981年8月24日，陕西省宝鸡市扶风县法门寺一座13级八棱砖塔倒塌一半。该塔始建于唐代咸通十四

年（873年），明隆庆三年（1569年）倒塌，明万历七年（1579年）修复。1987年2～11月，陕西省考古研究所、宝鸡市文化局、扶风县博物馆联合考古发掘该塔地宫。4月12日，在地宫白石灵帐后圆形檀香木盒内，发现用丝绸包裹10余件瓷器（八棱净瓶未在此包同放）。根据地宫出土《监送真身使随真身供养道具及金银宝器衣物帐》记录，可知唐懿宗、唐僖宗父子于咸通十四年（873年）供奉佛祖真身时规模，包括参与人员姓名、职衔、人数，贡品名称、数量等。"帐（账）物碑"中纪录有121件宫廷御用品，包括13件秘色瓷碗、碟等与之能对上账，唯独没纪录越窑青釉八棱净瓶。应属漏记。

越窑青釉八棱净瓶通高21.5厘米，口径2.2厘米，腹径11厘米，颈长11厘米。直口，细长颈，肩部圆鼓，腹呈八棱形，圈足稍外撇。颈肩处饰有三周平行阶梯状的凸弦纹。灰胎，施豆青色绿釉，釉色明亮莹润，釉面有细小开片。

1995年1月，在上海举办"秘色瓷国际学术讨论会""法门寺秘色瓷文化研究会"，会

议提出十余个观点。其中就八棱净瓶问题有学者提出，八棱净瓶既无账，又没有同其他秘色瓷在一起存放，故不承认是秘色瓷。但是多数研究者认为，从器形、质地、釉色及御用功能三大基本要素看，该瓶与其他秘色瓷同属一类。又因出土时瓶内装有佛教五色珠宝29颗，瓶口为一大宝珠覆盖，其作用比其他瓷器更重要。这种陈放形式与宗教有关，故没有同其他瓷器放在一起。

越窑青釉八棱净瓶藏于陕西省法门寺博物馆。

水车窑青釉双耳罐 唐代文物。1981年，广东省梅县畲坑3号墓出土。20世纪70年代，梅县畲江镇屡屡在农田、基建工地等处发现一些青釉瓷器，并发掘出许多陪葬瓷器，故以其地点命名为"梅县水车窑"。水车窑窑炉结构为半倒焰馒头窑，窑温1200～1300℃。唐代早期由于窑工技术不太纯熟，火候未达理想状

态，导致有些器物瓷化程度不高，胎质比较疏松。釉胎结合欠佳，釉层有不同程度剥落。唐代晚期烧造技术提高，窑温控制到位，质量有明显进步，很少出现剥釉现象。水车窑青釉双耳罐为唐代晚期作品。

水车窑青釉双耳罐高19.8厘米，口径9.1厘米，底径9.8厘米。短颈，丰肩，长腹斜收，平底。肩部贴塑对称两竖向条形耳。施青釉，下腹部有垂流。釉色青中微泛黄，釉质较厚，晶莹剔透，玻璃质感强，开细碎冰裂纹。

梅县在唐代隶属潮州管辖，潮州港是非常繁荣的对外贸易港口。水车窑产品除内销，也从水路运往海外，泰国、日本等亚洲国家也曾出现水车窑瓷片，为研究中国陶瓷史和海上丝绸之路提供重要实物资料。

水车窑青釉双耳罐藏于广东省博物馆。

长沙窑青釉莲花纹高足海棠式杯 唐代文物。1983年3～4月，湖南省博物馆与长沙文物工作队对位于望城坡书堂乡瓦渣坪一带蓝岸嘴、蓝家坡、唐家山、光子山等处唐代长沙窑窑址进行联合发掘，搜集到长沙窑青釉莲花纹高足海棠式杯。

长沙窑青釉莲花纹高足海棠式杯通高5厘

米，通长12.4厘米，通宽5厘米。杯为模制，杯口呈四出海棠花形，俯视似花瓣绽放。口沿外侈，弧形腹壁斜向内收，喇叭形高圈足微向外撇，底部稍内凹。杯心压印一朵盛开的阳纹莲花，14枚花瓣均匀饱满，清晰可见；花瓣边缘凸起，莲瓣中间戳印9个圆点，饰为莲子。灰胎，胎质轻薄，杯内满施青釉，外部口沿处加施绿釉，造型美观。

长沙窑青釉莲花纹高足海棠式杯的器形仿于金银器，为唐代流行的器形之一。造型规整，修胎精细，其柔中带刚的硬朗外形，具有金银器锤揲效果。

2003年11月，长沙市文物考古研究所将长沙窑青釉莲花纹高足海棠式杯移交长沙市博物馆收藏。

越窑青釉皮囊式壶　唐至五代时期文物。1973年2月，江苏省南通市人民路北侧，南通市电影院前，饮食服务公司人防工地中，一工作人员发现越窑青釉皮囊壶。壶埋葬位置距地表约2.5米处，没有其他物品同存，根据资料分析，可排除窖藏和墓葬。据明万历《通州志》记载，该处在元明清时期是万户侯府、守御千护所、参将府、总镇府等地，宋以前无史料记载，推测越窑青釉皮囊式壶可能是当时军事衙署遗留之物。

越窑青釉皮囊式壶通高20.4厘米，腹径15.3～16.2厘米，底径9厘米。壶身为袋状扁圆形，上扁下宽，圆底，圈足。壶顶置半圆形提梁，提梁形似蛇头（一说马头形），提梁上端贴一小圆纽。壶身一侧有管状流，流口短粗，对侧有一錾手，其下有一通气小孔，直径约0.9厘米，由此可控制流口水量。流口和錾

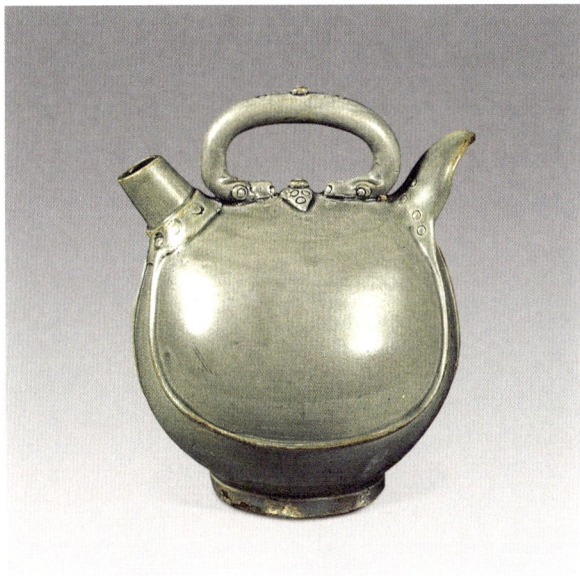

手周围刻划有一周联珠纹。壶腹边缘饰凸棱、恰似皮囊壶的缝纫线。胎质灰白，施青釉，釉色偏绿，莹润均匀。

皮囊壶在中国北方发现较多，尤其是游牧民族地区。南通古称静海，属于五代南唐、后周一个新兴城市，贸易发达，使节、商贾往来频繁，曾与契丹、辽等北方游牧民族交往，越窑青釉皮囊壶体现北方器形与南方青釉的完美结合，是一件难得的越窑精品。

越窑青釉皮囊式壶藏于江苏省南通博物苑。

青釉夹耳盖罐　五代时期南汉乾和十六年（958年）文物。1954年，广东省广州市东郊黄陂石马村南汉国中宗刘晟（920～958年）昭陵出土。刘晟陵墓多次被盗，所幸在前室东壁发现一砖砌器物箱，内有180件青釉陶瓷器。其中，28件青釉罐中有4件青釉夹耳盖罐。

青釉夹耳盖罐高29厘米，口径7厘米，底径8.8厘米。直口，短颈，丰肩，圆腹，圈足；盖直口，盖面近平，两侧伸出带圆孔的板耳，可嵌入罐肩部带圆孔的夹耳中，夹耳间还有一对宽条形穿孔竖系，提携时可用木塞或线

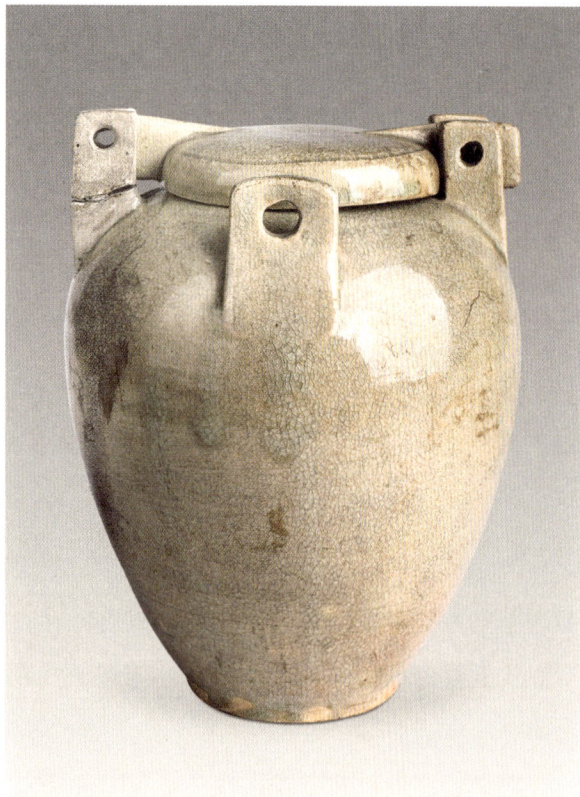

绳箍紧罐盖。胎质坚密，胎色浅灰。内外施泛黄青釉，釉色晶莹透亮。

文献记载后梁贞明三年（917年）南汉高祖刘龑称帝，曾派官在佛山市南海区北部办窑场，俗称"南海官窑"。故有专家认为，青釉夹耳盖罐为"南海官窑"烧造，但考古调查研究和检测分析成果还不足以支持这种看法。同类瓷器在印度尼西亚也有出土，器形和釉色与上述两件器物几乎完全相同，当是海外贸易重要物证。青釉夹耳盖罐造型别致，构思巧妙，工艺精良，是广东境内已知发现南汉青釉瓷中精品。

青釉夹耳盖罐藏于广东省博物馆。

越窑青釉鸳鸯酒注 五代时期文物。1991年，浙江省上虞市下管镇童郭村出土。

越窑青釉鸳鸯酒注通高11.7厘米，长16.4厘米。器形为一卧姿鸳鸯，尖喙大张似在啼鸣，喙为流口与腹相通；器口呈四瓣花形开于背上，腹部呈圆形，刻有羽毛，纹饰细密清晰。器身采用捏塑、刻划等工艺。通体施青绿色釉，造型凸显其动态与美感。

注子是唐宋时期盛行温酒器具，有金属和瓷质两种材料。鸳鸯为水中成双出入动物，因此多象征恩爱夫妻，常用作合婚之物、对饮之杯。三国至唐代出现过兔、蟾蜍、鸡、葫芦等形状注子，大小不一，形状各异，但大都是圆形、管状流模式。有学者认为，越窑青釉鸳鸯酒注是北宋时期滴砚。上虞窑是早期越窑代表性窑场。20世纪50年代，在此发现古窑400余处，五代后大量烧造贡瓷，胎薄体轻，釉色莹润，可与"秘色瓷"主要产地慈溪上林湖产品媲美。

越窑青釉鸳鸯酒注藏于浙江省上虞博物馆。

越窑青釉莲花碗 五代时期文物。1956年初，江苏省苏州市文物管理委员会在多部门协助下，对苏州市虎丘云岩寺塔进行抢修。3月30日下午，工人王菊生在为第二层西门口边灌浆时发现一孔道总是灌不满，经探测，孔道内中宫约1米见方，高60余厘米，有文物存放在内。经两个多月清理，在第二至第五层中宫

内，分别发现铁函、石函、经箱、经卷、丝织品、钱币、石造像等。其中5月5日，在第三层一个约70厘米见方中宫内，发现精美越窑青釉莲花碗，还有铁函、鎏金铁塔、铜佛像、铜镜、钱币等。

越窑青釉莲花碗通高13.5厘米，碗高5厘米，口径13.8厘米，底径8.2厘米，托高6.1厘米，口径14.9厘米，底径9.4厘米。碗直口，深腹，圈足，盏托形状如豆，盘口外翻，束腰，圈足外撇，中心有一孔，孔边有工匠刻划"项记"二字。碗身外壁、盏托盘面和圈足均饰重瓣莲花，如浅浮雕状凸起，构思巧妙，恰如一朵盛开莲花。胎呈灰白色，细腻致密，釉色青绿，有玉一般温润感。

根据一些经书等文物记载，得知云岩寺塔建造是为供奉迦耶（叶）如来舍利，建塔时间为五代后周显德六年（959年），完工时间为北宋建隆二年（961年）。2013年8月，越窑青釉莲花碗被国家文物局列入第三批禁止出境展览文物目录。

越窑青釉莲花碗藏于苏州博物馆。

耀州窑青釉龙鱼形水盂 五代时期文物。耀州窑青釉龙鱼形水盂出土于契丹贵族墓葬。

该墓早年虽被盗过，但仍出土许多随葬品，陶瓷器有鸡冠壶、凤首瓶、定窑系白釉莲花纹注子等。耀州窑青釉龙鱼形水盂为其中精品，应是五代耀州窑烧成后输入辽地。

耀州窑青釉龙鱼形水盂通高9.3厘米，长14厘米，宽7.3厘米，底径4.4厘米。胎体纯白，胎质细致坚硬，器内外均施青釉，晶莹素洁。通体作龙鱼形，龙首鱼身，鱼腹下为平底圈足。口部特大，略显夸张，龙鱼身体顶部塑贴两个圆点作眼，眼上贴钩形独角。龙身满剔鳞片，双翅伸展，尾部高扬，尾鳍开张，全身弯作"U"形。翅膀和尾部塑贴小圆珠，以示龙鱼从水中飞跃而起时带出水珠。

龙鱼形器物曾多次发现，所知辽代陶瓷中至少有4件，与龙鱼形水盂同墓出土还有以龙鱼为装饰题材的石缀饰和鎏金板饰各1件。这些发现，说明"龙鱼"曾于辽地流行。何为"龙鱼"，学者研究大致分为两类，一说认为，与唐五代时期中原地区流行"鱼龙"变化传说有关；另一说认为，源于印度摩羯鱼，摩羯鱼是印度神话中的异兽，4世纪末通过佛经翻译传入中国，被用作装饰纹样也是可能的。2013年8月，耀州窑青釉龙鱼形水盂被国家文物局列入第三批禁止出境展览文物目录。

耀州窑青釉龙鱼形水盂藏于辽宁省博物馆。

耀州窑青釉剔花提梁倒装壶 五代时期至北宋初期文物。民间征集。一记载为1968年陕西省彬县出土；另一记载是《彬县文化》发表王应涛、陈跃进所著《倒灌壶》短文，介绍："1973年春，城关公社东街大队第三生产队饲养员晁日照在县城东城墙脚为饲养室取土时出土，在家中存放了8年。"这则来自彬县地方文史资料提供的出土时间和地点，比较真实可靠。

耀州窑青釉剔花提梁倒装壶高18.3厘米，腹径14.3厘米，足径7.5厘米。壶身圆球形，造型犹如陕西关中地区常见的柿子，壶顶部贴有模拟柿蒂。提梁作昂首振翅凤凰造型，流部为

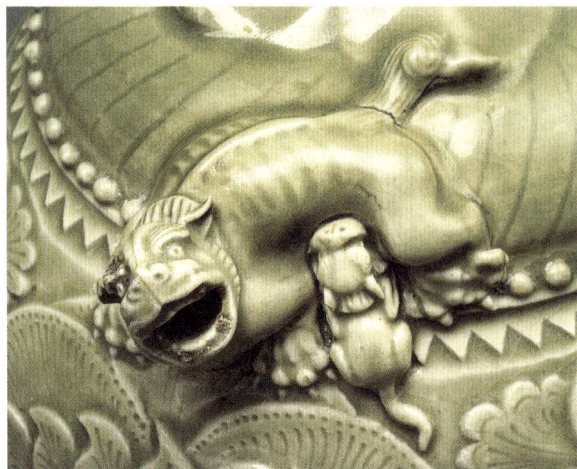

生动逼真子母狮形象，底部中心开有五瓣形梅花孔。胎色灰白，胎体坚细。通体施青绿釉，光泽莹润。腹部剔刻缠枝牡丹纹，下饰仰莲。壶盖仅为象征性的，并不能开启，灌水或酒时要将壶身倒置，从底部梅花孔将酒水注入，当酒水从母狮口外流时始装满，然后将壶放正，因壶内有柱管将酒隔开，因此正置后滴酒不漏，可为古人饮宴增加乐趣。经实测，壶内容量910毫升。耀州窑青釉剔花提梁倒装壶造型新颖，结构奇特，集实用性和艺术性为一体。

1984年起，耀州窑址考古发掘，在黄堡窑址上陆续发现五代青釉和黑釉倒装壶残件，窑址出土均为残器，但反映出耀州窑五代时已在青瓷和黑瓷品种中创烧倒装壶。2013年8月，耀州窑青釉剔花提梁倒装壶被国家文物局列入第三批禁止出境展览文物目录。

耀州窑青釉剔花提梁倒装壶藏于陕西历史博物馆。

龙泉窑青釉刻花莲瓣纹五管瓶 五代时期至北宋早期文物。1976年12月，浙江省龙泉县茶丰乡墩头村在后垅源兴修农田水利时，村民王元培发现3件龙泉窑青釉瓷器。县文物部门接到报告后，县文物管理组负责人与城南区文化站工作人员前往征集，了解出土情况，察看现场，将3件瓷器收回县文保机构，龙泉窑青釉刻花莲瓣纹五管瓶即为其中之一。

龙泉窑青釉刻花莲瓣纹五管瓶通高42厘米，罐高31.2厘米，口径8.2厘米，最大腹径20.5厘米，足径9.5厘米。盖可分三层，上层捏塑呈出水荷叶状纽座，荷叶中央为花蕾形盖纽，中层为半浮雕状覆莲瓣纹，莲角外翘，瓣面填以叶脉纹，蒂部呈池塘形，塘内堆塑4只

水鸭悠悠戏水，其中2只嘴衔小鱼，另2只则作觅食之态，鸭翅有张有合，如扑如栖，体态逼肖。下层收作圆筒形，是为盖口。瓶直口，折肩，圆腹，圈足。肩腹之交堆贴皱褶状泥条。瓶肩塑荷茎状五管，微向内弯，与器口平行。腹上部饰五层覆莲瓣纹，瓣瓣起筋，瓣内填以叶脉纹，下腹部饰六条直棱双线，线间各饰一朵变形如意云纹。该器白胎，釉色淡青素净。

五管瓶俗称五端壶等，在宋墓中一般与盘口长颈瓶组对，也伴有水注出土。其主要用途是作为冥器"谷仓"，含义为"五谷丰登"，由越窑谷仓演变而来，其五嘴（子谐音）还有"五子登科"之意。五管瓶随着龙泉窑出现而出现，但没有贯穿龙泉窑始终。

龙泉窑青釉刻花莲瓣纹五管瓶藏于龙泉青瓷博物馆。

越窑青釉三足蟾蜍形砚滴 北宋文物。1983年12月，由浙江省慈溪市彭东寺龙村民在

挖泥沙时发现越窑青釉三足蟾蜍形砚滴。出土时，四周还有很多匣钵之类遗物，似为一处古窑址。当地群众反映，此窑址曾发现宋端拱二年（989年）铭文瓷片一例。又按荷叶托盘器形大体与上林湖竹园山窑址出土"太平戊寅"（978年）款卧足盘相似，故研究者推测越窑青釉三足蟾蜍形砚滴制作年代约为宋初。

越窑青釉三足蟾蜍形砚滴高6.2厘米、长10.4厘米、宽6.5厘米，托盘高1.5厘米，口径10.8厘米，底径3.5厘米。由蟾蜍和托盘两部分组成，蟾蜍翘首启口，背部布满乳钉，背上有一圆形注孔，腹空可盛水，蟾蜍下为托盘，呈荷叶状，盘内刻有纤细叶脉纹，托盘边缘自然内卷。该器将蟾蜍与荷叶组合，蟾蜍屈蹲欲起，荷叶微卷，似有清风拂动，动静相宜，形神意巧妙结合。

砚滴是文房用具之一，也叫水盂、水注，用于盛水以备磨墨。用蟾蜍作为砚滴造型，隐含文人"蟾宫折桂"美好意愿。

越窑青釉三足蟾蜍形砚滴藏于慈溪市博物馆。

瓯窑青釉观音菩萨坐像 北宋文物。1965年2月，浙江省温州市郊梧埏白象乡的白象塔第

二层第三面壁龛内出土。白象塔始建于唐贞观年间，北宋政和五年（1115年）重建。1965年2月，因破损倾斜严重由文物部门予以拆除。塔中双层壁龛内出土大批唐宋时期珍贵文物。

瓯窑青釉观音菩萨坐像通高24厘米，座高6.6厘米，底径11.8厘米。观音菩萨半跏趺坐于束腰须弥座，俗称"水月观音"。头挽高髻，戴花蔓宝冠，面如满月，双颊丰满，眉毛细长而弯曲，眉间有白毫，双目微睁，神态平静安详，微露笑意。宝冠两侧各有一条飘带垂搭于肩，左肩斜披一条草花纹绶带，胸前佩戴项饰、璎珞及宝珠，后颈挽蝴蝶结饰，上下臂与手腕佩戴钏、镯；左腿盘屈，右腿屈膝，跣足，右手垂搭于右膝，左手下按于左膝侧旁山石，坐姿闲逸舒适，须弥座前栖立一只鸽子。须弥座采用镂雕、刻划等多种手法塑造海崖洞穴。足沿刻划水波纹，底沿内壁有"弟子□□□"墨书题记。

瓯窑青釉观音菩萨坐像胎质细腻，青釉匀净滋润。从釉色、胎质和圈足垫烧痕等特征分析，应是北宋瓯窑产品。

瓯窑青釉观音菩萨坐像藏于温州博物馆。

汝窑淡天青釉凸弦纹三足樽　北宋文物。故宫博物院旧藏。

汝窑淡天青釉凸弦纹三足樽高12.9厘米，口径18厘米，底径12.8厘米。直口，筒形腹，平底，口、底径相若。造型模仿汉代铜或铜鎏金樽式样。外壁近口沿处和近底处各饰凸弦纹两道，腹中部饰凸弦纹3道。底下承以3个均匀分布兽足形足。外底有5个形状和大小均如芝麻的支钉痕。通体内外施釉，釉呈淡天青色，釉层较薄，釉面滋润且开有细碎冰裂纹。汝窑淡天青釉凸弦纹三足樽传世仅3件，英国伦敦大维德基金会和美国辛辛那提艺术博物馆各收藏一件，但以故宫博物院收藏釉质最为精美。

汝窑系中国古代五大名窑（汝、官、哥、定、钧窑）之一。20世纪50年代以来，文物工作者对古窑址调查、发掘证明，汝窑遗址位于河南省平顶山市宝丰县大营镇清凉寺村。因宝丰在北宋隶属汝州管辖，故其境内窑场被称作汝窑。与北宋其他窑场瓷器相比，汝窑青瓷有其鲜明的特点，大致可归纳为，胎体较薄，胎

呈香灰色；釉层较薄，釉基本色调是淡天青色。器物多施釉裹足，因采用支钉支烧，圆形器物外底一般会留下3或5个支烧钉痕，椭圆形器物外底则留下6个支烧钉痕，钉痕多为芝麻粒大小。釉面滋润且多开有片纹。值得称道的是，层层相叠冰裂纹，自然天成，从不同角度观察，若隐若现，耐人回味。汝窑青瓷工艺考究，以釉质取胜，不求人工附加装饰，颇能体现宋人所提倡清淡含蓄之美感。在北宋众多青瓷窑中，汝窑青瓷被选作宫廷用瓷，当与崇信道教的徽宗皇帝赵佶提倡质朴、简约、抽象的审美趣味有密切关系。

汝窑淡天青釉凸弦纹三足樽藏于故宫博物院。

汝窑天蓝釉刻花鹅颈瓶 北宋文物。河南省宝丰清凉寺窑址出土。

汝窑天蓝釉刻花鹅颈瓶高19.6厘米，口径5.8厘米，足径8.4厘米。侈口，细长颈，圆鼓腹，圈足。瓶颈和腹部刻有两组折枝莲花纹。施天蓝釉，釉层匀净莹润，开片疏密有致。圈足底部无釉，露香灰色胎，并黏附有细小砂粒，表明此器是垫烧而成。汝窑天蓝釉刻花鹅颈瓶虽整体形状与北宋流行玉壶春瓶有相似之处，但上部开口与颈部比率相对缩小，瓶体变化弧度比玉壶春瓶小。宋代鹅颈瓶造型仅见于汝窑、张公巷窑和杭州老虎洞官窑，数量极少，十分珍贵。文献记载，汝窑"天青为贵，粉青为尚，天蓝弥足珍贵"。汝窑天蓝釉刻花鹅颈瓶不仅造型优美，釉色匀净，还使用刻花装饰，在传世汝窑瓷器中绝无仅有。

1987年，为寻找汝窑窑址，河南省文物考古研究所首次对宝丰清凉寺窑址进行考古钻探

与试掘，在一直径不到1米灰坑中，意外挖出瓷器30件，内有10件较为完整瓷器，汝窑天蓝釉刻花鹅颈瓶即在其中。随后，在宝丰清凉寺汝窑中心烧造区窑址考古发掘中出土有与其完全相同一件残器，从而证明汝窑天蓝釉刻花鹅颈瓶是汝窑产品。汝窑又称汝官窑，由于为北宋宫廷烧制瓷器时间很短，传世极少，到南宋时人们已有"近尤难得"感叹，流传至今仅百余件，也仅存于世界几个著名博物馆和极少数收藏家手中。

汝窑天蓝釉刻花鹅颈瓶藏于河南博物院。

张公巷窑青釉盘口折肩瓶 北宋文物。河南省汝州市区东南部张公巷遗址出土。窑址中心区面积约3600平方米，皆被居民住房和城区道路所压。居民进行房屋改建时，发现一处古代瓷窑遗址。由于窑址出土青釉瓷器接近汝窑产品，釉色莹润，工艺精美，与汝窑产品极其相似，引起中国古陶瓷学者高度重视。2000年

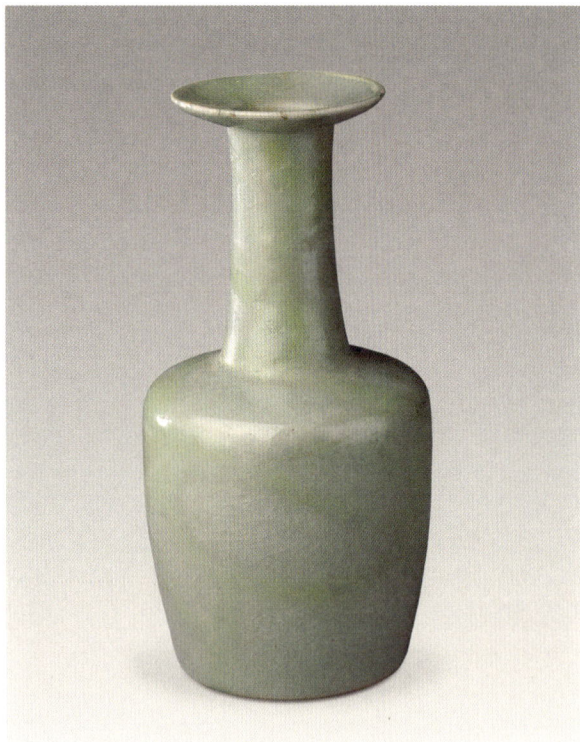

以来，河南省文物考古研究院先后多次配合民房改建工程进行小范围考古发掘。2016年，当地政府将窑址之上叠压民房清理拆除，为大面积发掘提供条件。田野发掘的新发现，将为该窑址定性提供参考。

张公巷窑青釉盘口折肩瓶高22.1厘米，盘径8.2厘米，口径3.5厘米，底径8.9厘米。盘口圆唇，长颈折肩，筒形腹，平底，隐圈足。

张公巷窑青釉盘口折肩瓶整体造型典雅端庄，胎呈香灰色稍显白，釉色青绿泛灰，满釉，布满细小开片。2015年，张公巷窑青釉盘口折肩瓶参展"故宫博物院珍藏及出土汝窑瓷器展"。

张公巷窑青釉盘口折肩瓶存于河南省文物考古研究院。

耀州窑青釉刻划缠枝忍冬纹围棋盒　北宋文物。1986年，陕西省铜川市王益区黄堡窑址出土。

耀州窑青釉刻划缠枝忍冬纹围棋盒通高6.5厘米，盖高3厘米，口径11.4厘米，盒口径12厘米，底径9.5厘米。盒腹中部偏上处圆鼓，大底。盒下腹有一条细箍纹，箍纹之下塑贴13朵小朵花，均匀地绕成一圈。箍纹之上刻划缠枝忍冬，枝叶肥圆。盒盖微弧，盖的斜边上塑贴8朵小花，与盒腹下部朵花对应。子口及盒内露胎，灰胎质密，釉色青黄，玻璃质感强。

北宋耀州窑生产瓷盒可分19型，此种鼓形围棋子盒为北宋中期耀州窑最具代表性盒类，具有胎细密、釉纯净、造型优美、制作精致、装饰华丽等特点。

耀州窑青釉刻划缠枝忍冬纹围棋盒存于陕西省考古研究院。

耀州窑青釉镂孔熏炉 北宋文物。陕西省铜川市王益区黄堡镇出土。

耀州窑青釉镂孔熏炉高16.4厘米，内口径7厘米，底径11.6厘米。炉宽沿，浅钵形腹，作双层套合熏炉样式，颈部收束，覆盘式底足。沿部刻直线纹，炉颈处为三排橄榄形镂孔。钵形腹内涩胎，壁有螺旋痕，施青釉。

唐、五代耀州窑遗址均发现有熏炉，但数量少，造型亦较单一，宋代耀州窑青釉熏炉数量和造型都多于唐、五代。耀州窑青釉镂孔熏炉造型精巧华美，为北宋中期上乘产品。

耀州窑青釉镂孔熏炉藏于耀州窑博物馆。

耀州窑青釉银釦刻花葵口钵 北宋文物。2006年，陕西省蓝田县三里镇乡五里头村北宋吕氏家族墓被盗出土。该墓群葬有北宋名臣吕氏四兄弟（吕大忠、吕大防、吕大钧和吕大临）。西安公安机关破获案件并追缴被盗文物。被盗墓葬中，出土文物年代跨度很大，既

有北宋文物，也有不少汉唐及西周铜器，表明墓主人是位收藏家。根据出土文物铭文及墨书题记，被盗墓葬下葬年代应在政和年间（1111～1117年），撰写《考古图》的吕大临在元祐七年（1092年）已去世，因此被盗墓葬主人并非吕大临，而是其家族成员。

耀州窑青釉银釦刻花葵口钵高8厘米，口径17厘米。口镶银釦，十二曲花口，深弧腹，浅圈足。内底装饰划花花卉纹，外壁刻弦纹及折枝花卉纹，釉色青绿明亮。钵口与腹壁装饰有十二曲花口与瓜棱装饰，钵内装饰划花牡丹纹带有越窑风格，银釦装饰更添加整件瓷器富丽华美。

耀州窑青釉银釦刻花葵口钵藏于陕西历史博物馆。

耀州窑青釉刻花牡丹纹凤首流注子 北宋文物。1973年10月，陕西省凤翔县姚家沟红旗化工厂修建汽车库时，发现一座宋墓。经文物工作者抢救清理，发现9件瓷器，耀州窑青釉刻划牡丹纹凤首流注子就在其中。一同出土还有耀州窑青釉印花碗3件、白釉碗1件；磁州窑系黑釉梅瓶2件、黑釉细颈小壶2件。

耀州窑青釉刻花牡丹纹凤首流注子高20.5

厘米，口径8.5厘米，腹径11.5厘米。喇叭形口，长颈内束，肩颈处有一对花形耳，瓜棱腹，长流呈凤首状，宽带状执柄从颈部经口沿下折落于肩部，平底外撇。胎色灰白，釉色青绿，釉面匀净细腻。腹部刻划牡丹花，凤首冠和羽毛刻划细致逼真。

耀州窑位于陕西西安以北约70千米铜川市，以黄堡镇为中心，共有7处窑场。耀州窑创烧于唐代，五代时期开始兴盛，在北方地区独领风骚，可与南方越窑青瓷媲美。进入宋代后，耀州窑青瓷生产不断扩大，工艺技术改进，成为影响力最大的青瓷窑场，周边窑场竞相模仿其产品，在北方地区形成一个耀州窑系区域。宋代耀州窑主要生产青瓷，釉色纯正温润似玉，玻璃质感强，"橄榄青釉"莹润肥厚，青中微微闪黄。装饰技艺中以刻花为主，刻花技艺在当时同类技法中首屈一指。刻花每个线条一般由直刀和偏刀两步完成，刀锋圆润，线条犀利流畅，下刀深处积釉厚而色深。是耀州窑唯一所见，精致独特。

耀州窑青釉刻花牡丹纹凤首流注子藏于凤翔县博物馆。

钧窑月白釉出戟尊 北宋文物。故宫博物院旧藏。钧窑遗址位于河南省禹州市境内，最著名窑场位于禹州旧城北门内钧台与八卦洞附近。中国传统高温色釉主要以氧化亚铁着色青釉系统，而钧窑以氧化铜为着色剂，在还原气氛中烧成铜红窑变釉，色彩变化万千，按变化程度及色彩被赋予玫瑰紫、茄花紫、丁香紫、海棠红等。钧窑产量最大的是碗、盘、洗、罐、瓶、炉、枕等生活器皿，最为考究的产品则是各式花盆、花盆托及出戟尊等陈设用瓷。钧窑月白釉出戟尊造型端庄，釉色丰富，做工精细，底部或足内侧多刻划从"一"至"十"数字。

钧窑月白釉出戟尊高32厘米，口径26厘米，足径21厘米。尊撇口呈喇叭状，颈上粗下细，鼓腹，腹下呈台阶状外撇，圈足。颈、腹、近足处各装饰四道凸出方棱，故称"出戟尊"。通体施月白色釉，釉质乳浊，釉面气泡、棕眼明显。口沿、方棱及近足处釉层较

薄，隐隐透出胎体，呈酱色。圈足内侧边缘涂酱色护胎釉，刻数字"三"。

传统观点认为，禹州专门为宫廷烧造陈设器，故而被视为官方瓷场产品，即所称"官钧"。对陈设类钧瓷上刻划数字含义，古人作过种种推测。如认为刻划"一""二"者为上品（明高濂《遵生八笺》）；或认为刻划相同数字花盆与花盆托配套使用（清佚名《南窑笔记》）；还有的认为刻划"一""三""五"等单数为红色器（清寂园叟《陶雅》）。后来，人们通过对传世品及出土物排比研究发现，数字应是同类器物大小规格编号，即器物越大编号越小，"一"是尺寸最大者。近年，部分学者根据考古发现、器形对比、书画作品及古代文献记载，质疑陈设类钧瓷属性及烧造年代，提出"金代说""元代说""元末明初说""明代说"等观点，"官钧"制造年代问题尚需更多考古发现和更深入严谨的科学检测方能定论。

钧窑月白釉出戟尊藏于故宫博物院。

官窑粉青釉凸弦纹瓶 南宋文物。故宫博物院旧藏。

官窑粉青釉凸弦纹瓶高33.6厘米，口径9.9厘米，足径14.2厘米。洗口，长颈，溜肩，圆腹，高圈足。颈、肩及腹部饰凸起弦纹七道，圈足两侧各有一长方形孔，可供穿带系绳用。通体施粉青釉，釉层肥厚，紫口铁足，器身满布较大开片。造型仿汉代铜器，古朴庄重。

广义上讲，官窑指隶属中央或地方政府专烧宫廷、官府用瓷窑场。狭义上讲，特指宋代中央官窑。按文献记载，有北宋官窑与南宋官窑之分。由于含铁量较高，官窑器一般胎色

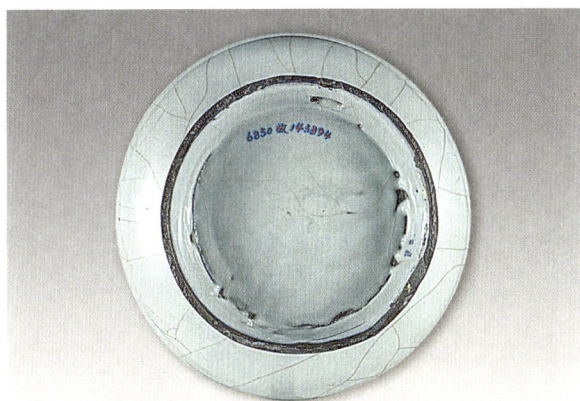

较深，为黑色或黑灰色；通常施釉较厚，以粉青色为上，也有青灰、青黄色等，釉色莹润，釉质如玉。大多是素面器，较少印花装饰。官窑瓷器口部边缘常映现淡淡紫黑色，而足部无釉处则呈现出铁黑色，即文献所谓"紫口铁足"。2013年8月，官窑粉青釉凸弦纹瓶被国家文物局列入第三批禁止出境展览文物目录。

官窑粉青釉凸弦纹瓶藏于故宫博物院。

官窑青釉三足炉 南宋文物。1952年4月，江苏省青浦县龙固区章堰乡北庙村和淮海乡高家台农民在田间劳动时，无意中发现元代

任氏墓群，并有零散文物出土。经上海市文物管理委员会与当地相关部门合作，将已出土流散文物收集，归藏文博机构。墓群中，出土3块墓碑和6块墓志。由此得知，墓群是元代著名水利专家、画家任仁发家族墓。任仁发曾奉命进宫画"渥洼天马图""宠赉甚厚"。但任仁发墓早年被盗，墓内随葬品被洗劫一空，家族其他墓葬亦遭盗挖，唯有任明墓保存完好，官窑青釉三足炉出土于任明墓中。任明是任仁发弟弟任仲夫的儿子，生于元世祖至元二十三年（1286年），卒于至正十一年（1351年），享年66岁，为赣州路总管府事（任明后过继于姑家，遂改姓陈）。任氏家族墓中以任明官职最高。

官窑青釉三足炉高8.6厘米，口径11.4厘米，底径8.3厘米。口微侈，口沿立两环耳，腹丰满，下承以三足。釉色灰青，施釉至足，釉面有开片，口沿有少许剥釉。环耳及腹部可见白色物质附着，唇口及环耳釉薄之处，可见深色胎骨，外底有6个支钉痕，足露深褐色胎。

任氏家族墓共出土瓷器、漆器、铜器等

随葬品71件，任明墓出土南宋官窑瓷器8件，包括4件胆瓶、2件贯耳瓶和2件香炉，其中4件1959年拨交中国历史博物馆。

官窑青釉三足炉藏于中国国家博物馆。

龙泉窑青釉五管器 南宋文物。1991年9月18日，四川省遂宁县金鱼村村民王世仁在菜地里挖坑取土时，发现一窖藏。文物部门立即进行抢救性发掘。窖藏开口距地表1.1米，所有器物呈椭圆形堆叠紧密、排列整齐，共出土完整和可复原器物1005件，其中瓷器985件，铜器18件，石雕2件，是国内已发现最大一宗宋瓷窖藏。龙泉窑青釉五管器出土3件，形状相同，仅口颈部略有差异，每件都是精品。

龙泉窑青釉五管器高12.3厘米，口径4.8厘米，腹径13.5厘米，足径7厘米。直颈斜肩，肩上竖五根细长管与腹内相通，管口高度与口部相近，斜腹略弧，圈足，足心有轻微鸡心状突起。白胎略泛灰，施梅子青釉，釉层较厚，釉面光洁滋润，腹部有少许开片。外壁刻划双层仰莲莲纹，外层10瓣、内层9瓣。宋代时越窑及龙泉窑都生产多管器，但器物功能及

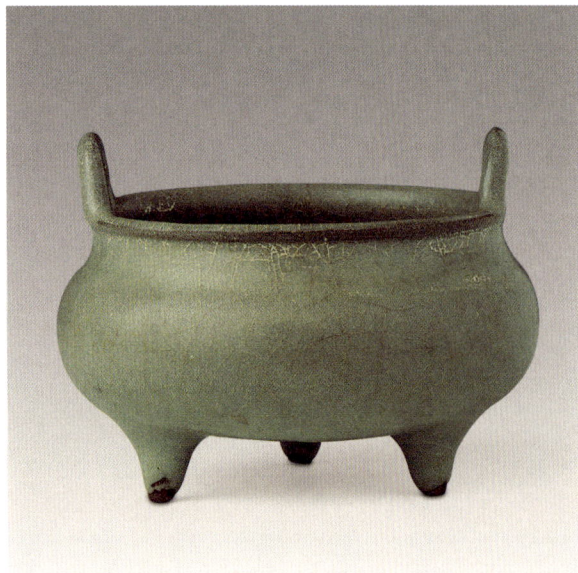
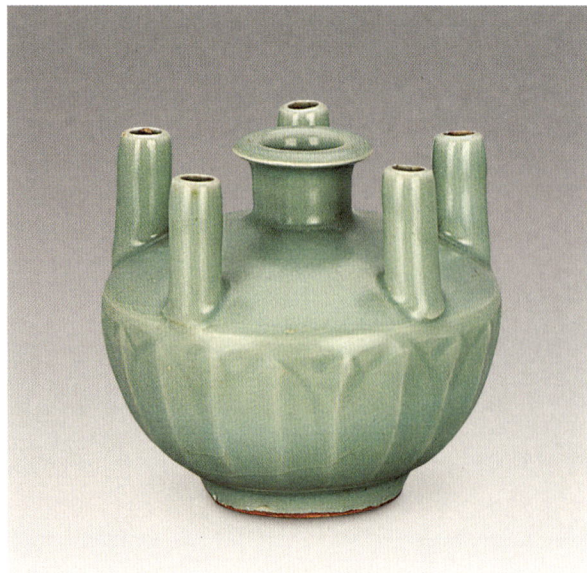

定名学术界未达成一致意见。有多种说法，如花插、灯具、佛前供器、随葬品等，只能依据其外观形态命名。

宋朝时，遂宁县金鱼村是府衙所在地。南宋理宗端平三年（1236），蒙古骑兵深入四川腹地遂宁。1242年，攻破遂宁府。研究人员推测，战乱中大户人家纷纷外逃，不方便携带珍宝，就地掩埋，形成这处窖藏瓷器。

龙泉窑青釉五管器藏于四川宋瓷博物馆。

龙泉窑青釉象纽盖罐 南宋文物。2014年3月，浙江省庆元县松源镇会溪村村民在施工中发现两座古墓，文物部门接报后赶赴现场，其中一座（1号墓）已被完全破坏，随葬器物荡然无存，文物部门对另一座墓葬（2号墓）抢救性发掘。据墓志铭文，得知两座墓葬为南宋中期胡纮夫妇合葬墓。《宋史》有载，胡纮（1137～1203年），历任南宋礼部、户部、吏部侍郎，是庆元县重要乡贤。明清地方志对其皆有记载，其中内容多可与墓志互证。康熙《庆元县志》载："宁宗庆元三年（1197年），吏部侍郎胡纮请于朝，以所居松源乡置县治，因纪年为名"，表明庆元县即在胡纮建议下设立并以"庆元"年号命名，其在庆元的建县及县史上有独特重要意义。墓葬为砖石结构，规模较大，随葬品丰富且质量较高，是浙江省南宋考古一次重要发现。出土文物近30件／套，公安部门追回被毁墓葬中文物34件／套。此次发现龙泉窑青釉象纽盖罐共9件／套，其中发掘出土6件／套，追缴回3件／套，器形大小基本一致。

龙泉窑青釉象纽盖罐高11.2厘米，口径7.8厘米，最大腹径10.2厘米，足径6.2厘米；罐盖高3.6厘米。盖面呈扁平饼形，上以立象为纽。罐口微敛，折肩，深腹，浅圈足。胎体较厚重，胎色灰白；施粉青色釉，釉质匀润，经多次施釉，釉层较厚，但相较南宋晚期粉青厚釉略薄，反映出龙泉窑粉青厚釉青瓷逐渐发展过程。

龙泉窑青釉象纽盖罐藏于浙江省庆元廊桥博物馆。

钧窑天蓝釉尊 宋代文物。1972年，河南省许昌市禹州市扒村社员尹长水于老寨沟采

集。12月4日,捐献给开封市博物馆。

钧窑天蓝釉尊高22厘米,口径6厘米,足径12.8厘米。圆唇,卷沿,短颈,折肩,筒状腹,大圈足,肩部装饰凹旋纹一周。通体施天蓝釉,直至器足边,釉层浑厚润泽,釉色滋润,边棱呈米黄色,釉面有细小棕眼。足底露褐色胎,胎质细腻。

有学者将钧窑天蓝釉尊称为矮梅瓶。河南钧台窑发掘出土器物绝大多数是碗、盘、碟、钵、盆、出戟尊、盏托等,此造型甚为少见。

1997年5月,钧窑天蓝釉尊由开封博物馆调入河南博物院收藏。

龙泉窑青釉舟形砚滴 南宋至元代文物。20世纪60年代,浙江省龙泉县上严儿窑遗址有

当地一人捡到,后主动上交地方文物部门。

龙泉窑青釉舟形砚滴通高9.1厘米,长16.2厘米,底宽6.5厘米。全器作舟形,舱篷、艄篷、栏板一应俱全。仓内塑有人物,为两人席地而坐交谈状。仓棚沿左边搁有一木浆,棚顶落有一笠帽,左边一着蓑衣艄公作伸手取笠状。舟首处留有一小孔,用以注水;舱下中空,用以贮水。通体施青色厚釉,釉色青绿亮泽,底无釉处露火石红。

整器集模印、堆贴、镂雕等多种技法于一身,是实用性和艺术性完美结合的文房珍品。

龙泉窑青釉舟形砚滴藏于浙江省博物馆。

哥窑青灰釉双耳三足炉 宋代至元代文物。故宫博物院旧藏。宋代文献中,没有哥窑记载,到元代文献里才开始出现“哥哥窑洞”“哥哥窑”记载。哥窑遗址尚未发现,其烧造年代和产地一直在争议中,有“宋代说”“元代说”“杭州说”“龙泉说”等不同观点。

哥窑青灰釉双耳三足炉高12.5厘米,口径13厘米,底径9.1厘米。唇口微敛,口上置双环耳,鼓腹,丰底,底下承三柱足,足内中空。造型仿商周青铜鼎,古朴典雅。通体施青灰色釉,釉面密布交织如网的黑色开片纹,使素净釉面富于韵律美。内底、外底分别留有五个和六个圆形支烧痕。

传世哥窑瓷器造型除碗、盘、洗外,其他多为仿商周青铜礼器,如鼎式炉、贯耳瓶等。一般胎色较深,施釉较厚,部分产品亦同官窑瓷器一样具有“紫口铁足”特征。釉色有青灰、米黄等,釉中气泡密集,俗称“聚沫攒珠”。釉面开有大小、深浅不同裂纹,统称

"百圾碎"。开片纹路可分两类，一类是釉裂形成大开片黑色纹路，俗称"铁线"；另一类是釉裂形成小开片金黄色纹路，俗称"金丝"，两者相互交错，即为"金丝铁线"。形成错落有致、别具一格的釉面装饰。

哥窑青灰釉双耳三足炉藏于故宫博物院。

哥窑五足洗 宋至元代文物。上海博物馆征集。

哥窑五足洗高9.2厘米，口径18.8厘米。敞口，圆唇，直腹，平底，矮圈足不着地，口沿饰乳钉五枚，下承五个如意形扁足，内底有六个细小支钉痕，为套烧其他器物留下痕迹。胎厚，釉呈米黄色，釉面密布大小开片，褐色大开片和黄色小开片纵横交织，即所谓"金丝铁线"。

"金丝铁线"是哥窑瓷器一大显著特征。釉开片本是瓷器一种缺陷，而哥窑由于巧妙利用纹片深浅色对比，造成一种天然缺陷美，备受世人珍爱。"紫口铁足"为哥窑器物又一特征。"紫口"是由于施釉后釉面向下流淌，在器物口沿部位釉层很薄，几近脱釉，露出胎色而形成，而"铁足"是因为胎色深呈铁黑色而得名。紫口与铁足上下辉映，再加之

金丝铁线分布，形成哥窑瓷器独特装饰艺术风格。

哥窑五足洗藏于上海博物馆。

越窑青釉划花宴乐人物图注子、温碗 辽统和十三年（995年）文物。1981年6月，北京市石景山区八宝山革命公墓扩建施工中，发现辽统和十三年（995年）韩佚砖室墓。北京市文物工作队进行考古发掘。20世纪60年代这里曾经发现辽咸雍五年（1069年）和金正隆二年（1157年）韩氏族人墓。韩佚生于辽太宗天显十一年（936年），卒于辽统和十三年（995年），享年59岁。墓志铭800余字，从韩佚曾祖父记述到膝下儿孙，与其妻王氏墓志铭内容结合，不同程度弥补《辽史》缺佚。韩佚墓距离地表5.5米，墓内装饰仿木结构，彩绘壁画多以花鸟、人物为主，出土有夫妻二人墓志各一方，各类随葬品近60件，其中瓷器24件，包括9件青瓷，越窑青釉划花宴乐人物图注子、温碗各1件，出土时注子置于温碗内。

壶通高18.2厘米，口径4.5厘米，腹径

12.3厘米，底径7.4厘米；碗高8.4厘米，口径18.4厘米，足径8.6厘米。球形腹，直口圆唇，葫芦形子母口盖，盖顶有圆珠纽。肩部置长流和曲柄，瓜棱腹。腹部饰有人物对饮图及酒樽、果盘、祥云、瑞草等图案，底部刻有"永"字款。温碗侈口，深腹，圈足略外撇，碗内为一对首尾相接鹦鹉形图案。全器薄胎细腻，质地坚硬，最薄处仅有2毫米，内外施青绿色釉，釉色莹润光亮。

由于韩佚墓出土注子、温碗纪年明确，为研究五代酒具及饮酒习俗提供重要资料。

越窑青釉划花宴乐人物图注子、温碗藏于首都博物馆。

耀州窑月白釉刻花钵 金代文物。1980年，北京市丰台区王佐乡乌古伦窝伦墓出土。乌古伦窝伦家族为金代贵族。墓中出土瓷器10件、玉器4件、石器6件／套、铁棺环6件。乌古伦窝伦及其家族墓早年被盗，有幸保存数件完整瓷器，是研究金代瓷器的可靠资料。

耀州窑月白釉刻花钵高6.8厘米，口径17.9厘米，底径6.4厘米。内外施淡青色釉，釉面光亮柔和。钵内刻折枝牡丹，外壁光素无纹饰。

月白釉是耀州窑独特品种，始于北宋晚期，盛于金代，以乳白色为基调，白中略闪淡青色，恬静温润，有温润玉质感。

耀州窑月白釉刻花钵藏于首都博物馆。

钧窑月白釉花瓣洗 金代文物。1980年秋，河南省嵩县城关镇北街村砖厂工人温自森挖土制砖时，发现钧窑月白釉花瓣洗。9月19日，温自森母亲主动送交嵩县文化馆。

钧窑月白釉花瓣洗高7.5厘米，口径18.5厘米，底径11厘米。体呈莲花花瓣式，瓣片较深，口部微敛，曲腹稍外鼓，平底。通体施月白釉，满釉支烧，底部有五个支烧痕。釉面有细小棕眼。釉层略薄，流动感较强，口沿和花瓣凸棱处釉层最薄，略露胎色。

钧瓷属中国北方青瓷系统，是金、元时期重要瓷器品种，钧瓷以极强的釉面遮盖性和斑斓多变红彩，深受百姓喜爱。生产钧瓷窑场后渐渐扩展到汝州、鹤壁、焦作等河南中西北部地区及河北、山西等地，甚至南方浙江地区（如金华铁店）窑场，都深受其影响，烧制类似钧釉器物。

1997年12月，钧窑月白釉花瓣洗入藏河南博物院。

龙泉窑青釉刻划缠枝牡丹纹瓶 元至大二年（1309年）文物。1970年12月，内蒙古自治区呼和浩特市东郊白塔村村民在农田劳动时，发现地下埋有两个大瓮，两瓮中藏有6件精美瓷器。两个大瓮中所藏器物有钧窑香炉1件，钧窑天蓝釉兽面纹螭耳连座瓶一对，龙泉窑青釉刻划牡丹纹瓶3件（其中2件为一对），另有陶质绿琉璃釉菩萨头像1件。同窑藏出土钧窑香炉上刻有铭文"己酉年九月十五小宋自造香炉一个"，元代有两个己酉年，一是元定宗皇后海迷失称制时期，即1249年，另一是元武宗至大二年，为1309年。研究者认为，1309年可能性更大。龙泉窑青釉刻划缠枝牡丹纹瓶与钧窑"己酉年"款香炉同一窑藏出土，制作年代应相差不远，且6件瓷器共同特征是器形高大，胎骨厚重，具备元代瓷器特点。龙泉窑青

釉刻划缠枝牡丹纹瓶出土时为一对，另1件藏内蒙古博物院。

龙泉窑青釉刻划缠枝牡丹纹瓶高45.2厘米，口径19.7厘米，足径13厘米。喇叭形大口，长颈，溜肩，鼓腹，圈足，足跟微撇。胎灰白致密、圈足露胎处呈火石红色。施青绿釉，釉层厚有开片纹。颈部饰28道弦纹，腹部刻划缠枝牡丹纹，下腹刻划双层菊瓣纹。

龙泉窑青釉刻划缠枝牡丹纹瓶器形高大、釉面匀净、花纹流畅，代表元代龙泉窑制瓷工艺水平。

龙泉窑青釉刻划缠枝牡丹纹瓶藏于中国国家博物馆。

钧窑己酉年天青釉鼎式香炉 元至大二年（1309年）文物。1970年12月，内蒙古自治区呼和浩特市东郊白塔村村民在附近一座古城遗址内平整土地时，发现两个窑藏黑釉大瓮，一瓮高67厘米，另一瓮高78厘米。两瓮中藏有6件精美瓷器，其中有1件钧窑香炉。此时内蒙古大学

历史系师生正在白塔村参加劳动，当地干部、社员和师生们共同将其送到内蒙古博物馆。

钧窑己酉年天青釉鼎式香炉通高42.7厘米，口径25.5厘米。两侧有对称长方形耳，另有一对兽形耳位于长方形耳下部，连接在香炉腹颈之间，香炉颈部堆贴三个麒麟，正面两个麒麟间，有一方形题记，刻有楷书铭文"己酉年九月十五小宋自造香炉一个"，香炉腹部堆贴有兽面和铺首衔环等纹饰；圜底有兽形足三个。通体施天青色釉，由于施釉较厚，器表垂釉明显。

1309年，元代已统一全国30年，政治相对稳定，城镇手工业得到较快恢复和发展，具备烧制精致、大件钧窑瓷器条件。钧窑己酉年天青釉鼎式香炉造型美观，气势浑厚，是元代钧瓷中罕见珍品。

钧窑己酉年天青釉鼎式香炉藏于内蒙古博物院。

龙泉窑青釉露胎印花婴戏图八方碗　元代文物。1959年，广东省文物管理委员会移交。

龙泉窑青釉露胎印花婴戏图八方碗高9.2厘米，口径17.4厘米，底径7.5厘米。碗呈八角形，撇口，深腹，圈足露胎处涂有黄赭色护胎浆。施粉青釉，釉质滋润肥厚；外壁八面各有一开光，开光内不施釉，露赭红色氧化胎，开光内印婴戏图；碗内口印花卉一周，内壁开光内印凤、鹤、孔雀纹，衬以荷花纹，内底饰双鱼纹，作头尾相对状。

龙泉窑是中国著名青瓷产地，元代时品种增多，器形和装饰技术都有新创造。龙泉窑青釉露胎印花婴戏图八方碗将素胎婴戏模印于碗外壁八个开光内，经烧制过程中氧化，呈现出三氧化二铁红褐色，与青绿釉色互相映衬，施釉与露胎贴塑完美结合，形成特别装饰效果。

龙泉窑青釉露胎印花婴戏图八方碗藏于广东省博物馆。

第六节 白釉、青白釉瓷器

东汉白釉碗 东汉文物。1995年，重庆市丰都县汇南墓群出土。重庆市丰都县汇南墓群东起龙河与长江交汇处，西至峡南溪。1993～2003年，为配合三峡工程建设，四川省文物考古研究所对墓群进行长期较大规模发掘，出土大量六朝时期遗物，包括东汉白瓷。

东汉白釉碗高6厘米，口径14厘米，底径7.4厘米。敞口，弧腹，圈足。足与碗身分制，粘接而成，衔接处可见明显胎接痕迹。口沿下饰一周凸弦纹，釉下有轮修痕迹，内底向下凹陷一圈。胎白，胎质较松。施白釉，白釉泛黄，釉层薄有剥落。

东汉白瓷主要出土于湖南境内，多见于墓葬，形制均为日常用具，与同时期青瓷相较，制作工艺显精细，虽釉面白中偏青或偏黄，但胎釉含铁量明显低于同时期青瓷。有学者认

为，湖南出土东汉白瓷为当地窑场生产，也有研究者认为东汉时期生产白釉瓷器没有达到真正白瓷标准。

东汉白釉碗藏于重庆中国三峡博物馆。

相州窑白釉龙柄象首壶 隋开皇十五年（595年）文物。1959年，河南省安阳豫北纱厂隋代张盛墓出土。墓志记载，张盛生于北魏景明三年（502年），卒于隋开皇十四年（594年），隋开皇十五年（595年）与夫人合葬。张盛出身于名门望族，家中世代为官。隋朝建国后，从县令级官吏，递升至征虏将军、中散大夫，成为统治阶级中上层人物。张盛墓出土随葬品192件，其中瓷器80件。

相州窑白釉龙柄象首壶高15厘米，底径4.8厘米。管状口，丰肩，鼓腹，下腹斜收，平底。通体施白釉不到底。口肩部装饰龙形

柄，龙嘴衔于瓶口沿，龙背高高拱起成为把手，对称处饰象首形状流。肩部有八系。此瓶装饰繁缛，造型奇特，将龙象形象巧妙组合在一起，由于壶嘴与壶身不通，应为明器。

张盛墓出土相州窑白釉龙柄象首壶为代表白釉瓷器，体现隋代白瓷最高水平。

相州窑白釉龙柄象首壶藏于河南博物院。

白釉龙柄鸡首壶　隋大业四年（608年）文物。1957年8月，考古工作者在陕西省西安市玉祥门外西大街南约50米处，发现一座保存完整的隋代墓葬，墓内有金器、玉器、铜器、波斯银币、玻璃器、瓷器、武士俑、镇墓兽、男女仪仗俑、家畜家禽俑等大量随葬品。墓志记载，死者姓李名静训，字小孩，年仅9岁。李静训曾祖父李贤是北周骠骑大将军、河西郡公。祖父李崇是一代名将，年轻时随周武帝平

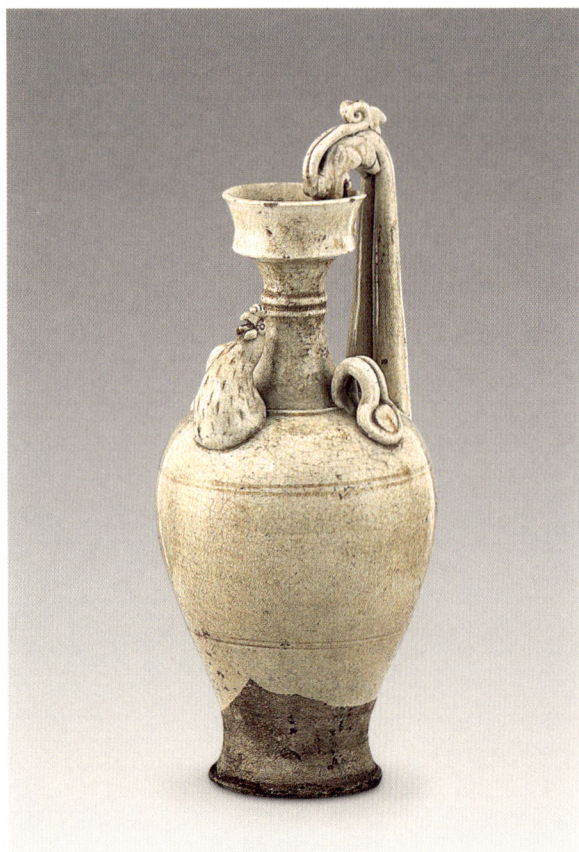

齐，以后又与隋文帝杨坚一起打天下，官至上柱国，后在与突厥交战中以身殉国。父亲李敏官封左光禄大夫，母亲宇文娥英是隋文帝杨坚与独孤皇后外孙女，也是北周宣帝宇文赟与皇后杨丽华女儿。李静训自幼为外祖母周皇太后所养育。大业四年（608年）六月一日死于汾源宫，十二月葬于长安县休祥里万善道之内。

白釉龙柄鸡首壶通高27.4厘米，口径5.9厘米，底径7.1厘米。壶口为洗式，束腰式细长颈，颈有凸弦纹两道，圆肩，敛腹，近底处微外撇，平底。肩部一侧置鸡首为流，鸡冠耸立，双目圆睁，胸部刻划羽毛，呈雄鸡啼鸣之态。与流对称一侧，有一螭形壶柄，尾立于壶肩部，螭身直立，曲颈俯首衔壶沿，螭耳后展卷曲。柄与流之间有对称环耳两个，耳内粘有圆纽，似铆钉一般起加固作用，壶肩与腹部各划弦纹一道。胎质较细，敷白色化妆土，罩透明釉，釉面匀净、釉层薄。白釉龙柄鸡首壶造型挺拔秀丽，制作工艺精湛。

该墓出土瓷器17件，白釉龙柄鸡首壶为其中精品，因有明确纪年，也是古代瓷器分期断代标准器。

白釉龙柄鸡首壶藏于中国国家博物馆。

白釉双龙柄联腹传瓶　隋代文物。天津博物馆征集。

白釉双龙柄联腹传瓶高18.5厘米，口径5.2厘米，底径2.5厘米。盘口，长颈，肩部塑制两龙形柄，与两个卵形联腹瓶配置在一起，双腹并联，双平底上刻铭文"此传瓶有並（并）"5字。柄上龙口衔于瓶口沿。造型新颖，是隋代独有形制。胎体灰白，白釉下施有护胎釉，釉面白净细润。由铭文得知，此瓶名

曰"传瓶"，"传"字有传递之意。中国古代高士有逢重阳日，登高作诗、饮酒赏菊，以避灾禳祸传统，活动中还时常伴有"传杯"之俗，即只用一杯，诸客传饮，以分享欢乐，共祈吉祥。"传瓶"使用功能，应与"传杯"之俗有异曲同工之妙。"有並"的"並"，即古文"竝"，有并排之意。"有並"即可释作，此瓶呈双腹并联形。

中国婚礼传统习俗中，常有"并蒂同心"内容，以此祝愿夫妻和美、白头偕老。有研究者认为，白釉双龙柄联腹传瓶应是隋代举行婚礼时所使用盛酒之器，由新婚夫妇共同使用，相互传递为来宾斟酒，以示庆贺及酬谢。存世同类瓶仅3件，唯有白釉双龙柄联腹传瓶刻出器物名称，对研究隋代白瓷及确定此类器物定名、用途及文化内涵有重要价值。2013年8月，白釉双龙柄联腹传瓶被国家文物局列入第三批禁止出境展览文物目录。

白釉双龙柄联腹传瓶藏于天津博物馆。

白釉贴宝相花高足钵 唐乾封二年（667年）文物。1956年，陕西省西安市东郊韩森寨段伯阳夫妇墓出土。墓志显示段伯阳卒时已80岁，应在隋代担任宦官，入唐时年近四旬。从武德初年始，段伯阳先后担任宫廷宦官职务有内仆局丞、令、宫闱局令、内侍省内寺伯等。段伯阳葬于龙朔元年（661年），乾封二年（667年）为其妻高氏亡故和祔葬其夫年代。伯阳夫妇墓还出土白釉胡人头像和胡人抱囊壶，都是罕见唐代白釉瓷珍品。

白釉贴宝相花高足钵高23厘米，口径19.5厘米，足径18.2厘米。钵体为圆球形，敛口，底部承以喇叭形高圈足。白胎，釉白中泛青。口沿下有数道印压而成弦纹，弦纹间排列四周有联珠纹圆形和方形宝相花，腹下部雕仰莲瓣，莲瓣间空隙处等距离堆贴小团花。高圈足上饰覆状莲瓣花纹。

白釉贴宝相花高足钵造型饱满，装饰瑰丽。

白釉贴宝相花高足钵藏于陕西历史博物馆。

白釉海棠杯、盘　唐光化三年（900年）文物。1978年，浙江省临安钱宽夫妇墓出土。钱宽夫妇是吴越王钱镠父母。墓有封土堆，内有东西横列三个白膏泥堆，西首是一疑冢，中间是钱宽墓，东首是钱宽妻墓。钱宽墓早年被盗。钱宽妻墓尚完好，出土大量金、银、铜、瓷、玉等器物。其中有一批镶银釦白瓷和越窑瓷器：碟10件，碗2件，注子、海棠杯、盘各1件。除注子无款外，其余外底都刻有"官"或"新官"款。定窑瓷器上"官"字款，代表官府机构中某一单位订烧，很可能是中央官府机构光禄寺下属太官署简称。具有同样款识定窑白瓷，在浙江、辽宁、河北等处均有发现，但时代以此墓为最早。

白釉海棠杯高6厘米，口径16.2厘米×7.7厘米，底径6.1厘米×5.5厘米；盘高4.4厘米，口径18.2厘米×15厘米，底径6.8厘米×8厘米。杯呈海棠形，弧腹，壁两侧有半圆形外、喇叭形高圈足。盘为四瓣花口，平面略呈腰形，折腹，高圈足。杯、盘外底均刻有"官"字。胎质细密坚硬，釉色乳白，润泽光亮，部分位置有聚釉现象。

白釉海棠杯身造型犹如海棠花开。这种造型来源于萨珊金银器中多曲形长杯，具有浓郁西域风格。

白釉海棠杯、盘均藏于浙江省博物馆。

"盈"字款白釉带盖执壶（注子）　唐代文物。2002年3月，陕西省西安市雁塔区唐长安城新昌坊青龙寺遗址，西安市文物保护考古研究院勘探到30余口古井，在一古井内出土一批"盈"字款白瓷器。古井直径1米，深7.8米，井内填满杂土，井底有厚约1米淤积层，器物即出土于淤积层内。出土白釉带盖注子5件，造型大体一致，"盈"字款白釉带盖执壶（注子）为其中之一。

"盈"字款白釉带盖执壶（注子）通高23.9厘米，壶高20.3厘米，口径9厘米，腹径12.6厘米，足径6.8厘米，盖高4.7厘米，盖径10.2厘米。盖为伞形，瓶敞口，卷唇，束颈，

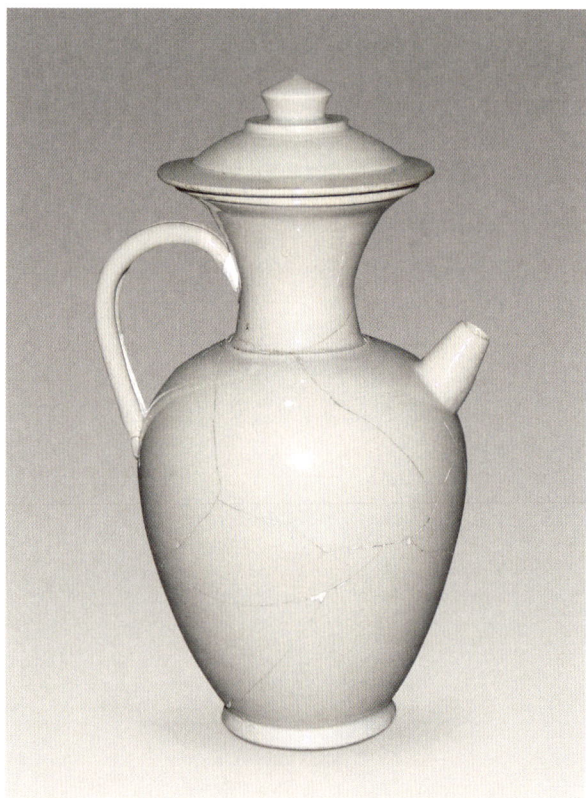

圆肩，深腹，隐圈足。肩部一侧有柱状流，另一侧有双条扁平柄。颈下有弦纹一周，盖沿下墨书"七□□"，足底釉下可见阴刻"盈"字。胎壁较薄，胎色灰白，施白釉，釉色白净，积釉处泛青绿色，釉面细润莹亮。

多数学者认同"盈"字款与唐皇宫大明宫内"大盈库"（又称"百宝大盈库"）有关，"盈"字款白瓷是唐代邢窑专为宫廷定烧贡瓷。

"盈"字款白釉带盖执壶（注子）藏于陕西省西安博物院。

邢窑白釉贴花凤首提梁壶 唐代文物。1996年5月，河北省故城县杏基镇北高庄村村民在挖坑塘时，发现一座唐代墓葬，县文物部门赶赴现场，进行抢救清理。墓中除邢窑白釉贴花凤首提梁壶外还出土注子、白釉碗、铜镜、墓志等10件文物。墓志为石质墨书，因年代久远漫漶不清，故墓主人生平已不可考。

邢窑白釉贴花凤首提梁壶通高24厘米，腹径16厘米，底径10厘米。拱形提梁，短流，壶盖凤眼点黑釉。扁圆形垂腹，饼形足。壶盖为凤首形，和唐代仕女发髻样式略同，尖喙微张极其形象生动。胎质细腻，施透明釉，釉色白中泛青，釉面平整光润。壶腹前后上部贴塑对称图案及仿皮囊缝制花纹，上饰花朵纹和戳印纹。壶身采用贴塑、压印、模印等多种装饰手法，整体装饰繁简相宜，雍容大度。

邢窑白釉贴花凤首提梁壶器形丰满、修胎精细，既保持北方游牧民族皮囊壶基本造型，又有汉族装饰风格，是两种文化完美结合典范，是唐代邢窑白瓷中极为罕见的精品。

邢窑白釉贴花凤首提梁壶存于衡水市文物管理处。

巩县窑白釉狮首塔形盖罐 唐代文物。1997年，白釉狮首塔形盖罐与一件白陶莲花灯（原定名）一同从巩义市博物馆调至河南博物院。由于一件为瓷器，一件为陶器，分别入藏两个库房管理，故很长时间一直作为两件文物看待。工作人员通过对唐代塔式罐研究，认为

这两件器物应为一件／套。后与参加器物考古发掘工作专业人员详细交流，了解到巩县窑白釉狮首塔形盖罐出土情况。出土该罐的唐墓同出器物并不多，除几件常见器外，较为重要的就是白釉狮首塔式盖罐、白釉兽面贴花罐和2件彩绘白陶莲花灯4件器物，且白釉兽面贴花罐与白釉狮首塔式盖罐罐体完全一样，只是少一个盖，在唐墓中并未发现更多破损器物。由此看，2件瓷质盖罐与2件当时定名彩绘白陶莲花灯应是2件塔式罐组合。基于以上认识，工作人员利用展厅文物调整机会，把白釉狮首塔式盖罐与彩绘白陶莲花灯器物放在一起进行组合，一个由盖、兽面罐和底座组成塔式罐便完整呈现在人们面前。

巩县窑白釉狮首塔形盖罐通高65厘米，口径11厘米。罐盖为四级塔刹式，拱形盖面。罐为圆球腹，平底，腹部贴塑六个等距的狮首。

巩县窑白釉狮首塔形盖罐灰白胎，施白釉，釉色泛青，为唐代巩县窑白瓷精品。

巩县窑白釉狮首塔形盖罐藏于河南博物院。

白釉人首柄壶（胡瓶）　唐代文物。1956年4月，山西省太原市石庄头村农民在挖排洪渠时发现，后由山西省文管会移交至山西省博物馆。

白釉人首柄壶（胡瓶）高31.2厘米，口径9.85厘米，底径7.8厘米。浅杯形口，一侧为流，束颈，壶柄与口沿形似带茎荷叶，间饰一人首。橄榄形腹，足外撇，足心内凹。釉色微闪青，施釉至足。壶腹部流与柄以下部分均有贴花装饰，从胎质和釉色观察，为北方窑场生产。

白釉人首柄壶（胡瓶）造型仿萨珊波斯金银器，具有浓厚西域风格，壶柄上端堆塑人头

像为汉人面相，体现中外文化交流和融合。这种瓶当时又称"胡瓶"。

白釉人首柄壶（胡瓶）藏于山西博物院。

白釉印花鸳鸯衔绶纹如意头形盒　唐代文物。1991年，陕西省西安市南郊韦氏家族墓地出土。韦氏家族自汉至唐为长安望族，唐代时韦氏家族17人官至宰相，韦家女眷同李氏皇族频频联姻，出皇妃、皇后、皇太后若干。考古人员在西安地区多处发现韦氏家族墓，发掘出土大量精美珍贵器物。

白釉印花鸳鸯衔绶纹如意头形盒高3.5厘米，长8厘米，宽5厘米。整体造型呈多曲花形，盖呈弧顶，盒方唇，直口，平底，盒外底存留支钉痕三枚，呈三角形分布。白胎细洁，施白色釉微泛青，内壁仅口沿处露胎。顶部居中模印绶带纹饰，分左右飘拂，其上相对站立两只振

翅欲飞之鸳鸯，喙衔绶带边沿将其抬起。

白釉印花鸳鸯衔绶纹如意头形盒造型别致，平面似一待放花蕾。

白釉印花鸳鸯衔绶纹如意头形盒存于陕西省考古研究院。

定窑白釉镂雕宫殿人物枕　五代时期文物。上海博物馆征集。

定窑白釉镂雕宫殿人物枕高13.6厘米，长22.9厘米，宽18.4厘米。枕面呈如意头形，上印并刻划缠枝花纹。枕身为方形座，以中国古代建筑形式表现，包含倚柱、斗拱、房檐、门窗等建筑组件。枕身下部为建筑台基，四周刻有卷叶纹，外底戳有一个通气小孔。枕身前后两面各有两扇雕花格子门。前侧殿门掩蔽，后侧殿门半开，一名峨冠博带男子侧立于门前，倚门以待。枕的制作，先采用分段模制，然后将枕面、枕身、枕底粘接而成。通体施白釉，纯净洁白，积釉处微闪黄绿。从胎、釉、工艺痕迹等方面看，此枕与定窑产品较为相似。近年来，在定窑涧磁岭窑址发掘中，已见同样如意头枕面印模。

陶瓷枕，唐代已见到，宋金时期广为流行，形状多样，而建筑形式镂雕宫殿人物枕，

则罕见。陶瓷枕因过去多出土于墓葬，所以长期以来一直认为是陪葬所用。直到20世纪20年代，河北省巨鹿县城出土大量陶瓷枕，有的在当时住宅内，有的在瓷器铺中，有的还带有"新婚""长命枕"等字款，显然是生活用枕。近年来，在许多城址、遗址考古发掘中也大量出现陶瓷枕，故对其实用性有更进一步认识。

定窑白釉镂雕宫殿人物枕藏于上海博物馆。

定窑白釉刻莲纹龙首大净瓶　北宋至道元年（995年）文物。1969年12月，净众院塔基地宫出土。净众院塔基地宫位于河北省定县城西南侧城关镇兴无街大队耕地内。兴无街大队在平整土地时，发现碎砖堆积，清理后发现一道单砖平砌墙壁，在距地面1.5米处发现墙后一道券门，有两扇石门，门上有铺首，用大铁锁锁着（已腐朽脱落）。石门里面有石函及许多器物。定窑白釉刻莲纹龙首大净瓶在石函之上。据《创修净众院记》，净众院在北宋初年曾是居民李敬千菜地，施舍给僧侣，在一位被称义演僧人主持下修建寺院。北宋雍熙三年（986年）由宋太宗赵光义赐名为"净众院"。塔基为北宋至道元年安葬义演等人所建

舍利塔基。

定窑白釉刻莲纹龙首大净瓶瓶高60.5厘米，口径2厘米，腹径18.2厘米，足径10.7厘米。细长颈，丰肩，瘦腹，龙首短流。颈上部刻划仰覆莲瓣纹，中部凸出如圆盘，下部为竹节纹。肩部刻仰莲纹三重。上腹有缠枝菊花纹一周，下腹刻仰莲纹四重。肩塑龙首流，龙头高昂。胎质细白坚硬；釉色莹润、乳白泛灰，略有垂釉痕。造型修长秀雅，纹饰精细流畅，器形硕大，有"定瓷之王"美誉。

净瓶又名军持，是佛教徒用于贮水或净手器皿，也是佛教僧侣游方时随身携带"十八物"之一。源于佛教发源地印度，南北朝时随佛教传入中国。1969年12月，定窑白釉刻莲纹龙首大净瓶入藏定县博物馆。2013年8月，定窑白釉刻莲纹龙首大净瓶被国家文物局列入第

三批禁止出境展览文物目录。

定窑白釉刻莲花纹龙首大净瓶藏于定州市博物馆。

定窑白釉孩儿枕 北宋文物。故宫博物院旧藏。

定窑白釉孩儿枕高18.3厘米，长30厘米，宽11.8厘米。枕作一胖孩儿侧脸伏卧于榻上状，以孩儿脊背作枕面。孩儿两臂交叉，左臂在上，右臂在下，头枕于左臂上，右手持一结带绣球，臀部微撅，两条小腿自然翘起，弯曲交叉。状态悠然自得。其身着长衫，外套坎肩，衣纹雕刻自然，衫上印有团状折枝野菊纹。孩儿双目炯炯有神，头两侧各留一绺发，显示出天真可爱神情。下身着长裤，足蹬软靴。榻呈椭圆形，周边雕刻海棠式壶门，开光内外分别雕刻蟠螭、如意头纹。通体施白釉，釉色白中略泛象牙黄色。外底素胎无釉，开有两个小出气孔。

据清宫造办处档案记载，乾隆皇帝于乾隆三十八至四十年（1773～1775年）曾多次提看定窑白釉孩儿枕，并下令为其配制木座、锦垫，可见对孩儿枕的喜爱。在乾隆皇帝御制咏定窑瓷器诗中，也以题咏娃娃枕（孩儿枕）

者最多，共11首。乾隆四十七年（1782年）《咏定瓷娃娃枕》："荷花荷叶贴腰醺，跪股曲肱睡正酣。作枕却供他人寐，前三三即后三三。"（《御制诗四集》卷八十七"古今体九十六首壬寅三"）。唐、宋时期，陶瓷装饰之所以出现大量婴孩题材，有其深刻的社会背景。从唐代科举制度、医学和文学方面看，当时社会已很重视儿童。宋代社会对儿童则更加重视，儿童所表现出生动活泼、率真可爱、吉祥热闹的生活情趣，为广大市民阶层和上层社会所青睐。北宋时期，每逢皇帝寿辰，朝廷都命教坊中由数百名儿童组成歌舞队，参加宫中举行的盛大庆祝活动。宋代绘画作品中也出现儿童题材。如李嵩的《货郎图》，逼真描绘一群观看、争购玩具的儿童。宋人绘《闹学图》则以洗练笔法生动描绘出顽童闹学场景。宋代大臣们所用束带上亦出现儿童装饰题材，宋代陶瓷器上出现大量以儿童为题材的装饰，当与这种社会背景有密切关系。定窑白釉孩儿枕以孩儿脊背作枕面，设计颇具匠心。其雕塑手法细致入微，将孩儿体态特征刻画得活灵活现，体现出匠师游刃有余的艺术表现力，凝聚匠师倾注的真、善、美。孩儿形象与擅画婴孩北宋画家苏汉臣（1094～1172年）所绘《秋庭婴戏图》《杂技戏孩图》上婴孩形象如出一辙。

定窑白釉孩儿枕藏于故宫博物院。

定窑白釉印花云龙纹盘 北宋文物。上海博物馆征集。

定窑白釉印花云龙纹盘高4.8厘米，口径23.2厘米，足径10.7厘米。敞口，浅腹，圈足。釉色白中微微泛黄，圈足满釉，覆烧，口沿为芒口镶铜边。盘内印云龙纹，内壁印绵密

祥云，形成云气缭绕氛围，衬托盘心蛟龙，龙鳞历历，须发飘逸，宛若腾云驾雾一般。此器工艺精湛，印花清晰可辨，为北宋定窑佳器。

定窑白瓷盘碗一大特点是芒口，盘、碗、杯等圆器口沿处不上釉而露出一圈胎骨。口沿无釉瓷器在使用时会有一种毛涩感，且易积累污垢，不易清洗。所以，南宋人叶寘在《坦斋笔衡》中记载："本朝以定州白瓷器有芒，不堪用。"为弥补芒口缺陷，往往以金、银、铜圈镶在口沿上作为装饰，增添华贵典雅艺术魅力。

定窑白釉印花云龙纹盘藏于上海博物馆。

白釉莲花口弦纹六管瓶 北宋文物。上海博物馆征集。

白釉莲花口弦纹六管瓶高40.7厘米，口径4.3厘米，足径11.1厘米。瓶口呈花苞形，阳刻莲瓣3层，错落有致，立体感强。长颈，颈部饰6道凸弦纹。溜肩，肩部均匀分布6根管状流。鼓腹，腹下渐收，圈足。器身施白釉，釉色白中闪黄，釉面有细小开片。底足不施釉，露胎处呈灰白色。其胎釉特征属北方窑场，但具体窑口尚不明确。

宋代不少窑口都生产多管瓶，为冥器。多管瓶皆广口，有盖。白釉莲花口弦纹六管瓶无盖且小口，很有可能另作它用。据《清异录》中"器具门·占景盘"载："郭江州有巧思，多创物，见遗占景盘，铜为之，花唇平底，深四寸许，底上出细筒殆数十。每用时，满添清水，择繁花插筒中，可留十余日。"因此小口多管瓶功用或许与"占景盘"类似，且有可能是《大日经》等佛教典籍所载插置生花或人造花、供养于佛前所谓"华瓶"一类插花具。

白釉莲花口弦纹六管瓶藏于上海博物馆。

介休窑白釉镂空熏炉　北宋文物。1958年8月，山西省太原市金胜村太原玻璃厂出土。由山西省文管会征集，同年由山西省文管会移交山西省博物馆。介休窑是山西地区著名窑场，烧造时间长，产品丰富，尤以宋金时期产品为佳。从已发现资料分析，其创烧时间应在北宋早期。烧造白瓷胎质坚硬，釉面莹润，圈足修削工整而又轻巧。最大特色为底部细小且坚硬支钉。支钉用黏度大、耐火度高细泥制作而成。

介休窑白釉镂空熏炉通高11.7厘米，口径6.1厘米。熏炉呈卵形，炉盖镂孔，腹下喇叭形高足。胎体细白坚致，釉色闪青，釉面光亮无开片，造型周正，为山西省介休窑烧造白釉瓷精品。

熏炉是古时用来熏香和取暖的炉子，最初多为青铜质地，汉代后，熏炉材质逐渐丰富起来。宋代出现更多造型，很快发展成文人把玩之物。

介休窑白釉镂空熏炉藏于山西博物院。

新安城关窑白釉珍珠地划双凤纹元宝形枕　北宋文物。香港实业家、文物收藏家杨永

德侩俪于西汉南越王博物馆建馆之初捐赠给该馆200余件陶瓷枕之一。

新安城关窑白釉珍珠地划双凤纹元宝形枕高11.8厘米，长12.4厘米，宽20.4厘米。呈元宝状，枕面主图案为雌雄双凤，珍珠地衬托，枕侧面刻缠枝牡丹纹。枕后墙中心偏上部有一通气孔。

珍珠地划花纹是晚唐兴起于河南密县窑一种装饰技法，借鉴唐代金银器錾花工艺而创制的一种陶瓷装饰工艺，用细小金属圆管或麦秆芦苇秆等作为工具，在陶瓷坯胎上纹饰空隙处戳印细而密圆圈纹，形似散落珍珠，故称珍珠地。

新安城关窑白釉珍珠地划双凤纹元宝形枕藏于广州西汉南越王博物馆。

当阳峪窑白釉剔划花草纹瓶　北宋文物。故宫博物院旧藏。

当阳峪窑白釉剔划花草纹瓶高27厘米，口径2.5厘米，足径7.5厘米。瓶小口，口沿外折，短细颈，溜肩，鼓腹，圈足。外壁通体白釉剔花装饰。肩部两层纹饰，上为卷草，下为几何网格纹；腹部亦两层纹饰，上为花草，下为几何网格纹。用工具划出图案轮廓和花叶筋

脉，再用刀具将花纹以外地子白色化妆土剔掉，露出深褐色胎，形成深褐色地子衬托白色花纹装饰效果。

宋、金时期，中国河北、河南、山西、内蒙古、宁夏等地一些瓷窑，为解决当地制瓷原料不够纯净而给瓷器烧造带来的弊端，利用化妆土或黑釉遮盖能力，大量采用白釉或黑釉剔花装饰，形成新的装饰风格，其中以当阳峪窑产品最受人称道。当阳峪窑位于河南省焦作市修武县西北约22千米西村乡当阳峪村。2006年5月25日，当阳峪瓷窑遗址被国务院公布为第六批全国重点文物保护单位。

当阳峪窑白釉剔划花草纹瓶藏于故宫博物院。

登封窑白釉珍珠地划花双虎纹瓶　北宋文物。故宫博物院旧藏。

登封窑白釉珍珠地划花双虎纹瓶高32.1厘

米，口径7.1厘米，足径9.9厘米。形似橄榄，圈足，胎呈红褐色，器表敷白色化妆土，罩透明釉。通体珍珠地划花装饰，主题纹饰为双虎搏斗，一虎站立，张牙舞爪，另一虎作欲扑状。以柱石、丛草作画面陪衬，近底处划16个莲瓣纹。物象刻画生动。纹饰空间满戳珍珠状小圆圈，为"珍珠地"。划花线条和戳印圆圈凹陷处因去掉化妆土而露出红褐色胎，图案空白处因保留化妆土而呈白色，二者相互映衬，相得益彰。

传世登封窑白釉珍珠地划花橄榄瓶国内仅有两件，刻划双虎纹橄榄瓶国内仅此一件。2013年8月，登封窑白釉珍珠地划花双虎纹瓶被国家文物局列入第三批禁止出境展览文物目录。

登封窑白釉珍珠地划花双虎纹瓶藏于故宫博物院。

磁峰窑白釉印花大雁莲花纹深腹碗　南宋文物。1991年9月18日，四川省遂宁县金鱼村村民王世仁在菜地挖坑取土时，发现一窖藏，文物部门立即进行抢救性发掘。窖藏出土完整和可复原器物1005件，其中磁峰窑白釉印花大

雁莲花纹深腹碗18件。

磁峰窑白釉印花大雁莲花纹深腹碗高8厘米，口径20.9厘米，足径6.5厘米。敞口，斜腹略弧，浅圈足。模印主题花纹于碗内壁，花纹连续而又有分组，一组为莲花、花蕾、莲叶；二组为两只反向振翅的大雁和两支梅花；三组为莲花、莲叶和花蕾；四组为两只同飞大雁，其后是两枝梅花。辅助花纹位于内壁口沿下，为一周覆式花瓣。内壁近碗底处有六个垫烧痕迹。磁峰窑白釉印花大雁莲花纹深腹碗敷白色化妆土罩透明釉，釉色略显灰黄，釉层较薄。

1976年，发现磁峰窑遗址，位于四川省彭州市西北磁峰村，专烧白瓷，产品类似定窑。

磁峰窑白釉印花大雁莲花纹深腹碗藏于四川宋瓷博物馆。

白釉珍珠地刻划缠枝花卉纹梅瓶　宋代文物。1984年6月，河南省渑池县文物管理所进行第四次文物普查时，在南村乡征集。

白釉珍珠地刻划缠枝花卉纹梅瓶高29.6厘米，口径6.22厘米，底径9.8厘米。小口，短颈，圆肩，深腹，卧足。通体施白釉。瓶身

纹饰分为三组，颈、肩饰珍珠地缠枝菊花纹，腹部饰珍珠地缠枝牡丹纹，近底部饰一周莲瓣纹，线条均匀流畅。

2000年8月，渑池县文物管理所将白釉珍珠地刻划缠枝花卉纹梅瓶移交三门峡市博物馆收藏。

鲁山段店窑白釉珍珠地刻划牡丹纹梅瓶宋代文物。1955年，河南省方城县杨集乡官庄村出土。出土后，由村农会保存，后收入县文化馆。1984年12月24日，入藏方城县博物馆。1997年5月，调拨河南博物院。

鲁山段店窑白釉珍珠地刻划牡丹纹梅瓶高38.5厘米，口径7.5厘米，底径9厘米。小口，短颈，圆肩，瘦腹，卧足，足内露胎。胎色灰，通体施白釉。腹部刻划大叶牡丹纹，珍珠纹铺地，肩部与胫部分别刻有覆、仰莲瓣纹。

中国古代生产珍珠地划花瓷器窑址有河南、山西、河北等地，其中以河南省最多，产品也最精。鲁山段店窑白釉珍珠地刻划牡丹纹梅瓶纹饰繁而不乱，主题突出，工艺精细，为段店窑代表性作品。

鲁山段店窑白釉珍珠地刻划牡丹纹梅瓶藏于河南博物院。

登封窑白釉剔花笔筒　宋代文物。1999年9月，为配合淮阳弦歌湖开发清淤工程建设，河南省周口市文物考古管理所对湖区古墓群进行抢救性清理。其中一座北宋中晚期墓葬，由斜坡墓道、砖砌甬道、主室和东耳室组成。耳室内发现盗洞。随葬器物除几片瓷碗残片外，在主墓室西北角发现保存完好的登封窑白釉剔花笔筒。

登封窑白釉剔花笔筒高18厘米，口径9.3

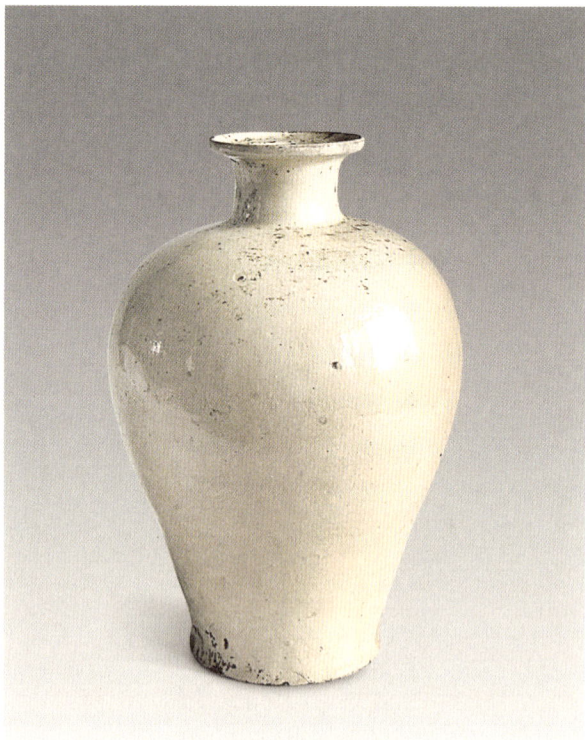

厘米，底径9.21厘米。筒形腹，腹部微鼓，圈足。深褐色胎，乳白色釉，釉面匀净光亮。器表有很深剔刻花纹，中部刻划硕大缠枝菊花纹，口沿和底部分别刻双层覆、仰莲瓣纹。剔刻技艺娴熟，线条流畅，刀法利落，有很强立体感。

登封窑是晚唐至元代民间窑场，北宋为其繁盛期。烧造品种丰富，以白釉为主，北宋中期以后，开始烧制白釉剔刻花瓷器。

登封窑白釉剔花笔筒藏于周口市博物馆。

江官屯窑白釉瓶　辽代文物。1978年春，辽宁省辽阳市文物管理所得知，辽阳县小屯镇江官屯村村民将地下出土江官屯窑瓷器用作日常生活器皿，前往调查。经与当地村民协商，文管所用新买来瓷盒、塑料桶等与村民交换文物。江官屯窑位于辽宁省辽阳市东30千米辽阳县小屯镇江官屯村，是中国北方辽金时期一处大型古窑址，烧造瓷器以黑釉和白釉瓷为主，

造型和工艺受定窑和磁州窑影响较大。2013年，江官屯窑遗址被公布为第七批全国重点文物保护单位。

江官屯窑白釉瓶高29厘米，口径8.4厘米，腹径19.7厘米，底径11.2厘米。盘口束颈，圆肩，下腹内收。敷白色化妆土罩透明釉，釉中杂有细小黑斑点。

江官屯窑白釉瓶藏于辽阳博物馆。

白釉三叉提梁壶　辽代文物。山西省大同市南郊新泉砖厂出土。

白釉三叉提梁壶高16.5厘米，口径4.4厘米，底径5.7厘米。提梁壶口部内凹折出一圈平台，中部有一圆孔，溜肩，肩部有一弓形提梁，提梁下部有两道细弦纹，上腹置一流，下腹略鼓，腹壁一周有六道竖向凹压痕，圈足。提梁前端分三叉，每叉下端贴附圆形花饰，后端塑形为编绳状，其下端贴附如意形花饰。提梁壶器表釉色白中闪青，足底无釉。

辽代陶、瓷器制作基本承袭唐代陶瓷工艺，和北宋中原地区陶瓷制作工艺属同一系统。辽瓷以白瓷为主，有精、粗之分，白釉三叉提梁壶为辽白瓷中精品。

白釉三叉提梁壶藏于山西博物院。

白釉"官"字款鎏金银釦花口洗 辽代文物。1974年，辽宁省法库县叶茂台7号辽墓出土。叶茂台辽墓是辽承相萧义家族墓群。7号墓为一多室砖墓，墓室由青砖砌筑，由主室、前室、东西耳室组成。东耳室随葬生活用具包括鸡冠壶、鸡腿坛、长颈壶等。近耳室门口放置一件银釦大漆盘，盘内摆放7件白釉瓷器。西耳室随葬成套鞍马具。墓主人为一中老年女性，应是契丹贵族。

白釉"官"字款鎏金银釦花口洗高6.3厘米，口径21.6厘米，足径7厘米。口呈花瓣式，镶鎏金银釦，浅腹，圈足。胎质细白。器身外满施釉，仅口边及圈足无釉。釉面光洁，釉色白中闪黄，釉层薄，釉下可见明显拉坯痕迹。洗内划变体"飞凤"式纹饰，间以卷云或圆圈纹，外底划"官"字款识。

白釉"官"字款鎏金银釦花口洗藏于辽宁省博物馆。

白釉人首摩羯形提梁壶 辽代文物。内蒙古博物院征集。

白釉人首摩羯形提梁壶通高16厘米，足径7.5厘米。壶身为龙头鱼身有双翅摩羯形，龙头为流，鱼尾上翘，脊背部有花冠状注水口，颈部上方为一女童头像，脑后与鱼尾之间相连曲柄为提梁。壶身刻细密鳞片，背部附双翼，足侧塑有龙爪。女童双眼凝视前方，头发整齐结于两侧，头发、颈、臂间贴饰花朵和飞动式彩带，双臂捧持一龙头短注。壶身通体施白釉，釉色微黄，有象牙般质感。

摩羯形象源于印度神话中一种长鼻利齿、鱼身鱼尾动物，是河水之精、生命之本，有吞噬一切烦恼的法力。其形象来源于鲸、象、鱼、鳄等动物。4世纪末东汉时期，摩羯纹与佛教一起传入中国。隋唐后，佛教大为盛行，摩羯纹随之流行，虽辽代原始宗教为萨满教，但对佛教、道教采取兼容并蓄的宽容态度。此

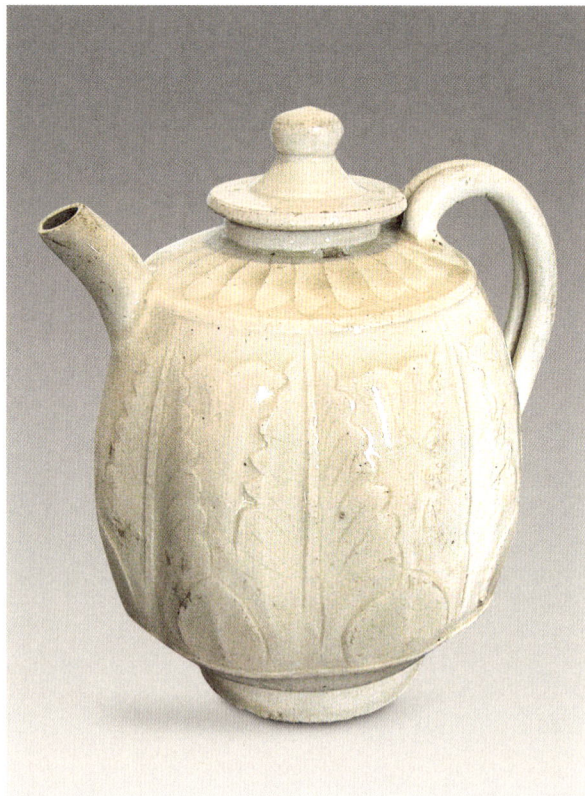

时，陶瓷器、金银器、玉器中的摩羯纹，表达人们希望得到如来恩惠和保护的愿望。

白釉人首摩羯形提梁壶藏于内蒙古博物院。

龙泉务窑白釉刻莲瓣纹注子　辽代文物。1960年，北京市民周德蕴女士向中国历史博物馆捐赠大批文物，包括瓷器400余件，龙泉务窑白釉刻莲瓣纹注子为其中之一。

龙泉务窑白釉刻莲瓣纹注子高14.1厘米，腹径13厘米，足径6.2厘米。直口，短颈，折肩，瓜棱腹，肩部一侧有短流，与之相对应处为双条形把柄。肩部饰菊瓣纹一周，腹部剔刻蕉叶纹和莲瓣纹。蕉叶纹叶脉清晰，中间起棱，边缘似锯齿，叶片近似三角形。下腹刻一周莲瓣纹。通体施白釉，釉色白中泛黄，明亮莹润，肩部花纹凹陷处可见积釉，施釉近底，圈足及外底露胎。

龙泉务窑是华北地区最大一处辽金瓷窑遗址，产品以白瓷为主，窑址位于北京市门头沟区龙泉镇西北5千米龙泉务村。1991～1994年，考古人员对龙泉务窑址进行发掘、清理，窑址总面积2.76万平方米，出土8000余件器物，在辽代晚期地层中，出土了与龙泉务窑白釉刻莲瓣纹注子器形、釉色、纹饰完全一致的残器。

龙泉务窑白釉刻莲瓣纹注子藏于中国国家博物馆。

登封窑白釉珍珠地划缠枝花卉纹四系瓶　金代文物。1960年，杨铨捐赠。杨铨（1898～1967年），祖籍广东鹤山，世居香港。1938年，郭沫若寓居香港时，曾应杨铨邀请，鉴赏其收藏，称赞其保护国家珍宝。1958年，杨铨应广州市市长朱光邀请，到国内参观一些博物馆和史迹名胜，目睹祖国文物都得到妥善保护，深受感动，决心将家藏文物全部无偿捐献给国家。1959～1964年，杨铨把5000余件／套文物分类鉴定，整理装箱，分八批运回广州，广东民间工艺博物馆接收其中3000余件／套。

登封窑白釉珍珠地划缠枝花卉纹四系瓶高

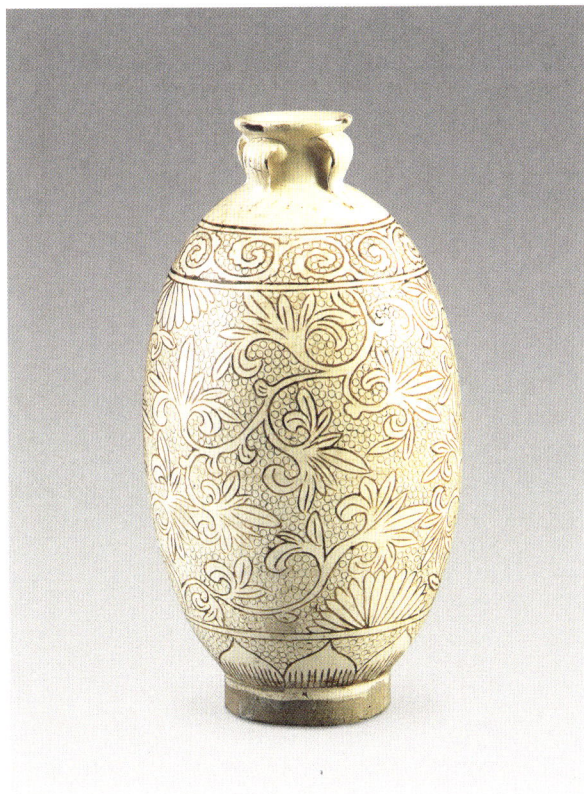

部为卷叶纹，腹部刻缠枝花，腹下为莲瓣纹，每段用弦纹间隔，刻划线条自然生动，珍珠纹铺地，细密均匀。

有研究者提出，登封窑白釉珍珠地划缠枝花卉纹四系瓶并非登封窑生产，应为修武当阳峪窑产品。

登封窑白釉珍珠地划缠枝花卉纹四系瓶藏于广东民间工艺博物馆。

河津窑白釉剔花缠枝牡丹纹八角枕　金代文物。2016年，山西省河津固镇窑址出土。河津窑位于山西省西南部，地处汾河与黄河汇流三角洲地带，历史上有关河津窑文献记载相对较少，仅在个别明清文献中略有提及。2016年，山西省考古研究所对河津窑四处窑址展开系统调查，并选择保存相对较好、堆积相对密集的固镇窑址进行考古发掘，出土可复原及完整瓷器1326件。

河津窑白釉剔花缠枝牡丹纹八角枕高5.2

27厘米，口径5.2厘米，底径7.5厘米。小口，溜肩，短颈上贴饰叶形四系，椭圆形长腹，圈足。灰白胎，白釉泛黄。瓶身为三段纹饰，肩

厘米，长60厘米，宽14厘米。枕面呈八角形，枕面出沿，前低后高。黄白胎，敷化妆土、剔刻纹饰后罩透明釉。釉色白中泛黄，釉面均匀，枕面开光中剔刻一朵盛开牡丹，花头硕大，花瓣饱满，层叠排列，两侧各饰一朵含苞牡丹，缠枝相连，花叶肥厚，纹样整体形象生动，尽显国色天香之美。

河津固镇窑址瓷器品种多样，有鲜明地域特色，时代为宋金时期，以金代遗存为主。

河津窑白釉剔花缠枝牡丹纹八角枕存于山西省考古研究所。

定窑白釉刻划萱草纹"花"字款碗 金代文物。吉林省农安县万金塔乡祥州古城出土。

定窑白釉刻划萱草纹"花"字款碗高11.3

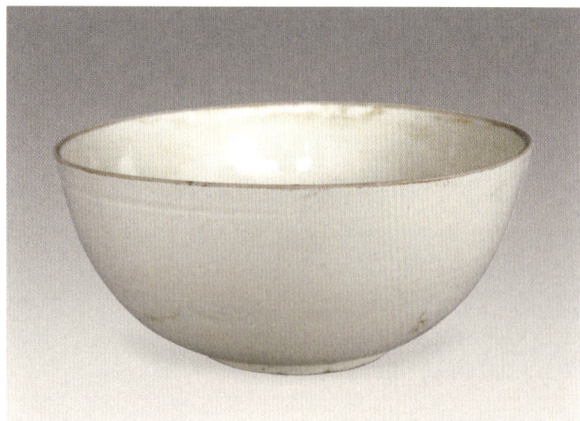

厘米，口径26厘米，足径11.9厘米。直口，深腹，胎土细腻，施白釉，器口一圈涩胎无釉。内壁刻划萱草纹，枝叶繁简有致，线条俊逸流畅。底部近圈足处划有"花"字款。

定窑白釉刻划萱草纹"花"字款碗整体规整大气，制作精细，是已知唯一定窑"花"字款瓷器。

定窑白釉刻划萱草纹"花"字款碗藏于吉林省农安县博物馆。

霍州窑白釉划花卷草纹盖罐 元代文物。山西省霍州市陈村出土。

霍州窑白釉划花卷草纹盖罐高10.9厘米，口径5.3厘米，底径4.9厘米。罐盖隆起一平台，顶为宝珠纽，盖下端为子口。罐口敛，鼓腹略垂，圈足。胎色洁白，质地细腻。白釉闪青，釉面光亮，内壁满釉，口沿刮釉，外壁釉不及底，肩部浅划一周卷草纹。

霍州窑位于山西省霍州市陈村，所烧瓷器以白瓷为主，精品胎薄体轻，釉层均匀，纹饰纤细精致。

霍州窑白釉划花卷草纹盖罐藏于山西博物院。

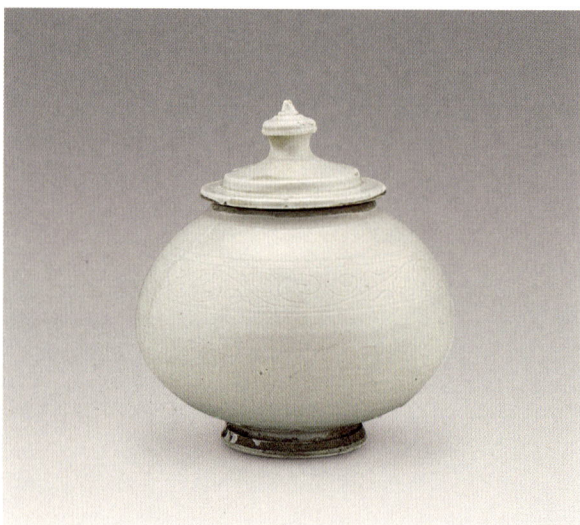

景德镇窑卵白釉印双龙纹菱口盘　元代文物。1964年，河北省保定市建筑公司在保定市永华南路小学进行建筑施工，当地基挖至1米深时，一工人挖出一个窖藏，里面有一批瓷器。随后，经考古人员专业清理，窖藏内出土瓷器11件，其中青花瓷6件，其他瓷器5件，景德镇窑卵白釉印双龙纹菱口盘即在其中。

景德镇窑卵白釉印双龙纹菱口盘高1.9厘米，直径16.2厘米，底径13.5厘米。菱花口，平折沿，浅腹，平底。胎体轻薄，胎质洁白。施卵白釉，釉面晶莹。盘内模印双龙纹，两条四爪龙首尾相接，龙张口瞠目，颈部细长曲折，腿壮有力，爪坚而利，须发随风飘动，龙身修长而显矫健之气势。

景德镇窑卵白釉印双龙纹菱口盘藏于河北博物院。

景德镇窑卵白釉"枢府"款缠枝牡丹纹折腹碗　元代文物。1958年，汪云松捐赠。汪云松（1873～1958年），祖籍湖北，随父定居巴县，为晚清廪生，任过知县、电灯总局总办等职。辛亥革命后返渝，随父经商，任大中银行总经理、重庆总商会会长、重庆参事会主席

等职。在重庆从事商业、实业、公益活动，组织、创办巴县医学堂（重庆存仁医学校）、重庆自来水公司，并筹资修建重庆至北碚、璧山两条公路，还创建大中银行、合生公司。后当选为重庆市第三届商会总会长、重庆市参议会议长。1919年，与温友松等筹组留法勤工俭学重庆分会，被推选为会长。曾出面联系、帮助巴县、江津等县学子聂荣臻、陈毅等35人，赴法勤工俭学。1949年后，任重庆市人民委员会委员，重庆市一届、二届人大代表，重庆市文史研究馆副馆长。

景德镇窑卵白釉"枢府"款缠枝牡丹纹折腹碗高4.5厘米，口径11.5厘米，底径4.3厘米。敞口，折腹，圈足。釉色白，釉质温润丰厚。内壁模印缠枝牡丹纹九朵，内底为缠枝牡丹纹。内壁上有"枢""府"二字在花卉间对称排布。"枢府"款器瓷是元代最高军事机构枢密院或下辖军事机构委托浮梁磁局特别定制用瓷。其纹饰来源是经由将作院下辖机构画局设计，景德镇浮梁磁局严格按照图案进行生产。

景德镇窑卵白釉"枢府"款缠枝牡丹纹折腹碗藏于重庆中国三峡博物馆。

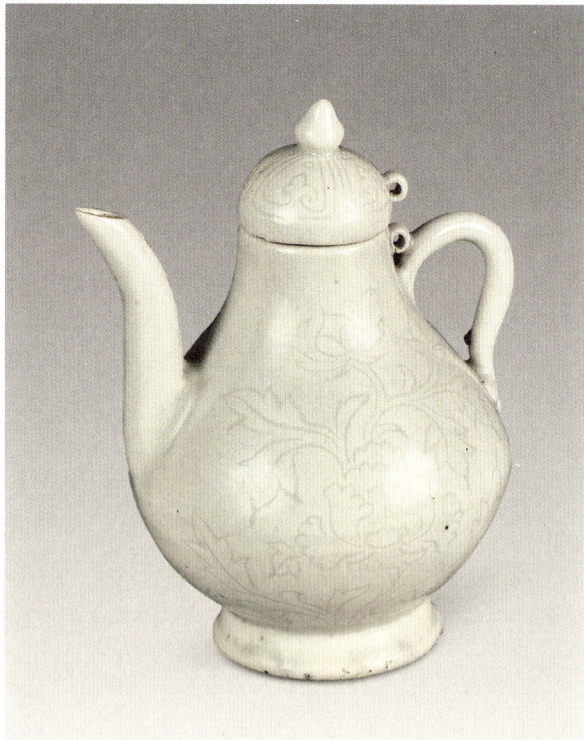

景德镇窑卵白釉镂花高足杯　元代文物。1984年，江苏省扬州市老虎山西路出土。

景德镇窑卵白釉镂花高足杯高12.7厘米，口径11.7厘米，底径5厘米。杯口外撇，深腹，喇叭形高圈足，挖足较深，杯身与圈足分制粘接。杯身为双层结构，内口沿印回纹图案，外壁腹部镂雕牡丹、梅花、菊花等折枝花卉图案。镂雕部位外侧堆贴由联珠纹组成莲瓣纹饰。圈足中部有一道横弦纹，其下至底有凸起竖纹，排列规整，精细匀称。

景德镇窑卵白釉镂花高足杯胎质细密洁白，施白色釉，釉色莹润。元代卵白釉镂孔器十分罕见，双层镂花，器形精美、工艺精湛，为景德窑烧制珍品。

景德镇窑卵白釉镂花高足杯藏于扬州博物馆。

景德镇窑甜白釉暗花牡丹纹梨式壶　明永乐十六年（1418年）文物。1960年2月，江苏

省南京市中华门外郎家山（明称雷家山）西麓西宁侯宋晟家族墓葬被意外发现。南京市文物保管委员会（南京市博物馆前身）派考古人员对宋晟家族墓葬进行考古发掘，在三个圆形土墩内清理出6座墓葬。根据出土墓志可知，中间土墩埋藏宋晟父亲宋朝用和夫人两座墓葬，南面土墩埋藏宋晟和夫人叶氏两座墓葬，北面土墩埋藏宋晟两位夫人丁氏和许氏两座墓葬。宋晟，字景阳，安徽定远人，早年随父亲宋朝用、兄长宋国兴参加朱元璋起义军，在推翻蒙元战斗中屡建奇功。明成祖朱棣即位后，任右军都督府左都督，永乐三年（1405年）封西宁侯。宋晟历经洪武、建文、永乐三朝，对保卫明初西北边疆做出杰出贡献。宋晟在永乐一朝极尽恩宠，明成祖朱棣分别将文成公主、咸宁公主下嫁给宋晟两个儿子宋琥、宋瑛。宋晟夫人叶氏墓葬出土墓志一合，志盖篆书"西宁侯夫人叶氏墓志"九字，叶氏墓中出土随葬品50

余件，其中瓷器48件，景德镇窑甜白釉暗花牡丹纹梨式壶即在其中。

景德镇窑甜白釉暗花牡丹纹梨式壶高13.2厘米，口径3.3厘米，腹径9厘米，底径5.5厘米。壶身呈梨形，小口，口下渐丰，圆腹，圈足外撇。宝珠形盖纽，盖侧、壶柄上方各有一圆系，可以用绳相系，防止滑脱。壶身兼腹部对称置曲流、执柄。全器通体施白釉，釉面丰腴温润。盖顶暗刻如意莲瓣纹，腹部刻划两组折枝牡丹花纹，花叶连绵，茎蔓缠绕。

景德镇窑甜白釉暗花牡丹纹梨式壶造型秀巧，胎釉俱佳，为永乐瓷中精品。

景德镇窑甜白釉暗花牡丹纹梨式壶藏于南京市博物馆。

景德镇窑白釉三壶连通器 明永乐年间（1403～1424年）文物。1983年，江西省景德镇明御窑厂南院东侧出土。1983年，景德镇珠山翻修马路，沟道以南做清理发掘，前后三次发掘面积为180平方米，获大量可复原永乐甜白釉瓷器，其中有一部分仿伊斯兰器形器物，景德镇窑白釉三壶连通器即在其中。

景德镇窑白釉三壶连通器高31.2厘米。口作杯状，杯底有花形筛孔，通过颈部内管及其下三扁管与三个带圈足球状皿相连通。颈之外层以镂空花纹为饰，器身饰凸弦纹七道，其间锥刻阿拉伯錾金纹样。釉色温润，俗称甜白釉，其色泽柔和，呈半木光，釉面隐隐可见橘皮纹。从断面观察，除了三个球状皿下半截外，其余部分均采用模印分段粘接而成，故部件多，结构复杂，成型难度大，当年成品率不会太高。

景德镇窑白釉三壶连通器造型复杂，工艺精湛，可能仿自12世纪土耳其陶器，为罕见孤品。

景德镇窑白釉三壶连通器藏于景德镇御窑博物馆。

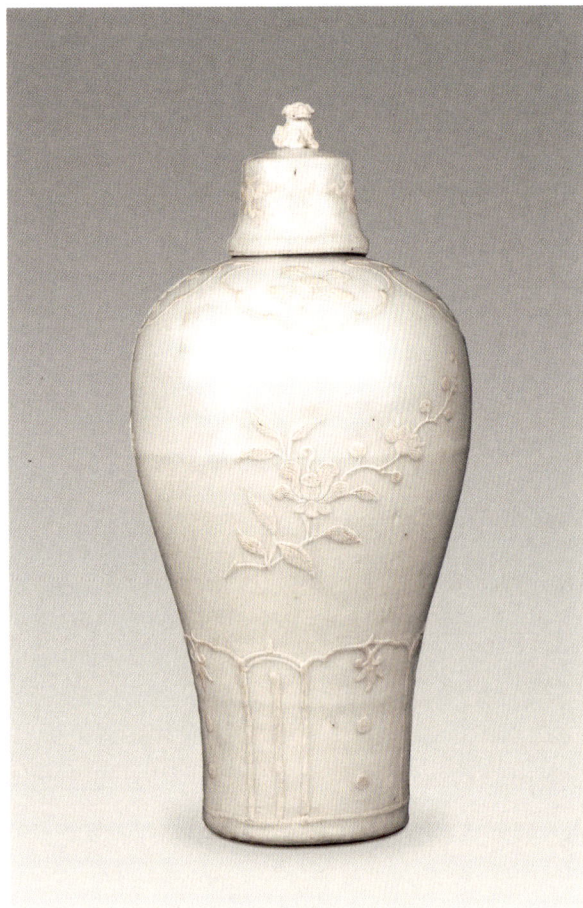

白釉贴花折枝花卉纹兽纽盖梅瓶 明弘治年间（1488～1505年）文物。2003年2月27日，广东省东莞市寮步镇上屯村响堂岭东面坡地发现墓群，东莞市博物馆会同广东省文物考古研究所、广东药学院工作人员赶赴现场，对墓群进行抢救性清理发掘。墓群总面积近千平方米，地表存有两个7米余高华表和散落在墓道两边石雕文武官俑、石马、石狮等，共发掘清理出8座墓葬，为家族墓。从A2号墓出土白釉贴花折枝花卉纹兽纽盖梅瓶一对。墓志铭记载，A2号墓墓主钟松雪，东莞寮步横坑村人，其二儿子是明弘治进士、云南布政使司左参政钟渤。钟松雪生于明宣德八年（1433年），卒于弘治十八年（1505年），葬于正德二年（1507年），享年72岁。死后被封赐征侍郎刑

科给事中。梅瓶置于祭台左侧灰砂坑，在坑中呈直立状，并无歪斜，盖紧扣在瓶上，瓶内沉淀淤泥约半瓶，淤泥使瓶重心向下保持直立，灰砂对瓶外部起到保护作用。

白釉贴花折枝花卉纹兽纽盖梅瓶之一通高30厘米，口径4厘米，腹径15.2厘米，底径7.3厘米，重1484克；之二通高30厘米，口径4厘米，腹径15.3厘米，底径9厘米，重1514克。圆唇，小口，丰肩，长腹，腹下收敛，浅圈足。钟形盖，蹲狮纽；肩贴如意云纹，云纹内贴饰折枝花卉纹；瓶腹贴折枝菊、梅各一支；底部贴饰变形莲瓣纹。胎体匀薄，白釉略泛青。外底有青花双方框楷书"大明年造"四字款。

白釉贴花折枝花卉纹兽纽盖梅瓶采用白釉贴花工艺，在明代极为少见。

2013年起，白釉贴花折枝花卉纹兽纽盖梅瓶藏于东莞市博物馆。

德化窑何朝宗塑观音立像 明代文物。福建省外贸局移交福建博物院收藏。

德化窑何朝宗塑观音立像通高50厘米，底径14.5厘米。观音赤足立于云座上，正面饰三宝莲花，结高髻，上覆巾垂肩。面容端庄丰

润，微含笑意，呈俯视状。观音身着广袖通肩大衣，胸前垂挂璎珞，双手戴镯，交叉置于腹前，下着长裙，衣褶随风飘动。胎体厚重，内空，座底露胎，胎洁白细腻。通体施象牙白釉，釉面纯净莹亮，如脂似玉。背部印有小篆"何朝宗"葫芦章及"宣德"方章。德化窑何朝宗塑观音立像工艺精湛，比例准确，衣纹线条清晰简洁，翻转自然。德化瓷细腻质地和独特象牙白，将观音静美柔曼、朴素典雅的风韵展露无遗。

何朝宗（1522～1600年），又名何来，明代瓷塑工艺大师，福建德化白釉瓷雕风格创始人。作品吸收泥塑、木雕和石刻造像技法，结合瓷土特性，取众家之长，形成别具一格"何派艺术"。作品以达摩、观音、罗汉等佛教人物为主，发挥传统雕塑"传神写意"长处，微妙表现人物内心世界。

德化窑何朝宗塑观音立像藏于福建博物院。

德化窑张寿山塑负书罗汉立像 明代文物。广东省博物馆征集。

德化窑张寿山塑负书罗汉立像高23厘米。光头大耳，面相丰满，袒胸露腹，赤足踏于浪花底座中，袈裟随风飘动，衣褶飘逸自如，右肩负数册经书，右手握系书之绳。胎体厚重，胎质温润如玉，通体釉色白中微闪黄，釉面晶莹剔透，透光性强。像背后正中钤阴文篆书"张寿山"葫芦状戳记。

张寿山是明代晚期德化瓷塑名家，作品传世不多，此像为张寿山代表作。作者将罗汉神态悠然自得，笑口常开，看透世上凡间一切烦

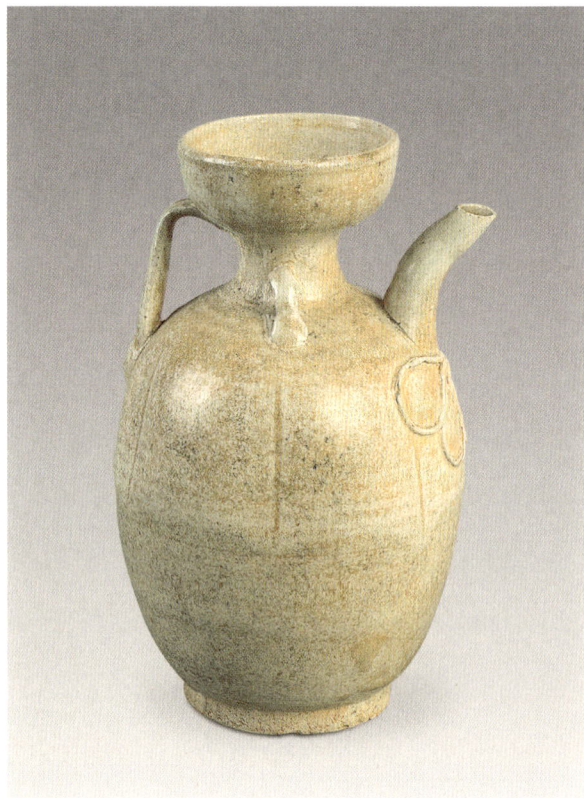

恼，大彻大悟的佛教意境，淋漓尽致地呈现出来，达到形神兼备效果。德化窑位于福建，是福建沿海地区古外销瓷重要产地，明代德化窑生产白瓷釉面滋润光亮，凝厚如堆脂，十分适合人物塑像制作，瓷像背面常见瓷塑艺术大师钤印。

德化窑张寿山塑负书罗汉立像藏于广东省博物馆。

繁昌窑青白釉蝴蝶纹双系执壶（注子） 北宋元祐二年（1087年）文物。1963年11月23日，安徽省宿松县北宋吴正臣夫妇合葬墓出土。

繁昌窑青白釉蝴蝶纹双系执壶（注子）高18.8厘米，口径7厘米，底径6.9厘米。盘口，细颈，溜肩，弧腹，肩部置双系，细曲流，流口略低于壶口，盘口与壶腹之间置扁条形柄。瓜棱腹，下腹部饰六瓣仰莲纹。细曲流下方贴塑由单股泥条捏成蝴蝶结形装饰。圈足底部露胎，

胎呈灰白色。施青白釉，微泛黄，釉层较薄，釉面呈亚光，整体造型匀称，贴花装饰简约。

注子是繁昌窑大宗产品，从初创到衰落一直占据重要位置。繁昌窑出土注子根据口部特征可分为盘口、喇叭口两大类。两类注子先后出现，交替发展。

繁昌窑青白釉蝴蝶纹双系执壶（注子）藏于安徽博物院。

景德镇窑青白釉注子、温碗 北宋元祐二年（1087年）文物。1963年11月23日，安徽省宿松县隘口公社洛土生产队社员攫石建窑时，发现一座古墓。公社立即上报县里，县文化部门遂派人赴现场勘查清理。该墓葬位于公路旁边小山坡上，墓顶距地面约3米。墓为石筑双室墓，两具石椁置于后室。墓室左右两壁放置两块石刻墓志，出土随葬品123件，有石砚、铜勺、瓷碗等，包括景德镇窑青白釉注子、温

碗。据墓志记载，墓主吴正臣夫妇葬于北宋元祐丁卯年（1087年）。出土文物由当地文管部门交由安徽省博物馆收藏。

景德镇窑青白釉注子通高20.2厘米，底径8厘米，口径3.5厘米；温碗高13.9厘米，底径8.5厘米，口径17.1厘米。宋代盛酒和温酒用具。注子为小口，直颈，斜折肩，肩上饰一周覆莲瓣纹，六棱形腹，前置上扬的细流，与壶口齐平。后置带式曲柄，高圈足。套盖，盖顶蹲一狮，昂首翘尾。施青白釉，釉色光润。温碗为莲花形，共七瓣，在相邻两个莲瓣接合处饰如意纹，碗下承以高圈足，圈足外装饰覆莲纹。温碗内底留有五个支钉痕，正好与注子底部支烧痕吻合，说明注子与温碗是成套叠烧。注子坐于温碗中，肩以下均没于碗体之中。

景德镇窑青白釉注子、温碗均藏于安徽博物院。

景德镇窑青白釉镂空香熏 北宋崇宁四年（1105年）文物。1973年，安徽省合肥市大兴集包氏家族墓群包绶墓出土。据包绶墓志记载，包绶为包拯的次子，包拯去世时，包绶年仅5岁，由长嫂崔氏抚养成人，25岁时受"荫补"，历任濠州团练判官、少府监丞、国子监丞、汝州通判等职。崇宁四年（1105年），在赴任潭州通判途中病故。包绶棺木内只有几件瓷器、砚台、残墨、铜镜和一些铜钱等少量物品，反映包绶一生清廉，与书为伴的事实。景德镇窑青白釉镂空香熏口沿有残缺，釉面磨损严重，从使用痕迹看，应是包绶生前使用多年物品，反映出墓主人生活俭朴，承载合肥包氏"清廉节俭"家风。

景德镇窑青白釉镂空香熏通高11厘米，口径11.4厘米。由炉身和炉盖组成，盖与身设计为子母口，便于套合。炉身呈圆筒形，平底，下承三只花瓣形足。炉盖为半球形，顶部镂空饰菊花纹，其下刻双层重叠二十四峰，峰间镂16个小圆孔，盖下口沿处再刻划弦纹两道。

景德镇窑青白釉镂空香熏造型浑圆饱满，瓷质细腻坚实，通体施青白釉，釉色纯正莹润。

景德镇窑青白釉镂空香熏藏于安徽博物院。

景德镇窑青白釉刻水禽纹渣斗　北宋宣和二年（1120年）文物。1983年，江西省景德镇市枫树山北宋程琳夫人墓出土。该墓遗物以景德镇窑瓷器为主，伴有少量金银器饰品。出土瓷器包括碗、碟、执壶、粉盒等，景德镇窑青白釉刻水禽纹渣斗仅此一件。

景德镇窑青白釉刻水禽纹渣斗高7.1厘米，口径16.6厘米，腹径9.1厘米，底径6.4厘米。喇叭口，宽沿，鼓腹，圈足，圈足处有四个支钉痕，足底无釉。内外均施青白釉。口沿内壁刻一对水禽，四周饰以水草，水禽悠然游于水草间。外腹刻划波纹及两道弦纹，内外纹饰相互呼应，构成双禽嬉水图。

渣斗又名奓斗、唾壶，起源于晋代。主要置于宴席餐桌上，盛载肉骨、鱼刺等食物渣滓，小型者亦用于盛载茶渣，故也列于茶具之中。北宋时期越窑、耀州窑、景德镇窑等窑口均有烧造。

景德镇窑青白釉刻水禽纹渣斗藏于景德镇御窑博物馆。

繁昌窑青白釉镂孔炉　北宋文物。1984年5月，安徽省繁昌县城西郊柳墩老坝冲基建工程中发现一处古墓群，繁昌县文物管理所及时进行清理。古墓群均为单室墓，分砖室墓和土坑墓两种形制。繁昌窑青白釉镂孔炉位于8号墓中，一同出土还有陶罐、瓷注子、杯形炉、铜钱等，墓葬年代为北宋中晚期。墓葬结构简单，部分墓室用残窑具（匣钵和垫饼等）、瓷片封顶。随葬品以繁昌窑烧制瓷器为主。墓葬区域东南距柯家冲、半边街窑址2千米，西至骆冲窑址仅1千米。根据这些现象推测，墓主可能是窑工。

繁昌窑青白釉镂孔炉高17厘米，口径12厘米，底径14厘米。炉下部为六瓣莲花形炉座，腹中空，炉座中央束腰，下刻划仰莲瓣纹。炉身由内外两层组成，内部为炉膛，置一豆形器。上部炉身口沿上有19枚乳丁，腹壁饰6个碟形和宝塔形镂孔，下沿外撇，有锯齿一周。炉身外层平底饼足碗刚好套置在腹部中空炉座内唇上。整器施青白釉，釉层较薄，釉色泛黄。

繁昌窑烧制瓷炉有多种样式，高足杯式炉、莲花炉（或菊形炉）、镂空炉三种，最为精致的是镂空香炉。

1998年，繁昌县文管所将这件器物拨交安徽省博物馆收藏。

景德镇窑青白釉熏炉 北宋文物。商州区博物馆征集。

景德镇窑青白釉熏炉高13厘米，口径8.2厘米，底径8.3厘米。炉体呈球状，台式双圈足，高圈足上开有三孔（壶门）。盖顶居中有一圆孔，周边有一圈镂空小孔，下有多排镂空菱形孔。胎色洁白，质地坚细，外壁施青白釉，釉层匀净。

景德镇窑青白釉熏炉设计巧妙，造型美观，雕刻烧制俱精，显出青白釉瓷玲珑晶莹，为熏香用具。熏香为宋代四般闲事之一，流行于上层及文人雅士。

景德镇窑青白釉熏炉藏于商州区博物馆。

景德镇窑青白釉观音坐像 南宋文物。1978年夏，在江苏省常州市原市委大院内基建工地，施工单位发现一口古井，立刻报告当地文物部门，常州博物馆考古人员从井中清理出景德镇窑青白釉观音坐像。

景德镇窑青白釉观音坐像通高25.4厘米，底座长10.9厘米、宽6.5厘米。观音结跏趺坐于镂孔山岩宝座上，双臂搁于腿部，双手结定印状，双膝分开，赤脚搁于宝座镂孔台阶石上。宝座正面中间有一莲花形插座（插物已失），右边置一净瓶，左边塑一小鸟。观音像仪态大方，面相丰韵，天庭和两腮丰满圆润，上睑下覆，双眼下视，鼻若悬胆，双耳长垂，嘴角微上挑。观音头戴化拂珠冠，内穿僧祇

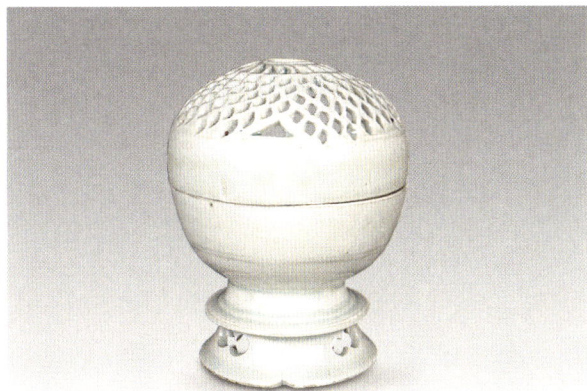

支，胸前佩挂串珠璎珞，两侧饰有挂落佩带，胸部露而不袒。外披通肩大衣，下着长裙。观音所披大衣和石崖处施青白釉，釉色青如湖水，其余部分都为涩胎，露胎处呈灰白、肉色、褐红等不同色泽。

景德镇窑青白釉观音坐像雕琢精细，细微之处一丝不苟，每根手指指甲都纤毫毕现。1997年，景德镇窑青白釉观音坐像参加"中国文物精华"展。

景德镇窑青白釉观音坐像藏于常州博物馆。

景德镇窑青白釉剔刻莲纹炉　南宋文物。1991年9月，四川省遂宁县金鱼村窖藏出土。

景德镇窑青白釉剔刻莲纹炉高16.5厘米，口径14.3厘米，足径10.2厘米。桶形腹，圈足。腹部剔刻莲纹，局部剔刻较深之处显现极薄胎体，呈透光状。口沿凸棱下有一周回纹。外壁及内沿施青白釉，釉色光洁，釉面有细小开片。内壁上部刷釉较为草率，未施釉处呈橙红色，内底为浅黄色，有黑褐色灼斑，并有烧制时产生开裂痕。遂宁金鱼村窖藏出土奁式炉两件，腹部略有差异，纹饰不同。

景德镇窑青白釉剔刻莲纹炉藏于四川宋瓷博物馆。

景德镇窑青白釉刻花婴戏图瓶　南宋文物。1997年，重庆市开县温家镇出土。

景德镇窑青白釉刻花婴戏图瓶通高29厘米，口径5.5厘米，底径10厘米。撇口细长颈，圆腹，圈足。釉色青中有白，莹润如玉，底无釉，露胎处有火石红。颈部饰蕉叶纹，腹部刻婴戏牡丹图；一婴右腿屈膝向前，左腿后蹬，双脚各踩于一叶之上，手持长而弯曲的花柄，两朵硕大的牡丹盛开于枝条的顶端；另一婴孩身形、动作相似，仅所持花朵不同，为石榴花。图案设计写意灵动，笔法简练。

景德镇窑青白釉刻花婴戏图瓶胎、釉、纹俱佳，是景德镇湖田窑青白瓷中珍品。

景德镇窑青白釉刻花婴戏图瓶藏于重庆中国三峡博物馆。

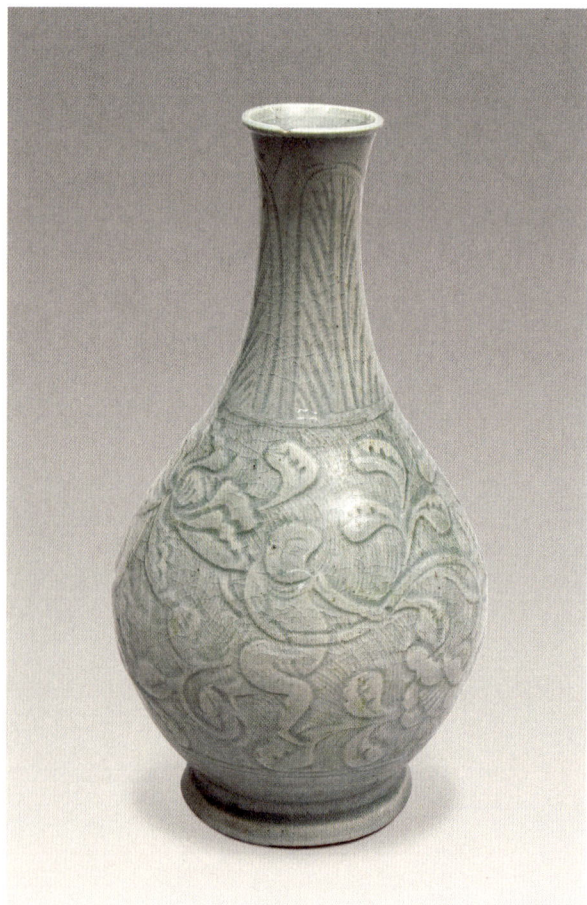

青白釉高围栏魂瓶 南宋文物。1985年，广西壮族自治区浦北县寨圩镇土东村委西岸村村民黄开成在屋后背岭劳动时，发现青白釉高围栏魂瓶，一起出土还有"宋青白釉蚕蛹形魂瓶"。1986年，博物馆工作人员在土东村进行文物普查时获悉，征集入馆。广西壮族自治区发现有62处宋代窑址，浦北土东窑遗址为其中之一。

青白釉高围栏魂瓶通高32厘米，口径7.2厘米，足径9.2厘米，腹围50.5厘米。宝塔形盖，长颈，圆腹，足底无釉。上部为高围栏，与瓶颈等高，有对称镂空菊花四朵，镂孔小窗三层，瓶颈与盖高度占器身1/2，腹部有三圈等距皱褶堆塑。胎质细腻，洁白坚薄，通体施青白色。

青白釉高围栏魂瓶藏于浦北县博物馆。

景德镇窑青白釉立虎座枕 宋代文物。1953年，湖北省武汉汉阳枕木防腐厂宋墓出土。

景德镇窑青白釉立虎座枕高11.2厘米，枕面长19.4厘米。以立虎为枕座，虎背托一片荷叶形枕面，虎首右顾，虎尾垂地，龇牙咧嘴，怒目而立。枕面中间略凹，两端上翘。底座为长方圆角板，中部有椭圆孔。胎质细腻白净，釉色白中泛青，呈湖水绿色，晶莹滋润。

景德镇窑青白釉立虎座枕胎精釉美，为景德镇窑宋代佳器。

景德镇窑青白釉立虎座枕藏于湖北省博物馆。

湖泗窑青白釉瓜棱腹执壶（注子） 宋代文物。湖北省武汉市东西湖区柏泉农场出土。

湖泗窑青白釉瓜棱腹执壶（注子）高20厘米，口径6.8厘米。长颈，瓜棱腹，肩一侧附有长流，另一侧贴宽带柄，圈足，胎质灰白，通体施青白釉。瓜棱执壶是宋瓷中较为流行盛酒器，湖泗窑青白釉瓜棱腹执壶（注子）造型、胎质、釉色皆佳，是湖泗窑代表作。

湖泗窑址群因最早发现于湖泗乡而得名，主要分布在湖北省武汉市江夏区南部梁子湖和斧头湖一带。20世纪70年代，在湖泗夏祠村首次发现窑址堆积以来，经省、市、区文物考古工作者努力，这一规模庞大古代制瓷窑址群逐

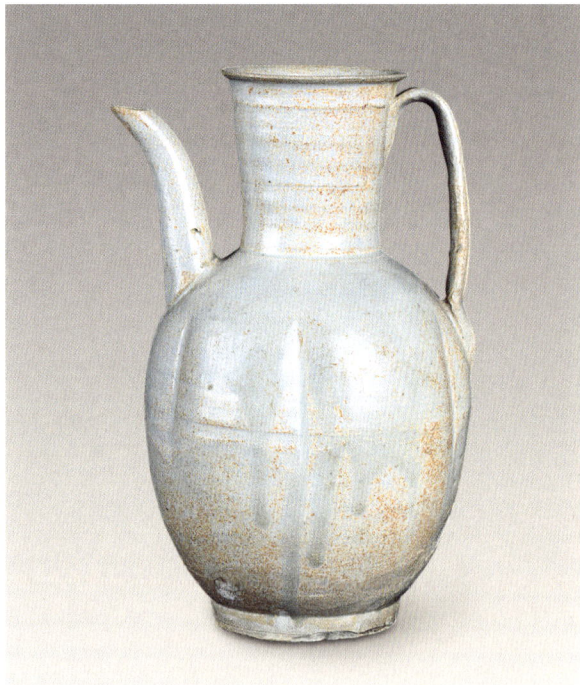

腻，釉色青白。内壁近碗心处有凹弦纹，外壁有对称两孔。腹部刻划缠枝牡丹纹，间以篦划纹，构图紧凑饱满，线条流畅，刀法明快灵动。

造型似为钵，实则由两只碗上下粘接而成，形成一个带夹层可保温双层碗，又称暖碗。碗外底有一圆孔，热水可从孔洞灌入夹层，使碗内食物保持温度。

青白釉刻划缠枝牡丹纹温碗藏于重庆中国三峡博物馆。

景德镇窑青白釉水月观音菩萨像 元代文物。1955年，北京市西城区定阜大街出土。

景德镇窑青白釉水月观音菩萨像通高65厘米。头戴宝冠，宝冠上有一尊小化佛（残），为观音菩萨重要标识。菩萨广额丰颐，眼睑低垂；跣足而坐，右腿支起，左腿下垂；右臂搭

渐展现出原貌。湖泗窑烧造年代上起唐末五代，下至元明时期，主要造烧年代在宋代。2001年6月，湖泗窑址群被国务院公布为全国第五批重点文物保护单位。

湖泗窑青白釉瓜棱腹执壶（注子）藏于武汉博物馆。

青白釉刻划缠枝牡丹纹温碗 宋代文物。重庆市奉节县宝塔坪出土。

青白釉刻划缠枝牡丹纹温碗高11.3厘米，口径18.6厘米。浅腹弧壁，平底。胎质坚而细

于右膝上，左手支于身体左侧，为水月观音标准造型。上身着双领下垂式袈裟，下身着长裙，胸前饰网状联珠式璎珞，袈裟及下裙上亦垂挂联珠式璎珞。观音目光慈祥悲悯，似在观照水中圆月。姿态自然闲适，面部及手足的肌肉生动逼真。

景德镇窑青白釉水月观音菩萨像采用塑、捏、压、琢等不同手法塑出头部、身体和四肢等部位，然后对不同部位进行细致修正，最后对菩萨面部及神态进行刻划。局部塑造也一丝不苟，将观音菩萨自在安详气质和内涵表现得淋漓尽致。胎质洁白细密，通体施青白釉，色泽柔和。景德镇窑青白釉水月观音菩萨像是元代雕塑艺术、佛教造像艺术和景德镇窑瓷塑代表作。

景德镇窑青白釉水月观音菩萨像藏于首都博物馆。

景德镇窑青白釉多穆壶　元代文物。1963年，北京市崇文区龙潭湖元代斡脱赤墓出土。斡脱赤为铁可父亲，铁可《元史》《新元史》有传，为元初辅佐元世祖忽必烈重臣。铁可于定宗三年（1248年）生于山西浑源，是中国籍巴基斯坦人，姓伽乃氏，先世就是迄失迷儿贵族，笃信佛教。斡脱赤于元太祖十七年（1222年）大军西征时，偕弟那摩东奔投元，在元军西征的政治与军事上起到不可估量的作用。斡脱赤后被封万户，娶汉人李氏做妻子，于宪宗元年（1251年）回伽叶伊弥遇害，故龙潭湖吕家窑村（后北京工艺美术研究所院内）发现斡脱赤墓是其衣冠冢。

景德镇窑青白釉多穆壶通高24.9厘米，口径9厘米，底径12.4厘米。壶体呈上细下粗筒

形，方流曲柄，足宽平无釉。盖上有模印莲瓣纹，宝珠纽，附小系。口沿后半部竖起如意云头形挡，壶体有仿皮革箍带和铆钉状装饰。胎质精细，釉色莹润，造型仿蒙藏民族贮放奶液金属或木质盛器。元代"国俗尚白"，烧造大量青白釉瓷器，符合当时风尚。元代青白瓷比宋代青色要深一些，透光度也差。胎体多比宋代厚重饱满，装饰方法较宋代更为丰富。

景德镇窑青白釉多穆壶藏于首都博物馆。

景德镇窑青白釉磨　元代文物。著名病理学家侯宝璋向中华医学会捐献。一同捐献还有青釉灌药器、黄釉碾、洗眼杯等，均为六朝至隋代瓷器精品。侯宝璋藏有汉代到清代陶瓷数百件，大部分与医用器具有关，是研究早期医用器具的重要实物资料。

景德镇窑青白釉磨通高9厘米，长11.5厘米，底径8.3厘米。釉色莹润，白中闪青，为典型元代青白釉色。带流磨盘，上置双扇圆磨，磨壁做成辐射状齿形，磨面一侧有圆形漏孔。座架

镂空仿藤竹编式，座下卧一雄鸡。造型奇巧。

景德镇窑青白釉磨藏于首都博物馆。

景德镇窑青白釉透雕人物建筑枕 元代文物。1982年3月，安徽省岳西县店前镇司空村程姓农民家屋后出土。当时，程姓农民在田中劳动时意外挖出几个瓷碗和一个土坨团，以为是装金银财宝罐子，便将土坨团抱回家中，小心清洗掉外面包裹泥巴。清理出来后，却不认得是何物，就拿到街上变卖。县图书馆馆长桂仲德听说后，立即赶赴店前镇，用30元钱买下。

景德镇窑青白釉透雕人物建筑枕通高18.85厘米，通长31.52厘米，通宽15.05厘米。呈楼台形，透雕。枕面前低后高似如意云头形，上刻划"卐"字锦地纹。下有底座，两边绕以菱形透雕回廊，上围如意状镂空花环。正面厅堂隔扇饰有古钱形花窗。背面厅堂上，珠帘半卷，两根立柱从上至下饰以串珠纹并六瓣花朵各一。前后厅堂和回廊共雕塑人物18个，有男有女，或端庄打坐，或恭敬肃立，或拱手施礼，或捧果献物，或相视而语，姿态各异。人物衣褶毕现，裙带似随风飘忽。

整个器物构思巧妙，上下连贯，浑然一体，于尺寸之中显现出殿堂之气派，侧室之幽雅，回廊之闲逸。研究者认为，雕塑内容是"八仙庆寿"戏曲演出场面，人物为八仙、王母娘娘及其侍从等。

景德镇窑青白釉透雕人物建筑枕存于安徽省岳西县文物管理局。

景德镇窑青白釉云龙纹盖罐 明洪武二十二年（1389年）文物。1970～1971年，山东博物馆与邹城文管所联合对鲁荒王朱檀墓进行抢救性发掘。朱檀为明朝开国皇帝朱元璋第十子，明洪武三年（1370年）出生，两月后被封为鲁王，15岁就藩兖州，辖兖州府四州二十三县。书中记载，朱檀自幼好诗书礼仪，礼贤下土，博学多识，颇得朱元璋喜爱，因信奉道教，洪武二十二年（1389年）19岁时因服丹药毒发而亡。朱元璋既可惜其英年早逝，又觉其行为荒唐，赐谥号"荒"。出土时，景德镇窑青白釉云龙纹盖罐内盛梨、枣、肉、米饭、鸡蛋、菜叶等。墓中出土瓷器6件，皆为青白釉，还有1件云龙纹梅瓶和4件云龙纹盘，均属明洪武朝青白釉瓷器。

景德镇窑青白釉云龙纹盖罐通高37.6厘

米，口径25.6厘米，底径22厘米。直口，短颈，圆鼓腹，平底，圈足。盖呈覆荷叶形，脉络清晰，宝珠纽。胎质灰白，胎体厚重。通体青白釉，外壁施釉到底。罐腹部刻五爪云龙纹，双龙在云中追逐遨游。龙细颈，躯干细长，呈蛇形。五爪如风车，爪尖呈钩状，刚劲有力。罐腹部上下各刻一周卷草纹。

景德镇窑青白釉云龙纹盖罐藏于山东博物馆。

横峰窑青白釉堆塑瓶 明成化七年（1471年）文物。1983年10月，江西省横峰县刘源坑煤矿徐志忠来信反映，该县城郊东南城阳乡周家山因建房取土发现一座古墓。江西省博物馆考古队接信后，即派人会同文化馆至现场了解。该墓为长方形，横峰窑青釉堆塑瓶一对置于甬道两边。墓中发现买地契一方。契头自右至左为"亡过项公宗舟学士契"，由于伴有买地契出土，具有确切纪年。再根据造型和胎、釉特征，确认为横峰窑产品。

横峰窑青白釉堆塑瓶通高56.5厘米，口径8.5厘米，足径9.2厘米。笠帽形盖，凸起螺旋纹三周至顶，上立一展翅飞鸟。盂形口，长颈，椭圆形腹向下收至底略外撇，圈足。腹部饰对称缠枝莲二朵，肩部堆塑粗绳纹一周，上间隔2.5厘米堆凸弦纹两周，其上立栏杆，栏内有手持法器的八仙人物四尊。颈部堆塑龙虎穿花，一瓶为龙、一瓶为虎；空间点缀枝叶和云朵。胎呈青灰色，全器施青釉，盖内、足底和器内无釉，釉开细纹片。

横峰窑始烧于元末，盛于明成化、弘治时期，衰于明嘉靖末年，生产仿龙泉瓷曾畅销江南。

横峰窑青白釉堆塑瓶藏于江西省博物馆。

第七节　黑釉、褐釉、酱釉、花釉瓷器

德清窑黑釉镂孔熏炉　东晋兴宁二年（364年）文物。1960年11月，浙江大学化工系学生在老和山东麓发现一座砖墓，墓砖侧面有"晋兴宁二年吴郡嘉兴县故丞相参军都乡侯褚府君墓"文字，墓中出土瓷器17件，为盘口壶、鸡首壶、唾壶、灯盏、小罐、耳杯等。

德清窑黑釉镂孔熏炉通高15.6厘米，口径2.5厘米，底径11厘米。由两部分组成，炉身为小口，腹近似球形，腹部上层镂一周小圆孔，中间排列三层三角形镂孔，下层一侧挖一椭圆形投香孔；炉座为双层托盘，大平底，底有一大孔。底部露胎，呈褐色。通体施黑褐色釉，釉厚处色黑如漆，釉薄处呈黄褐色。制作精巧，造型简洁稳重，达到实用与美观有机结合。

东晋黑釉瓷以浙江德清窑为代表，20世纪50年代，考古工作者调查浙江德清县城郊一处晋代窑址，发现其产品多为黑釉瓷，与越窑青瓷有完全不同风貌。考古调查和发掘表明，德清窑是黑釉、青釉兼烧，以青釉瓷为主而以黑釉瓷闻名窑场。

德清窑黑釉镂孔熏炉藏于浙江省博物馆。

黑釉四系罐　北齐天统三年（567年）文物。1968年春，河北省平山县上三汲村公社社员在滹沱河北岸土丘上取土修渠时，发现北齐祠部尚书、赵州刺史崔昂墓。1971年1月，河北省文化局文博组派人进行清理发掘，出土随葬器物100余件，除墓志、货币、陶俑外，大多是日常生活用具和模型。出土瓷器14件，黑釉四系罐是其中一件。

黑釉四系罐高14厘米，口径9.4厘米，腹

径13.2厘米，底径8厘米。侈口，丰肩，肩部有片状形四系，均高出口沿，曲壁深腹，平底。胎质坚硬较粗，呈砖红色。施黑褐釉，上浓下淡，釉面莹润光亮。

黑釉四系罐器形与南方四系罐有明显的不同，应是北方窑场烧制产品。根据已知考古资料，北方地区东魏时期墓葬中已发现黑釉瓷片，黑釉四系罐即为中国北方地区早期生产黑釉瓷。

黑釉四系罐藏于河北博物院。

德清窑黑釉粮罂 唐元和三年（808年）文物。1980年冬，浙江省德清县秋山乡寺后村出土，一农民在垦地时发现黑釉粮罂。

德清窑黑釉粮罂高34厘米，口径14.5厘米，底径12.5厘米。撇口，直颈，鼓腹斜收，平底内凹。整器胎体厚重，胎质较为粗疏，夹

杂有较多细砂粒。器表施黑釉，因釉层较薄，釉色呈酱黑色，釉面较为匀润。制作规整，造型敦实圆润。下腹部阴刻铭文"元和三年十月十四日润州勾容县甘唐乡延德里赵金妻任氏粮罂"，共5行27字。"元和三年"，即唐元和三年（808年），"润州勾容县甘唐乡延德里"，据《镇江志》记载"始于隋，其中兴废数次，唐武德三年（620年）复置润州"。另据《句容县志》记载"汉置句容县，至武德九年（626年）句容划归润州"。铭文"粮罂"是此器物确切定名。依据铭文内容，瓷器为籍贯润州句容赵金之妻任氏陪葬物品。

黑釉粮罂集器名、时代、用途、地名、人名为一体，是研究德清窑烧造年代下限珍贵资料。对研究隋唐时期德清窑烧造技艺具有重要参考价值，也为同类器物断代提供可靠实物依据。

德清窑黑釉粮罂藏于德清县博物馆。

耀州窑黑釉塔式罐 唐代文物。1972年，陕西省铜川市王益区黄堡镇新村（位于耀州窑遗址区内）几位村民劳动时，偶然发现一座唐墓，墓中出土黑釉塔式罐。但因发现时，没有文物工作人员在场，村民对塔式罐进行清洗，罐中是否保存有舍利或骨灰已无法得知。

耀州窑黑釉塔式罐高51.5厘米，口径7.4厘米。罐盖为尖柱式塔形，自下而上逐层递减，共7层。一猴屈腿直身坐于尖顶，左前肢挨于前额，右前肢扶膝，作远眺状。罐短颈丰肩，下腹贴两层模制莲瓣。底座方形，四边堆贴模制佛像。四角上下有四鸟和四力士。座中部壁龛内置兽首，底边为内向八连弧形。

耀州窑黑釉塔式罐整器胎质坚硬，釉色莹

润，造型庄重精美，为中国唐代黑釉瓷中瑰宝。

耀州窑黑釉塔式罐藏于耀州窑博物馆。

耀州窑黑釉贴花龙首壶　唐代文物。陕西省铜川市王益区黄堡镇电瓷厂出土。

耀州窑黑釉贴花龙首壶高20.3厘米，口径9.7厘米，腹径17.7厘米，底径10厘米。敞口，圆唇，短颈，广肩，圆腹饼足，肩一侧有龙头形短流，龙舌上卷，口微张。流下贴塑一兽面。另一侧设扁圆双条形曲柄，柄与流两侧各贴饰一花卉图案。器内满施黑釉，釉层较薄。胎色灰，质较细，花纹处因釉薄而呈黄褐色。

耀州窑黑釉瓷器中以唐代造型和品种最为丰富，所烧造的黑釉瓷器与该窑口其他色釉瓷的胎土相同，为含铁质较高的深灰色（仅少数为灰色、黄色），烧成后色釉深沉，稳重大方，釉面的光泽度极好，历经千年釉面如新。

耀州窑黑釉贴花龙首壶藏于耀州窑博物馆。

鹤壁集窑黑釉提梁注壶　北宋文物。1963年，河南省鹤壁市区鹤壁集窑考古发掘出土。鹤壁集窑位于鹤壁市区西约30千米的鹤壁集乡西部，主要分布在自西北流向东南的姜河两岸。遗址面积90余万平方米，分布30余处古瓷窑遗址。1963年，河南省文化局文物工作队对遗址进行首次发掘。1978年，鹤壁市博物馆再次对遗址进行考古发掘。

鹤壁集窑黑釉提梁注壶高9.3厘米，腹径13厘米。索状提梁，圆鼓腹，腹部上方一侧和提梁平行处有管状短注，最大腹径在器物中部，圈足矮。胎厚，呈灰白色。施黑釉，下腹部及圈足未施釉，釉色黑中泛褐红色，釉面光亮可鉴人影，隐约可见玳瑁斑。发掘出土时残缺，已修复。

考古发掘证实，鹤壁集窑址始烧晚唐，北宋和金代是鼎盛时期，元代逐渐走向衰落，前后历时500余年。黑釉提梁注壶是鹤壁集窑鼎盛期典型器物，代表同期北方黑瓷制作工艺水平。

2001年，鹤壁集窑黑釉提梁注壶存于河南省文物考古研究院。

吉州窑黑釉折枝梅纹瓶 南宋文物。1975年，于江西省南昌县黄溪大队征集到吉州窑黑

釉折枝梅纹瓶。

吉州窑黑釉折枝梅纹瓶高19.1厘米，口径4.8厘米，足径6.5厘米。小口，卷沿，圆唇，细颈，溜肩，深腹上鼓下收，隐圈足。通体施黑釉，瓶腹的局部采用剪纸贴花，刻划梅花枝干，褐彩绘花蕊，露胎纹样上施透明釉。画面中梅花向上生长的自然形态，枝梗与花叶间的疏密转折极富生机。

剪纸露胎是吉州窑特有装饰技法之一，多用于炉、瓶等供器和陈设瓷。装饰手法简洁，纹样明快，色彩对比鲜明，具有浅浮雕效果，装饰效果颇佳。

吉州窑黑釉折枝梅纹瓶藏于江西省博物馆。

涂山窑黑釉窑变盏 南宋文物。1982年，重庆市南岸区涂山窑遗址采集。

涂山窑黑釉窑变盏高5.7厘米，口径11.3厘米。弧腹，饼足，器表二次施釉，以黑褐色釉为基底，表层再次施釉，入窑烧制后形成窑变。底足无釉，近底处有垂釉现象。

宋代时"斗茶"形成风尚，在诸多茶具中以黑釉瓷器为上品，黑色茶盏最适宜观察汤面水痕，许多窑场为适应社会需求开始烧造黑釉

茶器，涂山窑就是当时一烧造黑釉瓷窑场。涂山窑烧制时代为北宋至元代，窑炉技术承袭北方窑场，窑炉形制基本为马蹄形馒头窑，与北方耀州窑、磁州窑等窑场窑炉十分接近。釉色以黑褐色和柿色为主，其装饰工艺主要采用二次施釉方法，烧制出兔毫、玳瑁、油滴、鹧鸪斑等纹样。

涂山窑黑釉窑变盏藏于重庆中国三峡博物馆。

建窑黑釉兔毫纹盏　宋代文物。1954年，伍毓瑞捐赠。伍毓瑞，中国同盟会会员，参加过辛亥革命、护国战争、护法运动、北伐战争。中华人民共和国成立后，伍毓瑞先后为江西省人民政府参事室参事，省、市人民代表大会特邀代表，省政协常务委员，民革中央候补委员，民革江西省委员会常委。1952年，江西省人民政府设立文物管理委员会，伍毓瑞为文物管理委员会成员之一。1953年3月，江西省博物馆在江西省科学馆基础上开展筹备工作，为支持家乡博物馆事业建设和发展，伍毓瑞向江西省博物馆捐赠建窑黑釉兔毫纹盏在内502件文物。

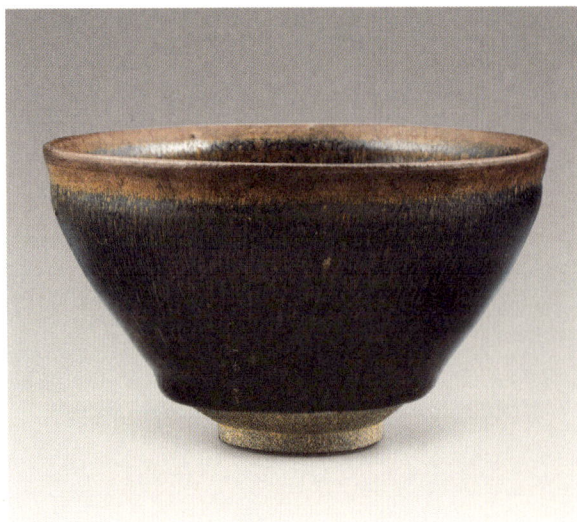

建窑黑釉兔毫纹盏高7.3厘米，口径12.4厘米，足径4.1厘米。口大足小，造型敦厚古朴，距口沿1厘米处向内有凸棱一道。施黑釉，釉层上薄下厚，口沿上釉为黄褐色，近圈足处自然垂流成滴珠状，近足处无釉。盏上"兔毫丝"是铁晶体聚集物，用手轻抚釉面有凹凸不平感觉，对着光源以45°角观察，能看到"兔毫丝"凹陷于黑色釉面之下；在5～10倍放大镜观察下，可见高低不平坑洼麻子底和条状侵蚀痕迹。盏壁厚度约0.2～0.8厘米，底部最厚处超过1厘米。

建窑黑釉兔毫纹盏是宋代最为流行茶盏，黑色釉中布满均匀细密、状若兔毫自然结晶釉纹，故名兔毫盏。宋代文人墨客对兔毫盏纹多有赞颂，宋徽宗赵佶在《大观茶论》中亦称："盏色贵青黑，玉毫条达者为上。"

建窑黑釉兔毫纹盏藏于江西省博物馆。

建窑黑釉酱斑碗　宋代文物。福建省建阳水吉大路后门窑出土。建窑窑址在建阳水吉镇，唐代创烧，到宋代尤其是南宋为极盛时期。

建窑黑釉酱斑碗高6厘米，口径12.4厘米，底径3.9厘米。束口，斜腹，圈足。外壁施黑釉，内壁施黑釉酱色鹧鸪斑。近足处露褐胎，胎质坚硬。

建窑碗大多是口大足小，形如漏斗，底为浅圈足，有旋坯纹。有的器物底足刻有"进盏""供御"铭文，为朝廷贡品。黑釉盏呈条状晶纹称兔毫，有黄、白两色，故又有金、银兔毫、玉毫、兔斑等别称，也有呈油滴结晶状，宋人称鹧鸪斑。

建窑黑釉酱斑碗藏于福建博物院。

吉州窑黑釉木叶纹盏　宋代文物。1962年，江西省南昌市征集。

吉州窑黑釉木叶纹盏高5.5厘米，口径14.8厘米，底径3.8厘米，敞口，斜腹，呈斗笠形，盏内心呈脐状突起。底足无釉，露米黄色胎。盏施黑釉，釉色滋润。盏内壁装饰一片大树叶，从中央向口沿展开，叶尖飘出沿外。

叶面占器壁1/2。木叶贴花是南宋茶盏中最具特色作品，制作时将天然桑叶浸水，仅存脉络后蘸上一种黏度较低而色调较淡高温釉，将其贴在黑色底釉上，入窑烧制而成。由于桑叶中五氧化二磷焙烧时与铁釉不融合，产生分离，黑釉上便出现叶脉清晰图案。烧成后的桑叶呈黄色，与黑色地釉形成对比，树叶形状、茎脉在黑釉衬托下清晰可见。

吉州窑黑釉木叶纹盏的贴花图案，没有固定样式，多随工匠意图设计安排，有将叶子置于盏心或盏壁的，俯视茶盏如一叶小舟飘荡在水中；也有将叶子一半置于盏口，叶尖朝向盏心。木叶贴花，是吉州窑工匠独创装饰工艺，黑釉木叶纹盏树叶少有完整者，叶大者罕见，此盏为木叶纹盏之极品。

吉州窑黑釉木叶纹盏藏于江西省博物馆。

黑釉剔刻牡丹纹六系罐　西夏文物。甘肃省博物馆征集。

黑釉剔刻牡丹纹六系罐高58.5厘米，残口径14.5厘米，底径16.6厘米。敞口，短颈，颈部附加波浪形花边，溜肩，长圆腹，下腹斜内收，圈足，肩部有六系。施褐釉，在六系之间饰梯形开光，开光内剔缠枝牡丹纹。腹部饰三个菱花形开光，内饰剔刻缠枝牡丹纹，开光外刻牡丹叶纹及水波纹，利用胎釉间强烈反差突显花纹立体效果，风格粗犷古朴，具有浓郁民族特色。

西夏瓷器品种繁多，其中剔刻釉扁壶、四系瓶、帐钩等独具特色，造型设计与党项人游牧生活密切相关，黑釉剔刻牡丹纹六系罐是西夏文化中不多见的大型六系罐。

黑釉剔刻牡丹纹六系罐藏于甘肃省博物馆。

灵武窑黑釉剔刻牡丹纹四系扁壶　西夏文物。1984年，宁夏回族自治区海原县在第二次全国文物普查时，工作人员在兴隆乡兴隆村一农民家中发现灵武窑黑釉剔刻花四系瓷扁壶。

据农户主人说，扁壶是其在自家承包土地耕种时发现。

灵武窑黑釉剔刻牡丹纹四系扁壶高35厘米，口径7厘米，厚18厘米。扁圆形，直口，短颈，肩部和下腹部各有一对带状耳，腹部剔刻连枝牡丹花纹。壶背素面施黄釉、矮圈足，便于卧放。通体施黑釉，壶体完整，口部残损。

灵武窑是西夏时期烧造瓷器重要窑口之一，烧制工艺受北方窑系影响。扁壶适合在马背或驼背上吊挂携带，用于贮水、盛奶、装酒，是具契丹民族特色器物。

灵武窑黑釉剔刻牡丹纹四系扁壶存于海原县文物管理所。

灵武窑黑釉刻字瓶　西夏文物。上海博物馆征集。

灵武窑黑釉刻字瓶高32.6厘米，口径5.5厘米，腹径24.1厘米，足径10.9厘米。瓶唇口略斜，束颈，溜肩，圆鼓腹，腹下渐收，圈

足。器身施黑釉，釉色呈酱黑。施釉不及底足，胫处以下露胎，胎质较粗，呈灰白色。肩部有涩圈一周，是窑工为节省窑位将另一件器物扣烧于此留下痕迹。且见清晰窑疤。器腹上、下部各刻两道弦纹，粗细不均。弦纹间刻字3行，共5个。对这几个字解读，学界有几种观点。何继英认为："汉字在左，一竖行2字，草书，初识为'斗斤'。西夏文字在右边，两竖行刻划3个西夏文字，楷书，字体欠工整，汉译为'廉凤室'。"并推测"斗斤"可能为瓶容量，"廉凤室"为此瓶主人室号。而陈炳应认为："楷书三字的译音为'则峰实'，其中第二字是用以标地名的，所以，'则峰'二字应是地名。'实'字在《音同》同音组中，另一字音'使'。'实''使'与'瓷'音近，西夏文献中又未见义为'瓷'的字，所以，'实'字在这里可能作为'瓷'字用。如果这个分析不错的话，那么上述三字应译为'则峰瓷'，可能是西夏烧制的瓷器的一种，而且有明确的瓷窑名。也许'实'是'氏'的谐音，那么，这三字应译为'则峰氏'，是瓷瓶主人的姓氏。"

1983～1986年，中国社会科学院内蒙古工作队曾会同宁夏回族自治区博物馆对宁夏灵武市磁窑堡古窑址进行调查和发掘，出土大量窑具和瓷器标本，其中有一类小口双耳瓶与本品极为相似，不同之处在于颈部附有双耳。从考古调查所了解情况看，西夏陶瓷窑址除磁窑堡、回民巷外，还有银川市缸瓷井、灵武县石沟驿、贺兰县插旗口等，从生产规模、产品质量看，以磁窑堡窑为最。

灵武窑黑釉刻字瓶藏于上海博物馆。

黑釉剔划花缠枝花草纹罐 金代文物。故宫博物院旧藏。

黑釉剔划花缠枝花草纹罐高17厘米，口径13.5厘米，足径9.5厘米。唇口，溜肩，鼓腹，圈足。罐内仅口部施黑釉，外壁黑釉剔划花装饰。肩部饰变形回纹，腹部饰缠枝花草纹。外底无釉。此罐造型浑厚饱满，黑釉光亮如漆，剔划花技法娴熟。从其胎釉特征看，属金代山西窑场产品。

由于种种原因，许多金代陶瓷被划归于宋代，且认为金代陶瓷无精美之作。1949年后，随金代墓葬大量出土金代陶瓷，人们对金代陶瓷真实面目逐渐有清醒认识，墓葬出土实物和窑址出土标本证明，当时北方定窑、耀州窑、钧窑、磁州窑、淄博窑、大同窑、浑源窑、介休窑、长治窑等仍在继续生产，且产品各具特色，不乏精美之作。

黑釉剔划花缠枝花草纹罐藏于故宫博物院。

黑釉剔花卷叶纹梅瓶 金代文物。1955年5月，山西省大同市天镇县出土。当时，天镇县

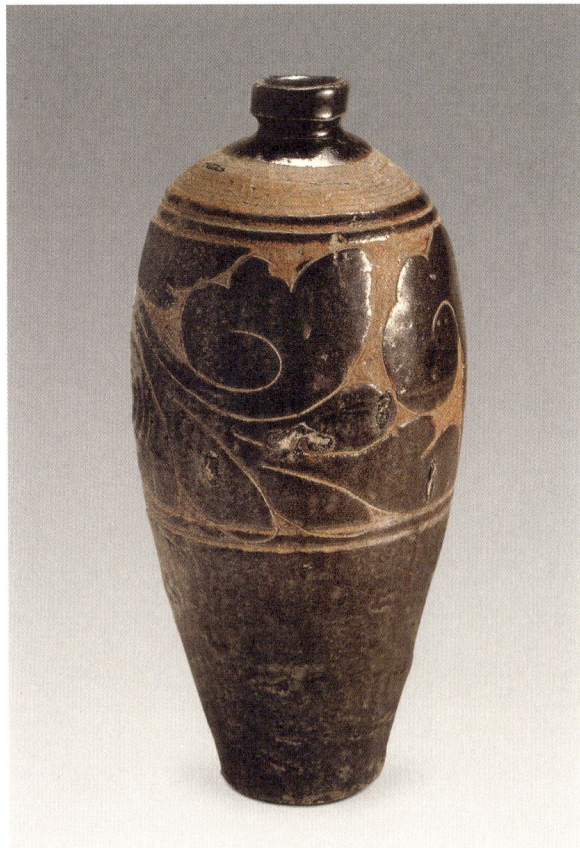

黑釉油滴盏 金代文物。1991年，山西省朔州市政府工地墓葬出土。

黑釉油滴盏高4.5厘米，口径9厘米，底径2.9厘米。侈口，弧壁，浅圈足。施黑褐色釉，釉面较亮，在釉层表面散布有银灰色斑点。

油滴釉是富含铁的釉料，在特定工艺条件下，控制其升降温度和窑炉气氛，形成一种特定结晶釉。油滴釉形成温度范围很窄，温度过低则不能形成油滴，温度过高亦会使油滴消失。油滴形成温度尚与釉层厚度有关，釉层薄时形成温度要低些，釉层厚时形成温度要高些。因此，在古代要烧制出完美的油滴釉制品是非常困难的。油滴釉创始于宋代，山西窑场烧制油滴釉产品数量较多，且质量较高。

黑釉油滴盏藏于山西博物院。

黑釉"京兆府"坛 金代文物。1986年8月，宁夏回族自治区固原县张易乡征集。

黑釉"京兆府"坛高64.5厘米，口径10.5厘米，腹径35厘米。小口，短颈，颈部有三道凸弦纹，丰肩，圆鼓腹，腹下至底部逐渐内收，平底。肩部、腹下部两侧均布有二耳，耳为桥形，耳中有一道弦纹。腹部也有数道弦纹，施黑釉，腹部釉流成泪滴状，有些部位呈

永嘉堡乡夏家沟村农民李子正在村西魏宝元后院挖土时，与魏宝元等人共同挖出黑釉瓷器等一批文物。山西省文管会得到报告后，即前往勘察清理，推断此地曾是一处金代居住遗址。

黑釉剔花卷叶纹梅瓶高29厘米，口径3.8厘米，底径7.3厘米。直口，束颈，丰肩，长腹略鼓，圈足。胎色土黄，胎质较粗。通体施黑釉，釉面光亮，釉上有繁密的褐色小点。肩部一周刮釉，上有叠烧留下痕迹。上腹部剔刻卷叶纹，叶片舒展。

黑釉剔花卷叶纹梅瓶造型及装饰应是晋北地区产品。黑釉剔划花瓷器是山西古瓷中颇具地方特色代表性产品，依据山西各地出土及馆藏资料，山西黑釉剔划花器产地，大致可分为晋北、吕梁、晋南三片区域。

黑釉剔花卷叶纹梅瓶藏于山西博物院。

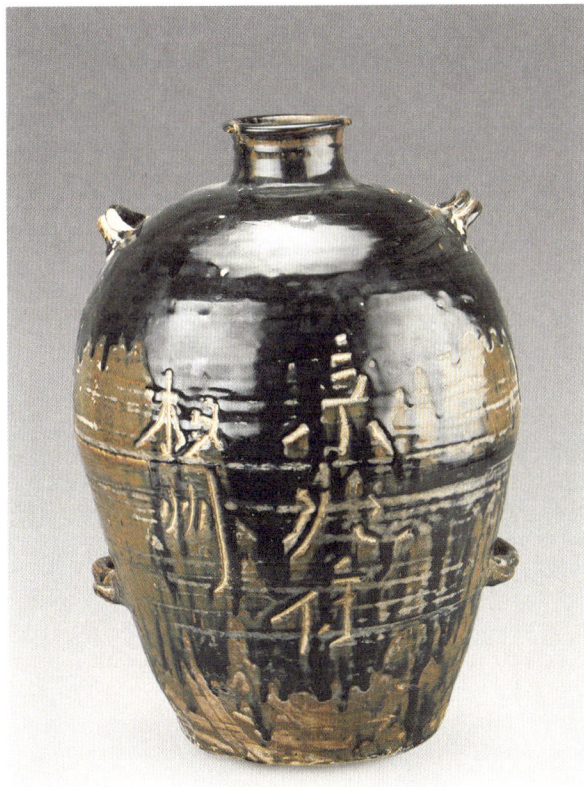

黄色，腹部刻有"京兆府□州"。

京兆府，唐开元元年（713年）设置府，《新唐书·地理志》载："京兆府，京兆郡，本雍州，开元元年为府。"京兆府于五代、宋、金时期延续使用。唐玄宗把长安所在雍州

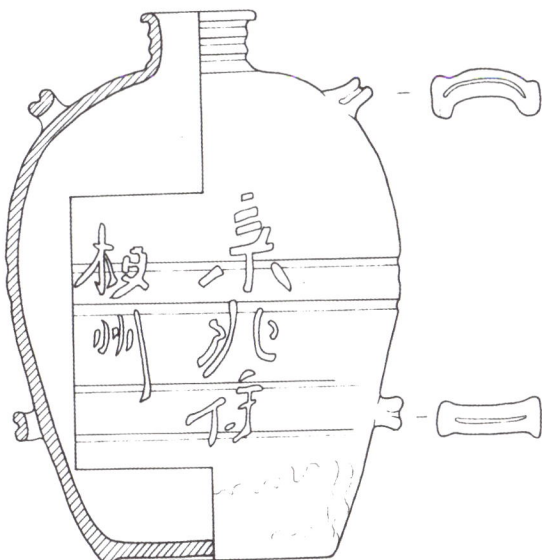

改为京兆府，把洛阳所在洛州改为河南府，京兆府首长为京兆尹。金代皇统二年（南宋绍兴十二年，1142年）八月，南宋割陕西秦岭大散关以北地予金国。同年，金朝改永兴军路为京兆府路，治京兆府。金宣宗贞祐三年（1215年），京兆府路辖一府、七州，包括桢州、商州、虢州、乾州、同州、耀州、华州。有研究者认为，据京兆府历史沿革看，"□州"有可能是桢州。

黑釉"京兆府"坛藏于固原博物馆。

淄博窑黑釉起白线花口瓶　金代文物。山东博物馆征集。

淄博窑黑釉起白线花口瓶高32厘米，口径12厘米，足径12厘米。花口下翻，长颈，鼓腹斜收，喇叭形圈足。施黑釉，花瓣口瓣尖由于釉层较薄呈酱色。腹部采用沥粉法形成均匀棱线，棱线上釉薄处露出沥粉底色，形成黄白色棱线。此瓶造型周正，釉浓厚处漆黑光亮，是淄博窑同类器中的佼佼者。

北方多个窑场生产黑釉起白线罐，而黑釉起白线花口瓶是淄博窑特有产品之一。其他窑场发表资料中，尚未见此类产品，淄博窑黑釉起白线类产品特征是凸线相对其他窑口较粗，

起脊感明显，装饰效果更强，具有本地特色。

淄博窑黑釉起白线花口瓶藏于山东博物馆。

黑釉茶具 金代中后期至元代初期文物。2013年5月，山西省昔阳县文物管理所和昔阳县博物馆在昔阳松溪路发现一座砖室墓，发掘后易地搬迁保护，出土瓷枕、汤瓶、茶盏、铜匙、铜镜等文物。

黑釉茶茶具包括黑釉盏2件、盖盒1件、凸线竖条纹汤瓶1件、砂釜1件、短柄铜匙1件，均置于灰陶盘中。黑釉盏高5.1～5.9厘米，口径12.5～12.7厘米，足径4.2～4.4厘米。圆唇、敞口、曲腹圈足，浅黄胎稍粗；釉面较光亮，内壁满釉，外壁施釉至下腹近足处。盖盒高7.5厘米，盖外径7.6厘米，足径5.7厘米。盒身子口直壁，圈足。盖沿与盒身近口部分别贴饰一粒小圆饼，两个小圆饼位置对应时，盒盖恰好扣紧；外壁黑釉，盒内施透明釉。汤瓶高14.8厘米，口径4.2厘米，底径8.2厘米。盖为伞形，注身短颈、圆肩，直腹略内收，矮足。细管状流，条带形把柄，器表自上而下饰有凸线竖条纹，把柄模印有卷草纹；外壁满施黑釉，釉面光亮，釉薄处呈浅黄褐色。砂釜高13厘米，口径14厘米，最大腹径20厘米。敛

口、扁鼓腹、圜底，有两长方形錾。使用痕迹明显，下腹及底部有长期高温烧烤后形成烟垢及类釉状结晶层。短柄铜匙通长9.7厘米，匙宽2.7厘米。椭圆形匙面，略下凹，扁平状短柄。灰陶盘高5.3厘米，口径38厘米，底径31厘米。圆唇、浅腹，平底略上凸；外壁口部饰两道凹弦纹，内底饰一周凹弦纹。

山西在宋金时期处于文化融合地带。金人统治黄河以北后，虽羡慕汉人生活方式，却在饮茶问题上多次颁布禁茶令。汉人对饮茶依赖非但没有减退，反而愈加流行。从已发现宋、辽、金墓葬壁画和传世宋画看，宋金茶具大致有茶床，注子，炭炉（风炉、燎炉），茶盏，茶铫，茶筅（点茶专用），茶碾等种类。松溪路1号墓中随葬品位置明确，出土黑釉茶具包含茶盏、茶铫（盖盒）、注子、茶匙，为佐证宋金茶人茶事范例提供了重要线索。

黑釉茶具藏于山西昔阳县博物馆。

黑釉弦纹"葡萄酒瓶" 元代文物。1958年7月，内蒙古自治区文物工作队（内蒙古文物考古研究所前身）配合集张铁路建筑工程，派人前往集宁路古城遗址探寻。集宁路古城遗址位于乌兰察布市察右前旗巴音塔拉乡土城子村，元代建置，原系金代集宁县，元代初年升为集宁路。调查发现古墓约40座，重点清理27座。黑釉弦纹"葡萄酒瓶"出自13号墓。

黑釉弦纹"葡萄酒瓶"高43.5厘米，口径4.4厘米，足径8.5厘米。器身细长，小口，短颈，平底。肩颈间无胎，肩至底部施黑釉，釉黑而光泽。肩上露胎部分刻有"葡萄酒瓶"4字，其下装饰粗弦纹。此瓶又称牛腿瓶或鸡腿瓶，是北方游牧民族储酒容器，具有浓厚草原气息。

葡萄酒起源于黑海与地中海一带，两汉时期通过丝绸之路传入西域地区，在当时龟兹、焉耆、车师等地，已是人们喜爱的饮品。唐朝建立，高昌国、龟兹国开始向中原地区输送葡萄酒。元帝国建立后，中原与西域之间往来增多。集宁路是蒙古草原与中原地区进行商贸交易重要枢纽，黑釉弦纹"葡萄酒瓶"正是此期间葡萄酒开始大量输入中原和漠北地区物证。

黑釉弦纹"葡萄酒瓶"藏于内蒙古博物院。

吉州窑窑变釉圆圈纹梅瓶 元代文物。1980年，江西省永新县旧城窖藏出土。一同出土的还有元代龙泉窑、湖田窑、磁州窑瓷器，唐、宋、元铜钱1000余枚，包括元代"至大通宝"3枚。"至大通宝"始铸于元武宗至大三

年（1310年）。窖藏年代应在元至大三年以后，即元代中晚期以后。

吉州窑窑变釉圆圈纹梅瓶高20.1厘米，口径2.8厘米，底径6厘米。小口，直颈，丰肩，长腹，隐圈足，施窑变花釉和黑釉，先施花釉作地，然后蘸黑釉在花釉上印成圈点纹，最后经高温烧成。

吉州窑窑变釉圆圈纹梅瓶独特的窑变色泽，花釉与黑釉边缘融合，交相辉映，别具风韵。

吉州窑窑变釉圆圈纹梅瓶藏于江西省博物馆。

岳州窑褐釉印花钵 隋代文物。湖南省博物馆征集。岳州窑褐釉印花钵为湖南岳州窑产品。岳州窑位于湖南省湘阴县城堤垸一带，

亦称湘阴窑，是湖南省内烧瓷时间最早、延续时间最长、烧造序列最完整古瓷窑，兴于东汉，盛于晋唐，衰于五代。窑址主要有湘阴青竹寺窑（东汉）、湘阴城关镇窑（晋、南朝、隋唐）、铁角嘴窑（东汉、唐）、芦林潭（隋唐）、百梅村（宋元）和乌龙嘴（宋明）窑址等26处。民间传说"湘阴有个万窑窝，未有湘阴先有窑"。特别是青竹寺东汉窑址和城关镇晋唐窑址，占据县城湘江东岸约5千米河沿、山岗，窑场密布，延续时间1500余年。

岳州窑褐釉印花钵高8厘米，口径7.1厘米，足径3.2厘米。敛口，圆鼓腹，饼足内凹。胎色灰白，胎质较粗糙。施褐釉，有开片，钵内满釉，外壁施釉不及底。腹部装饰两层纹饰，由上下两道弦纹隔开，上层印二方连续小草纹、花朵纹，下层刻仰莲瓣纹。

岳州窑因唐代湘阴县隶属岳州而得名。唐代陆羽《茶经》记载："碗，越州上，鼎州次，婺州次。岳州上，寿州、洪州次。……越州瓷、岳瓷皆青，青则益茶，茶作白红之色。"可见，唐代岳州窑制品因其青翠釉色被茶圣陆羽评为"益茶"之瓷。

岳州窑褐釉印花钵藏于湖南省博物馆。

新安城关窑褐釉印花兔纹束腰形枕　北宋文物。香港实业家、文物收藏家杨永德伉俪捐赠给西汉南越王博物馆200余件陶瓷枕之一。

新安城关窑褐釉印花兔纹束腰形枕高9.4厘米，长16.4厘米，宽9.4厘米。枕两侧面为正方形，其余四面均匀内束。四个枕面纹饰相同，均为珍珠地缠枝花卉，正中央海棠开光内有一只伏地行走兔子，施褐黄釉，釉上有细开片。枕两侧面无釉，一侧有支烧痕，一侧有通气孔。由此可知，此枕在烧造时，为竖立放置，可节约窑内位置。

新安城关窑褐釉印花兔纹束腰形枕藏于西汉南越王博物馆。

灵武窑褐釉剔刻牡丹纹经瓶　西夏文物。1956年，内蒙古自治区伊克昭盟伊金霍洛旗敏盖乡出土。

灵武窑褐釉剔刻牡丹纹经瓶高37.5厘米，口径6.7厘米，腹径16.2厘米，底径10.3厘米，重2393.6克。小口，束颈，折肩，长腹，平足。胎质较粗，呈土黄色，胎体厚重。外壁施褐色釉，腹部两组开光内剔刻折枝牡丹纹，大花大叶，飞扬舞动；开光两侧刻水波纹（或称连弧纹）。

灵武窑褐釉剔刻牡丹纹经瓶造型硬朗端庄，装饰风格粗犷，色泽对比鲜明，有党项瓷器独特艺术风格。

灵武窑褐釉剔刻牡丹纹经瓶藏于内蒙古博物院。

井陉窑酱釉"天威军官瓶" 北宋文物。1994年4～5月，河北省文物研究所石太考古队配合石太高速公路东段工程建设，对鹿泉区南海山村北墓区进行抢救性发掘。此墓区共发现墓葬17座，"天威军官瓶"出土于9号墓中。

井陉窑酱釉"天威军官瓶"高46.5厘米，口径6厘米，腹径20.1厘米，底径11.8厘米。敞口，束颈，溜肩，弧腹，隐圈足。胎白微黄，胎质略粗，施酱色釉，腹部刻行书"天威军官瓶"5字竖款。

"天威军"名称，见于《宋史·地理志》，

史料记载明河北郡西部有天威军等六军，天威军属井陉县辖天长镇。有人推断"天威军官瓶"可能是供驻扎天威军军官们使用。还有一种理解，把"天威军"和"官瓶"分断，前者为地名，后者则显示出其官窑身份。认为"天威军官瓶"是供"天威军"专用器物。宋代小口长瓶一般是供盛酒使用，被称为"经瓶"，"天威军官瓶"也可能用来盛酒。但瓶容量较大，且井陉县先后出土数量也较多，有研究者认为，井陉县地属山区，年降雨量较少，平时用水较困难，"天威军官瓶"用途，应是以储存用水为主。

井陉窑酱釉"天威军官瓶"存于河北省文物考古研究院。

定窑酱釉梅瓶 北宋文物。2005年，江苏省常州市金坛茅麓镇致和村石马坟水库北侧出土。当地共发现3座北宋王氏家族墓。定窑酱釉梅瓶出土于第三座墓，和该瓶一起出土还有四系陶罐、石黛板、砚台、钱币。出土最晚钱币为北宋大中祥符年间（1008～1016年）铸造祥符元宝。第一座墓葬出土有墓志盖，盖上刻"宋故清稹县尉王君墓铭"，墓主王君，是从八品下的地方官吏。出土最晚钱币是绍圣元宝（1094～1098年）。第二座墓葬出土墓志，碑文刻"宋故昭德县君孙氏墓铭……"根据墓志得知墓主孙氏丈夫王琏为尚书员外郎，从五品官，家中历代为官。孙氏卒于嘉祐五年（1060年）。

定窑酱釉梅瓶高22.7厘米，口径6.6厘米，腹径17.1厘米，底径7.5厘米。短颈，丰肩，鼓腹，腹下部渐收。施酱色釉，泛黄色，釉质莹润，光泽含蓄。

定窑酱釉梅瓶造型优美，釉色滋润匀净，

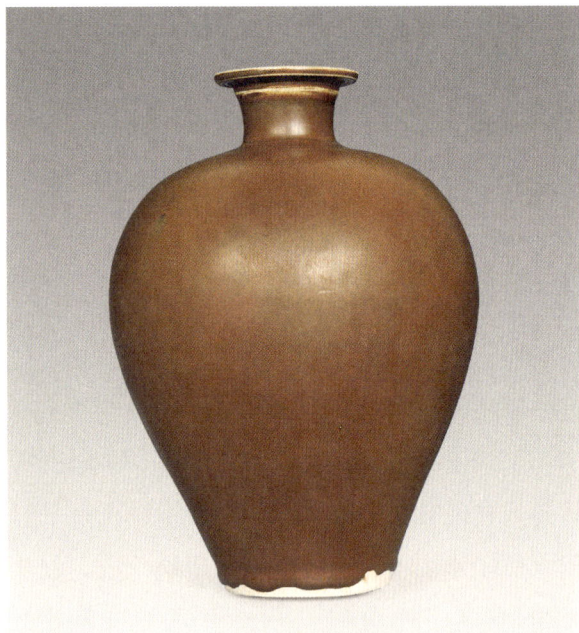

为定窑酱釉器中精品。

定窑酱釉梅瓶藏于常州市金坛区博物馆。

广元窑酱釉玳瑁纹荷叶盖罐 南宋文物。皇泽寺博物馆征集。20世纪50年代，文物考古调查队发现广元窑。70年代后期，四川陶瓷史研究组进行试掘。90年代中期，又进行抢救性发掘。2015年，配合基本建设进行发掘，出土大量新资料。

广元窑酱釉玳瑁纹荷叶盖罐通高18.7厘米，口径19.4厘米，底径7.5厘米。荷叶形盖，罐短颈，圆肩，鼓腹，圈足。外壁施玳瑁釉至腹下部，罐口刮釉露胎，胎体厚重。器内施酱黑釉。近底部与圈足呈酱灰色，圈足有细石英砂。

玳瑁釉瓷器多见于建窑和吉州窑。四川广元窑、重庆涂山窑、四川乐山西坝窑等窑场也产玳瑁釉器。玳瑁釉瓷器以碗居多，瓶、罐类很少见，特别是带盖罐实属罕见。

广元窑酱釉玳瑁纹荷叶盖罐藏于皇泽寺博物馆。

大口窑酱釉印花执壶（注子） 宋代文物。1958年，福建省蒲城县大口窑址出土。大口窑烧造于北宋中晚期，兴盛于南宋，相传有窑36座，是福建著名民窑。

大口窑酱釉印花执壶（注子）通高10.5厘米，口径4.02厘米，足径5厘米。壶身为扁圆腹，短弧流，曲柄。盖隆起，印团花纹。顶部有一小孔。灰黄胎，施酱釉。外壁模印细密竹篾编织纹，中部印一道上下对接纹。

闽北考古发掘中，可见不少大口窑竹篾编织纹饰陶瓷器，说明这种纹饰在当时生活日用瓷中得到普遍应用。

大口窑酱釉印花执壶（注子）藏于福建博物院。

鲁山窑花釉蒜头壶 唐代文物。1973年，魏忠策在河南省新野县城关乡港里村收集。1988年，移交新野县汉画砖博物馆。

鲁山窑花釉蒜头壶高34.5厘米，口径10厘米，足径11.5厘米。壶口作五瓣蒜头状，束颈，溜肩，肩部饰泥饼状直立双系，颈部、肩

下有凸弦纹装饰。长腹圆鼓，饼足。通体施黑釉，釉色微泛褐色，黑釉上有不规则灰白色斑块，近足处露胎。

唐代花釉瓷器又称"花瓷"，是中国最早的高温窑变釉瓷。1950年11月，陈万里对河南鲁山地区古代窑址进行第一次田野调查。1980年、1986年，文物工作者两次对鲁山段店窑进行复查，采集大量花釉标本，有腰鼓、注子、缸等。

鲁山窑花釉蒜头壶藏于河南博物院。

鲁山窑花釉花口执壶（注子） 唐代文物。1990年，河南省三门峡市供电局工地出土。

鲁山窑花釉花口执壶（注子）高27.5厘米，口径6.5厘米，底径8.8厘米。喇叭形侈口被捏成不规则花瓣状，形状略大的一个花瓣作为流，口至肩部有一双泥条形曲鋬。细颈，圆肩，卵圆腹，饼形足。通体施黑褐色釉，釉面有蓝灰和灰白色彩斑，近足处露胎，胎色浅灰。

鲁山窑创烧于唐代而终于元代。唐代《羯鼓录》中有"不是青州石末，即是鲁山花瓷"的记载。《羯鼓录》成书于唐宣宗大中二年（848年）及大中四年，是有关花瓷最早的文献记载。花釉瓷器以斑驳陆离、变化多端釉面装饰引人入胜，在单一釉色上增加另一种色釉，通过两种釉色来装饰瓷器，与两晋、隋唐青釉点褐彩、白釉点黑彩、白釉绿彩在构思上有相同之处，但又具独特风格，底釉多为黑色或深褐色，彩斑在底釉上自然流淌，明亮醒目，形成色彩与图案完美搭配。

鲁山窑花釉花口执壶（注子）藏于河南博物院。

鲁山窑花釉腰鼓　唐代文物。故宫博物院旧藏。

鲁山窑花釉腰鼓长58.9厘米，鼓面直径22.2厘米。腰鼓广首纤腰，鼓身凸弦纹七道。内外施黑釉，外部黑色釉地上涂洒数十块天蓝色斑块，给人以静穆典雅之感。已发现唐代烧花瓷腰鼓窑场有鲁山窑、禹县下白峪窑、耀州窑、交城窑等。经与从窑址采集瓷片标本进行比对，证明鲁山窑花釉腰鼓系河南鲁山窑产品。

腰鼓是从西域传入中国的一种击奏膜鸣乐器，两端需蒙上蟒皮，演奏时以手拍击或以槌敲击。因其两头粗而中腰细，故又有"细腰鼓"之称。另有杖鼓、拍鼓、魏鼓等称谓。唐代胡乐、胡舞风行长安，腰鼓广泛使用于胡乐中西凉、龟兹、高丽、疏勒、高昌等乐部。这些乐部所用腰鼓形状大体相同，质地或为瓷质，或为木质。瓷腰鼓不仅是研究唐代花瓷珍贵实物资料，也是研究古代中国音乐史重要资

料。2013年8月，鲁山窑花釉腰鼓被国家文物局列入第三批禁止出境展览文物目录。

鲁山窑花釉腰鼓藏于故宫博物院。

黑褐釉月白斑龙首执壶（注子） 唐代文物。1964年1月，贺官保在河南省洛阳市廛河区北窑机瓦厂采集。

黑褐釉月白斑龙首执壶（注子）高27厘米，口径11厘米，底径9.8厘米。敞口短颈，丰肩鼓腹，平底。肩一侧饰龙首形流，作昂首嘶吼状。流两侧贴附两对称人形饰，顶部与壶口黏结。器身与流相对一侧附龙形鋬，仅做出龙颈与龙首，龙首双目圆睁，口咬壶沿。壶另两侧肩部各塑一小罐，两罐形制相同，各贴一力士形饰。该壶通体施黑褐色釉，间饰形状不规则的月白斑，斑块浓淡各异、大小不一，极具神韵。

黑褐釉月白斑执壶（注子）属典型唐代花釉瓷，是唐代瓷器工艺新品种。烧造窑址主要分布在河南省，烧造是用两种不同呈色剂釉

料，分别在坯体上先后两次施釉，高温烧成。有学者认为，唐代花釉瓷器烧制技术，创造二液分相釉新技巧，为后世花釉瓷器烧制打下技术基础。

黑褐釉月白斑龙首执壶（注子）藏于洛阳博物馆。

第八节 颜色釉瓷器

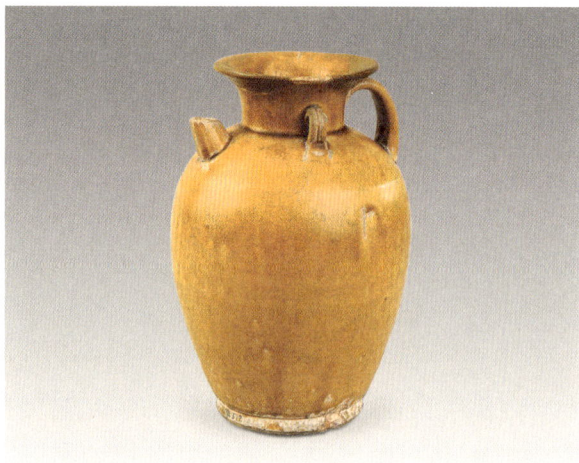

寿州窑黄釉注子 唐代文物。1959年,江苏省泗洪县汴河出土。

寿州窑黄釉注子高23.2厘米,口径10.4厘米,底径9.6厘米。喇叭口,短颈,鼓腹,饼形足。八棱状短流,双泥条系,与流嘴相对一侧置曲柄。通体施黄釉,釉面光亮,有细密均匀开片。

20世纪60年代,发现寿州窑窑址,窑址分布在安徽省淮南市上窑镇及邻近凤阳县武店镇等地,因窑址主要在淮南市境内,故又名"淮南窑"。寿州窑创烧于南北朝晚期,隋唐两代为鼎盛期,寿州窑隋代主要生产青釉瓷器,唐代则以黄釉瓷器闻名天下,著名唐代陆羽《茶经》中,就有"寿州瓷黄,茶色紫"记载,唐代晚期后,寿州窑逐渐衰落。

寿州窑黄釉注子藏于安徽博物院。

黄褐釉弦纹小口瓶 北宋至道元年(995年)文物。1969年12月,河北省定州市兴无街

大队在平整土地时,发现一座塔基,塔基内有石函及许多器物,黄褐釉弦纹小口瓶为其中之一。1969年12月,黄褐釉弦纹小口瓶入藏定县博物馆。

黄褐釉弦纹小口瓶高9.6厘米,口径2.7厘米,腹径7.7厘米,底径5厘米。瓶小口,直径,圆腹,圈足。白胎,瓶口内施绿釉,外壁施黄褐釉,釉中泛绿,釉面光洁莹润,颈以下至腹部饰六道弦纹,造型简洁、轻灵秀巧。

根据《创修净众院记》:净众院在北宋初年曾经是居民李敬千的菜地,后来施舍给僧侣,一位称义演僧人主持修建寺院。北宋雍熙三年(986年)由宋太宗赵光义赐名为"净众院"。这座塔基为北宋至道元年(995年)安葬义演等人所建。

黄褐釉弦纹小口瓶藏于河北省定州市博物馆。

景德镇窑黄釉盘 明弘治年间（1488～1505年）文物。首都博物馆征集。

景德镇窑黄釉盘高4.7厘米，口径21.5厘米，底径13.2厘米。弧腹，圈足，盘内外满施黄釉，外底施白釉，书青花双圈"大明弘治年制"3行6字楷书款。

弘治时期，黄釉瓷器中铁含量在4.5%左右，呈色娇嫩，釉面肥厚，如鸡油一般，又称"浇黄"或"娇黄"。浇黄创烧于明代宣德官窑，成化、弘治、正德时期都烧造黄釉瓷器，以弘治朝烧造黄釉瓷器最佳。

景德镇窑黄釉盘藏于首都博物馆。

吉州窑绿釉狮盖香熏 北宋元祐二年（1087年）文物。1963年11月，安徽省宿松县北宋元祐丁卯年（1087年）吴正臣夫妇合葬墓出土。

吉州窑绿釉狮盖香熏通高32厘米，口径12.2厘米，足径12.3厘米。由炉座和盖两部分组成，可拆合。炉座造型为仰莲式须弥座，莲呈盛开状，是为炉腹。盖作狮形，狮蹲坐式，侧目昂首，尾巴上翘，颈部挂三个铃铛，前足踏一只绣球。狮口微张，盖体中空，熏香时烟气可由狮口中冒出。

宋代香熏是文人书房中必备陈设物，有"焚香、烹茶、插花、挂画"四艺之说。吉州窑绿釉狮盖香熏制作方法，是先用捏塑、堆贴方法做出狮形，再用雕刻法进行局部加工，剔刻出细部。坯体先经高温烧制，然后施绿釉二次入窑低温烧制，烧成温度比一般绿釉稍高，釉色透明度高。

吉州窑绿釉狮盖香熏藏于安徽博物院。

绿釉碗 明嘉靖年间（1522～1566年）文物。故宫博物院旧藏。

绿釉碗高5.5厘米，口径17.8厘米，足径6.5厘米。碗敞口，弧壁，圈足。通体施绿釉。圈足内施白釉。外底青花双圈内书"大明嘉靖年制"6字楷书款。

绿釉最早见于汉代，从汉代铅绿釉陶开始，低温绿釉烧制一直都没有间断过，但大多呈暗青绿色，没有达到艳丽明亮程度，直到明代方烧制出成熟稳定的绿釉产品。该碗施釉均匀，经高温氧化烧成绿釉，色彩明快，为明代官窑绿釉制品中代表作。

绿釉碗藏于故宫博物院。

景德镇窑绿釉镂空瑞兽轮花纹香熏　清光绪年间（1875～1908年）文物。1953年，江西省南昌市财政局移交。

景德镇窑绿釉镂空瑞兽轮花纹香熏通高8.4厘米，球径6.5厘米。上部为球体，施绿釉，球顶部贴塑五只瑞兽，施淡黄釉，居中者口衔飘带。球体空心，球面以菱花带纹分隔为上下两层，各镂雕轮花四大朵，形如四个开光，匀分四方，大朵花间镂出小轮花，底部镂空轮花一朵，下附一乌金釉底座。

香熏最早见于汉代，为贵族"香料熏衣"必备之物，后渐入寻常百姓家。晚清时，制瓷业虽已明显萎缩，但仍有不少精美之作，景德镇窑绿釉镂空瑞兽轮花纹香熏为光绪时期器物，做工和技法均可称上乘，既是陈设器又可实用，外形美观、坚固耐用。胎体轻薄，造型玲珑精巧，球体采用镂空与贴塑结合，制作工艺难度高，是晚清瓷器中不可多得珍品。

景德镇窑绿釉镂空瑞兽轮花纹香熏藏于江西省博物馆。

长沙窑铜红釉壶（注子）　唐代中晚期（约742～907年）文物。1956年，湖南省长沙窑发现。长沙窑窑址位于长沙市望城区铜官街道彩陶源村，又称铜官窑。1999年，长沙市文物考古研究所在窑区内蓝岸嘴再次进行考古发掘，

发现通体施红釉长沙窑铜红釉壶（注子）。

长沙窑铜红釉壶（注子）高18.5厘米，口径9.3厘米，最大腹径11.4厘米，底径8.5厘米。颈部较长微内束，溜肩，流及柄置于肩颈部，流短，截面呈八棱形。腹部鼓，平底。内外均施釉，釉色系窑变红釉，内壁釉色深红中略带紫，外壁釉色红中泛绿。

长沙窑铜红釉壶（注子）是已知最早以铜为着色剂的红釉瓷器，国内发现长沙窑单色红釉瓷器仅3件，长沙窑铜红釉壶（注子）呈色最佳。

长沙窑铜红釉壶（注子）存于长沙市文物考古研究所。

钧窑玫瑰紫釉葵花式花盆　北宋文物。故宫博物院旧藏。

钧窑玫瑰紫釉葵花式花盆高15.8厘米，口径22.8厘米，底径11.5厘米。花盆呈六瓣葵花

形，广口，折沿，沿边凸起一道细棱。深腹，上丰下敛，平底开有五个渗水圆孔，矮圈足，足圈亦作葵花形。盆内施天蓝色窑变釉，外施玫瑰紫色窑变釉，釉面气泡、棕眼明显。口沿边棱及内壁出筋处呈酱色，折沿下一周及外壁出筋处呈紫白色。外底涂抹酱色护胎釉，刻数目字"七"，并有清代刻字"建福宫""竹石假山用"。据《清宫内务府造办处各作成做活计清档》记载，从乾隆十一年（1746年）开始，皇帝有意识命令内务府工匠在陈设类钧瓷上加刻宫殿名或陈设地名。

钧窑产地在河南禹州，钧瓷分为日用类和陈设类，两类瓷器造型和装饰风格有很大区别，陈设类瓷器制作考究、造型庄重，应是在宫廷直接指令下生产，因此又被称为"官钧"。因古代文献对钧窑记载十分简略，考古资料不够充足，尚无可靠纪年资料能够证明"官钧"确切年代。有研究者认为"官钧"是北宋晚期制造，也有研究者将"官钧"与考古资料、古代绘画作品和文献进行综合研究，指出"官钧"造型具有明显元代或明初风格，创烧于元代，或跨越元明两个朝代，约在15世纪。

钧窑玫瑰紫釉葵花式花盆藏于故宫博物院。

景德镇窑红釉盘　明宣德年间（1426～1435年）文物。1959年9月，故宫博物院调拨。

景德镇窑红釉盘高3.9厘米，口径19.9厘米，底径12.8厘米。敞口，腹壁弧收，圈足。盘内外满施红釉，釉面呈橘皮状，釉色鲜红透亮，莹润肥厚。口沿釉薄处露一周白边，俗称"灯草边"。圈足内白釉泛青色，底暗刻双圈"大明宣德年制"双行楷书款。该盘色调庄重静穆，为宣德红釉精品。

唐代长沙窑已开始利用铜为着色剂烧制出红釉器，金元时期河南禹县大量烧制铜红斑钧釉器。景德镇制作铜红釉始于元代。烧制时使用还原焰，但如有偏失，还原不全，或部分氧化，都可能造成发灰、发绿、烧失等情况。烧造时器物放置窑位、窑内温度与气氛细微变化，都会对色泽产生很大影响。因此，景德镇窑红釉盘烧成如同宝石般红釉瓷器的极少。

景德镇窑红釉盘藏于广东省博物馆

景德镇窑豇豆红刻花团螭纹太白尊　清康熙年间（1662～1722年）文物。1959年9月，故宫博物院调拨。

景德镇窑豇豆红刻花团螭纹太白尊高8.6厘米，口径3.5厘米，底径12.7厘米。小口，短颈，溜肩，广腹，腹部渐阔呈半球形，平底。腹部浅刻三组等距团螭纹，施豇豆红釉。器内和底施白釉，底部青花"大清康熙年制"3行楷书款。形制沉稳雅致，胎质细润坚质，釉色淡雅娇美。

豇豆红是清代康熙晚期创烧高温铜红釉新品种，纯正的色调酷似豇豆颜色，故称"豇豆红"。豇豆红釉器烧造难度极大，其烧制工艺是先在生坯上挂一层透明釉，釉层干后把精磨色料吹附器面，再罩一层透明釉，这样反复多次施釉，再入窑内在还原气氛中高温一次烧成。由于受烧成气氛影响，形成釉色千变万化，或淡雅娇嫩，犹如桃花，或偶现绿色的苔点，故有"美人醉""桃花红""娃娃脸"等称谓。康熙豇豆红器专为宫廷御用，多为小型器，太白尊是康熙豇豆红釉器中最常见作品。太白尊又称太白坛，因模仿诗人、酒仙李太白酒坛，故名。康熙豇豆红釉器传世极少，故主要由国内几家一级博物馆收藏。

景德镇窑豇豆红刻花团螭纹太白尊藏于广东省博物馆。

景德镇窑胭脂红釉罐 清雍正年间（1723～1735年）文物。海关缉私文物。

景德镇窑胭脂红釉罐高18.4厘米，口径6.5厘米，底径18厘米。直口，丰肩，圆腹下收圈足。外壁施胭脂红釉，釉下隐约可见冰裂纹。罐内施白釉，口端一周留白。足端露胎，修胎规整。底施白釉，有青花双圈"大清雍正年制"楷书款。

胭脂红是清代官窑瓷器中名贵低温彩釉，以黄金作为呈色剂。创烧于康熙晚期，雍正、乾隆、嘉庆、光绪等朝皆有产品，其中以雍正朝产品质量最精。胭脂红器烧制工艺是在烧成薄胎白瓷器上，使用吹釉技法施以釉彩，再经炉内800℃左右烘烧而成。以黄金作着色剂的釉彩是康熙年间从西方传入，最早用于制作珐

琅器，因此被称为"洋金红""西洋红"，西方多称之为"蔷薇红""玫瑰红"。又由于红釉颇如胭脂之色，故又名"胭脂红"。胭脂红釉根据呈色浓淡，又有"胭脂紫""胭脂水"之分。

1958年，景德镇窑胭脂红釉罐入藏广东省博物馆。

景德镇窑仿钧釉贴塑螭纹鱼篓尊 清雍正年间（1723～1735年）文物。经文物鉴赏家韩慎先、顾德威购一对于收藏家韩瑾华处。1958年11月，天津市文化局下拨天津市艺术博物馆。

景德镇窑仿钧釉贴塑螭纹鱼篓尊皆高17.2厘米，口径14.5厘米，足径18.3厘米。器呈鱼篓状，器身贴塑螭虎。一螭虎贴塑于器物腹部，爬到高处回首顾盼，另一螭虎贴塑于器物颈部，正在张望，两只螭虎上下呼应，生动有趣。此对尊仿宋代钧瓷烧造工艺，釉面光亮润泽，青紫红釉交融，宛如霞光浮动。黄绿色底，圈足内刻有"雍正年制"4字篆书方款。

窑变釉是雍正时期创烧仿宋代钧釉品种，釉面呈现蓝、紫、绿、酱、月白、褐等颜色，与红色交织在一起，形成千变万化流淌条丝与斑片，釉面有"火焰红""火焰青"美称。景德镇窑仿钧釉贴塑螭纹鱼篓尊是雍正时期窑变

釉瓷中精妙之作。

景德镇窑仿钧釉贴塑螭纹鱼篓尊藏于天津博物馆。

景德镇窑蓝釉白龙纹梅瓶　元代文物。江苏省扬州轻工机械厂退休工人朱立恒家祖传之物，传到朱立恒已是第六代。1945年，朱立恒家住江都时，曾有人以18石米向其母亲收购此瓶，被拒绝。1958年，朱立恒一家搬至扬州，并将此瓶带至扬州。1966年，为保护此瓶不被破坏，母亲用墨汁涂抹，用棉布层层包裹藏于

家中阁楼上。1976年，地震震情紧张，因担心此瓶在地震中遭到破坏，朱立恒瞒着母亲和哥哥，将此瓶卖给扬州市文物商店。

景德镇窑蓝釉白龙纹梅瓶高43.5厘米，口径5.5厘米，底径14厘米。小口，短颈，丰肩，肩以下逐渐收敛，近底部微外撇，圈足。通体施蓝釉，釉质肥厚莹润。腹部刻划一条白龙追逐着一颗火焰宝珠。白龙环绕瓶体一周，龙首上仰，双角微微后翘，张口吐舌，龙眼突起，以蓝釉点缀眼珠，颈部细长，长鬣飘拂，四肢长而粗壮，指尖锋利。满刻鳞片的龙身弯曲起伏，腾飞于空中，气势磅礴。白龙周边饰以四朵飘动火焰形云纹，火焰根部连有一颗小型宝珠。

1978年，北京举办"各省、市、自治区征集文物汇报展览"，景德镇窑蓝釉白龙纹梅瓶首次亮相，引发国内众多文物工作者极大关注。20世纪80年代初，经古陶瓷专家冯先铭与王志敏鉴定，确定此瓶为景德镇窑元代蓝釉瓷器，代表元代景德镇同类器物烧造最高水平。元代蓝釉白龙纹梅瓶世上仅存3件，一藏法国集美博物馆，一藏北京颐和园管理处，扬州此瓶不仅形体大，且保存最为完整。1981年，在当地政府支持下，扬州博物馆从文物商店购得此瓶。2013年8月，景德镇窑蓝釉白龙纹梅瓶被国家文物局列入第三批禁止出境展览文物目录。

景德镇窑蓝釉白龙纹梅瓶藏于扬州博物馆。

景德镇窑蓝地白花寿山福海纹立耳炉　明永乐至宣德年间（1403～1435年）文物。南京博物院征集。

景德镇窑蓝地白花寿山福海纹立耳炉高58

厘米，口径37.6厘米，最宽处59厘米。腹上部立双扁耳，有长方形穿孔；蹄足，腹底有三个圆形出气孔，足与炉身衔接处有缩釉，炉底呈现窑红，砂底细，釉色青亮滋润，表面有橘皮纹，青花料呈色浓艳，出现不规则黑色斑点，颈部10枚乳钉布满一周，器身满饰山水纹，呈"寿山福海"画面，器身不见款识。足与炉耳衔接处多处缩釉，内底有磨损。

明代永宣时期官窑瓷器与元代相比提高一个层次，造型多样且纹饰优美，胎质洁白，釉质莹润，青花浓郁，被称为中国青花瓷器黄金时期。景德镇窑蓝地白花寿山福海纹立耳炉造型端庄高大，青花料"苏麻离青"呈色鲜亮，拓抹笔法所绘出寿山福海气势宏大、摄人心魄，是明代永宣时期瓷器代表之作。

景德镇窑蓝地白花寿山福海纹立耳炉藏于南京博物院。

景德镇窑洒蓝釉钵 明宣德年间（1426～1435年）文物。20世纪70年代，北京市文物商店征集。

景德镇窑洒蓝釉钵高11.5厘米，口径25.3厘米，底径12厘米。弧腹，平底，通体施洒蓝釉，内底书青花双圈"大明宣德年制"双行楷书款。洒蓝釉又称为"雪花蓝釉"，蓝中散布白色小斑块，犹如雪片飞撒在蓝釉上，是明宣德年间创烧新品种。

20世纪80年代，景德镇明代御器厂遗址出土不少残器，应为当时废品。1982年，景德镇珠山御器厂遗址多次发现宣德洒蓝釉标本，有钵、碗、罐、盘等刻龙纹洒蓝釉残器。宣德洒蓝釉瓷器存世量很少，已知完整景德镇窑洒蓝釉钵国内仅存2件。

景德镇窑洒蓝釉钵藏于首都博物馆。

景德镇窑回青釉盘 明嘉靖年间（1522～1566年）文物。首都博物馆征集。

景德镇窑回青釉盘高3.5厘米，口径19.5厘米，底径12厘米。撇口，弧腹，圈足。内外施回青釉，光素无纹，口沿一圈泛白，足外底白釉青花双圈"大明嘉靖年制"双行楷书款。回青釉是明代嘉靖、万历时期烧造的一种蓝色釉，因用进口回青与石子青调配而成的钴料作为着色剂而得名。系生坯挂釉，入窑以1250℃以上高温一次烧成。

景德镇窑回青釉盘釉厚而均匀、修胎精

细，为明代嘉靖朝珍品。

景德镇窑回青釉盘藏于首都博物馆。

景德镇窑天蓝釉云耳梅瓶　清康熙年间（1662～1722年）文物。1962年，故宫博物院调拨。

景德镇窑天蓝釉云耳梅瓶高21厘米，口径

3.9厘米，底径6厘米。圆唇口微撇，短颈，颈间弦纹一道，丰肩，肩下两侧隐隐凸起如意云状装饰，肩下腹渐敛，近足外撇，二层台式足，足内有青花"大清康熙年制"3行6字楷体款。

天蓝釉是康熙时创烧一种高温色釉，属蓝釉范畴，其钴含量稍低所以釉色浅淡，呈现天空之色，故名天蓝釉。康熙时，天蓝釉多为小型文房用具，大器不多。景德镇窑天蓝釉云耳梅瓶器形优美、釉质莹润，釉色浅淡素雅，堪称康熙时期天蓝釉瓷器代表作。

景德镇窑天蓝釉云耳梅瓶藏于江西省景德镇陶瓷馆。

景德镇窑孔雀绿釉荷叶式洗　清康熙年间（1662～1722年）文物。首都博物馆征集。

景德镇窑孔雀绿釉荷叶式洗高6厘米，口径23.5厘米，形似荷叶。将荷叶边卷起而成洗。边缘装饰一朵莲花和一枝莲蓬，洗内以尖利工具刻出荷叶筋脉，外底凸雕荷叶筋络。胎体细薄，通体施孔雀绿釉。

孔雀绿釉是一种呈色翠绿、似孔雀羽毛低温色釉，又称翠蓝釉。西亚生产孔雀绿釉约为9～10世纪，并一直延续至15世纪后。中国孔雀绿釉产生时间大约在13世纪，景德镇元代开始烧造孔雀绿釉瓷器。孔雀绿釉主要以铜为着色元素，其中氧化铜含量在9%，以碱金属氧化钾和氧化钠为助熔剂，并含有少量氧化铅。康熙时期是颜色釉大规模烧造时期，孔雀绿釉较明代烧造得更为成功。景德镇窑孔雀绿釉荷叶式洗是在白釉上覆釉二次烧成，器形小巧精致，釉色葱翠微偏蓝，为康熙朝文房佳器。

景德镇窑孔雀绿釉荷叶式洗藏于首都博物馆。

景德镇窑蓝釉渣斗 清雍正年间（1723～1735年）文物。清宫旧藏，藏清代皇家宫苑承德避暑山庄或盛京皇宫（沈阳故宫）。

景德镇窑蓝釉渣斗高22.9厘米，口径22.7厘米，足径8.6厘米。渣斗大撇口，束颈，圆肩，球腹，高圈足外撇。器里施白釉，外壁施蓝釉。足内施白釉，有青花双圈"大清雍正年制"双行楷书款。

蓝釉是以氧化钴为呈色剂高温釉，景德镇窑高温蓝釉瓷创烧于元代，明清两代官窑烧造的蓝釉瓷多作为皇家祭器或陈设使用，虽有"霁蓝""祭蓝""霁青""宝石蓝"等众多称谓，但实为一个品种。其色泽深沉，均匀稳定。景德镇窑蓝釉渣斗造型口大腹小，古朴端庄，釉面匀净光亮，色调清幽，是清代官窑蓝釉瓷佳作。

景德镇窑蓝釉渣斗藏于故宫博物院。

茶叶末釉"乾二年田"款鸡腿坛 辽乾统二年（1102年）文物。1949年，东北博物馆成

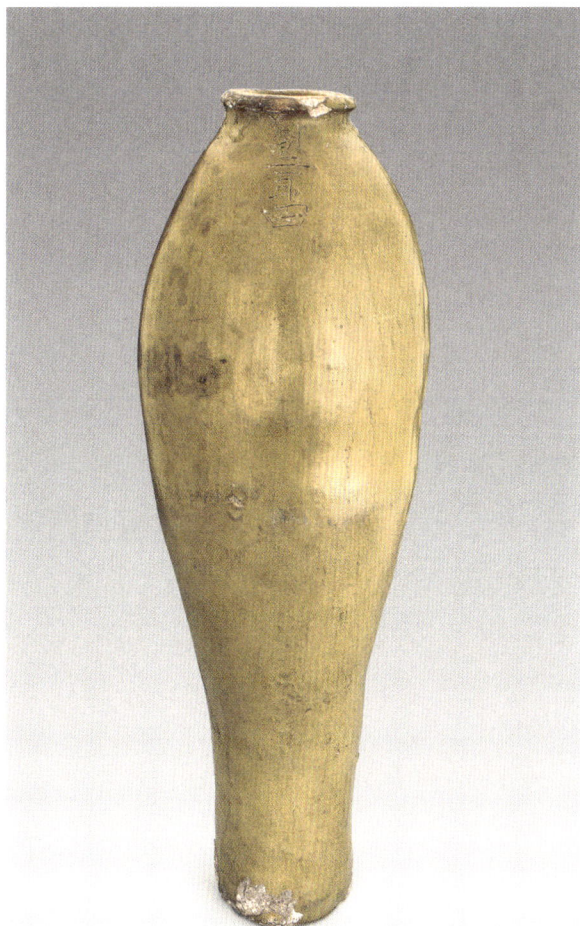

立时接收。

茶叶末釉"乾二年田"款鸡腿坛高64.2厘米，口径9.8厘米，腹径21.5厘米，底径11.9厘米。溜肩，长腹微鼓，平底，缸胎。满施茶末绿釉，釉面匀净，底无釉。肩部竖刻"乱二年田"四字款。"乱"即"乾"字，"乾二年"即辽代天祚帝耶律延禧年号"乾统二年（1102年）"缩写，"田"应是制作工匠姓氏。

辽代鸡腿坛又称"鸡腿瓶"，因腹部修长形如鸡腿，故而得名，是契丹民族特有的一种贮藏器，在辽墓中常有发现。鸡腿坛多以黑褐釉或茶叶末釉为装饰，肩至底饰有凸凹弦纹，少数肩部刻有汉字楷书或契丹文年款。在辽代墓葬壁画上，有描绘契丹人使用"鸡腿坛"画面。贮酒时，坛下半体通常被掩埋于地下或置于架子中，这样做是为保持器物平衡稳定。茶叶末釉"乾二年田"款鸡腿坛因有明确制作年代，对辽代鸡腿坛断代具有重要参考价值。

茶叶末釉"乾二年田"款鸡腿坛藏于辽宁省博物馆。

茶叶末釉带把花浇　清雍正年间（1723～1735年）文物。1959年3月，故宫博物院南京分院调拨。

茶叶末釉带把花浇高17.1厘米，口径8.5厘米，足径6.7厘米。大口微外撇，小流，粗直颈，口、肩间附龙形柄，鼓腹，平底。通体施茶叶末釉，釉面呈失透状，釉色黄绿间杂，稍带棕眼。器形制作规整精细。器底阴刻"雍正年制"四字篆书款，字体工整规矩。花浇造型仿自15世纪西亚铜制器皿，是用作浇注实用器，明代起盛行，至清代雍正时期茶叶末釉花浇成为典型器之一。

茶叶末釉是一种以铁、镁与硅酸化合而产生结晶，经1250～1300℃高温还原焰烧制而成。因温度差异会产生多种色调，如鳝鱼黄、蛇皮绿、鳝鱼青、黄斑点等。雍正时期烧造茶叶末器偏黄，而乾隆时制器偏绿稍多。清代御窑厂督陶官唐英新创此釉色，时称"厂官釉"。清代多次实行禁铜政策，皇家迫切需求可替代铜器祭祀品，在此背景下，御窑厂工匠创烧与黄铜器相媲美的"茶叶末"，以替代铜器在祭祀场合及日常生活中使用。因此，茶叶末釉多用于尊、缸、罐、瓶等大件器，因造型仿古，做工精细，茶叶末釉一出现便成为皇族争相追捧赏玩珍品。

茶叶末釉带把花浇藏于江西省景德镇陶瓷馆。

茶叶末釉绶带耳葫芦瓶　清乾隆年间（1736～1795年）文物。故宫博物院调拨。

茶叶末釉绶带耳葫芦瓶高26.3厘米，口径2.7厘米，腹围8.2厘米。呈上小下大葫芦形，直口，圆唇，上部为橄榄形，中部束腰，下部呈球状，瓶体两侧有一对如意绶带耳。通体满施茶叶末釉，釉面光滑匀净，釉呈青黄色，幽雅润泽。束腰处饰有模印莲瓣纹,瓶底釉下阴刻"大清乾隆年制"6字篆书款。

茶叶末釉起源于唐代。清代茶叶末釉制品多为景德镇官窑所烧,以雍正和乾隆时期最为多见。茶叶末釉绶带耳葫芦瓶釉面呈失透状,釉色青黄绿掺杂似茶叶细末,古朴清丽,耐人寻味。

茶叶末釉绶带耳葫芦瓶藏于广东省博物馆。

酱釉贯耳弦纹尊 清乾隆年间(1736~1795年)文物。清宫旧藏。据文物原号与《故宫物品点查报告》比对,酱釉贯耳弦纹尊藏紫禁城内廷西路永寿宫银库内。

酱釉贯耳弦纹尊高50.5厘米,口径18.5厘米,足径22厘米。尊撇口,粗颈,折肩,腹部自肩下敛,圈足外撇,颈部饰对称贯耳。通体及足内施酱釉,施釉匀净,釉色纯正。颈部饰凸弦纹一道。器底阴刻"大清乾隆年制"3行6字篆书款。

酱釉亦称"紫金釉",因以"紫金土"配釉而得名,是一种以铁为着色剂高温釉,釉色

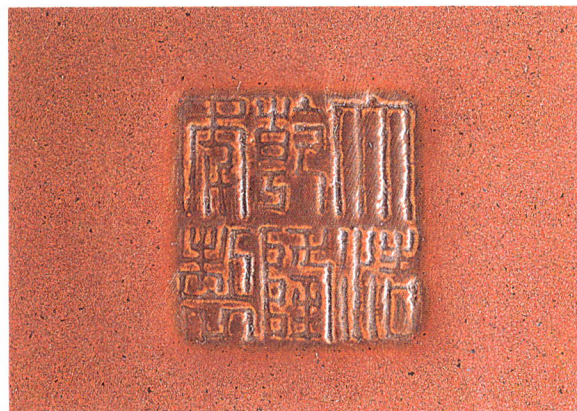

与芝麻酱色颇为接近。宋代时，北方许多窑口已生产酱釉瓷，景德镇官窑酱釉瓷制作始自明代初期。

酱釉贯耳弦纹尊藏于故宫博物院。

宜兴窑仿钧釉凫式壶 明代文物。故宫博物院旧藏。

宜兴窑仿钧釉凫式壶高24.3厘米，口径2.4厘米，足径7.6厘米。仿汉代青铜鸭形壶式样，壶上半部呈鸭头形，瓶口在鸭颈上，弯下鸭头成为流，扁圆腹下垂，浅圈足，无款。通体施天蓝釉，有开片。颈腹间有凸弦纹。

宜兴窑位于江苏宜兴丁蜀镇，传说越国大夫范蠡在此地作陶致富号称陶朱公，旧时宜兴窑户称其为"陶祖"。宜兴仿钧釉是指宜兴生产的一种陶、瓷器，由于釉色近似河南钧釉，故称为"宜钧"（即宜兴钧窑，又称宜兴仿钧釉，在清代文献中多作"宜钧"）。宜钧以白泥或紫泥为胎，釉层较厚，开片细密，不甚透明，浑厚古朴。文献记载，宜钧流行于明代中叶，明末开始进献于宫廷。宜钧产品由于存在时间短，制作昂贵，故流世甚少。传世宜钧釉

色以天青、天蓝、芸豆、月白等色居多，烧成温度在1150℃左右。宜兴窑仿钧釉凫式壶釉色匀净、造型奇特，颇具审美价值。

宜兴窑仿钧釉凫式壶藏于故宫博物院。

景德镇窑茄皮紫釉高足碗 清康熙年间（1662～1722年）文物。藏于罗布林卡（藏文意为"宝贝园林"）。罗布林卡由七世达赖喇嘛格桑嘉措于清乾隆十六年（1751年）开始兴建，后成为历世达赖消夏理政地方。景德镇窑茄皮紫釉高足碗应是清朝皇帝赠给某世达赖赏赐物。1999年西藏博物馆开馆时，由罗布林卡移交博物馆收藏。

景德镇窑茄皮紫釉高足碗高11.5厘米，口径15厘米，足径3.5厘米。撇口深腹，下承以中空高足。通体施紫釉，釉色紫中泛蓝。茄皮紫釉是以锰为主要呈色剂低温色釉，因颜色似茄子皮颜色而得名。高温烧成素胎后，施釉，入炉以800～850℃低温二次烧成。呈色有深、淡之分，深者呈黑紫色，如熟透茄皮；淡者颜色介于豇豆色和芸豆色之间。由于釉料配制及烧造较难，为名贵色釉品种。

紫釉瓷器则始烧于明代宣德时期，弘治、嘉靖、万历时期均有烧造，产量较低。茄皮紫釉瓷器在康、雍、乾三朝最为盛行。康熙时茄皮紫釉，釉色紫中泛蓝，釉面明亮，呈色稳定。景德镇窑茄皮紫釉高足碗也称靶碗，制作精良，原是蒙藏地区日用器皿，主要用作佛前供器和饮茶器，为清代景德镇御窑产品。

景德镇窑茄皮紫釉高足碗藏于西藏博物馆。

景德镇窑青金蓝釉蒜头瓶 清雍正年间（1723~1735年）文物。清宫旧藏，藏盛京皇宫（沈阳故宫）。

景德镇窑青金蓝釉蒜头瓶高28厘米，口径3.4厘米，足径8.9厘米。瓶口部似蒜头状，细长颈，溜肩，垂腹，圈足。通体及施青金蓝釉，器上部釉面青、蓝、白三色斑点密布，下腹釉面以青、白色斑点为主，蓝色斑点稀少。施釉厚而匀净，釉面润泽莹亮。颈、肩相接处凸弦纹一道。器底阴刻"雍正年制"双行4字篆书款。

青金蓝釉是清代雍正时期景德镇官窑督陶官唐英在仿钧釉基础上新创品种，其工艺与仿钧釉接近，以乳白釉为底釉，在其上吹淋钴蓝釉料，于高温中烧成。釉色中青、蓝、白三色斑点淋淋洒洒，意趣天成。因其貌类似青金石，故名"青金蓝釉"。

景德镇窑青金蓝釉蒜头瓶藏于故宫博物院。

景德镇窑冬青釉绳纹鱼篓尊 清雍正年间（1723~1735年）文物。1953年6月，文化部文物局调拨。

景德镇窑冬青釉绳纹鱼篓尊高16.8厘米，口径6.9厘米，腹径15.7厘米，底径6.9厘米。大口微撇，短颈，圆腹，矮圈足，造型似鱼篓，故名。内外施冬青釉，釉色莹润青翠。腹部贴饰编织绳纹，肩两侧饰提手。景德镇窑冬青釉绳纹鱼篓尊完全模拟实用鱼篓形状，凸起绳纹因烧制后釉层较薄而显青白色，形成深浅柔和对比。器底部书青花"大清雍正年制"3行6字篆书款。

冬青釉是介于豆青与粉青釉之间一种仿龙泉釉，以铁为主要着色剂，于高温还原气氛中烧成。配方中掺钾、钠元素，使釉在烧制中增加黏度，避免流淌产生聚釉现象。雍正时期，

鱼篓尊比较流行，饰以绳纹、竹纹，这种利用民间渔耕用具题材装饰皇家制器，隐含祈求渔耕兴旺、生活富足之意。

景德镇窑冬青釉绳纹鱼篓尊藏于江西省景德镇陶瓷馆。

景德镇窑仿哥釉石榴形尊　清雍正年间（1723～1735年）文物。上海博物馆征集。

景德镇窑仿哥釉石榴形尊高16.8厘米，口径7.6厘米。通体作石榴形，器身仿哥釉色青中闪灰，釉面肥腴洁净，其上有深灰色纹片。底内凹呈浅圆弧形足，宽足端刷一周酱褐色料，器底有青花"大清雍正年制"3行6字篆书款。造型因仿石榴而名，五瓣式花口外撇，束颈，圆腹。

明代宣德时期，景德镇就已生产仿哥釉瓷器，清代景德镇生产仿哥釉瓷，始自康熙朝，但产量很少。至雍正、乾隆时期，在唐英主持下，生产大量仿哥釉器，仿制技术远超明代。不但仿其釉色，且仿其胎质，釉层肥厚，釉质温润，早期哥釉特有油腻酥光和金丝铁线，均仿得较为相似。景德镇窑仿哥釉石榴形尊釉色、造型甚为精美，后朝制品与之相比都略逊

一筹。

景德镇窑仿哥釉石榴形尊藏于上海博物馆。

景德镇窑仿汝釉桃式洗　清乾隆年间（1736～1795年）文物。上海博物馆旧藏。

景德镇窑仿汝釉桃式洗高4.5厘米，长21.9厘米，宽14.2厘米。以手工捏塑成形，整件器皿形同寿桃，平底，浅腹，口沿内敛，略呈不规则状。洗的一端堆塑桃枝、桃叶及桃，生动活泼，构思巧妙。通体施仿汝釉，釉色天青，微微泛灰，釉面有细密开片。洗的底部有五枚细小支钉痕，支钉处涂灰色料，模仿汝窑"香灰胎"效果。器底有青花"大清乾隆年制"3行6字篆书款。

清代景德镇御窑厂仿汝釉瓷器始于雍正，乾隆、嘉庆、道光朝亦有仿烧，以雍正、乾隆

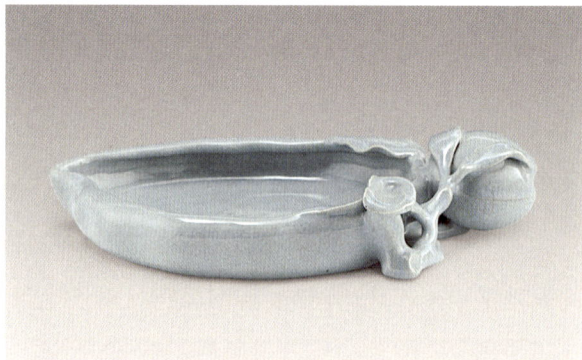

时期仿品最为多见，质量也最好。品种包括仿汝、仿官、仿哥釉等颜色釉，虽形制大体类似，但因手工捏塑成形，每个又不至雷同。尤其是乾隆朝唐英督造御窑时，在仿制汝瓷上有很大成就。唐英《陶成纪事碑》有明确仿制汝瓷记载："仿铜骨无纹汝釉，仿宋器猫食盘、人面洗色泽。"这一时期虽仿古但却不泥古，器形多与宋代有所区别，在外底也会署当朝青花篆书3行6字款。由于烧成温度较高，釉面透亮莹澈，与北宋汝窑青瓷半透明乳浊釉质感不同。

景德镇窑仿汝釉桃式洗藏于上海博物馆。

景德镇窑乾隆仿官釉三孔葫芦瓶　清乾隆年间（1736～1795年）文物。上海博物馆征集。

景德镇窑乾隆仿官釉三孔葫芦瓶高20.9厘米，底径5.5厘米。三管状小口，三葫芦形器腹相连成三菱花状，圈足与之呼应成三曲花形，形制规整，富有变化。通体施仿官釉，釉色青灰，釉面有稀疏开片，足端无釉处刷一层酱褐色料。器底有"大清乾隆年制"3行6字篆书款。

三孔葫芦瓶是雍正官窑新烧制一种瓶式，乾隆时在此基础上继续烧造。清档将其称之为"葫芦式三孔花插"记录分析，此类瓶是宫廷用来插花的陈设瓷。传世多见仿官釉、仿汝釉、青釉、蓝釉等品种，大部分器皿多书写本朝款识。乾隆以后，三孔瓶仍延续烧造。20世纪80年代，景德镇御窑厂考古发掘表明，仿官釉至迟烧造于明成化年间。清代雍正、乾隆年间，景德镇御窑厂仿官釉，又被称为"仿铁骨大观釉"，胎呈铁黑色，釉质莹润肥厚，色有粉青、天青、灰白、青灰等。釉面大多有开

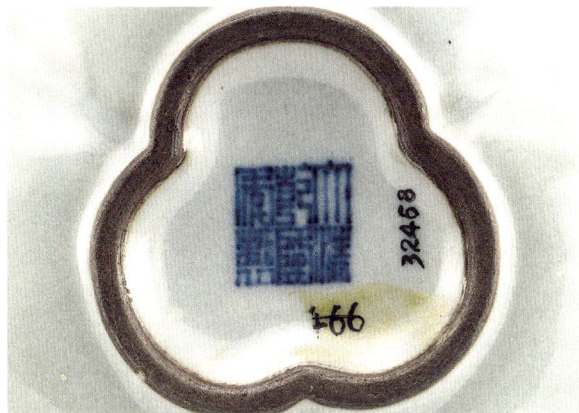

片，其片纹有深至胎骨黑色主线，也有较浅白色冰裂纹，还有介于两者之间的茶褐色纹路，部分器物有紫口铁足。造型有尊、瓶、洗、罐等。有的署款，有的无款。

景德镇窑乾隆仿官釉三孔葫芦瓶藏于上海博物馆。

景德镇窑粉青釉鸡形熏　清乾隆年间（1736～1795年）文物。故宫博物院旧藏。

景德镇窑粉青釉鸡形熏通高22厘米，长25

厘米，宽12.3厘米。熏作雄鸡形，俯卧引颈，回首高吭，双爪抓地，尾端高翘，喙微张，颇具动感。通体施粉青釉，釉色素雅，雕刻至精。鸡熏体内中空，其底部可分离。于鸡熏体内焚香，鸡喙出香气。

清代景德镇御窑厂生产青釉瓷器包括豆青、东青、粉青、仿龙泉釉等品种，经康熙、雍正朝发展，乾隆年间青釉瓷烧制技术达到历史最高峰。

景德镇窑粉青釉鸡形熏藏于故宫博物院。

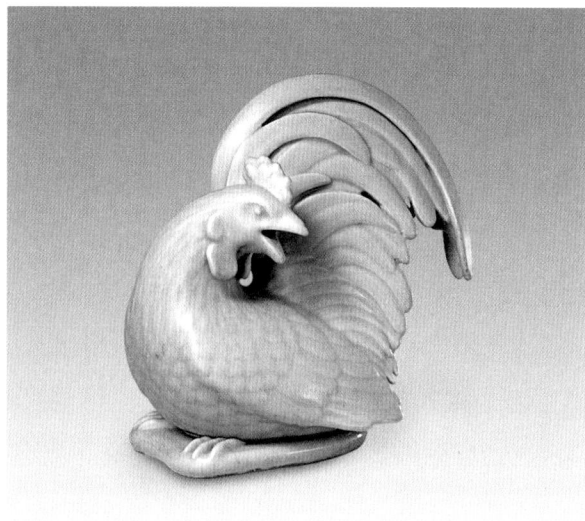

第九节 彩绘瓷器

青釉釉下褐彩羽人纹盘口壶 三国时期吴国文物。1983年，江苏省南京市雨花台区长岗村5号墓出土。此墓中未发现确切纪年遗物，但出土器物颇丰，青釉釉下褐彩羽人纹盘口壶为出土器物之一。从墓葬形制判断，5号墓是孙吴晚期墓葬。

青釉釉下褐彩羽人纹盘口壶通高32.1厘米，最大腹径31.2厘米，口径12.6厘米，底径13.6厘米。圆弧形盖，盘口，束颈，溜肩，圆腹，平底。胎色灰白，青釉泛黄，透明度高。壶通体纹饰由上至下可分为盖、颈、肩、腹四个部分。器盖顶部塑一回首鸾鸟为盖纽，盖纽两旁各饰一柿蒂纹，盖面绘一对人首鸟身神禽和一株仙草；壶颈部绘7只异兽，异兽头似虎，颈后鬃毛飘拂，身形似虎，尾长；壶肩部

装饰三组贴塑：四个等距分布衔环铺首、两尊佛像、一对双首连体比翼鸟；壶腹部绘两排持节羽人，羽人身体极瘦，背脊生毛，头有双角，双手持节，画面空隙处还穿插点缀着仙草和云气纹；壶胫部绘一周仰莲纹。器盖内壁、内口沿等处满绘仙草、云气纹、连弧纹。壶身彩绘图案繁密而不杂乱，画工娴熟，意境神秘缥缈，具有汉代以来帛画及漆画遗风。所绘神禽异兽、佛像、鸾鸟、铺首、羽人、仙草栩栩如生，画面内容与中国古代神话、道教乃至佛教都有相关之处。

青釉釉下褐彩羽人纹盘口壶出土证明，三国时期就已具备烧制釉下彩瓷器先进工艺，也是三国时期吴国最完整绘画艺术珍品。2013年，青釉釉下褐彩羽人纹盘口壶被国家文物局列入第三批禁止出境展览文物目录。

青釉釉下褐彩羽人纹盘口壶藏于南京市博物馆。

瓯窑青釉褐彩鸡首壶 东晋永和七年（351年）文物。1958年，浙江省温州市郊双屿镇牛岭村雨伞寺东晋永和七年（351年）墓出土。

瓯窑青釉褐彩鸡首壶高19.5厘米，口径8.1厘米，底径11.2厘米。盘口，束颈，圆肩，球腹，平底。肩部一侧置引颈高冠、凸眼鸡首流，流口与腹部相通；对侧置圆曲形把柄，上端衔盘口，下端置于肩部；左右侧对称

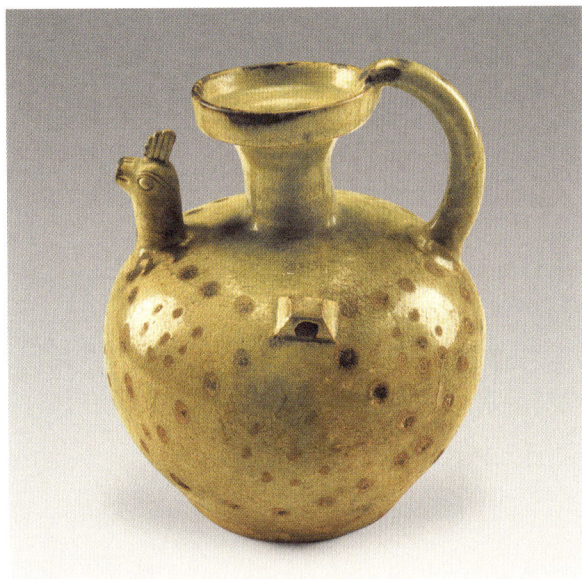

横贴桥形系，并划饰弦纹一周。灰白胎，胎质细腻。器身施半透明青绿釉，釉质匀净滋润，釉面开细碎纹片。

温州古代制瓷历史悠久。东汉晚期瓯窑工匠已能烧制出成熟青瓷。魏晋南北朝时期，瓯窑制瓷技术趋于成熟，并逐步达到繁盛。青釉点褐彩是瓯窑青瓷最突出特点，在器物口、肩、腹、盖面、鸡首流等醒目位置，褐彩形成圆圈、弧形、"十"字形、三角形、联珠花形等各式图案，在青釉映衬下，对比明显。瓯窑青釉褐彩鸡首壶造型端庄自然，浑厚质朴，具有魏晋时代气息。

瓯窑青釉褐彩鸡首壶藏于温州博物馆。

邛窑青釉褐彩水火星斗图碗　唐开成元年（836年）文物。1958年12月，征集自韵古斋。韵古斋位于北京市宣武区琉璃厂东街，由河北省三河县人韩士怀于清光绪二十九年（1903年）开设，主要经营中国传统工艺制品。

邛窑青釉褐彩水火星斗图碗高6.1厘米，口径17.2厘米，足径8.6厘米。束口，弧腹，假圈足。碗明显变形，一侧凸凹不平。内外皆

施灰青色釉，外壁施釉至中腹，釉面淋漓不齐，胎呈紫红色，胎质较粗。内底饰有釉下褐彩图案和铭文。中间图案由星斗、水、火等组合起来，上面为四道横形水波纹，水波之下为"水"字，"水"字下面有"火"字，字下饰火焰纹，图案和文字间饰有长柄星体纹样。中间图案右侧以褐彩书"开成元年""十月造用"两竖行款识，左侧书"日月星辰""土木"两竖行铭文。碗内底可见五处等距叠烧支垫痕。

邛窑是四川青瓷窑系代表，分布在以成都平原为中心的四川西部与南部地区，创烧于东晋，发展于南朝，成熟于隋，兴盛于唐、五代，结束于南宋中晚期，历经9个世纪。邛窑所在四川省邛崃县，有不少道观名胜。邛窑青

釉褐彩水火星斗图碗的装饰纹样和文字，与道家法术相符，有驱邪消灾、祈福平安之意。

邛窑青釉褐彩水火星斗图碗藏于中国国家博物馆。

越窑青釉褐彩云纹熏炉 唐天复元年（901年）文物。1980年7月12日，浙江省临安县锦北街道西墅村水丘氏墓出土。水丘氏墓距临安城区西2.5千米，临天公社工农大队窑厂在西墅村明堂山取土时发现砖室墓，当时暴露砖室西南一角，工人发现后立即停止取土，大队支部书记立即打电话报告县、市、省文物管理部门，并及时派人看护现场。8月11日起，浙江省考古所、杭州市文管会和临安县文管会考古人员组成明堂山考古队，历时49天，进行发掘。考古发掘完成后，对墓葬进行原土回填保护。

越窑青釉褐彩云纹熏炉通高66厘米，盖高21.8厘米，盖口径27厘米，炉高33.3厘米，炉口径30.8厘米，座高11.5厘米，座口径40.3厘米，座底径41厘米。由盖、炉、座三部分组合而成。盖为盔形，纽作含苞欲放荷花状，花心中空。盖身镂36个花孔，其下褐彩绘6组云纹。炉身直口，宽平折沿，筒腹，平底。折沿满绘18组莲花。炉身阴线三周，上下各绘五组云纹。平底外缘置等距五虎首兽足，虎首露齿吊眼，面目凶猛，额阴刻正楷"王"字。虎肢内凹，五趾。底座为环状须弥座形，圈壁镂8个等距壶门，壶门之间绘褐彩云纹，壶门边沿绘褐彩。炉内尚存香灰。

1978年，在水丘氏墓西侧发现钱宽墓，两墓东西向排列，相距6米，埋于同一封土墩内，为异穴同封合葬墓。钱宽和水丘氏为五代吴越国国王钱镠父母，钱宽卒于唐乾宁二年（895年），葬于光化三年（900年），水丘氏卒于唐天复元年（901年）。钱宽墓早年被盗，随葬器物残存不多，仅出土19件白瓷、3件青瓷和少量铜器、铁器等。水丘氏墓保存完好，共出土瓷器、金银器、铜器、玉器、石器等随葬品100余件。2001年6月25日，国务院公布临安吴越国王陵（钱宽水丘氏墓、康陵、钱镠墓）为第六批全国重点文物保护单位。2013年，越窑青釉褐彩云纹熏炉被国家文物局列入第三批禁止出境展览文物目录。

越窑青釉褐彩云纹熏炉藏于临安博物馆。

瓯窑青釉褐彩蕨草纹执壶（注子） 北宋文物。1983年12月28日，浙江省温州市西郊锦山气功疗养院建筑工地出土。锦山又名西山、

瓯浦山、金丹山，距温州城西约2.5千米，山麓中分布唐宋时期瓯窑代表性窑址"西山窑址群"。20世纪80年代，浙江省市文物考古部门联合调查，发掘西山窑址群，出土大量瓷器，其中包括瓯窑青釉褐彩蕨草纹执壶（注子）。

瓯窑青釉褐彩蕨草纹执壶（注子）通高25.1厘米，壶身口径5.1厘米、足径7.5厘米。壶盖呈宝塔形、圆珠纽、双重口。直颈，圆肩，瓜棱腹，平底稍内凹。肩部置流和扁条形把柄，壶把上模印缠枝卷草花卉纹和联珠纹，上端花间有"七何"二字。通体施淡灰绿色釉，滋润光亮。器形修长清秀，端庄挺拔。壶身褐彩绘蕨草类植物纹，靠近流和壶把部位绘以山石和茂密蕨草，两面宽阔之处绘蕨草数株，枝叶舒展，纤细挺拔。由褐、绿两色组成

蕨草映衬在浅绿淡雅壶面上，浓淡相宜。

瓯窑青釉褐彩蕨草纹执壶（注子）为西山窑佳作。有专家认为，器身褐彩纹饰可能是西亚椰枣树叶，盖面褐彩纹饰则是椰枣长圆形浆果；把柄上模印缠枝卷草花卉纹和联珠纹，从器形及纹饰看，瓯窑青釉褐彩蕨草纹执壶（注子）明显受到波斯萨珊王朝艺术风格影响。

瓯窑青釉褐彩蕨草纹执壶（注子）藏于温州博物馆。

潮州窑青白釉黑彩"周明"塑释迦牟尼像 北宋熙宁二年（1069年）文物。1922年，广东省潮州城外西南约5千米的羊皮岗地下一窖藏出土。一同出土4尊佛像和1件莲瓣纹香炉。4尊佛像都刻有窑口"水东中窑甲"及制作年代"治平四年""熙宁年五月""熙宁元年六月""熙宁二年"，其供奉人均为"刘扶及其家人"，佛像塑造者都为工匠"周明"。4尊佛像为香港收藏家罗原觉所藏。1958年，由广东省文管会前往香港办理购买。购回后，2尊留在广东省博物馆，2尊入藏中国历史博物馆。

潮州窑青白釉黑彩"周明"塑释迦牟尼像通高31.5厘米，底宽10.5厘米。佛像呈盘髻相，髻前饰有一颗白色"明珠"，两眉中间有一白毫。双眼下垂，有须，两耳硕大，身披袈裟式法衣，左手扶于左膝之上，右手抬在胸前，原手已残，手为后配。跏趺坐于束腰须弥座上，座前饰垫布。髻与眉、眼、须描涂酱褐色釉。须弥座束腰处刻铭："潮州水东中窑甲女弟子陈十五娘同男刘育发心塑造释迦牟尼佛散施永充供养，奉刘弟七郎早超生界，延愿合家男女乞保平安。熙宁二年己酉岁正月十八日题。匠人周明。"

青白釉黑彩是北宋时期东南沿海地区比较流行的一种瓷器装饰方法。施青白釉，釉面开冰裂纹。此瓷像铭文包含地名、窑口名、年代、供奉人、工匠姓名及供奉佛像，极为罕见，全国仅此4尊，十分珍贵。

潮州窑青白釉黑彩"周明"塑释迦牟尼像藏于广东省博物馆。

景德镇窑青白釉褐彩仙人吹笙壶　北宋天圣三年（1025年）文物。1994年1月，安徽省庆阳市宿松县孚玉镇东街一何姓居民向文管所反映，其父在县城东郊平整农田时，发现一座古墓，墓内有很多瓷器，已拿回家，请文管所同志过去看看。得到消息后，文管所立即派人赶到何家，发现一竹提篮中，有20余件宋瓷和1块地券。通过协商，何家同意将20余件文物上交文管所。据该墓出土地券记载，此墓下葬时间为北宋仁宗天圣三年（1025年）。

景德镇窑青白釉褐彩仙人吹笙壶通高19.3厘米，口径2.5厘米，底径9.5厘米。壶身塑为人形，发髻顶部有一环形冠状饰物盘于其上，发髻后有一蜻蜓形状饰物，脑后至背部用并列两根飘带做成壶把。双目注视于笙，双耳垂至下颚，嘴含吹管，双手紧捧笙。人身着袍服为壶腹，下端饰两点为双足，其发髻、笙管、双足处饰黄褐色彩釉。景德镇窑青白釉褐彩仙人吹笙壶造型独特，制作精巧。有研究者认为，仙人吹笙壶造型取材于《列仙传》王子乔吹笙凤鸣神话故事。也有人认为，取材于民间流传"弄玉吹笙引凤"神话故事。

景德镇窑青白釉褐彩仙人吹笙壶藏于宿松县博物馆。

西村窑青白釉刻划凤纹点褐斑盘　北宋文物。1952年，在广东省广州市西北发现西村窑，距市中心约5千米。1956年，因修建广州市体育场而对窑址进行发掘。窑址区已被辟为

农田，地面遗留有由窑具和瓷片堆积成小山包，当地人称之为"皇帝岗"。据考古发掘资料推断，西村窑约创烧于晚唐，盛烧于五代至宋代，属广州地区重要瓷窑之一。宋代西村窑产品造型丰富，装饰技法多样，产品绝大部分销往东南亚地区。1981年，冯先铭从菲律宾带回西村窑青白釉刻划凤纹点褐斑盘。

西村窑青白釉刻划凤纹点褐斑盘高10厘米，口径33.5厘米，足径10厘米。盘撇口，深弧腹，圈足。内外施青白釉，内底刻划凤纹，盘壁刻划缠枝莲纹。外壁无纹饰。碗内以含氧化铁彩料涂点褐斑装饰，内底涂点五朵梅花纹；内壁涂不规则排列褐斑。

西村窑所产瓷器品种有青白釉、青釉、黑釉瓷等。造型有瓶、罐、壶、盘、碗等，有的器物造型明显受外来文化影响。装饰技法有刻、划、印、彩绘、点彩、浮雕、捏塑等，其中最具特色的是彩绘和点彩。西村窑青白釉刻划凤纹点褐斑盘形体硕大，且有优美刻划花和点彩装饰，烧造这样大器必须具备较高烧成技术。

西村窑青白釉刻划凤纹点褐斑盘藏于故宫博物院。

景德镇窑青白釉褐彩牡丹纹塔形盖瓶　元延祐六年（1319年）文物。1972年5月，湖北省黄梅县濯港镇十里村十里小学，在平整操场时发现一古墓。据古墓碑文记载（墓碑在清理后被毁），墓主是黄梅县垅坪山陈胜驿村人，姓安，任元朝蕲州县令。安县令在元延祐五年（1318年）途经十里村时被强盗杀害，其家人次年将其就地安葬。墓内出土1块买地券、1对青白釉牡丹纹塔形盖瓶、1把铁剑，剑已严重腐烂。随后，学校老师将2件塔形盖瓶和买地

券送到黄梅县文化馆，2件景德镇窑青白釉褐彩牡丹纹塔形盖瓶后分藏于湖北省黄梅县博物馆、江西省九江市博物馆。

景德镇窑青白釉褐彩牡丹纹塔形盖瓶高42.2厘米，口径9.3厘米，底径10.3厘米。塔式子母口盖，盖钮上塑七级宝塔，塔顶有葫芦形宝刹，瓶为直口，圆唇，腹部修长，底足微侈。盖面绘荷叶叶脉，肩部堆塑对称的狮首、象首，二兽间绘有复线如意云纹，小云头；上腹绘缠枝牡丹花，另有花蕾五朵，下腹绘仰莲八瓣，瓣内饰蕉叶和蔓草纹。纹样的料色灰褐。通体施青白釉，釉面布满细小开片。塔式盖瓶是一种魂瓶，是用于陪葬之物。

景德镇窑青白釉褐彩牡丹纹塔形盖瓶是元

青花还是元褐彩，学术界一直有不同争论。通过对器身彩料做科学检测，结果表明："塔式盖瓶的牡丹花纹彩料中没有探测到钴元素，而三氧化二铁含量相比白釉中的三氧化二铁高出2%，因此是铁绘褐彩，应该是用铁作呈色元素，而不是钴绘青花。"

景德镇窑青白釉褐彩牡丹纹塔形盖瓶藏于黄梅县博物馆。

钧窑玫瑰紫菱花盘　宋代文物。1976年4月，河南省南阳市方城县拐河公社顺店大队菜园生产队社员在村旁耕土中，约50厘米深处发现窖藏瓷缸一口，缸内一批宋代瓷器保存完好，摆放整齐，显然是有意埋藏。但因无缸盖，出土时被刨毁一部分。窖藏瓷缸存放瓷器主要有盘、碗、杯、碟、钵等42件，其中完整的有34件，钧窑玫瑰紫菱花盘即为其中一件。

钧窑玫瑰紫菱花盘高3.3厘米，口径19.5厘米，足径8厘米。菱形花瓣口，平折沿，浅腹，圈足。圈足处露胎，胎呈浅褐色，胎质细腻。通体施天青色厚釉，釉色滋润，施釉至器足边。器表有冰裂纹开片，内底有蚯蚓走泥纹。盘内及口沿处呈现玫瑰紫色"窑变"，

红、紫、青三色交缠映衬，色彩炫目，有"夕阳紫翠忽成岚"意境。

钧瓷釉色变化是在窑内炉火高温下自然形成。宋代钧瓷窑变釉色大体上分为三类，窑变单色釉，如月白、湖蓝、天青、豆绿等；窑变彩斑釉，如天蓝红斑或乳白紫晕；窑变花釉，有丹红、海棠红、霞红、木兰紫、丁香紫等品种。其中以窑变花釉艺术价值最高。

钧窑玫瑰紫菱花盘藏于河南博物院。

钧窑天蓝釉紫斑兽面纹花口连座瓶　元代文物。1960年，启动北京市元大都遗址考古工作，中国科学院考古研究所与北京市文物管理处联合组建元大都考古队。1964～1974年，相继发掘10余处不同类型居住遗址和建筑遗存。1972年，钧窑天蓝釉紫斑兽面纹花口连座瓶于

后桃园元代居住遗址出土。钧窑天蓝釉紫斑兽面纹花口连座瓶出土时为2件，另一件藏首都博物馆。

钧窑天蓝釉紫斑兽面纹花口连座瓶高63.2厘米，口径15.2厘米，足径17.5厘米。口呈五瓣花形，长颈，丰肩敛腹，下腹与器座相连，底部露胎处呈现赭红色。颈肩间有两个对称摩羯形扁耳，瓶上腹贴印虎头衔环，虎头前额有一"王"字。通体施天蓝釉，釉色肥润，瓶身有不规则紫斑。瓶座上为盘状，盘下五壶门，每面隐约可见一兽，呈五兽驮负宝瓶之状；五兽间有一人面，由于施釉较厚，兽首和人面形象不清晰。通体施天蓝釉，铺首和瓶座上有紫红斑，瓶座垂釉明显、棕眼多。

钧窑天蓝釉紫斑兽面纹花口连座瓶造型高大，釉色艳丽，展示元代瓷器的粗犷奔放。

钧窑天蓝釉紫斑兽面纹花口连座瓶藏于中国国家博物馆。

白釉绿彩长颈瓶　北齐武平六年（575年）文物。1971年，河南省安阳市洪河屯北齐武平六年（575年）范粹墓出土。据出土墓志记载，范粹为北齐边城郡边城县人，官至骠骑大将军、开府仪同三司、凉州刺史。武平六年四月二十四日死于邺都天宫坊，27岁；五月一日葬于豹祠之西南十五里。骠骑大将军为北齐高级军职，开府仪同三司北齐官秩制为从一品。

白釉绿彩长颈瓶高22厘米，口径6.7厘米，足径7厘米。侈口，长颈，腹圆鼓，浅圈足。通体施白色泛黄釉，肩至底部饰有翠绿色彩带，底部无釉。施釉较为均匀，釉质滋润，釉层薄，玻璃质感较强，足部釉厚地方泛青色，从而可看出白瓷是由青瓷发展而来。

这批白瓷窑口问题，学术界普遍认为应是安阳相州窑产品。2013年8月，白釉绿彩长颈瓶被国家文物局列入第三批禁止出境展览文物目录。

白釉绿彩长颈瓶藏于河南博物院。

磁州窑白地黑花莲纹镜盒　北宋文物。1954年，上海和平博物馆移交。

磁州窑白地黑花莲纹镜盒高12.2厘米，口径21.5厘米，底径8.5厘米。器物分盖与腹

两部分，以子母口作为衔接，紧密无缝隙，直壁，圈足，胎厚。盖顶部中央有一纽，盖纽为成型后接上，隐约可见指纹。盒盖绘莲池花开，腹壁绘缠枝卷草纹，盒盖黑彩书"镜""盒"两字。

上海和平博物馆为日本人所建西本愿寺，抗日战争胜利后，日侨管理处劝导日侨捐献文物集中于此。南京博物院接收上海和平博物馆移交的文物有1000余件，磁州窑白地黑花莲荷纹镜盒为其中精品。

吉州窑黑地白花梅瓶　南宋文物。1955年，安徽省巢县忠庙乡一处湖沼边出土。

吉州窑黑地白花梅瓶高29厘米，口径6.3厘米，底径9.6厘米，腹围54.6厘米。短颈，丰肩，椭圆形腹，矮圈足。敷白色化妆土，颈部以下以黑褐色留白方式映衬出白花，最后罩透明釉以高温烧成。所绘图案为莲花、莲叶和莲蓬组成缠枝花卉纹。

吉州窑有七八百年瓷器烧造历史，留下众多产品，吉州窑黑地白花梅瓶是已知吉州窑黑地白花装饰中的精品。

吉州窑黑地白花梅瓶藏于安徽博物院。

白釉黑彩牡丹纹梅瓶　宋代文物。1974年，河南省驻马店市镇平县群众挖土时发现，后交镇平县文化馆保存。

白釉黑彩牡丹纹梅瓶高50厘米，口径3.5厘米，腹围76厘米。瓶口特别小，短细颈，丰肩，上腹饱满，下腹收，细长胫，圈足。通体施白釉，足内露胎，瓶身用黑彩描绘纹饰，肩部及器腹上部绘黑彩卷草纹。器腹中部绘黑彩牡丹纹，象征幸福美好、繁荣昌盛。器腹下部绘黑彩莲瓣纹，莲纹寥寥数笔简练洒脱。各纹饰间以黑彩弦纹间隔。

白釉黑彩牡丹纹梅瓶造型雄浑挺拔、纹饰

豪放与秀美兼备，是北方白釉黑彩之佳器。

白釉黑彩牡丹纹梅瓶藏于河南博物院。

缸瓦窑白釉剔花填黑彩盘口罐　辽代文物。内蒙古自治区赤峰市邓杖子村村民邓全发现后捐献。

缸瓦窑白釉剔花填黑彩盘口罐高39厘米，口径18厘米，腹径27厘米，底径13.8厘米。盘口，短颈，鼓腹，圈足。胎呈灰白色，敷白色化妆土，剔花填黑彩，罩透明釉。肩部刻划三组不同形状缠枝花卉纹，腹部剔刻三组缠枝牡丹纹，花繁叶茂，疏密有致，纹饰以外填黑彩；下腹刻划一周线条简洁流畅的仰莲瓣纹。

缸瓦窑又称"赤峰窑"，位于内蒙古自治区赤峰市西南68千米半支箭河上游缸瓦窑屯，是辽代最大窑场，创烧时代大约在辽太宗年间或辽世宗时期。金元时期，缸瓦窑继续烧制，明清时期停烧。所烧器物有白瓷、白地黑花、三彩器及釉陶等，其白釉剔花填黑彩器，最具特色。缸瓦窑白釉剔花填黑彩盘口罐器形周正、粗犷大气，为缸瓦窑上乘之作。

缸瓦窑白釉剔花填黑彩盘口罐藏于朝阳市博物馆。

磁州窑白地黑花草叶纹梅瓶　金大定二年（1162年）文物。1983年，李初梨捐赠。

李初梨（1900～1994年），四川省江津县人。1915年，赴日本留学。1925年，入京都帝国大学文学部学习。1927年，回国。1928年，加入中国共产党。曾任中联部副部长、国家华侨事务委员会办公厅主任。1964年，因病离职休养。1983年，李初梨将其30余年搜集书画、拓本、陶瓷、砚台、青铜器等500余件文物无偿捐献给重庆市博物馆。1990年，再次向重庆市博物馆捐献43件文物。

磁州窑白地黑花草叶纹梅瓶高27厘米，口径2.4厘米，底径9.5厘米。短颈，丰肩，斜弧

腹内收，圈足。敷化妆土，其上以黑彩装饰，罩透明釉。外翻口沿上自右向左署"大定二年造"5字。肩和腹部绘一周折枝草叶纹，下腹绘缠枝菊花纹。

磁州窑白地黑花草叶纹梅瓶藏于重庆中国三峡博物馆。

磁州窑白地黑绘刻划海兽衔鱼纹枕 金大定五年（1165年）文物。河北省大名县农民挖渠时发现，后经邯郸地区文物商店江达煌从当地人手中购得。1982年，邯郸地区文物商店撤销，此枕移交邯郸地区文保所。

磁州窑白地黑绘刻划海兽衔鱼纹枕高13厘米，长32.3厘米，宽24.5厘米。枕呈椭圆形，

中空，后壁留一孔。顶面两端略翘，平底。敷白色化妆土、黑彩刻划纹饰后罩透明釉。枕面黑彩刻划海兽衔鱼纹，周边绘连茎草叶纹，枕墙绘卷草纹，底露胎，有"大定五年四月十三日买到枕子一个坚考至记□"墨书题记。该枕刻、划、绘兼用，枕面刻海浪翻滚，海兽头部从急浪中探出，双耳后翘，大眼圆瞪，双爪擒鱼，长嘴尖牙咬住鱼背，鱼儿口部微张，双鳍翻动起涟漪，似在努力挣扎，画面黑白鲜明，图案生动。

磁州窑白地黑绘刻划海兽衔鱼纹枕存于邯郸市文物保护研究所。

河津窑黑地白花洗 金代文物。2016年，山西省河津市固镇窑4号制瓷作坊内出土。据该窑址发掘领队介绍，之前在永济蒲州故城考古发掘时，出土一批细白瓷，最初认为是河北定窑生产，但专家们仔细研究后认为，这批瓷器与定窑有很大区别，联想到山西古陶瓷考古奠基人水既生早年间发表文章，曾提到"河津也烧造白瓷"，考古人员随后通过实地调查，将目光锁定在河津境内古窑址。

河津窑黑地白花洗高6.5厘米，口径15厘

米，底径17.5厘米，胎厚1.1厘米。直口，方唇，斜直壁，圆底。白胎泛黄，施黑色化妆土，再用白色化妆土绘卷草纹样。口沿方唇上饰圆点组合成花朵纹。外壁近唇部绘双弦纹，其中点缀9个圆点。主题纹饰为缠枝草叶纹，叶茎舒缓相连，叶片上下翻卷，黑底白纹与透明釉下相得益彰。

固镇窑址临黄河禹门渡口，距蒲津渡口亦不远，便利水路交通有利于瓷器产品流通、外销，在遗址周边蒲津渡与蒲州故城遗址、绛州州署遗址均发现有该窑产品。固镇窑址发现，填补山西地区无相关制瓷遗迹空白。2016年，被评为"全国十大考古新发现"。河津窑黑地白花洗作用，尚无定论。一说为研钵，一说为顶碗，另有洗、赌具、支锅用具推测，河津窑黑地白花洗壁内满釉光滑，且胎体较厚，故洗的可能性较大。

河津窑黑地白花洗存于山西省考古研究院。

磁州窑白地黑花相如题桥图长方形枕 元代文物。1958年，河北省磁县南来村西修建水渠时出土，被村民拿回家中。1962年，磁县文化馆馆长张子英等人到南来村调研，经协商，将瓷枕收回县文化馆保管。1984年，由磁县文物保管所收藏。

磁州窑白地黑花相如题桥图长方形枕高

15.6厘米，枕长44厘米，宽8.7厘米。枕面开光内绘司马相如应召入长安，在桥头题诗明志故事图。画面中，远处三山耸立，云雾缭绕；近处司马相如主仆二人桥头题诗，岸柳、松树、马车为背景，层次分明，疏密有致。前立面开光内绘狮子滚绣球纹，后立面开光内绘猛虎纹，左右两端面绘莲花纹，图画、纹样笔意生动。枕后侧有透气孔。胎色灰白，胎质坚硬。底部印有"张家造"窑戳，清晰完整。

司马相如是西汉时期著名文学家。少好读书舞剑，才名远播。汉景帝时被授予郎官，成为皇帝身边武骑常侍。后回到故乡，在当地富豪卓王孙宴会上，与卓王孙之女卓文君一见钟情，司马相如以弹琴传达爱意，卓文君仰慕司马相如的才华，两人一起回到司马相如故乡。汉武帝继位后，读司马相如《子虚赋》，深为赞赏，经乡人杨得意引荐，被召入宫，拜为中郎将。司马题桥故事就发生在其应诏赴京之时，在长安城北升仙桥上题诗立志曰："大丈夫不乘驷马高车，不过汝下！"后果遂其志，衣锦还乡。从此，"负才题柱"成为男儿立志成才的典故。白地黑花相如题桥图长方形枕在磁州窑瓷枕中颇具代表性。

磁州窑白地黑花相如题桥图长方形枕藏于磁州窑博物馆。

磁州窑白地黑花龙凤纹四系扁壶 元代文物。1973年，北京市东城区安定门外元大都遗址出土。

磁州窑白地黑花龙凤纹四系扁壶高33厘米，口径6.5厘米。直口，短颈，颈两侧有双系，腹部扁平微鼓。两面分别用黑彩绘龙、凤纹，再以锐器划出鳞片和羽毛。描绘龙与凤相对飞舞画面，纹样活泼生动。龙为鳞虫之长，凤为百鸟之王，都是祥瑞，世称龙凤呈祥。

磁州窑是宋代北方民间瓷窑。窑址在河北磁县，因地属磁州而得名。入元后制作较粗率，但产量大增加，运销范围十分广远。扁壶为元代创新品种，具有典型蒙古族风格。元青

花中也有造型相似扁壶出现，可知在这一时期扁壶开始出现并推广。

磁州窑白地黑花龙凤纹四系扁壶藏于首都博物馆。

白地黑花渔归图玉壶春瓶　元代文物。1956年，洛阳市文教局拨交给洛阳市文物工作队。

白地黑花渔归图玉壶春瓶高32.5厘米，口径7.5厘米，底径9.2厘米。敞口，细长颈，溜肩，椭圆腹，矮圈足。唇部饰一周黑彩，瓶身饰五组粗细不一的弦纹，每组有弦纹三条，将器身纹饰分为五层。自上而下，第一层用黑彩细线绘蕉叶纹；第二层组合圆点纹；第三层在水滴形墨线内绘扇形花卉，间以圆点纹；第四层绘竹叶纹、缠绕螺旋纹与曲线纹；第五层是主题图画，一开光内用墨线绘渔翁垂钓回归图，图中一老翁头戴笠帽，背负渔网，裤腿高挽，赤足行走，其右有一垂髫童子，右肩扛细长的竹节鱼竿，左手提篮，亦是裤腿高挽，赤足行走。另一面开光内绘两只相向鹭鸟，尖喙长腿、悠闲站立，中间画两株莲

蓬，一片莲叶。

白地黑花渔归图玉壶春瓶白地黑花烧造工艺是在成形坯胎上敷一层洁白化妆土，然后用含铁元素黑彩作画，最后再罩透明釉，入窑经高温烧成。

白地黑花渔归图玉壶春瓶藏于洛阳博物馆。

吉州窑褐彩跃鹿牡丹纹罐　南宋嘉定二年（1209年）文物。1970年，江西省南昌县嘉定二年（1209年）陈氏墓葬出土。据墓志记载："儒林郎、淮东总领所干办公事朱公，讳筊年之妻曰孺人陈氏，世家开封，从义郎监吉州永和镇酒税士章之女……"，卒于"嘉定改元七月十九日……享年八十"，"将以二年季冬甲申，葬孺人于豫章南昌县灌城乡"。"嘉定改元"为1208年，第二年即1209年，为陈氏入葬之年。从墓志可知，孺人陈氏父亲陈士章，曾以从义郎官阶任职吉州窑所在地永和镇酒税官，其女儿墓葬出土的吉州窑彩绘瓷，很可能

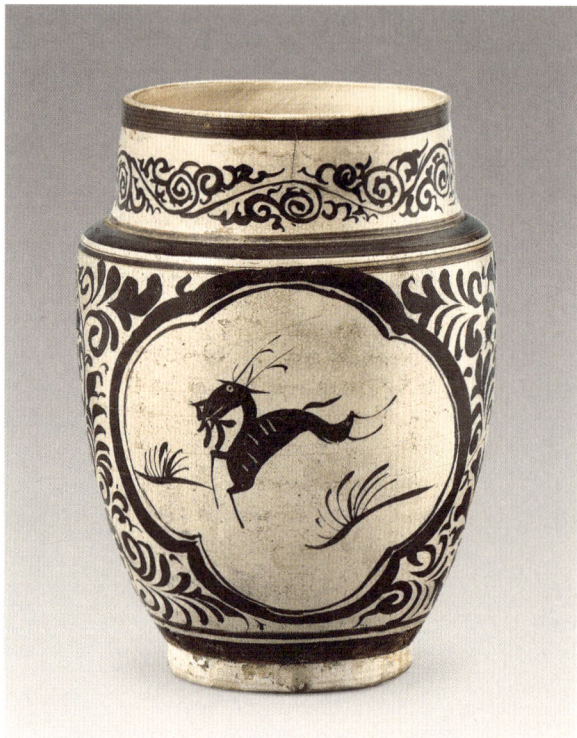

是生前由父亲从吉州购买给女儿使用的器物。

吉州窑褐彩跃鹿牡丹纹罐高19.5厘米，口径10.5厘米，底径8厘米。直颈，折肩，筒形腹，圈足。底足露灰白色胎。颈部饰蔓草纹；腹部对称两个四连弧开光内绘跃鹿一只，口衔瑞草，四足腾空跃起，身旁点缀小草两丛，开光外衬以缠枝牡丹纹。

吉州窑褐彩跃鹿牡丹纹罐造型端庄，纹饰生动，体现南宋时期吉州窑釉下彩绘瓷制作水平，因出自纪年墓葬，是一件重要分期断代标准器。

吉州窑褐彩跃鹿牡丹纹罐藏于江西省博物馆。

吉州窑褐彩卷草纹瓶　宋代文物。1980年，江苏省南京市城北幕府山宋代夫妇合葬墓出土。此墓中西室为女性、东室为男性，吉州窑褐彩卷草纹瓶为西室女性随葬品。墓葬中出土一方墓志，因表面剥蚀严重，无法辨识字迹，故无法确认墓主人身份。西室中，还一同出土许多造型精美金银器，如金香囊、金丝栉背、龙凤纹金簪、团龙纹金簪、如意纹金簪、金耳扒、银粉盒、银簪等。由此推断，墓主人具有较高的身份地位。

吉州窑褐彩卷草纹瓶高35.2厘米，口径8.3厘米，底径12.3厘米。短颈，丰肩，长圆腹，浅圈足。敷米黄色化妆土，用氧化铁作色剂绘卷草纹，然后用刀具在卷草纹上刻划，最后罩透明釉，入窑焙烧而成。瓶口、颈部和底部施酱色釉，瓶身满饰缠枝卷草纹图案。茎叶缠绵，环绕连续，疏密有致，繁而不乱。

从存世宋代吉州窑产品看，大多器形较小，吉州窑褐彩卷草纹瓶是吉州窑瓷器中难得

的大件精品。

　　吉州窑褐彩卷草纹瓶藏于南京市博物馆。

　　釉下褐彩人物图梅瓶　宋代文物。1964年，广东省佛山市澜石宋墓出土。

　　釉下褐彩人物图梅瓶高31厘米，口径6.7厘米，底径7.2厘米。直口，短颈，丰肩鼓腹，胫缓收，平足内凹。整器造型规整，轮廓线饱满。釉下褐彩，施透明釉。肩部绘褐彩带状篦点纹和缠枝莲纹，上下腹均勾画一圈带状菱形花卉纹，腹部主题纹饰绘四个菱花形开光，每个开光绘一人，头巾束髻、身着长袍、袒胸露腹，席地喝酒状态。四个画面分别描绘戴巾着袍袒胸人物豪饮、微醉、醉倒呕吐、醉后昏睡醉酒全过程。开光外绘水波纹，胫部绘缠枝花卉纹。

　　釉下褐彩人物图梅瓶纹饰丰满，画面构图层次分明，花卉及波浪纹描绘流畅生动，人物

形象刻画逼真。有研究者认为，釉下褐彩人物纹梅瓶是广东省南海窑生产。

　　釉下褐彩人物图梅瓶藏于广东省博物馆。

　　白釉褐彩剔花镂空花卉纹腰圆形枕　金代文物。2013年5月，山西省昔阳县松溪路1号墓出土。该墓为八边形仿木构砖雕双室墓，墓顶为穹隆顶，墓壁用青砖垒砌，壁面光滑，磨砖对缝，工艺考究。

　　白釉褐彩剔花镂空花卉纹腰圆形枕高14.3厘米，长27.4厘米。腰圆形，枕面略下凹，枕前端低、后端高，平底。施浅褐色化妆土，剔刻纹饰后罩透明釉。纹饰由外而内依次为窄条带纹、卷草纹和三枝花卉卷草纹。枕墙前部为缠枝卷叶纹，线条优美曼妙。枕墙两侧及后部做镂空装饰。五朵缠枝花卉主干呈波浪形，花叶轮廓以外胎泥被雕刻切去，呈镂空状。白釉闪黄，釉面光洁，镂空部位及枕内均施釉。

白釉褐彩剔花镂空花卉纹腰圆形枕融剔花、镂空工艺于一身，胎釉俱佳，是一件难得珍品。

白釉褐彩剔花镂空花卉纹腰圆形枕存于山西省考古研究院。

定窑白釉褐彩童子擎荷剔刻牡丹纹枕　金代文物。香港实业家、文物收藏家杨永德伉俪捐赠。

定窑白釉褐彩童子擎荷剔刻牡丹纹枕高10.2～14.3厘米，长22.5厘米，宽18.5厘米。枕底座为一侧卧榻上男童造型，枕面为男童双手擎举的荷叶，男童头枕枕具，双眼微睁，神

态自然，所卧榻具侧面装饰印花纹。荷叶形枕面为白地剔褐彩缠枝牡丹纹。

有学者认为，手持荷叶童子形象与宋金时期"磨喝乐"或"摩睺罗"民俗有关。此类童子擎荷纹也是人们祈望多子多孙观念体现，表达"宜男多子""莲（连）生贵子"期望。定窑白釉褐彩童子擎荷剔刻牡丹纹枕集雕塑、印花、剔花等技法于一身，具有很高艺术价值。

定窑白釉褐彩童子擎荷剔刻牡丹纹枕藏于西汉南越王博物馆。

江官屯窑白釉褐彩花卉纹钵　辽代文物。江官屯窑白釉褐彩花卉纹钵是辽宁省辽阳市文物管理所从辽阳县小屯镇江官屯村古窑址附近百姓家中用新买的瓷盒、塑料桶等物品与村民交换而来。

江官屯窑白釉褐彩花卉纹钵高16.6厘米，口径26.8厘米，底径11.5厘米。大口，深腹，矮圈足。敷白色化妆土，罩白色乳浊釉，器内满釉，钵内外均绘褐彩花卉纹。器内底部有一圈支烧痕。

江官屯窑白釉褐彩花卉纹钵藏于辽阳博物馆。

海康窑白地褐彩凤鸟纹荷叶形盖罐 元至元三年（1337年）文物。1957年，广东省雷州市附城西湖出土。一同出土有109件海康窑青釉褐彩瓷器。

海康窑白地褐彩凤鸟纹荷叶形盖罐高31.2厘米，口径9.6厘米，底径13.7厘米。直口，丰肩，鼓腹下斜收，饼形足。荷叶形盖，上为宝珠纽，纽下饰宽、窄弦纹带及覆莲瓣一周；罐肩部绘双凤四喜鹊，衬以菊花纹，腹部四个菱形开光，内绘折枝菊花，胫部四个椭圆形开光，内绘折枝菊花，三层主纹饰以线纹、卷草纹相隔。

宋元时期，广东烧制釉下褐彩窑场有多处，以海康窑范围最大。有研究者认为，海康窑烧制青釉褐彩瓷兴盛期为元代中期。海康窑白地褐彩凤鸟纹荷叶形盖罐器形、胎釉、褐彩发色、绘画技法最为精美，代表海康窑青釉褐彩瓷最高成就。

海康窑白地褐彩凤鸟纹荷叶形盖罐藏于广东省博物馆。

衡山窑彩釉绘缠枝菊纹罐 宋代文物。1975年，在湖南省长沙县洞井公社和平大队采集，存于长沙市文物考古研究所。

衡山窑彩釉绘缠枝菊纹罐高23厘米，口径8.8厘米，腹径15.5厘米。短颈，溜肩，长圆腹，腹下部渐收，饼足外撇。肩部饰二周凹凸弦纹。整器形成三组装饰带，口沿至肩部满施绿釉，腹中部黄色胎上敷白色化妆土，在化妆土上以褐、绿两色彩釉绘缠枝菊花纹一周，花叶以绿釉点缀，花枝和花蕾以褐釉装饰，疏密相间。

衡山窑位于湖南衡山县贺家乡湘江村湘江北岸赵家堆、渡口边一带，其中龙窑遗址，堆积面积约4000平方米。史志不见衡山窑记载，

直至1982年才在文物调查中被发现。根据调查和考古发掘所得实物标本考证，衡山窑年代始于宋迄于元，是湖南境内继唐代长沙窑之后兴起的彩瓷窑口。衡山窑彩绘工艺，既不是釉上彩，也不是釉下彩。器物成坯后，外涂一层白色化妆土。器物口沿、肩部一般施绿釉，器物下腹多褐釉，之后在1200℃左右一次性烧成，表面不再施釉。直接在化妆土上进行彩绘且彩绘后不再施釉工艺，是湖湘古瓷特色。

衡山窑彩釉绘缠枝菊纹罐藏于长沙市博物馆。

长沙窑白釉红绿彩写意纹壶（注子） 唐代文物。1956年，湖南省长沙市望城区铜官镇彩陶源村石渚湖一带发现唐代的石渚窑，定名为长沙铜官窑，简称长沙窑。遗址面积约100万平方米，已发掘19处瓷窑，最大达1万余平方米。不少遗址内瓷器碎片堆积如山，最厚达4米之多。长沙窑白釉红绿彩写意纹壶（注

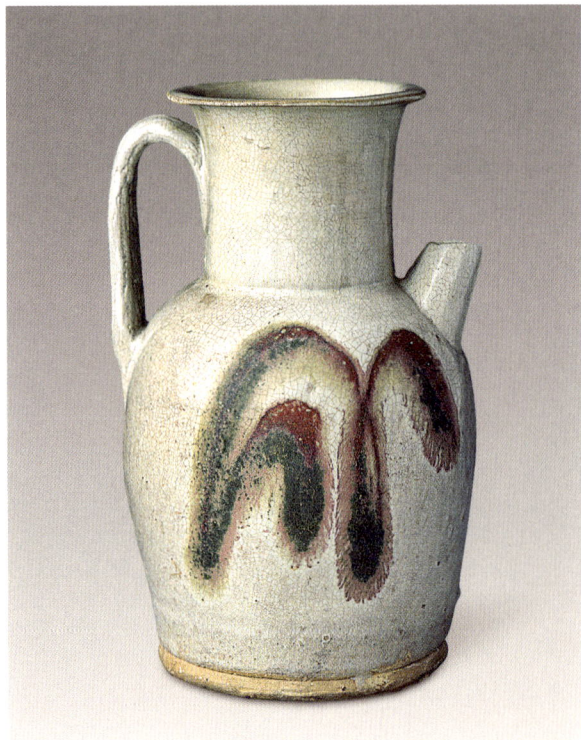

子）出土于长沙窑。

长沙窑白釉红绿彩写意纹壶（注子）高22厘米，口径10厘米，底径11.8厘米。喇叭口，直颈，溜肩，鼓腹下收，弓形柄，多棱短流平底。施乳浊白釉不及底，腹部饰以红绿彩写意山峦纹。长沙窑白釉红绿彩写意纹壶（注子）在唐代用作茶酒具。

长沙窑在中国陶瓷史上占有重要地位，创烧釉下多彩和铜红彩，是第一个以彩瓷为主流产品的瓷窑。长沙窑瓷器不仅畅销国内，且远销东亚、南亚、中亚、西亚、北非等20余个国家和地区。该壶同时装饰红彩和绿彩，较为少见，相对于绿彩而言，铜红彩对烧成气氛、烧成温度、冷却速度等均有严格要求。长沙窑窑炉是南方常见龙窑，长度长，坡度大，窑间各窑区气氛和温度不易均匀，整个龙窑中只有少数窑位具备烧成铜红彩还原气氛，这也是长沙窑铜红彩制品很少的原因。

长沙窑白釉红绿彩写意纹壶（注子）藏于湖南省博物馆。

长治窑红绿彩"清"字碗 金代文物。长治窑红绿彩"清"字碗出土于山西省侯马市西郊牛村遗址南一座仿木构砖雕墓。墓室分主侧二室，主室北壁雕一案几，两侧分雕男女墓主人像及身后侍者像，东壁雕格子门，南壁墓门两侧雕插屏。墓葬虽无相关纪年题记，但与之同一墓地的两座墓葬有明确纪年，一为"大安二年"，另一为"大安四年"，该墓形制结构、装饰风格与此两座纪年墓相近，也应属于金代晚期。

长治窑红绿彩"清"字碗高5.5厘米，口径17.8厘米。碗口微敛，弧形壁，小圈足。碗

心与足背留有五个支钉支烧痕。土黄色胎，内外施化妆土，罩透明釉，入窑烧成瓷。再以低温色釉绘红绿黄彩，碗内饰宽、窄红彩弦纹；点饰黄彩，五个一组，共分三组。碗心菱形开光内又有方形开光，填饰绿彩、黄彩，最内有一红彩行书"清"字。

红绿彩瓷器烧造年代，古陶瓷学界历经探讨，渐趋认同其创烧于金代。1996年，长治八义窑调查试掘获取大量标本，其中出土一批红绿彩瓷器标本，为众多传世红绿彩瓷找到窑口归属。长治八义窑红绿彩瓷，第一次高温烧出后，碗内留有支钉痕，而加绘红绿彩后，彩色往往覆盖在支钉上，红、绿、黄彩色泽艳丽，起到遮掩瑕疵效果。

长治窑红绿彩"清"字碗藏于山西博物院。

扒村窑釉上彩绘女俑　金代文物。上海博物馆征集。

扒村窑釉上彩绘女俑高32.9厘米，横11.2厘米，纵12.5厘米。为一端坐椅台上交袖抄手中年妇女。黑彩描绘眼眉，红彩点唇。神态端庄祥和。头部簪花包髻，博鬓，戴冠。头发以黑彩涂绘，半露发，梳鬟。身着广袖衫，肩部饰云肩，在广袖半截处饰以绿色羽毛。脖子上戴有金项圈。腰部系黄板革带，下身穿长裙、

长裤。裙前有蔽膝盖双腿，并有绿色垂绦，足蹬云头红舄。女俑服饰与《舆服志》中记载的"褕翟"相同，是宋金时期命妇冠服典型样式。俑胎色灰黄，胎体粗松，通体上化妆土后再施透明釉。釉层松软，且有细小开片。俑以模制成型，底部有一透气孔。这种彩色釉瓷器，一般都是先制作成白釉瓷器，然后再施加低温釉上彩，低温釉彩主要是红、绿、黄、褐色，其色泽艳丽，装饰性强。

低温釉上彩除在碗盘类器物上出现外，还有很多是装饰各类人物俑，及一些动物玩具等，品种丰富。宋代晚期，在北方窑场已出现

低温釉上彩，金元之际北方地区窑场将红绿彩为主色调低温釉上彩瓷器发展到新高度，其中扒村窑釉上彩绘瓷器不乏精品佳作。

扒村窑釉上彩绘女俑藏于上海博物馆。

漳州窑红绿彩罗经文盘　明万历年间（1573～1620年）文物。购于北京韵古斋。1960年，入藏天津市艺术博物馆。

漳州窑红绿彩罗经文盘高8厘米，口径39厘米，足径18厘米。侈口，斜壁，圈足，外底无釉呈朱砂色。盘内口沿用黑、绿彩绘竖条纹，内壁绘绿彩鱼纹和红彩卷草纹，鱼跃出水面，仅露上半部。盘心以红彩书写"天下一"3字，外围有绿彩、黑彩、红彩数道弦纹，其外环书罗经文（天干、地支、八卦）25个字，其中天干中的"壬"字多写一个，应为笔误。"天下一"含义，研究者有不同看法，有学者认为，"天下一"意为天下第一；还有学者认为，有天下归一、一统天下之意。日本陶瓷界认为，"天下一"作为独立词汇并非来自中国，是日本人创造出的日语，这类红绿彩大盘应是根据日本订单而产。

漳州窑是明清时期福建漳州地区瓷窑，产品种类丰富，以外销为主，在东南亚和欧洲地区深受欢迎，在国外许多古遗址及近海沉船中，都曾发现大量漳州窑产品。漳州窑红绿彩罗经文盘是依据航海所用罗经（亦称罗盘）而制的一件漳州窑珍品。

漳州窑红绿彩罗经文盘藏于天津博物馆。

越窑青釉绞胎卧虎座枕　唐代文物。1975年，浙江省宁波市和义路遗址唐代文化层出土。为配合城市基本建设，宁波市文物考古研究所对和义路古文化遗址进行多次清理，清理面积近400平方米，发现唐宋时期渔浦门遗址，在唐代城墙基下，出土700余件唐代瓷器。一同出土的还有陶器、漆器、木器等。出土瓷器以越窑产品最多，长沙窑次之，还有少量婺州窑，有盘、碗、罐、瓷枕等生活用瓷，其中一件唐代模印云鹤纹青瓷碗，反刻有"大中二年"4字。

越窑青釉绞胎卧虎座枕高9.3厘米，底长11厘米，底宽7.5厘米。枕面呈椭圆形，微弧，上嵌五朵绞胎花卉纹，下塑卧虎，形粗犷，饱含力度，底为长方形台座。施青釉，釉色片黄绿，釉面晶莹。绞胎工艺是指将两种或两种以

上不同颜色泥料糅合在一起，相绞拉坯，由于泥坯绞糅方式不同，制成后绞胎纹理层峦起伏，变化多姿。唐代绞胎瓷器，多为北方生产，越窑绞胎产品极为罕见，此枕似为孤例。

越窑青釉绞胎卧虎座枕藏于宁波博物馆。

绞胎钵 金正隆六年（1161年）文物。1990年，山西省大同市政公司在扩展公路时发现一座墓葬，施工民工凿塌墓顶进入墓室，将墓中随葬品哄抢藏匿。大同市博物馆得知消息后，立即派出专业人员赴现场，几经周折追回随葬器物，并对墓葬进行抢救性清理。墓室西壁绘大型"散乐侍酒图"，东壁和北壁绘"侍者图"，画面色彩丰富多样，人物形象生动。墓中陪葬品有24件，其中瓷器11件、陶器9件、铁器4件。根据墓志记载，墓主人徐龟，生于1093年，卒于1161年，天德（内蒙古自治区乌拉特地区）人，在战火之后因某种原因隐居于云中（大同）。

绞胎钵高6.3厘米，口径16.4厘米，底径9.5厘米。直口微侈，深弧腹，平底，浅足沿，口外有一道凹弦纹。胎体由白色、褐色两种胎泥相绞而成，图案呈中心放射羽毛状纹理。器

内外施透明釉，釉色亮泽，芒口露出胎骨。

绞胎瓷制作工艺复杂，技术难度大，高温下不同颜色泥土收缩率不同，制成胎体容易开裂，成品率很低，故存世少而弥足珍贵。

绞胎钵藏于大同市博物馆。

绞化妆土玉壶春瓶 金代文物。山西省朔州市曹沙会村出土。

绞化妆土玉壶春瓶高18厘米，口径5.6厘米，底径6.2厘米。撇口，细颈，鼓腹，圈足。胎色白而略泛黄，胎质较粗，由白、棕两色化妆土相搅而饰于坯体之上，最后施一层透明釉，施釉近足，釉层较薄，密布极为细碎开片。其纹饰如行云流水，自然流畅。

绞化妆土瓷器多为宋元时期产品，产地有当阳峪窑、新安窑等。有学者认为，绞化妆土制作

方法，可能与唐宋时"流沙笺"工艺有关。

绞化妆土玉壶春瓶藏于山西博物院。

黄釉绿彩莲瓣纹四系罐 北齐武平七年（576年）文物。1958年春，河南省濮阳县河砦村西北约7.5千米发现一座古墓。通过出土墓志，得知该墓是北齐武平七年（576年）车骑将军李云夫妇合葬墓。濮阳县文化馆将已发现4件瓷器、1件陶俑从河砦村运至文化馆保管，并将残墓封掩保护。墓中发掘两合墓志，一为李云墓志，一为其妻郑氏墓志。李云墓志刻"齐故豫州刺史李公铭"9字。志文横竖均28字，全文740字左右，记述李云家族史及生平。《魏书·外戚传上》有其祖父李峻之事迹记载，与墓志内容吻合，但对其父李肃及李云内容，史书均未见记载。黄釉绿彩莲瓣纹四系罐出土于有明确纪年墓葬中。

黄釉绿彩莲瓣纹四系罐高24厘米，口径8.7厘米，底径9.3厘米，胎厚0.5厘米。直口，短颈，圆肩，椭圆形腹，饼形足。肩部塑

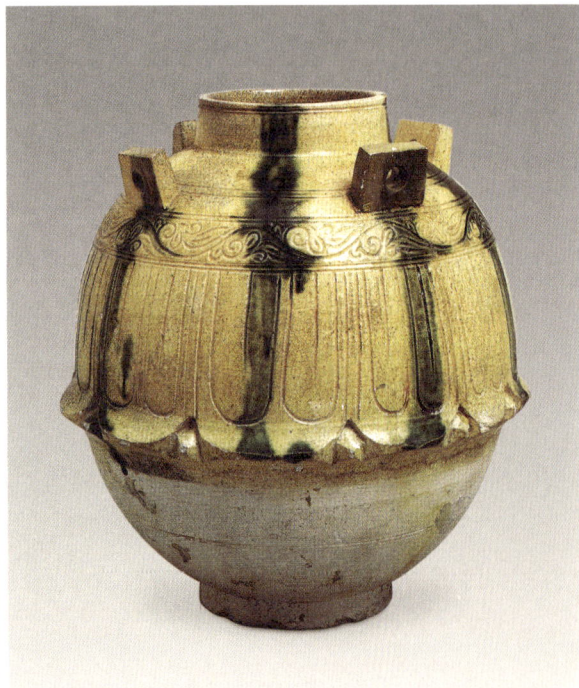

有四只方形圆孔系。肩刻一周带状忍冬纹，其下刻划变体双重覆莲花瓣纹。莲花瓣尖向外卷翘。胎体洁白，外施黄色薄釉至腹中部，釉面润泽光亮。并有六条绿色彩带由肩绘至腹部中下处，整体采用刻划、堆塑等技法。

黄釉绿彩莲瓣纹四系罐是北方瓷器断代研究标准器之一。

黄釉绿彩莲瓣纹四系罐藏于河南博物院。

长治窑黄釉黑彩开光莲石鸳鸯纹虎形枕 金贞元三年（1155年）文物。1996年，山西省长治市长治县郝家庄出土。

长治窑黄釉黑彩开光莲石鸳鸯纹虎形枕高12.6厘米，底长38.2厘米，腰宽16.2厘米。枕身为卧虎形，枕面白釉开光，绘有莲花、山石、水草及一对鸳鸯。虎眼圆睁，眉粗壮，嘴部微张，露出上颚两颗獠牙，前肢屈，尾下垂并曲于身侧，周身布满黄、黑两色相间花纹。枕底平，墨书"贞元三年六月五日王造"。

金代流行虎形枕有白釉黑花、黄釉黑花，烧制窑口有河南登封、鲁山、禹县扒村、宝丰，河北磁州窑与山西长治窑等。

长治窑黄釉黑彩开光莲石鸳鸯纹虎形枕藏于长治市博物馆。

长治窑棕黄釉黑花卧女枕 金大定十六年（1176年）文物。1983年11月1日，陕西省黄陵县黄帝庙附近的县委党校在前院挖土时，发现一座古墓，内有长治窑棕黄釉黑花卧女枕。出土后，交黄陵县文管所收藏。

长治窑棕黄釉黑花卧女枕亦称仕女枕或美人枕。枕高20厘米，长46厘米，宽12厘米。枕呈左侧卧姿女孩形象。女孩头梳双辫，面庞丰满，双腿蜷屈，人物背部为枕面，枕面与衣衫为赭黄色，枕面中间绘黑色花卉，衣衫上绘桃花纹（黑色枝叶与白色花朵）。枕身施化妆土，罩透明釉。底部有楷书"大定十六年五月"墨书年款。枕身赭黄色彩釉和彩绘都具有地方特色。

长治窑棕黄釉黑花卧女枕工艺应为山西省东南部长治窑产品。卧女枕、卧婴枕在河北、河南等窑场也有烧制。卧女枕、卧婴枕是对宋代婴戏图艺术形象的塑造与延伸，表现宋金时期战争停歇后，人们渴望增加人口，恢复农业生产的愿望。

长治窑棕黄釉黑花卧女枕藏于陕西历史博物馆。

定窑绿釉黑彩喜鹊登枝纹腰圆形枕 北宋文物。1981年，河北省望都县西堤乡沈家庄出土。

定窑绿釉黑彩喜鹊登枝纹腰圆形枕高12.4厘米，枕面长35厘米，宽25.4厘米。枕为椭圆形，前低后高，两端微翘，底部有一气孔。白灰胎稍粗。白地黑花罩绿釉，釉色较鲜亮。枕面边缘用黑彩绘粗线纹作为边框，框内画喜鹊登枝，一回首顾盼喜鹊在桃花盛开枝条上小憩，边角处填绘蝴蝶。绿釉定瓷又称为"绿定"，是一种低温铅釉，在已烧好素胎上挂釉，两次烧成（800～1000℃），早期用化妆土，晚期则不用化妆土。

定窑绿釉不同于其他窑口，呈现一种绿色西瓜皮样色泽。定窑绿釉黑彩喜鹊登枝纹腰圆形枕造型规整，釉色明丽，绘画精工，属绿定中精品。

定窑绿釉黑彩喜鹊登枝纹腰圆形枕存于河北省文物研究院。

当阳峪窑三彩刻莲凫纹腰圆形枕 北宋文物。当阳峪窑三彩刻莲凫纹腰圆形枕为香港实业家、文物收藏家杨永德伉俪于西汉南越王博物馆建馆之初捐赠的200余件陶瓷枕之一。

当阳峪窑三彩刻莲凫纹腰圆形枕高12.4厘米，长28.2厘米，宽39.8厘米。枕面中心剔刻莲池水禽纹，周围篦划线框处划花叶纹一周，

枕面饰三彩釉,釉色绚丽,釉面有细开片。枕侧上半部饰简化缠枝卷草纹一周,施绿釉,下半部露胎。

宋三彩继承唐三彩工艺并有所发展,是在初次烧成素胎后,按纹饰设计填入彩色釉,再经二次入窑烧成。宋三彩釉色以绿色为主调,在装饰上主要采用刻划方法。与唐三彩相比较,宋三彩填色规整,色彩绚丽,画面具有浓郁民间生活气息。

当阳峪窑三彩刻莲凫纹腰圆形枕藏于西汉南越王博物馆。

青花枕残片 唐代文物。1975年,南京博物院等单位为配合扬州师范学院基建进行考古发掘,在2号探方深4.34米未经干扰的唐代地层中,出土青花枕残片,大小约占枕面1/3。因系孤品,当时难以定论,有研究者推测是唐青花。1983年,国家文物局扬州培训中心中国古陶器鉴定学习班学员,在旧唐城遗址范围内采集古陶瓷标本时,又发现20余块青花瓷片。经理化性能测定表明,烧成温度在1200～1230℃,青花色料为低锰钴矿,与巩县窑唐三彩器中钴料相同。后河南巩县黄冶村窑址内发现唐代青花瓷片和接近于青花的蓝彩白瓷,与扬州出土瓷片在化学组成上接近,制作、烧成工艺也很相似,由此确认河南巩县窑是唐代青花瓷产地。唐青花处于青花瓷开创期,多为外销瓷,国内材料相对较少,对其进一步研究有待于更多考古新发现。

青花枕残片长9厘米,宽6.5厘米,厚0.5厘米。残片呈不规则四边形,图案为四方菱形边线,菱形内外绘散叶纹,具有阿拉伯图案风格。正面白底青花,釉下蓝彩清晰可见,断面可见胎色灰白微黄,有明显气孔,胎质较粗。青花发色浓艳,并有晕散。

唐代青花纹饰一类以花草石竹及小花朵为多,另一类是几何形纹饰,多呈菱形,中间夹以点纹及散叶纹。

青花枕残片藏于南京博物院。

青花童子步打图塔式罐 唐代文物。2006年,河南省郑州市上街区峡窝镇7号唐墓出土。2006年10月,为配合中国铝业河南分公司基本建设工程,郑州市文物考古研究院对该公司所征土地进行考古钻探,发现古墓葬25座,其中7号墓为唐墓。墓内出土5件瓷器,散置于墓室东西两侧。其中青花塔式罐2件,形制相同,大小略有差异。这两件完整青花童子步打图塔式罐一经出土，备受各界瞩目。

青花童子步打图塔式罐通高44厘米，盖通高12.2厘米，罐高23.7厘米，腹径18.9厘米，座高12.5厘米。塔式罐由盖、罐、底座粘接组合而成。盖呈塔刹式，盖钮为宝珠顶凸棱柱形。罐为敞口，短颈，圆肩，弧腹，平底。底座为高足碗形，高足为喇叭形圈足。通体施白釉，釉下饰蓝彩。罐盖和罐身多处饰有釉下蓝彩"卐"字符号和草叶纹，罐身还饰有蓝彩牡

丹朵花纹、束花纹、卷草丛叶纹和童子步打球等图案。步打球，又称步打，从马球活动演变而来，是一种徒步以杖击球的运动。打球童子叉腿而立，作击打状，左手执顶端弯钩球杆，下侧有一抛起圆球。

青花童子步打图塔式罐具有佛教特征罐式，青花装饰上体现伊斯兰风格，是佛教文化和伊斯兰文化结合产物。

青花童子步打图塔式罐存于郑州市文物考古研究院。

景德镇窑青花凤首扁壶 元代文物。1970年，元大都考古队在北京市西城区旧鼓楼大街豁口东一处元代院落遗址清理中，发现一个窖穴，窖穴距地表不到0.5米，上面覆盖一个瓦盆，里面藏有16件瓷器，有青花瓷10件、青白釉瓷6件。其中最引人注目的就是景德镇窑青花凤首扁壶，但出土时已破损严重，成48块碎片，最大13厘米×6厘米，最小2厘米见方。所幸凤首、壶柄和扁壶主体部分还比较完整，文物部门进行抢救性修复。第一次修复只是进行简单拼兑，部分缺失地方，用石膏进行修补，正面青花纹饰用颜料勾描接笔，使其图案较为

完整，背面花纹则未做处理，填补部分呈石膏原色。修复后的景德镇窑青花凤首扁壶入藏首都博物馆。

景德镇窑青花凤首扁壶高18.7厘米，口径4厘米，底长径4.5厘米、短径8.3厘米。唇口，直颈，腹体扁圆，浅圈足。通体施透明釉，釉质莹润，青花发色绚丽浓艳，略有晕散，带有明显结晶斑。整体构思奇巧，以昂起凤首为流，卷起凤尾为柄。凤鼻前顶一宝珠，凤喙张开，喙尖合拢，使壶流形成两个出水孔。壶体青花勾画凤身，羽毛灵动飘逸；衬以缠枝牡丹，犹如一只昂首展翅凤鸟从花丛中飞出。景德镇窑青花凤首扁壶采用各部位分别模制成型，最后合为一体。

凤首扁壶是元代景德镇窑烧制特殊壶式，与该壶一同出土还有两件托盏，有学者推断青花凤首扁壶和同出两件托盏是作为茶具使用的。2004年，景德镇窑青花凤首扁壶被送交上海博物馆进行重新修复，经13个月精心修复，景德镇窑青花凤首扁壶呈现出原有神韵。

景德镇窑青花凤首扁壶藏于首都博物馆。

景德镇窑青花"蒙恬将军"图玉壶春瓶

元代文物。1956年，湖南省博物馆从常德市收集到一批瓷器，其中包括景德镇窑青花"蒙恬将军"图玉壶春瓶。

景德镇窑青花"蒙恬将军"图玉壶春瓶高30厘米，口径8.4厘米，足径8.8厘米。喇叭口、细长颈，椭圆腹微下垂，圈足微外敞。青花色泽纯正艳丽，内口沿绘9朵如意状云纹，圈足为卷草纹。腹部绘蒙恬将军端坐椅上，头戴鹖冠，身着甲袍，阔面钢髯，左手前指，右手扶椅，脚踏方案。身后站一位披甲悬剑武士，

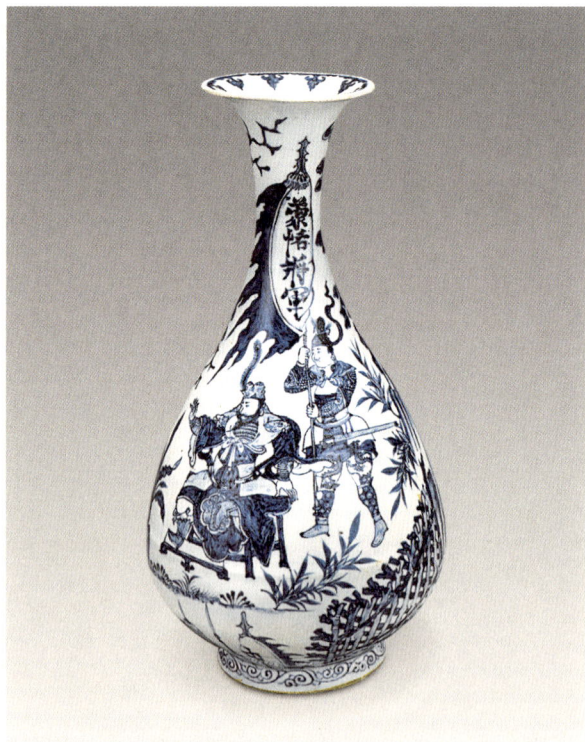

双手紧握一面大旗，旗上书"蒙恬将军"四个大字。蒙恬前方一名带帻穿甲，手持弯弓，身佩矢箙武士，正疾速走来，左手指向后方，似正向蒙恬做汇报。另一头戴毡笠，束腰裹腿士兵，右手抓一个身着花袍俘虏。人物间点缀以山石、松竹、芭蕉、花草、篱笆等；器腹下部绘有"和"字旗及伸出长矛，以示军容。

蒙恬为秦朝名将，在秦统一战争立下很大功绩。秦统一六国后，征战北疆十余年。有学者认为，画面所表现内容，取材于元代《全相平话秦并六国》蒙恬将军审讯战俘场景。流传于世的以人物故事为装饰题材元青花瓷器数量很少，且多流失海外，国内所见屈指可数。景德镇窑青花"蒙恬将军"图玉壶春瓶绘画技巧高超，画面小中见大，繁而不乱，既有故事又有题字，为元代青花瓷中精品。

景德镇窑青花"蒙恬将军"图玉壶春瓶藏于湖南省博物馆。

景德镇窑青花云龙纹兽耳盖罐 元代文物。1980年11月29日，江西省高安县原江西第二电机厂一基建工地，发现一椭圆形窖穴，里面藏有大量瓷器。接到第二电机厂党委书记周则胜电话后，高安县博物馆馆长刘裕黑带领专业技术人员赶赴现场。经勘查，窖穴顶端距地表1.6米，窖穴呈椭圆形，窖穴内整齐堆叠码放瓷器和少量铜、铁器。经清理发掘，出土瓷器244件，涵盖元代4个窑口7个类型，其中元青花瓷19件，所出文物全部入藏高安县博物馆。

景德镇窑青花云龙纹兽耳盖罐通高46厘米，口径14.6厘米，底径18.8厘米。盖顶饰莲苞钮，盖内有子口，罐溜肩，鼓腹，圈足，肩部两侧各贴塑模印铺首一只，铺首口中分衔铜环。通体青花装饰，所用青料具有进口苏麻离青特征，发色浓艳苍翠，略有晕散，料浓处起

黑斑。全器纹饰达12层，器腹主题纹饰为两条云龙和缠枝牡丹。龙首细小，双角平行，双目眈眈，张口露齿；龙身肢体健壮，鳞为网格状纹，蛇形尾，四肢筋腱凹凸，肘关节处有三绺肘毛呈飘带状，三爪呈钩形，游走于花丛和宝物之间，既不失矫健威武气势，又具有清新飘逸神韵。盖面、口沿及底足部辅助纹饰分别为杂宝纹、卷草纹、双体莲瓣纹、缠枝菊纹及线纹、弦纹、回纹等。

窖藏主人身份及埋藏年代，学术界存有不同观点。有研究者认为，窖藏主人可能为元代中晚期高安上泉伍家村人伍兴辅与伍良臣父子。伍兴辅官至元朝驸马都尉，为皇室近侍，伍良臣于元朝晚期为官，父子二人有条件接触和使用皇宫器物。另有研究者认为，该批瓷器应为当时瑞州路官府祭祀礼器。尤其是以窖藏中蓝白相间青花瓷，更符合其盛酒祭祀礼器用途。该窖藏当属瑞州路官府所有，后因元末瑞州路所发生重大历史事件，最终这批祭祀礼器被官府埋藏。这批窖藏出土元代瓷器极具影响力，是已知出土元青花、釉里红瓷器数量最多一次。

景德镇窑青花云龙纹兽耳盖罐藏于高安市博物馆。

青花萧何追韩信图梅瓶 元代文物。1949年，南京盗贼康永海带人盗掘南京市江宁县东善桥观音山沐英墓，盗走梅瓶、玉饰、朝珠和墓志等物。事后盗贼销赃，古玩店主陈新民（后在南京文物公司工作）偶然间看到青花萧何追韩信图梅瓶，不惜倾家荡产凑5根（一说10根）金条换得。两年后，南京市文物保管委员会征集文物时，陈新民把梅瓶无偿捐赠

出来。墓主沐英（1344～1392年），安徽定远人，生逢乱世，幼年丧父，随母逃难，母又死于乱军。8岁被朱元璋收为养子，少年从军，18岁被授帐前都尉，守镇江。后随军征福建、讨吐蕃、略川藏，屡立战功。洪武十三年（1380年）奉朱元璋命领兵出塞，过黄河，登贺兰山，大败北元军。十四年征讨云南，灭元梁王兵10万。明王朝建立后，沐英被封"平西侯"，奉旨镇守云南，任内扩屯田、课农桑、浚滇池、平水患、定贡税，民赖以安。死后追封黔宁王，归葬于江宁观音山。

青花萧何追韩信图梅瓶高48厘米，口径5.5厘米，腹径28.5厘米，底径16.5厘米。小口丰肩，上腹圆硕，平底。瓶腹绘"萧何追韩信"的故事，画面中韩信头束发髻、身着长

袍、手持马缰徘徊在岸边；河中一叶轻舟，艄公手持木桨，正划向岸边；画面另一边，萧何头戴官帽、足蹬长靴、策马持鞭，回身寻望，神情焦虑；整幅画面将韩信内心踌躇不定、萧何心急如焚淋漓尽致表达出来。瓶肩和下胫部分别饰以杂宝纹、番莲纹、卷草纹和变形莲瓣纹，装饰虽繁缛却很好烘托出主题。瓶身所施白釉略泛青，青花发色苍翠浓重，为高铁低锰钴料。

有关韩信记载见于司马迁《史记·淮阴侯列传》。韩信为西汉开国功臣，杰出军事家。但其最初投奔刘邦时，并未受到器重，只是一名管粮小吏。元代金仁杰将韩信这段故事编为杂剧。青花萧何追韩信图梅瓶腹部纹饰展现杂剧中一情景，韩信因得不到刘邦重用而负气出走，萧何得知消息后，骑马率人连夜追赶，将其劝回。研究者认为，青花萧何追韩信图梅瓶虽出于明墓，但从造型、制作工艺、钴料、纹饰、胎质等方面，都具有非常典型的元代风格，烧制年代时代应为元代。胎泥备制、印坯成形、勾绘点染、青花呈色等都达到几近完美水平。2013年8月，青花萧何追韩信图梅瓶被国家文物局列入第三批禁止出境展览文物目录。

青花萧何追韩信图梅瓶藏于南京市博物馆。

景德镇窑青花阿拉伯文盘座 明永乐年间（1403～1424年）文物。天津博物馆征集。

景德镇窑青花阿拉伯文盘座高16.5厘米，外径17.5厘米，内径9.6厘米。器身呈直筒状，口底相通，上下口均为宽折沿，腹部中间起一道凸棱。釉质莹润，通体青花纹饰，所用青料为苏麻离青，呈色浓艳深沉，有晕散现象。上下宽折沿绘青花莲瓣纹，器身纹饰分三

层，间以单、双弦纹分隔。中部以凸棱为界，对称饰仰覆莲瓣纹。上、下两层均绘缠枝纹间以团花图案，在缠枝地纹上书花体阿拉伯文，内容为赞颂真主吉祥颂语。

盘座流行于明永乐、宣德时期，清康熙、雍正、乾隆三朝均有仿制。15世纪伊斯兰地区的用餐习俗是中间放置一大盘，众人席地围坐一起用手抓食，元代景德镇窑青花大盘和龙泉窑青釉大盘就是仿制伊斯兰地区铜质大盘。景德镇窑青花阿拉伯文盘座是永乐时期景德镇官窑吸收西亚地区器物造型艺术，仿伊斯兰铜质盘座新器形。乾隆皇帝对此类盘座情有独钟，称之为"无当尊"，并于乾隆三十七年（1772年）和三十九年（1774年）两次题诗吟咏，名《咏宣德窑无当尊》。

景德镇窑青花阿拉伯文盘座藏于天津博物馆。

景德镇窑青花缠枝花卉纹折沿洗 明永乐年间（1403～1424年）文物。中国国家博物馆

征集。

景德镇窑青花缠枝花卉纹折沿洗高15.4厘米，口径35.1厘米，底径24.5厘米。敞口，折沿，深腹，上部略收，下部微鼓，平底，胎体细密坚硬。釉色白中泛青，釉面肥厚莹润。通体饰青花纹样，使用苏麻离青料，釉面纹饰有自然形成结晶斑，内口折沿饰海水江崖纹一周，波浪汹涌，气势磅礴。内底绘团花纹，内外壁均饰缠枝花卉，与内底纹饰相互呼应，藤蔓绵绵。

洗为盥洗用具，作用相当于盆，汉代已开始流行，宋元时期南北窑厂普遍烧造，以广口折沿、深弧腹式样为多见。这种折沿深腹，微束腰平底洗，为永乐朝仿叙利亚彩绘盆及伊朗铜折沿盆所烧制器形。造型简洁饱满，纹饰清新雅致，制作工艺精湛考究。

景德镇窑青花缠枝花卉纹折沿洗藏于中国国家博物馆。

景德镇窑青花梵文出戟盖罐 明宣德年间（1426～1435年）文物。故宫博物院旧藏。根据《明实录》等有关文献记载，宣德五年（1430年），西藏大宝法王乌斯藏尚师哈里麻

来京举行法会，景德镇窑青花梵文出戟盖罐是为法会特制宗教法器，几百年来一直被宫廷密藏。故宫博物院藏有一幅清代宫廷画家姚文瀚创作《弘历鉴古图》，图中乾隆皇帝身着汉装，端坐于罗汉榻上鉴赏古玩，景德镇窑青花梵文出戟盖罐即陈设在床左侧突出位置。罐下有特制器座，器座下是象征坛场方形高几。这套完整器物组合说明，此罐象征"坛"。显然，青花梵文出戟盖罐既有祈佛祖保佑驱灾纳福宗教意义，又是乾隆皇帝赏悦心爱之物。

景德镇窑青花梵文出戟盖罐通高28.7厘米，口径19.7厘米，底径24.7厘米。直口丰肩，硕腹下敛，平底，肩部有8个凸出方形鋬手，称为"出戟"，圆盖直壁，盖面微凹。通体青花装饰，盖外壁与肩部饰一周海水浪花纹，戟面绘折枝莲纹。器腹纹饰分为三层，中间一层主题纹饰为蓝查体梵文，其上下均为莲托八宝纹与蓝查体梵文相间隔，近足处绘莲瓣纹。盖面中心书一蓝查体梵文，周边绘四朵云纹，云朵之间书一蓝查体梵文。罐内底自左向

右横书"大德吉祥场"5个篆字，外围莲花瓣一周共9个，每个莲瓣内均书一蓝查体梵文。盖内顶与罐内底纹饰相同，也书有"大德吉祥场"5个篆字，与罐内底同样的5字相对应。

该罐形制十分罕见，从器形到纹饰都蕴含着丰富的佛教元素。罐肩部八面方形出戟，俯视其形如佛教法器"法轮"，象征法轮常转，因而出戟盖罐也称"法轮式盖罐"；盖内顶与罐内底所书"大德吉祥场"之"大德"，根据佛教教义，指有大德行的人，也用作对佛祖、菩萨、高僧敬称；"吉祥"二字为授予僧侣称号；"场"为祭神之地，印度密教徒修法地称为"曼荼罗"，意为"坛场"，罐盖独特造型正是仿自佛教法器铜质"曼荼罗"，即"坛场"象征；莲花与法轮、法螺、宝伞、白盖、莲花、宝瓶、金鱼、盘长八种吉祥物是瓷器装饰中常用佛教主题纹饰。梵文是古印度一种文字，蓝查体是其中一种书体，常用于书写六字真言等佛教用语。罐外壁中间一周梵文为密宗真言，大意是"白昼平安，夜平安，阳光普照皆平安，昼夜永远平安泰，三宝设佑永平安"。其上、下两行文字完全相同，代表各方佛双身像中女像种子字。此种文字组合图案被密宗信徒称为"法曼荼罗"，密宗信徒认为凡出现这类种子字地方，就会有种子字所代表佛菩萨，接触书写这些字器物或住所会消灾祛难，吉祥如意。

景德镇窑青花梵文出戟盖罐藏于故宫博物院。

景德镇窑青花携琴访友图罐 明天顺年间（1457～1464年）文物。故宫博物院旧藏。

景德镇窑青花携琴访友图罐高36厘米，口

径21厘米，足径21厘米。直口，短颈，丰肩，圆腹，腹下渐收。通体绘青花纹饰，装饰图案共分四层，以弦纹分隔。胫部绘龟背锦地纹，肩部为波涛海马纹，颈部绘海水山崖纹。腹部主题图画为"携琴访友"图。图中7位高士骑马徐行，2个侍童携琴引路，前方松树掩映中的柴门已开启，正准备迎客。远处群山滴翠，路旁柳枝摇曳，人物衣饰隐约飘动。"携琴访友"是古代文人画中常见题材，与春秋时期俞伯牙、钟子期"高山流水，得遇知音"及魏晋以后文人高士隐居山林，相聚豪饮，琴棋书画有关。此类图画在明代罐、瓶上较常见。整幅画作构图精妙，人物、马匹、景物比例准确，笔法细腻，具有明代文人画气息。以大片云彩为背景人物图画在明初永乐、宣德时期少见，正统、景泰、天顺时期青花瓷器继承这一画法，所绘卷云粗重，云的形状如灵芝形或如意云头状，以粗线画外轮廓，细线勾画层层小圈密布于云气旁。这种特殊流云，既与明初疏简风格不同，又与成化年间圆柔风格有异，时代

特征较为突出。

明代正统、景泰、天顺三朝政局动荡，景德镇御窑厂受时局影响，瓷器烧造严重萎缩，基本处于瘫痪状态，文献中有正统初年御窑厂停烧记载。文物界尚未发现这一时期有帝号年款瓷器，因而有景德镇陶瓷烧造"空白期"之说。但御窑厂停烧并不意味景德镇制瓷业停止，反而为民窑生产提供更大空间。一些虽然没有官窑款识但制作精良瓷器，成为研究正统、景泰、天顺时期瓷器不可多得实物史料。景德镇窑青花携琴访友图罐造型古朴敦厚，纹饰清晰流畅，为天顺朝民窑青花珍品。

景德镇窑青花携琴访友图罐藏于故宫博物院。

景德镇窑黄釉青花花果纹盘 明成化年间（1465～1487年）文物。故宫博物院旧藏。

景德镇窑黄釉青花花果纹盘口径25.6厘米。撇口，弧腹，浅圈足。器内外均以黄釉为地绘制青花图案，釉色明快鲜亮，青花发色清新。内外壁口沿下、足根部及盘心外围均绘

弦纹，盘心绘折枝栀子花，内壁绘石榴、柿子、葡萄、莲花四式祥花瑞果，外壁绘缠枝花卉纹，所绘纹饰隐含"多子多福""事事如意""万代绵长"等寓意。外壁口沿下以青花自右向左横书"大明成化年制"6字楷书款。

中国传统低温黄釉是一种以氧化铁为着色剂，以氧化铅为助熔剂颜色釉，从汉代开始历代多有烧造，但明代前低温黄釉多为陶胎，且色调多为黄褐色或深黄色。明代景德镇生产低温黄釉瓷器则为瓷胎上挂釉。虽呈色有深浅之分，但基本趋于明黄色，黄釉青花是明代官窑瓷器中名贵品种，创烧于宣德时期。黄釉青花制作工艺，是先在坯胎上以钴料绘纹饰，施透明釉经高温烧成瓷后，再在釉上加填低温铅黄彩，入炉经低温焙烧而成。所以，这类工艺又有"青花填黄彩"之称。清代《南窑笔记》记述"宣德有青花填黄地者"，就是指这种工艺。

景德镇窑黄釉青花花果纹盘藏于故宫博物院。

景德镇窑青花阿拉伯文折沿盘　明正德年间（1506～1521年）文物。中国国家博物馆征集。

景德镇窑青花阿拉伯文折沿盘高8.2厘米，口径41.5厘米，足径25.5厘米。盘口，折沿，弧壁，浅腹，圈足。通体青花纹饰，盘内底由缠枝花纹围成一个圆形图案，内有一方形开光套菱形开光，菱形开光内书阿拉伯文字，内容是对真主安拉的赞颂。折沿上、下面均绘缠枝莲纹间以4个内书阿拉伯文菱形开光，外壁也满绘缠枝花纹，间以开光阿拉伯文字。底有青花双圈"大明正德年制"双行楷书款。

瓷器以阿拉伯文作装饰图案始于唐代长沙窑，元代景德镇青花瓷及明代永乐、宣德青花

瓷上也有使用，以后天顺、成化、弘治、嘉靖等朝均有此类作品传世。这一时期，器物上阿拉伯文只是作为一种纹饰点缀其上，且数字极少。由于正德皇帝重视伊斯兰教，许多青花瓷器上出现阿拉伯文字，形成装饰风气。内容主要为《古兰经》箴言和对真主安拉和穆罕默德的赞颂，这些文字既是装饰，也是一种训诫，具有一定宗教意义。明代永乐、宣德时期仿制伊斯兰器物造型青花瓷大量出现，这类器物主要用于出口贸易及与中东各国政治交往，器物造型、纹饰多符合阿拉伯地区生活习惯及审美需求。而正德时期带有阿拉伯文装饰器物多为宫廷御用瓷器，非贸易用瓷或外交用瓷。这些器物为研究明代中期伊斯兰文化与汉文化相互交融与影响提供实物资料。

景德镇窑青花阿拉伯文折沿盘藏于中国国家博物馆。

景德镇窑青花岁寒三友仙人故事图带盖瓶 明嘉靖年间（1522～1566年）文物。广西壮族自治区桂林市东郊尧山靖江王陵区莫氏墓出土。研究者认为，景德镇窑青花岁寒三友仙人故事图带盖瓶具有嘉靖朝风格。青花釉色是嘉靖时期回青料特殊色彩；瓶身主题纹饰为仙人炼丹场面，与嘉靖皇帝一生崇奉仙道，祈求长生有密切联系。因此，景德镇窑青花岁寒三友仙人故事图带盖瓶应为嘉靖时期器物。

景德镇窑青花岁寒三友仙人故事图带盖瓶通高64厘米，口径8厘米，底径18.5厘米，腹围75厘米。长颈，溜肩，长腹渐收，胫至足

部略外撇，盖沿卷边呈倒扣荷叶状，宝珠纽。通体绘青花纹饰，色调青翠明丽。全器自上而下绘八层纹饰。盖纽饰旋形花朵纹；盖面绘折枝莲花、牡丹、杂宝纹；颈部绘蕉叶纹；肩部为五组如意云肩纹；肩部上端绘有一圈连贯如意纹；腹下部环绘一圈青花缠枝菊花纹；胫部绘青花海马波涛纹；腹部主题图画为"岁寒三友"仙人图，图中松、竹、梅相互辉映，远处仙山隐约，祥云缭绕。松下吕洞宾正凝神炼丹，竹下张果老手持羽扇，梅下铁拐李席地打坐。三位仙人神态飘逸，志趣各异。

明朝开国皇帝朱元璋为巩固朱家一统天下，从洪武三年至二十四年（1370～1391年），先后分封24个儿子和1个侄孙到全国各地做藩王。靖江王是首批分封10个藩王之一，也是唯一以侄孙辈受封的藩王，靖江王从洪武三年（1370年）册封，到清顺治七年（1650年），存世280余年，先后有13代16位王。靖江藩王死后大都葬在桂林东郊尧山靖江王陵区。该陵区方圆百余平方千米，保存有明靖江王及其宗室墓320余座，是中国保存最完好、规模最大明代藩王墓群。

景德镇窑青花岁寒三友仙人故事图带盖瓶藏于桂林博物馆。

景德镇窑青花云龙纹油缸 明嘉靖年间（1522～1566年）文物。1958年，北京市昌平县定陵出土。明定陵是明朝第十三位皇帝朱翊钧（年号万历）和孝端、孝靖两位皇后合葬陵寝，地宫中"五供"前置三口青花云龙纹大缸，这件青花云龙纹油缸为其中一件，因发现时缸内储有油脂而称为"油缸"。根据款识可知，定陵出土景德镇窑青花云龙纹油缸并非万

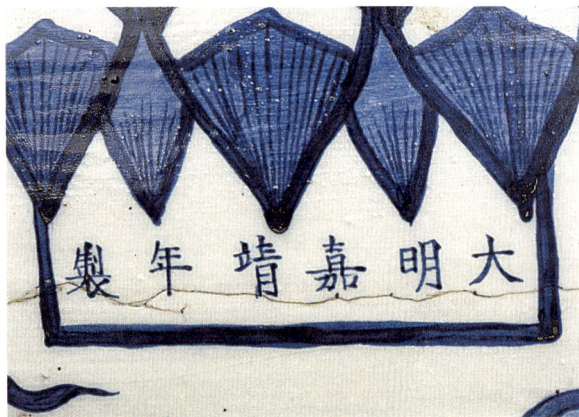

历本朝所烧，而是嘉靖年烧制。龙缸因形制巨大，烧制工序复杂，技术难度高，成品率很低。万历二十七年（1599年）税监潘相在景德镇监造龙缸时，曾激起民变。直到万历皇帝朱翊钧死时，符合要求龙缸还没有造成，只能使用嘉靖朝烧造龙缸。

景德镇窑青花云龙纹油缸高69.7厘米，口径70厘米，底径58厘米。直口，深腹，平底。通体青花装饰，所用青料系嘉靖朝盛行回青料。口沿处饰卷草纹一周，颈部及近底处饰莲瓣纹，腹部主题纹饰为龙纹，两条五爪龙盘旋于缸体之上，昂首曲颈，鬃毛前冲，四肢强劲有力，五爪呈风车状，腾跃于云层之中，展现出威武姿态，体现出明嘉靖时期龙纹典型特征。缸体上部有一长7厘米、宽3厘米的方框，内书青花"大明嘉靖年制"单行楷书款。

这种形制巨大、饰龙纹大缸又名"龙缸"。据清人蓝浦《景德镇陶录》记载："缸多画云龙或青花，故统以龙缸名之。""龙缸"是专供皇宫消防灭火储水器，因结实耐用，在宫中又被用来储存粮、油等。为满足宫廷需要，明代景德镇御窑厂设有龙缸窑，专门烧制大龙缸。宣德时期龙缸窑一度达到32座，后将其中16座改砌为青窑，仍存16座专烧龙缸。嘉靖时期，青花龙缸缸体大都硕大周正，风格敦厚古朴。景德镇窑青花云龙纹油缸造型雄浑大气，绘图精美细腻，颇具皇家风范。

景德镇窑青花云龙纹油缸藏于明十三陵博物馆。

景德镇窑青花团龙纹提梁壶 明隆庆年间（1567～1572年）文物。故宫博物院旧藏。

景德镇窑青花团龙纹提梁壶高30厘米，口径10.5厘米，足径15.3厘米。壶盖呈宝伞状，壶身短颈，圆肩，鼓腹，曲流，提梁柄。通体青花装饰，青花发色蓝中泛紫，浓丽鲜艳，具有回青料发色特征。颈部绘十字朵云一周，肩部绘两条行龙及朵云纹，腹部绘姿态各异五组团龙纹，团龙之间空隙处绘有灵芝草托暗八仙纹，足部绘莲瓣纹一周，盖面绘双云龙及朵云纹，盖纽绘缠枝花纹，曲流及提梁上满绘缠枝花卉纹。器底青花双圈"大明隆庆年造"

双行楷书款。隆庆时期款识书"造"而不书"制"，是一明显特征。团龙纹是瓷器装饰中典型龙纹的一种，在构图上将龙的形体装饰为圆形，有"坐龙团""升龙团""降龙团"等。团龙圆边还装饰有水波、如意、草龙等纹样。

明代开始，饮茶方式一改唐宋时期煎茶、点茶，而流行用开水沏泡散茶。饮茶方式转变带来茶具大变革，沏泡茶叶茶壶开始出现，洪武时期景德镇官窑就烧制提梁式茶壶，成为以后各朝提梁壶造型演变式样并影响至今。隆庆朝历时仅6年，因时间短暂，其间又遇洪灾，官窑产量相对较少，能烧制出如此精美之壶实为难得。

景德镇窑青花团龙纹提梁壶藏于故宫博物院。

景德镇窑"黔府"青花八方缠枝花卉纹盖罐 明万历丁亥年（1587年）文物。1963年12月，贵州省博物馆简菊华经王世襄介绍，在北京宝古斋文物店购得景德镇窑"黔府"青花八方缠枝花卉纹盖罐。据宝古斋文物商店介绍，此盖罐出土于北京市地安门，但细节不明。此器曾请故宫博物院冯先铭、南京博物院宋伯胤及中国历史博物馆沈从文鉴定，均认定为明代景德镇窑万历朝瓷器。并认为，景德镇窑"黔府"青花八方缠枝花卉盖罐造型端庄，青花色泽明艳，绘工精致，有绝对年款，与贵州史事有关，是一件绝好瓷器。

景德镇窑"黔府"青花八方缠枝花卉纹盖罐通高53.5厘米，口径22.7厘米，底径25厘米。口呈八方形，圆鼓腹，平底。罐身花纹分五层，每层分为八面，每面之间均有栏格。肩

上八面栏格作变形覆莲瓣，内青花地衬托白花，绘折枝牡丹、番莲、番菊。腹部以开光技法突出主题纹饰，栏格六角形似龟背，青花绘缠枝番莲、番菊及芙蓉等。下层每面为竖圭半截形格栏，内青花海水地，白花为珊瑚、象牙等杂宝纹饰。足边为莲瓣一周，内绘白地青花螺旋纹。盖隆起呈八方形，子母口，盖纽呈六面形珠纽。盖上纹饰为网格纹地，绘缠枝莲、番菊等。罐底青花双圈"万历丁亥年造，黔府应用"10字。

"黔府"与明代西南封疆大吏沐英及其后人有关。明王朝近300年的西南边防，均由沐家镇守。沐英死后，朱元璋追封其为"黔宁王"，其子沐晟封"黔国公"世袭爵位，所在府第称为"黔府"。"万历丁亥"是沐英后人"黔国公"沐昌祚袭位时间。王府在昆明，北京亦设有府邸，景德镇窑"黔府"青花八方缠枝花卉纹盖罐烧好后，应是在北京王府中使用。

景德镇窑"黔府"青花八方缠枝花卉纹盖罐藏于贵州省博物馆。

景德镇窑青花山水人物图净水碗　明崇祯十二年（1639年）文物。中国国家博物馆征集。景德镇窑青花山水人物图净水碗供养款可知，原为一对，是崇祯十二年（1639年）江西

南昌信士、商人萧炳喜为供奉萧公顺天王所定烧，属庙中器。萧公是江西人，元代在江西临江府新淦大洋洲被奉为水神，原是江西本土俗神，所祀神祇包括萧氏祖孙三代"伯轩、祥叔、天任"。在明永乐和景泰年间，先后获得朝廷赐封，景泰四年（1453年）被诏封为"水府灵通广济显应英佑侯"，从而萧公神从地方性神祇成为国家正统神灵，萧公信仰也开始向江西以外地区迅速扩展，其影响与日俱增，很多地方都建有萧公神庙。根据景德镇窑青花山水人物图净水碗供养款可知，至迟在明崇祯十二年（1639年）已出现"顺天王"称号。

景德镇窑青花山水人物图净水碗高15.3厘米，口径19.3厘米，足径7.9厘米。唇口，圆腹下收，圈足。通体青花纹饰，绘山水人物故事图。画面中绘有六人，以山石、芭蕉、树木、太阳等为背景，表现华盖下一官人在与一僧一道对话场面，僧道二人均躬身跣足，装束邋遢，模样奇诡。僧人光头阔脸，寸头短须，袒衣赤膊；道人蓄山羊胡，身着道袍，手中拂尘因把握不住，掉到地上。长方形开光内青花隶书："大明国江西道南昌府南昌县，信士商人萧炳喜助净水碗壹付，供奉萧公顺天王御前。崇祯拾贰年仲秋月吉立"竖书5行44字。

有研究者认为，画面源自明代传奇《昙花记》第五出《郊游点化》剧情。《昙花记》为明末才子屠隆于1598年所作，剧中杜撰唐朝显贵木清泰，离家访道寻佛，终成正果。屠隆利用戏剧形式阐发佛道义理，宣传三教同源、三教合流思想。也有学者认为，画面仅是一个吉语图画，并非具体历史人物或戏曲故事。华盖下面官人，空中一轮红日，寓意"指日高升"。

净水碗多为佛前盛圣水供器，为明末清初常见。明代晚期至清代早期定烧供器风气颇为盛行，器身多书有供奉者姓名、身份、烧造年代及祈福求祥吉语等，装饰多为山水人物。崇祯皇帝在位期间，正处晚明多事之秋，景德镇御窑厂生产基本处于停烧状态，署崇祯年款官窑瓷器很少。景德镇窑青花山水人物图净水碗青花色调鲜丽明快，人物形神俱佳，特别是有确切纪年，为崇祯青花瓷断代重要标准器。

景德镇窑青花山水人物图净水碗藏于中国国家博物馆。

玉溪窑青花凤纹人物图罐　明代文物。1999年7月，云南省文物总店征集。

玉溪窑青花凤纹人物图罐高26.2厘米，口径20厘米，底径17.2厘米。溜肩，鼓腹，下腹渐收，平底。内外施釉，釉色青中泛黄，青花

色调发黑。颈部饰如意纹，肩部饰人物纹，以松兰石为背景将画面分隔为四部分，宽衣大袖文人雅士或垂钓，或读书，或松下散步，或水边遥望。肩腹两弦纹之间饰卷草纹。腹部饰两只凤凰在繁茂牡丹丛中展翅飞翔，头部回首高昂，尾部舒展飘逸，凤凰与牡丹纹寓意富贵吉祥。足部饰莲瓣纹内套水涡纹。

此类青花罐作为专门盛放骨灰葬具，记录元、明时期云南丧葬文化。多数学者认为，玉溪窑始烧于元末明初，产品在工艺技术上全面学习景德镇，以纹饰简朴生动、青花青釉而独树一帜。因采用当地瓷土烧制，胎色青灰。施石灰碱釉，釉面青中泛黄，绘画所用土产钴料含有较多氧化铁和氧化锰，加上煅烧不精细，青花呈色蓝黑。

玉溪窑青花凤纹人物图罐藏于云南省玉溪市博物馆。

景德镇窑青花山水图瓶　清顺治十年（1653年）文物。上海博物馆征集。题记中"西畴书院"，据清道光八年刊本《歙县志》卷二之三记载："西畴书院在棠樾，宋鲍寿孙、元曹泾、方回讲学其中。"文中虽没有直接提到西畴书院创办时间，但从名贤"讲学其中"可知，晚至宋元之际就已开设，且此书院在清代嘉庆时期还被重修过，因此与该瓷器在时间逻辑上是符合的。另外，景德镇地近徽州，交流方便，更有不少徽商在景德镇经营瓷器，所以此器应是为安徽歙县西畴书院烧制。

景德镇窑青花山水图瓶高44.4厘米，口径9.9厘米，底径12厘米。广口外撇，束颈，溜肩，直筒腹，平底，为典型"象腿瓶"造型。器身采用青花装饰，颈部绘奇石、折枝花卉一

周。瓶身主题采用通景式构图，描绘桃花源景象。其所绘远山近景，山势奇绝，怪石林立，杂以老树虬枝。山间云雾缭绕，流水潺潺，深山之中有人家数户，近景又有板桥、渔民。在技法上以笔触式混水法铺陈出山石结构，深浅浓淡、层次分明。并有题款云："洞口春晴花正开，看花人去几时回。殷勤寄语武陵客，莫引世上相逐来。癸巳秋日写为西畴书院。"引首印"中山人"，款后有一圆一方两枚花押印。这首诗出自唐代诗人陈羽的《伏翼西洞送夏方庆》："洞里春晴花正开，看花出洞几时回。殷勤好去武陵客，莫引世人相逐来。"从器物造型和装饰风格判断，"癸巳"为顺治十年（1653年）。

17世纪，出现瓷画借鉴中国传统绘画装饰风格，这种题材一直影响清代至今瓷艺发展。

这一情况出现，得益于明末清初有文人参与到工艺美术品创作当中；另一方面版画的极大发展，使图像流传更为便利，为瓷器图样来源提供更加丰富选择。

景德镇窑青花山水图瓶藏于上海博物馆。

景德镇窑青花青釉葫芦瓶 清康熙年间（1662～1722年）文物。2005年6月24日，福建省福州市平潭县屿头岛，一位林姓渔民在碗礁海域捕鱼时，打捞出几件古代瓷器，当其穿上潜水装备下海查看时，看到一艘古代沉船半掩在淤泥中，"海底有宝"消息不胫而走。6月30日，福建博物院考古研究所接到信息，得知碗礁海域发现沉船。2005年7月6日，国家文物局批准对沉船进行抢救性发掘，并命名为"碗礁一号"。水下考古队历时三个多月，完

成沉船遗址及周边水域水下发掘清理，共发掘出水文物1.7万余件，大部分为清朝康熙年间景德镇民窑烧制瓷器，景德镇窑青花青釉葫芦瓶即为其中之一。

景德镇窑青花青釉葫芦瓶高16.6厘米，口径2.2厘米，足径4厘米。唇口，细长颈，器身上部为小双腹，中间束腰，下部为大圆鼓腹，呈变异葫芦形。全器采用青釉和青花两种装饰技法。口沿下绘三角形锦地纹，颈部绘蕉叶纹；中间小葫芦体上装饰有覆莲瓣纹和网格纹，在网格地纹上有三个圆形开光，开光内绘莲花图案；大圆鼓腹顶端绘有菱形锦地青花装饰带，其下饰一道酱釉宽弦纹，下部大圆鼓腹为青釉。

景德镇窑青花青釉葫芦瓶藏于中国国家博物馆。

景德镇窑青花万"寿"纹大尊 清康熙年间（1662～1722年）文物。故宫博物院旧藏。从明朝始，皇帝生日定为"万寿节"，与"元旦""冬至"并列为宫中三节。把"天子"生日与"朝岁""祭天"节日并列起来，增加"万寿节"的庄严气氛，更具有延年益寿意义。明清两代皇帝万寿节庆典礼仪是洪武年间制定的，以后历代皇帝都尊崇这一礼制。康熙五十二年（1713年）三月十八日，是康熙皇帝六十寿诞，景德镇窑青花万"寿"纹大尊就是御窑厂专门为其烧造的一件寿礼。

景德镇窑青花万"寿"纹大尊高76.5厘米，口径37.5厘米，足径28厘米。方唇，短颈，肩以下向内斜收，足部凸起一圈，圈足。通体以青花书写"寿"字，排列于口面、边沿、器身，圈足四个部位。其中口面77行，

每行2字；口沿48行，每行1字；颈及腹部130行，每行75字；足边48行，每行1字。万个"寿"字，寓意"至尊崇高""万寿无疆"。尊上"寿"字，采用不同形态篆书字体，字迹优美，排列整齐，纵横成行，字体大小随器身凹凸弧度曲折起伏而变化，顺畅自然，其设计之缜密，令人叹为观止。

景德镇窑青花万"寿"纹大尊形体硕大、庄重非凡，青花色泽靓丽明翠，是存世稀少珍品。

景德镇窑青花万"寿"纹大尊藏于故宫博物院。

青花柳亭图纹章镂空椭圆形果篮托盘　清乾隆年间（1736～1795年）文物。2013年，广东省博物馆从英国收藏家安吉拉女士处购得青

花柳亭图纹章镂空椭圆形果篮托盘。安吉拉女士丈夫大卫·霍华德是纹章瓷研究集大成者，编著《中国纹章瓷》收集约4000套纹章瓷，清晰展示纹章瓷装饰风格演变。

青花柳亭图纹章镂空椭圆形果篮托盘高2.8厘米，口径24.1厘米，底径12.5厘米。椭圆形，盘沿镂空。盘心绘青花柳亭图，一河两岸，远景为山树宝塔、小桥飞鸟，近景为柳树阁楼、河中泛舟。盘沿及盘壁分别饰青花锦地。盘边沿上方彩绘英国犹太家族D'aguilar纹章。该盘饰纹章、青花柳亭和镂空器形反映出浓重的外销特征。

18世纪的英国，人们追求时尚和品位。饰有英国家族纹章的中国瓷器，成为最能彰显贵族荣耀和诠释身份地位的时尚产品。青花柳亭图纹章镂空椭圆形果篮托盘边饰上绘有犹太家族D'aguilar纹章冠饰，上有代表其是第五个儿子的小环图案。这个犹太家族在伦敦经营商业，在牙买加做蔗糖种植业，从中国定制过许多纹章瓷。此盘可能为Aguilar第五个儿子

Solomon所有。1756年，Solomon被Holy Roman 国王授予男爵位。青花柳亭图是一种常见外销瓷图饰，雍正晚期开始流行。18世纪中期，英国东印度公司订购大量柳亭图瓷器。至19世纪，柳亭图多与代尔夫特边饰和菲茨休边饰结合，显得更加程式化。柳亭图也经常被欧洲瓷厂所仿制，特别是1800～1820年，英国大规模生产此种图纹瓷器。这种果篮托盘往往配合镂空果篮使用，散发出雅致生活气息。

青花柳亭图纹章镂空椭圆形果篮托盘藏于广东省博物馆。

景德镇窑青花御窑厂图桌面 清道光年间（1821～1850年）文物。20世纪80年代，首都博物馆工作人员在清理库房时发现。桌面所绘内容引起专家学者关注和研究。有研究者认为，该桌面是清道光年间烧造的。另有学者根据画面中"公和"字样招牌，认为其所绘当是"公和第一圃"酒楼。据史料记载，该酒楼创办于清同治年间，因此该桌面烧造年代不会早于清同治（1863～1867年）时期。

景德镇窑青花御窑厂图桌面直径72.5厘米，厚2.5厘米。桌面为圆形，其上用浓淡相间青花颜料描绘出以珠山御窑厂为中心的景德镇图。全图运用中国传统绘画中平远法，将御窑厂及其以北街市巧妙浓缩在一个圆形画面中。画面中心绘景德镇珠山御窑厂，御窑厂为

三进院落，东西两跨院为制瓷作坊，可见大大小小作坊及窑房，作坊内工匠正在旋坯、画坯、施釉、吹釉、烧窑，各司其职。御窑厂大门为"仪门"，门内有"奉上旨御窑厂"标旗，仪门前可见看相、茶局、命馆、赛会、风水半仙等招牌。仪门前左、右建有吹鼓亭，吹鼓手将喇叭伸出亭外吹奏，吹鼓亭与仪门之间东、西两侧街口分设东辕门、西辕门两处牌楼。画面下端是御窑厂山门，为重檐、三开间，中门两旁立有一对抱鼓石，大门上方的匾额竖书"御窑厂"3字，门前为照墙，照墙两旁立有旗杆，旗杆上高挂一幡，上书"宪奉御窑厂头门"。山门到仪门是一条弯曲街道，有关帝庙、火神庙等，山门两侧是浮梁县衙和监管窑务的"景德司"。御窑厂右侧，大戏台影壁正中书"指日高升"4字，右侧有程家巷、毕家街。画面上端为石岭地区，西侧是奔流昌江，江面上船只往来，运输繁忙，中渡口、老鸦滩分设"奉旨卡"，查验来往船只。画面大部分为屋宇所覆盖，烟囱林立，街上行人摩肩接踵，挑柴、担坯，你来我往，十分热闹，展现出瓷都景德镇一派繁荣生产生活景象。

景德镇和御窑厂图像资料，除这件青花御窑厂图桌面，还有清嘉庆及道光时期粉彩御窑厂图瓶，及木刻版清康熙二十一年（1682年）《浮梁县志》卷首的"景德镇图"、清嘉庆二十年（1815年）《景德镇陶录》中的"御窑厂图"，另有晚清画家程言所绘《河东河西图》等。上述资料中，唯有该桌面所绘图像全景式展示景德镇及御窑厂面貌，弥足珍贵，对御窑厂文化遗址保护与重建，具有极为重要意义。全图描绘详细，生动写实，不仅是研究清代景德镇建筑及整体布局形象资料，还印证文献中关于清代景德镇建制分布及其职能记载，是研究清代御窑厂及景德镇历史风俗等方面珍贵资料，具有极高史料价值和学术价值。

景德镇窑青花御窑厂图桌面藏于首都博物馆。

景德镇窑釉里红高足杯 元代文物。1972年，甘肃省定西市漳县汪世显家族墓出土。汪世显家族墓位于甘肃省漳县城南2.5千米徐家坪，墓区面积3万平方米，约建于蒙古海迷失癸卯年（1243年），止于明万历丙辰年（1616年），历经14代370余年。汪世显（1195～1243年），蒙古族汪古部，金朝及蒙古国大臣，在金末元初战争中取得保障秦陇、攻取川蜀等赫赫战功，赢得元朝统治阶级青睐和重用。从汪世显到其玄孙五代，贯元朝始终，3人被封为王，10人被封为公。归附明朝后，家族世袭巩昌卫指挥使一职近300年。据传原有封土堆200余座，历年被毁不少。

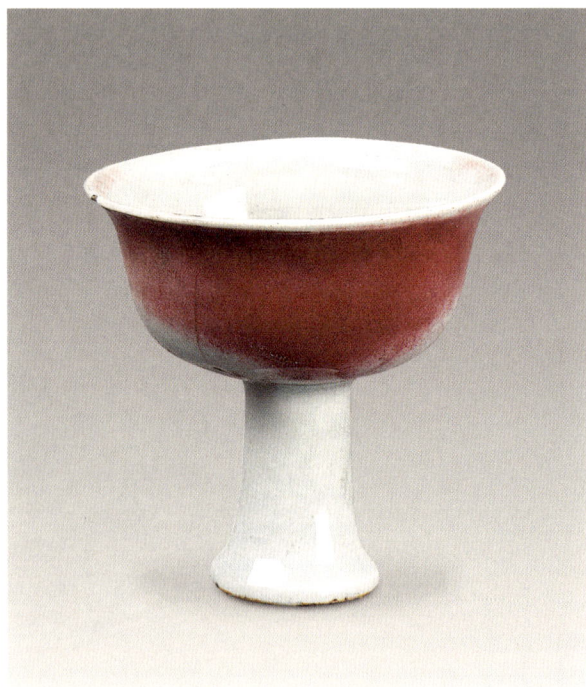

1972～1990年，当地文博机构对汪世显家族墓进行4次清理发掘，共发掘墓葬29座，出土各类文物735件。其中有玻璃莲花托盏、宋代官窑粉青釉葵口长颈瓶等珍贵文物，也包括景德镇窑釉里红高足杯。

景德镇窑釉里红高足杯高8.7厘米，口径8.9厘米，足直径3.6厘米。侈口，深腹，高足呈喇叭状，饰有竹节形装饰。胎质细腻，施青白釉，釉质光润，腹部涂抹饰釉里红斑，釉里红色彩鲜艳。

景德镇窑釉里红高足杯藏于甘肃省博物馆。

景德镇窑釉里红岁寒三友图带盖梅瓶 明洪武年间（1368～1398年）文物。1957年3月，江苏省江宁县东善桥响龙山附近，农民平整土地时，在一处被当地人称作"娘娘坟"土包上，发现一座明代墓葬，出土文物47件，景德镇窑釉里红岁寒三友图带盖梅瓶即其中一件。从墓志可知，墓主人是明成祖朱棣驸马都尉宋琥和安成公主。据史料记载，宋琥是明朝开国功臣宋晟次子，永乐元年（1403年），明成祖朱棣主婚将安成公主"下嫁"予宋琥。永乐六年（1408年），宋琥袭父爵西宁侯。宋琥卒于宣德五年（1430年），安成公主卒于正统八年（1443年），夫妻合葬于南京。景德镇窑釉里红岁寒三友图带盖梅瓶从其形制、纹饰特点及釉里红发色特征判断，应是明洪武时期制作。

景德镇窑釉里红岁寒三友图带盖梅瓶通高41.6厘米，口径6.4厘米。小口，短颈，溜肩，肩以下渐收，平底内凹。盖呈倒铎形，宝珠纽，盖内有一锥拔状管。胎体洁白坚致，器身内外施白釉，釉下用铜红料绘出装饰花纹，釉里红色泽泛灰。纹饰采用两种不同表现手

法，器盖为红地白花，器身为白地红花。盖纽绘火焰条纹，盖面饰红地白菊花纹、如意莲瓣纹。瓶身所绘图案从上至下分别绘蕉叶纹、卷草纹、如意纹、缠枝菊花纹、"岁寒三友"图、海水纹、变体仰莲纹，共有七层纹饰，延续元代瓷器纹饰层次多、画面满、笔意生动等特点。

景德镇窑釉里红岁寒三友图带盖梅瓶是存世唯一一件带盖子且保存完整的明初釉里红梅瓶。

景德镇窑釉里红岁寒三友图带盖梅瓶藏于南京博物院。

景德镇窑釉里红地白缠枝宝相花纹大碗 明洪武年间（1368～1398年）文物。1994年，景德镇市陶瓷考古研究所为配合市政府基建项目，对中华路（明清御窑遗址东侧中部）进行考古调查，发现永乐官窑标本，遂进行抢救性

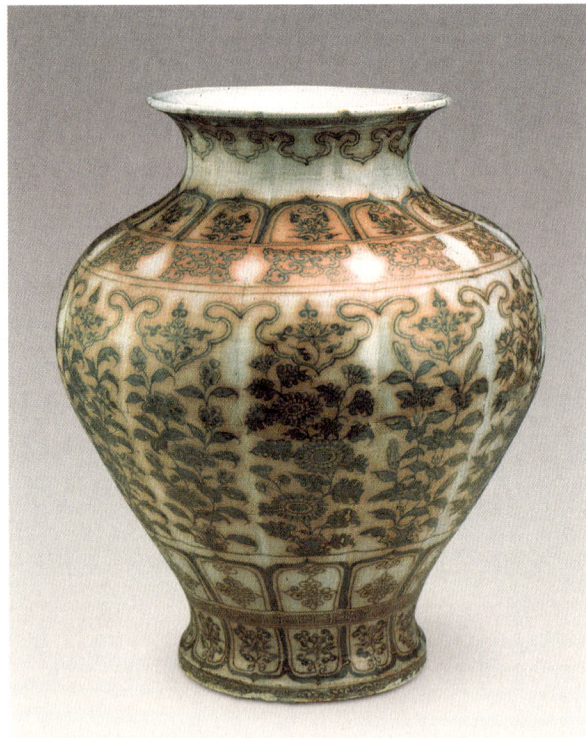

考古发掘，发掘区域共划分九个地层。其中第六层为明初填土，第五层有两个明初官窑瓷片堆积，第四层为永乐时期黑色填土层。可知当时为处理落选贡品，是将落选品置于事先挖好小坑内砸碎，而后用黑土掩埋。这种落选贡品特殊处理方式，是明代御器厂所特有。第五层明初官窑瓷片堆积中含有4件洪武时期釉里红大碗，其中两件大小、造型、纹饰均相同，唯一区别是一个红地白花，一个白地红花。4件器物均为首次发现珍贵资料。

景德镇窑釉里红地白缠枝宝相花纹大碗高18厘米，口径38厘米，底径15.8厘米。撇口，深腹，圈足，胎白而细腻，釉里红色调淡灰。外壁以釉里红为地，留白花纹，有四层纹饰：口沿饰卷草纹，腹部饰缠枝宝相花八朵，下腹部饰莲瓣一周，莲瓣内绘折枝灵芝一朵，莲瓣之间互不相连，有元代遗风，圈足外部亦饰卷草纹一周。四层纹饰间均留有一圈白线作分割。碗内壁施白釉，口沿以釉里红绘缠枝灵芝一周，碗心双圈内绘折枝牡丹。形制较大，器壁较厚，碗内釉里红色调偏灰。

景德镇窑釉里红地白缠枝宝相花纹大碗藏于景德镇御窑博物馆。

景德镇窑釉里红四季花卉纹瓜棱瓶 明洪武年间（1368～1398年）文物。上海博物馆征集。

景德镇窑釉里红四季花卉纹瓜棱瓶高48.8厘米，口径25.6厘米，底径22.1厘米。撇口，束颈，丰肩，肩以下渐敛，近足处微外撇，厚圈足，圈足内无釉。通体起棱，下凹棱线使器物呈十二花瓣形，因器形似石榴，故又名"石榴尊"。器形硕大饱满，胎体厚重。通体以釉里红装饰，自上而下共分十层。口沿一圈回纹，颈部为如意云头纹，其下依次绘变形莲瓣、朵云及如意云头纹，内以折枝莲花填充。腹部主题纹饰为十二组串枝花卉，有扁菊、山茶、莲花、牡丹、百合等，底部配以湖石、花卉，胫部及圈足处饰仰覆莲瓣、回纹及卷草纹。纹饰层次繁多，有元代遗风，而构图较元代疏朗，画法亦趋向工致，呈现出典型的洪武官窑风格。

洪武时期景德镇官窑烧造不少釉里红瓷

器，但发色普遍发灰、发黑，景德镇窑釉里红四季花卉纹瓜棱瓶呈色已颇为难得，为明初景德镇官窑代表作。20世纪80年代前，研究人员对洪武瓷认识不清，但随着南京明故宫及明初功臣墓、北京第四中学基建工地，及景德镇御窑厂等考古新资料不断出土，学者们将其与传世品进行比对，逐渐将洪武瓷器与元代及明代永乐、宣德器物相区分，辨识出洪武瓷器特点，使明代早期瓷器研究进入新阶段。

景德镇窑釉里红四季花卉纹瓜棱瓶藏于上海博物馆。

景德镇窑青花釉里红楼阁式人物谷仓 元至元四年（1338年）文物。1974年，江西省景德镇市出土。1979年9月，丰城县文化馆在江西省文物商店协助下征集得到。

景德镇窑青花釉里红楼阁式人物谷仓高29.5厘米，宽20厘米。由二层主楼和两侧二层亭楼构成。主楼为重檐庑殿顶，脊吻塑双狮头，四角饰卷云。楼阁与谷仓正脊部分有子母口相互契合，可卸取。整个楼阁形式上像一座宴乐厅，楼四周有高2厘米小围栏，中有隔墙，分为前、后楼。前楼内置宝座，宝座两侧各有1人双手执扇，座前有2人舞蹈。背面楼层中间以镂空十字花与前楼相通，一支4人乐队，执腰鼓、琵琶、箫等，正在演奏。正楼两侧旁楼也各置栏杆，左楼2人演奏琵琶、拍板，右楼2人在吹奏箫笛。下层为谷仓，四柱饰红色，正面两柱相夹为仓门，仓门为红色，仓前依门左右分立侍卫2人，手执棍棒，身穿点红彩白色衣衫。仓门两侧为白地青料楷书七言对联："禾黍丰而仓廪实，子孙盛而福禄崇"，横批为"南山宝象庄五谷之仓"。谷仓背面正中两柱间有青料直行楷书墓铭一方，计12行159字。两侧壁分别以釉里红楷书，左侧壁为"五谷仓所"，右侧壁为"凌氏墓用"，依壁分立2人，应为护仓侍俑。据墓志可知，死者为"故景德镇长芗书院山长凌颖之孙女"，"殁于后至元戊寅五月二十三日"，同年六月"安葬于南山"。据《浮梁县志》记载，长芗书院在景德镇，墓主之葬地为景德镇之"南山"，南山在景德镇市南郊，著名湖田窑遗址在其附近。

景德镇窑青花釉里红楼阁式人物谷仓烧成于元至元四年（1338年），釉里红施彩面积较大，但发色不够均匀、稳定，呈紫红或红褐色并有晕散，体现出釉里红早期特征。是中国仅见有确切纪年铭款元代青花釉里红瓷器，具有较高的研究价值。2002年1月18日，景德镇窑青花釉里红楼阁式人物谷仓被国家文物局列入首批禁止出国（境）展览文物目录。

景德镇窑青花釉里红楼阁式人物谷仓藏于江西省博物馆。

景德镇窑青花釉里红开光镂花罐　元代文物。1964年5月11日，河北省保定市建筑公司第一工程处第二工程队在保定市永华路南小学建筑施工，挖地基时在深约1米处发现一批古代瓷器。接到报告后，河北省博物馆会同省文物工作队赴现场调查，并继续清理发掘。共出土瓷器11件、绿松石山子2件、彩绘玻璃瓶1件及一些玉片等。青花釉里红开光镂花罐出土时为一对，另一件于1965年7月调拨故宫博物院。

景德镇窑青花釉里红开光镂花罐通高42.3

厘米，口径15.3厘米，底径18.7厘米。直口，短颈，溜肩，鼓腹，腹下收，平底。覆盆式盖，盖顶堆塑坐狮纽。盖面绘青花莲瓣纹、卷草纹和回纹；颈部绘青花卷草纹和牡丹纹；肩部绘四组如意云头纹，腹部有4个菱形开光，开光内镂雕山石、牡丹、菊花、石榴花、山茶花等四季园景，以青花绘花叶，釉里红绘山石和花朵，色泽浓艳夺目。腹下部饰青花折枝莲花；胫部绘卷草纹及变形莲瓣纹各一周，莲瓣纹内绘倒垂宝相花纹。造型丰满浑厚，集绘画、镂雕、浮雕、贴塑等多种装饰技法于一器，青花色泽浓艳，釉里红颜色纯正。

青花釉里红瓷器创烧于元代，景德镇窑青花釉里红开光镂花罐保定窖藏出土，是中国最早的青花和釉里红结合品种。

景德镇窑青花釉里红开光镂花罐藏于河北博物院。

景德镇窑斗彩葡萄纹杯　明成化年间（1465～1487年）文物。1962年7月，北京市德胜门外小西天出土。一对。北京师范大学南院建房时，工人们发现5座墓葬。市文物工作队得到消息后，派来专业人员进行发掘清理。5座墓葬中1号墓最为考究，墓室东、西、北三面分设壁龛，涂朱漆彩画，龛内放置瓷器、玉

器等35件精美随葬品。根据墓志记载，墓主黑舍里氏，生于康熙七年（1668年）七月十三日，死于康熙十三年（1674年）十二月二十七日，不满7岁。黑舍里氏祖父索尼是清朝开国功臣、康熙初年辅政大臣之首。父亲索额图为索尼的三子，康熙继位之初，索额图辅佐擒拿鳌拜，并将其党羽一网打尽，故深受信任。曾任保和殿大学士、太子太傅，1689年索额图代表清政府与俄罗斯帝国签订中俄《尼布楚条约》。墓志中说黑舍里氏"生而聪慧，三四岁俨若成人，至性温纯，动与礼合，事祖母、父母孝敬不达"。黑舍里氏因出疹夭折，索额图夫妇选择吉日将其安葬。

景德镇窑斗彩葡萄纹杯高5厘米，口径5.6厘米，足径2.6厘米。口微撇，弧壁，圈足。杯外壁绘葡萄架下景色，老藤遒劲、细蔓卷须、竹枝挺拔；几串姹紫色葡萄从藤中垂下，颗颗圆润饱满；半似癞瓜半似桑葚的果实，掩映在青藤绿叶中。葡萄是明清瓷器中常见纹饰，其枝叶蔓延，果实成串成簇，有子孙绵长、家庭兴旺寓意。该对杯造型玲珑小巧，胎体轻薄；图案布局疏密有致，蓝紫黄绿相映，色彩柔和而不失绚丽；底署青花双方框"大明成化年制"6字楷书款。

斗彩是釉下青花与釉上彩相结合的一种装饰，先用青料在坯体上勾勒出图案轮廓线，罩透明釉高温烧成，经检验合格后，再于釉上用黄、绿、紫、红等矿物颜料，根据图案所需进行二次或三次施彩，入炉低温烘烤后，经仔细挑选，没有瑕疵方能选入宫中。这种装饰工艺既保持青花雅致特色，又增加华丽釉上彩效果。

景德镇窑斗彩葡萄纹杯藏于首都博物馆。

景德镇窑斗彩三秋杯 明成化年间（1465～1487年）文物。故宫博物院旧藏。一对。

景德镇窑斗彩三秋杯杯高3.9厘米，口径6.9厘米，足径2.6厘米。杯口微撇、深弧壁，圈足。釉色青中泛灰，胎薄如蝉翼，通体斗彩装饰。杯外壁绘两组山石花草，间以飞舞蝴蝶。以青花描绘花草、山石和蜜蜂，并采用釉上填彩、点彩、加彩三种技法施彩。蝴蝶或覆黄彩或覆紫彩，花枝及一小蝶尾上点以红彩，颇显自然朴实，野趣横生。蝶翅所施紫彩即所谓"姹紫"或"差紫"，其特点是浓厚而无光泽。杯上描绘秋天乡居野景，纹饰线条简练，充满自然气息和生活情趣。历时三个月秋季，又有"三秋"之称，故此种杯被赋予"三秋杯"之雅称。圈足内施白釉。外底署青花双方框"大明成化年制"双行6字楷书款。

成化斗彩器上"差紫"（亦称"姹紫"），属烧成时偶然出现差异色疵，故称"差紫"。虽带差紫色成化斗彩瓷器很少见，但差紫色为

成化斗彩瓷器所独有，后世难以模仿。成化御窑瓷器所署年款，以拙取胜，据传系成化皇帝亲笔书写样款。

景德镇窑斗彩三秋杯藏于故宫博物院。

景德镇窑斗彩海水云龙纹"天"字盖罐 明成化年间（1465～1487年）文物。故宫博物院旧藏。

景德镇窑斗彩海水云龙纹"天"字盖罐通高13.1厘米，口径8.7厘米，足径11.2厘米。罐短颈，丰肩，肩以下渐收敛，圈足。通体斗彩装饰。腹部主题纹饰为海水云龙纹，双龙填黄彩，朵云及海水施绿彩，所绘波涛系先在釉下以青料勾绘线条，再于釉上覆盖一层绿彩而成，此种施彩技法被称作"覆彩"。肩部及近足处以青花料分别勾绘覆、仰莲瓣纹，再覆以矾红彩。足边涂有黄彩，这种在足边涂黄彩做

法，在成化斗彩罐中颇为常见。外底署有青花楷书"天"字款。此罐附有平顶圆盖，仔细观察可发现盖略显大而笨拙，盖上虽绘有与罐腹部主体纹饰相对应的海水云龙纹，但龙的形象有别，且盖与罐体上彩色亦有别。

《养心殿造办处各作成做活计清档》记载，景德镇窑斗彩海水云龙纹"天"字盖罐盖子当是清代乾隆十八年内务府员外郎、管理九江关税务并兼理景德镇御窑厂务唐英奉旨、于乾隆十九年配得。"（乾隆十八年）十一月初三日，员外郎白世秀来说，太监胡世杰交：五彩磁'天'字罐一件（随木座）。传旨：着交江西配盖。钦此。于十九年闰四月十八日，员外郎西宁将江西管窑唐英送到五彩磁'天'字罐一件（随木座），配得磁盖持进，交首领张玉呈览。奉旨：座下刻'乙'字交进。钦此。于十九年十月十二日员外郎达子将五彩'天'字磁罐一件（随木座）刻得'乙'字持进交讫"。

景德镇窑斗彩海水云龙纹"天"字盖罐藏于故宫博物院。

景德镇窑斗彩蔓草纹瓶 明成化年间（1465～1487年）文物。上海博物馆征集。

景德镇窑斗彩蔓草纹瓶高18.1厘米，足径8.5厘米，口径4.2厘米。直口，圆唇，长颈，扁腹，圈足。通体饰青花双钩蔓草纹，纹内填淡绿彩。足下青花弦纹一周。足壁青花弦纹三周，施绿彩。蔓草迂回盘曲，色调清雅明朗，具有独特艺术风格。成化斗彩存世少，艺术价值高，长期受世人珍视。瓶底部款识被人为磨去，磨款痕迹明显。1860年10月，英法联军闯入并烧毁圆明园，大批宫廷珍宝流入民间。同治年间，欲修复圆明园，遂下令追缴散佚珍

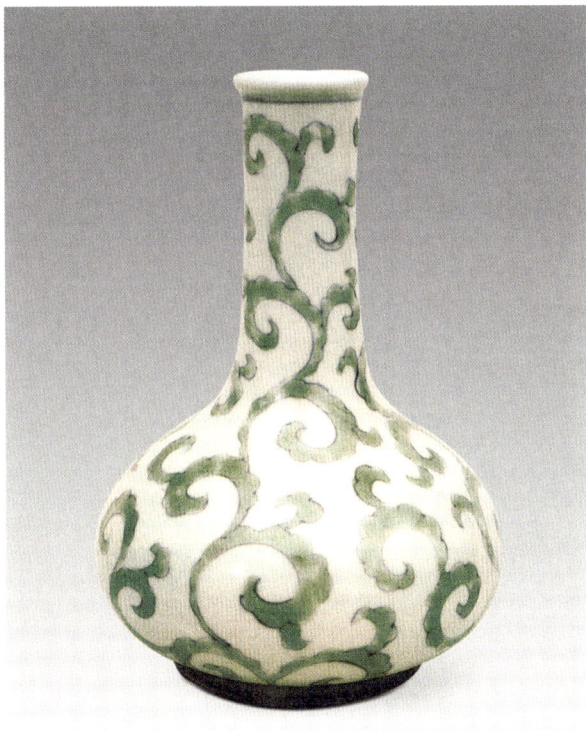

宝，故有人磨去官款以掩盖其官窑制品身份，从而躲避追缴。

明宣德时，釉下青花与釉上五彩结合工艺是斗彩滥觞，真正意义上的工艺成熟斗彩出现于成化年间，在景德镇官窑成化地层中发现大量斗彩残器。这种装饰技法一经成熟，就迅速发展成一种独立的彩瓷品种。

景德镇窑斗彩蔓草纹瓶藏于上海博物馆。

景德镇窑斗彩五伦图提梁壶　清雍正年间（1723～1735年）文物。首都博物馆征集。

景德镇窑斗彩五伦图提梁壶高14厘米，口径3.4厘米。短颈，圆肩，鼓腹，下部渐阔，宝珠钮盖，曲流，高提梁柄，底部有6个片状戟形足。腹部、曲流及盖面以斗彩工艺装饰，釉下青花勾勒轮廓线，釉上填以红、黄、绿、紫、粉红等彩料，绘山石花卉纹及凤凰、仙鹤、鸳鸯、鹡鸰、黄莺五种鸟类图案。盖面绘斗彩花卉纹，器盖中心宝珠钮着红釉，器底青

花双圈"大清雍正年制"双行6字楷书款。

凤凰、仙鹤、鸳鸯、鹡鸰和黄莺五种鸟雀和山石树木组成图画，有别于一般花鸟画，称之"五伦图"。古人认为，这五种禽鸟某些生活习性与君臣、父子、夫妇、长幼、朋友五种人伦关系有些近似，便将其结合对应，视为"五伦"关系象征。"五伦"图作为瓷器传统装饰题材，在清代官窑瓷器上比较常见。景德镇窑斗彩五伦图提梁壶用五种禽鸟形象，传达儒家伦常思想，集审美与教化功能于一身。壶内壁上，还残留一些茶渍，证明曾被使用过。

景德镇窑斗彩五伦图提梁壶藏于首都博物馆。

景德镇窑斗彩八吉祥大盘　清乾隆年间（1736～1795年）文物。北平古物陈列所拨交。

景德镇窑斗彩八吉祥大盘高8.4厘米，口径50.5厘米，足径28厘米。侈口，浅腹，大圈足。釉色莹润，内外皆有纹饰。口沿饰海水

纹、江崖纹及磬、犀角、红珊瑚、阴阳板、银锭、宝珠、方胜、双钱等杂宝图案。内壁饰八吉祥纹，盘心西番莲双凤纹。外壁饰缠枝西番莲纹，圈足内青花书"大清乾隆年制"3行6字篆书款。

八吉祥纹即佛教八宝，分别为轮、螺、伞、盖、花、罐、鱼、长。佛教以这八种法器象征威力与吉祥，赋予美好寓意。盘心西番莲纹所用矾红彩是胶水调色，淡黄彩、淡蓝彩和胭脂红彩三种色彩立体感较强，应用油调色所致。据《雍正、乾隆官窑督陶大事记》记载，乾隆三年（1738年）曾烧造此式盘子，称之为五彩洋花八宝大盘。

景德镇窑斗彩八吉祥大盘藏于南京博物院。

景德镇窑斗彩开光农耕图扁壶　清乾隆年间（1736～1795年）文物。天津博物馆征集。

景德镇窑斗彩开光农耕图扁壶高57.1厘米，口径10.6厘米，底径21.5厘米。细颈，弧肩，扁圆腹，椭圆形圈足，颈至肩部左右两侧附有透雕夔龙形耳。通体绘斗彩纹饰，腹部两面开光内绘江南农耕图景。一面绘《耕织图·耕部》之二"耕"，一农夫扶犁驱牛，正在水田中耕地。另一面绘《耕织图·耕部》之三"耙耨"，牛拉一长方形耙，一农夫站在耙上，扬鞭驱牛在水田中耙地，旁边田埂上一犬。壶侧周边用斗彩绘勾莲纹，间绘蝙蝠、莲花、如意、万寿、编磬等，寓意"家园长庆""福寿增长""吉庆如意"。两幅图画背景相近，皆是双桐树下，阡陌相交，远有山丘绿林，不远处农舍隐现，骄阳流云，呈现一片农耕风光。器底青花"大清乾隆年制"3行6字楷书款。

《耕织图》是以图文并茂形式记录耕作与蚕织系列图谱，起源于南宋时期，反映劳动

者耕织场景，因而成为重要"劝农"方式，具有普及农业知识、推广耕作技术作用。《耕织图》作为瓷器纹饰始见于康熙朝，多用青花或五彩表现。康熙之后，《耕织图》纹饰逐渐成为清代瓷器传统纹样，并演变出"农家乐""田家乐"等纹饰。由于康熙皇帝倡导，雍正、乾隆、嘉庆、光绪几代帝王都以皇室名义摹绘或修订《耕织图》，以示不忘"衣食之道必始于耕织"，体现清代帝王对农业生产高度重视。

景德镇窑斗彩开光农耕图扁壶藏于天津博物馆。

景德镇窑青花五彩鸳鸯莲池纹高足碗 明宣德年间（1426～1435年）文物。据明谷应泰《博物要览》记载"宣窑五彩深厚堆垛"，但长期以来未见传世品，考古发掘也没有出土过。1984年的一天，文物出版社摄影师王露赴

西藏拍摄文物，在萨迦寺看到一对碗，其中一件即景德镇窑青花五彩鸳鸯莲池纹高足碗，另一件为同样纹饰圈足碗，王露觉得很精美，便拍摄下来，准备编入《萨迦寺》一书。回京后，文物出版社编辑胡昭静看到照片十分吃惊，因其知道宣德青花五彩从未被发现过，将照片拿给陈华莎，并很快送到耿宝昌处。耿宝昌确认这就是多少年来苦苦寻觅的宣德官窑五彩瓷。由此将五彩瓷器创烧时间，从明成化提前到宣德时期。值得注意的是，景德镇窑青花五彩鸳鸯莲池纹高足碗纹饰鸳鸯的头、翅等处，以釉下青花双钩轮廓线，然后用黄色或褐色彩料填彩或点染，证明在成化前就已出现斗彩工艺。

景德镇窑青花五彩鸳鸯莲池纹高足碗高11.5厘米，口径17厘米，足径5厘米。撇口，深弧腹，下承高足，通体青花五彩装饰，色泽浓艳深沉。碗内壁口沿处装饰青花藏文一周，意为"昼吉祥，夜吉祥，昼夜吉祥，三宝吉祥"，字体工整挺秀。内底青花弦纹两道，内绘鸳鸯莲池纹，外壁口沿至上腹部绘五条青花云龙，上下绘青花弦纹三道，形成一个装饰区间。腹下部及高足五彩绘鸳鸯莲池纹，莲池中绘鸳鸯两对，间以莲花、芦苇、浮萍等，参差错落，疏朗有致，鸳鸯雌雄相随，画工细腻，自然清新。碗底青花"宣德年制"4字楷书款。景德镇窑青花五彩鸳鸯莲池纹高足碗在装饰技法上采用釉下青花与多种釉上彩相结合的新工艺，称为"青花五彩"。

萨迦寺是藏传佛教萨迦派著名寺庙，1073年建于后藏仲曲河谷。在宗喀巴创立的格鲁派兴起前，萨迦派是藏传佛教各派中坚。元代时萨迦派由于得到元朝政府支持，萨迦寺曾盛极一时。明朝建立后，为巩固在西藏统治，对藏传佛教首领仍采取优礼政策，给萨迦派重要人物各种封号，并赐玉印。这期间，明朝瓷器大量传入西藏。这件书有藏文宣德青花五彩莲池鸳鸯纹高足碗，应是明代景德镇官窑专为西藏烧制，属朝廷向萨迦寺赏赐品。高足碗在西藏地区多用于宗教仪礼中，从磨损程度看，景德镇窑青花五彩鸳鸯莲池纹高足碗曾被长期使用过。1985年7月，西藏文物管理委员会编辑出版《萨迦寺》一书，首次刊登两件明代宣德景德镇官窑青花五彩瓷器照片。

景德镇窑青花五彩鸳鸯莲池纹高足碗藏于西藏自治区萨迦寺。

景德镇窑五彩镂空云凤纹瓶　明万历年间（1573～1620年）文物。故宫博物院旧藏。

景德镇窑五彩镂空云凤纹瓶高49.5厘米，口径15厘米，足径17.2厘米。洗口长颈，通体纹饰丰满繁密，采用彩绘、镂雕装饰方法。在施彩材料中，使用红、黄、绿、茄紫、孔雀蓝、褐赭色，纹饰以褐赤色彩细线勾描，瓶腹部镂雕九只凤鸟飞翔于彩云间，瓶口镂成如意头图案。瓶颈上部描绘蕉叶纹一周，其上并镂空蝶、花。颈部两侧雕塑一对狮耳，在锦地上二圆形开光内青花篆书"寿"字，其下部一层镂雕垂云四朵，并辅以钱纹作地，以镂空朵花衬托。肩部饰一周"卍"字锦地，其间描绘四菱开光，开光内绘有鸟雀、折枝花果，画面各异。瓶腹云凤纹下绘钱纹锦地，间饰八宝、朵花，近足处以矾红色料绘以粗边线，使器物画面、色调增加稳重感。

景德镇窑五彩镂空云凤纹瓶造型古朴，构图严谨，色彩绚丽，镂雕剔透，是一件富丽堂

皇的艺术品。

景德镇窑五彩镂空云凤纹瓶藏于故宫博物院。

景德镇窑五彩鹭莲图凤尾尊 清康熙年间（1662～1722年）文物。故宫博物院旧藏。

景德镇窑五彩鹭莲图凤尾尊高44厘米，口径22.5厘米，足径13.05厘米。撇口，长颈，溜肩，圆腹上鼓下敛，胫部外撇，圈足。通体彩绘荷塘花鸟图，颈部绘荷塘莲花、莲蓬、荷叶及翠鸟、蜜蜂；腹部绘荷塘莲花和鹭鸶、彩蝶、蜜蜂等。无款识。

康熙五彩瓷器在施彩方法上虽仍用平涂法，但设色大胆，讲究变化，其施彩特点是巧用蓝彩，擅用黑彩、金彩和矾红彩。此件凤尾尊以红、蓝、绿、金等多种色彩描绘荷塘美景，特别是大面积涂抹金彩，使整个画面显得雍容华贵。康熙五彩瓷器不但色彩丰富，且画技精湛，景物自然生动，极大改变明代嘉靖、万历五彩瓷器只重色彩（主要突出红、绿两种

彩），不细究所绘物象形貌粗率风格。所施彩料大部分较明代五彩瓷器匀且薄，彩烧温度为800℃左右，烧成后彩料呈透明玻璃态。康熙五彩黑料勾线用笔挺拔遒劲，给人以硬朗的视觉感受，所以后人称之为"硬彩"。

景德镇窑五彩鹭莲图凤尾尊藏于故宫博物院。

景德镇窑五彩十二月花神诗文杯 清康熙年间（1662～1722年）文物。天津博物馆征集。

景德镇窑五彩十二月花神诗文杯高4.9厘米，口径6.5厘米，足径2.6厘米。弧壁，深腹，圈足。胎体轻盈灵透，釉面匀净亮泽，器内无纹，杯的外壁一面以五彩分别绘水仙、玉兰、桃花、牡丹、石榴、荷莲、兰草、桂花、菊花、芙蓉、月季、梅花12种象征12个月的月令花卉，另一面则以青花题咏："春风弄玉来清画，夜月凌波上大堤""金英翠萼带春寒，黄色花中有几般""风花新社燕，时节旧春浓""晚艳远分金掌露，暮香深惹玉堂春""露色珠帘印，香风粉壁遮""根是泥中玉，心承露下珠""广殿轻香发，高台远吹吟""枝生无限月，花满自然秋""千载白衣酒，一生青女香""清香和宿雨，佳色出晴烟""不随千秋种，独放一枝红""素艳雪凝树，清香风满枝"等与12月令花卉应景诗句，12首咏花诗句全部引自《全唐诗》或同时期诗句，12件为一套，通称十二月花神杯。一月一花，一花一杯，一花一题，诗句末尾钤有青花"赏"字篆印，画意工巧，书体纤秀。足内有青花双圈"大清康熙年制"双行楷书款。十二月花神诗文杯除有五彩，还有青花，是宫廷节庆重要宴饮活动中为皇帝本人专门准

备饮器。

中国民间自古流传每年阴历二月十二日为百花生日，即花朝节，又称花神节。清朝康雍乾年间，宫廷依然保留花朝节祭花神和剪彩赏红等传统习俗。康熙五彩十二月花神杯当与花朝节有关，所绘花卉与承德避暑山庄花神庙（即汇万总春之庙）中供奉十二花神种类、顺序一致，皆为北方所熟悉喜爱花卉。之所以称花神杯，是因每只杯上花卉各指代一个花神，与历史上12位美丽贤淑女性相对应。五彩十二月花神诗文杯堪称康熙五彩瓷器中精品之作，全套件数较多，能完整保存下来殊为难得。

景德镇窑五彩十二月花神诗文杯藏于天津博物馆。

醴陵窑釉下五彩镂孔葡萄纹套瓶　清宣统二年（1910年）文物。湖南省博物馆征集。

醴陵窑釉下五彩镂孔葡萄纹套瓶高41.5厘米，口径11厘米，底径12.8厘米。喇叭口，束颈，溜肩，弧腹下敛，圈足。肩部绘田园山水，腹部镂空为枝蔓缠绕葡萄纹，叶脉清晰，毛虫爬行其上，葡萄晶莹剔透，通过镂空处可见内瓶花纹。外底青花双圈"大清宣统二年湖南瓷业公司"3行楷书款。此件宣统时期套瓶，从腹部花叶间镂空处可见内瓶，设计可谓

匠心独运，醴陵窑釉下五彩镂孔葡萄纹套瓶是醴陵窑彩绘及镂孔透雕装饰代表作。

清雍正七年（1729年），广东兴宁移民廖仲威在醴陵沩山开设瓷厂，以手工拉坯，松柴为燃料，龙窑烧制。产品以碗、碟等粗瓷为主，此为醴陵制瓷之始。清光绪十八（1892年）、十九（1893年）年时规模最盛，有瓷厂480余家，龙窑100余座，年产800余万件。

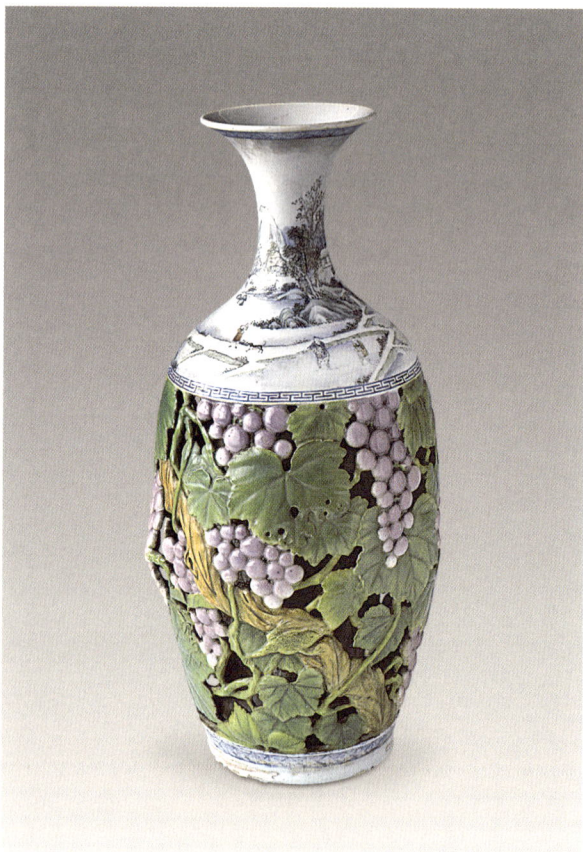

光绪三十年（1904年）初，政府官员熊希龄考察醴陵瓷业，亲自策划呈请政府拨款，提出"立学堂、设公司、择地、均利"四项办法。次年，熊希龄与举人文俊铎在醴陵创办湖南官立瓷业学堂，并从国外引进制瓷机械、技术，在国内外广聘良师筹建湖南瓷业公司，使传统釉下彩有突破性发展，创制出釉下五彩瓷器，由草青、海碧、艳黑、赭色和玛瑙红五种釉下颜料烧制，色泽丰富，这五种颜料又通过罩色、接色等手法，调出数十种不同颜色，经1200~1400℃烧成。图案先用墨线或色线描绘轮廓，再填以各种色料，墨线轮廓线焙烧后消失，形成醴瓷独有的如"没骨画"效果。1909~1915年，醴陵釉下五彩瓷先后参加武汉劝业会、南洋劝业会、意大利都郎博览会和巴拿马太平洋万国博览会，均获得金牌。

醴陵窑釉下五彩镂孔葡萄纹套瓶藏于湖南省博物馆。

景德镇窑素三彩鸭形香薰　明成化年间（1465~1487年）文物。景德镇御窑博物馆征集。

景德镇窑素三彩鸭形香薰通高25.3厘米，底8.6厘米×8.4厘米。模制，分上下两截，鸭

腹椭圆，腹内中空，以子口相合。可打开填充香料，颈中空与口相通，合缝处有6个巧妙的隐孔，可让空气从隐孔进入鸭腹，与张开鸭嘴对流，当熏香点燃置于鸭腹内，烟气便会从鸭嘴自然散发而出，弥漫开来。通身施以紫、黄、黑等釉，釉色素雅柔和。底书青花双框"大明成化年制"6字楷书款。

明中期后，具有文人情趣生活用品大盛，香薰为其中之一，景德镇窑素三彩鸭形香薰为典型明代文房用器。素三彩始于明成化年间，是釉上彩品种之一，以黄、绿、紫三色为主，但并不限于此三色。素三彩器皿因无红色，在清代宫廷故多用于祭祀或先人忌日。

景德镇窑素三彩鸭形香薰藏于景德镇御窑博物馆。

景德镇窑素三彩虎皮斑碗　清康熙年间（1662~1722年）文物。上海博物馆征集。

景德镇窑素三彩虎皮斑碗高5.5厘米，口径12.6厘米，底径5.4厘米。撇口弧腹，圈足。内外壁施黄、绿、紫色相间釉斑，三色彩釉在器物上晕染成不规则斑块，圈足内施釉，青花双圈"大清康熙年制"双行6字楷书款。

景德镇窑烧造素三彩瓷最早见于明代成化时期，清代素三彩瓷在明代基础上发展起来，官、民窑都有烧造，以康熙朝产量最大，质量最精。"虎皮三彩"是康熙时期的新品种，属素三彩的一种，以黄、绿、紫三种色釉相互交织、浸染，形成不规则斑块，釉色斑斓光亮。康熙朝"虎皮三彩"颇受欧洲人青睐。晚清民国时期，景德镇曾大量仿制康熙"虎皮三彩"瓷器。

景德镇窑素三彩虎皮斑碗藏于上海博物馆。

珐琅彩花碟纹碗　清康熙年间（1662～1722年）文物。海关缉私截留文物。

珐琅彩花碟纹碗高5.6厘米，口径10.6厘米，底径4.6厘米。弧形腹，碗内及圈足内施白釉，碗外壁施朱红釉，上绘珐琅彩花卉纹，圈足底为蓝料双方框仿宋体"康熙御制"款。外壁绘蓝、橙、绿牡丹、月季等花卉，并间以绿叶衬托，图画外以胭脂红料涂抹为色地。方寸之间显得繁花似锦，灵动而富有生机。

康熙时期，许多西洋耶稣会传教士来华，在传教同时，也带来西方科学、技术和文化。康熙五十六年（1717年），意大利传教士马国贤（1682～1745年）在写给耶稣会信件中称"皇上开始喜欢欧洲的珐琅画，命人尽力介绍欧洲的珐琅画到宫中造办处"。各种中国铜胎、瓷胎和料胎珐琅器就是在这种背景下产生。康熙时期，珐琅彩瓷器因处于初创阶段，从色彩搭配、纹饰布局到款识内容和样式，均模仿当时铜胎画珐琅效果。

珐琅彩花碟纹碗藏于广东省博物馆。

珐琅彩胭脂紫轧花地宝相花纹瓶　清乾隆年间（1736～1795年）文物。孙毓筠旧藏。孙毓筠之女与朱跃如结婚时，作为嫁妆陪嫁到朱家，后由天津文化局从朱家购进。1960年，拨交天津市艺术博物馆。

珐琅彩胭脂紫轧花地宝相花纹瓶高25厘米，口径6.7厘米，底径6.5厘米。撇口，长颈，长圆腹。颈部蓝色地，朱红色条纹作螺旋状绕颈一周。腹部胭脂紫地，锥剔出凤尾草纹，黄地开光绘三组宝相花纹，色彩光亮油润。瓶里及底均施淡绿釉，釉表呈现皱纹，

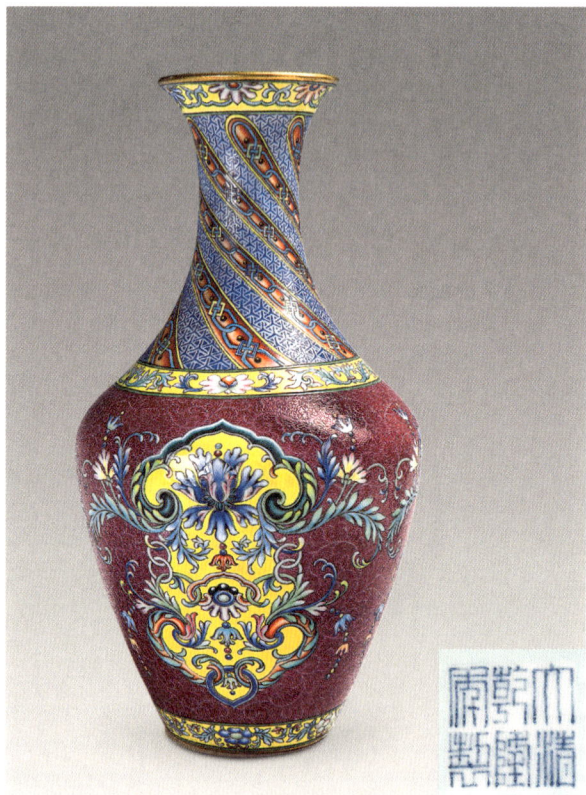

口、肩部描金彩，底有红色篆书"大清乾隆年制"6字方款。

珐琅彩瓷又称为"瓷胎画珐琅"，是专为清代宫廷御用而特制的一种精细彩绘瓷器。瓷器在景德镇御器厂烧制，珐琅彩则是在清宫造办处珐琅作画师绘画，再用彩炉以烘烤而成。珐琅彩瓷创烧于康熙晚期，雍正、乾隆时盛行。特点是彩料凝重，色泽鲜艳，画工精致。珐琅彩瓷绘出是其精华所在。乾隆珐琅彩画受西洋画影响很大。在彩地上，用各种色彩绘出各式各样织锦纹、丝绸纹和其他花纹，谓之"锦灰堆"。又在花纹中添绘各式缠枝花或其他图案，称之为"锦上添花"。珐琅彩胭脂紫轧花地宝相花纹瓶就充分体现这一特点。

珐琅彩胭脂紫轧花地宝相花纹瓶藏于天津博物馆。

珐琅彩人物图瓶 清乾隆年间（1736～1795年）文物。清宫御用器。

珐琅彩人物图瓶高18.8厘米，口径4.25厘米，足径7.5厘米。细长颈，圆鼓腹，圈足外撇。器身施白釉，通体以珐琅彩装饰，颈部绘黄地缠枝花卉海水龙纹，龙身以蓝、白和红彩描绘，缠枝及海水以绿彩描绘，数只红彩蝙蝠飞舞其中。颜色搭配巧妙，纹饰寓意吉祥。肩部饰如意云头纹一周，腹部主题图画绘通景山林读书图，两文人对坐于山林之间，以石为案，案台上放置瓶花、香炉等，一士跪地而坐，手指书卷。另一人盘腿而坐，手持如意于胸前，似在听其诵读。另有书童两名，正携书卷走来。人物面部、衣衫均有西方绘画明暗、透视关系特点，反映出此时西方绘画对瓷上绘画已产生很大影响。底有蓝料双方框"乾隆年

制"4字仿宋体款。

珐琅彩瓷创烧于康熙晚期，雍正六年（1728年）以前均为进口西洋珐琅彩料，色彩多至十几种。珐琅彩料含有大量硼，是中国传统彩料中所没有的。珐琅彩中，黄彩则采用氧化锑为着色剂，有别于康熙以前五彩或低温色釉中黄色采用氧化铁为着色剂。胭脂红以金为着色剂，与以铁或铜为着色剂的中国传统红彩有明显区别。乾隆时期，珐琅彩瓷一方面继承康熙、雍正时期制作工艺与艺术风格，另一方面也有所发展。人物题材增多，有的还是西方人物形象。技法上也吸取西方绘画透视关系和明暗画法，整体风格变得更加繁缛华丽。

珐琅彩人物图瓶藏于上海博物馆。

珐琅彩芍药雉鸡图玉壶春瓶 清乾隆年间（1736～1795年）文物。故宫博物院旧藏。辗转被原北洋政府（1912～1928年）第五任总统曹锟军医处处长潘芝翘收藏，1949年后，带至

天津。1960年，潘芝翘旧日同僚、北京韵古斋文物商店耿朝珍以1.2万元购得。按当时天津文物管理制度，要想将所购文物带离天津，必须到天津文管会进行报验，经允许才能携带出津。如天津文物管理部门认为需要天津留购，则在收购原价基础上加价10％。天津市文物保管委员会请来韩慎先、顾得威，经仔细观察后，极力推荐由天津市文物部门留购。天津市艺术博物馆请故宫博物院孙瀛洲来鉴定，确认珐琅彩芍药雉鸡图玉壶春瓶是清代宫廷珍品。经协商，耿朝珍同意以1.32万元收归国有，入藏天津市艺术博物馆。

珐琅彩芍药雉鸡图玉壶春瓶高16.3厘米，口径4厘米，底径5厘米。撇口，长颈，腹部下端丰满，圈足。胎质细腻洁白，釉面莹润如玉，白釉上用珐琅彩绘画。颈部用蓝料彩绘蕉叶纹，腹部绘芍药雉鸡图。一对雉鸡栖身于山石之上，雌雄彼此相偎，作态亲昵，山石周围配以芍药、万寿菊等各色花卉，寓意"金鸡富贵""社稷稳固"。空白处墨彩题诗："青扶承露蕊，红妥出阑枝。"引首朱文"春和"印，句尾白文"翠铺"、朱文"霞映"二方印。瓶底蓝料楷书"乾隆年制"4字方款。

珐琅彩芍药雉鸡图玉壶春瓶色彩繁富艳丽，画工精细入微，是集诗、书、画、印于一器彩瓷艺术珍品。

珐琅彩芍药雉鸡图玉壶春瓶藏于天津博物馆。

景德镇窑"二年试乙号样"款粉彩荷花纹盘 清雍正二年（1724年）文物。先存天津文物管理处，后拨交天津市艺术博物馆。

景德镇窑"二年试乙号样"款粉彩荷花纹盘高6.1厘米，口径33.8厘米，足径25厘米。盘内用粉彩绘出水荷花，在硕大的绿荷衬托下，三朵粉嫩的荷花含娇吐艳，五朵嫩蕾浮出水面，三两棵红蓼、慈姑、芦草点缀水面。盘外壁以红铺地满绘鱼子纹，中间绘如意形图案，图案内绘折枝花卉，白釉底上暗刻"二年试乙号样"款。

粉彩出现于康熙晚期，至雍正时期有空前

发展，其彩绘工艺的主要特征是构图中人物或花朵将要填胭脂红洗染色料时，先用含砷"玻璃白"，平填一层薄底色，然后将彩料施于这层"玻璃白"之上，再用干净毛笔将颜色依画意，洗染出深浅浓淡渐变效果，使花瓣和人物衣服有浓淡明暗之感。雍正粉彩瓷在中国陶瓷史上占有很重要的历史地位，艳而不俗，细而不繁，达到粉彩瓷器顶峰。景德镇窑"二年试乙号样"款粉彩荷花纹盘不仅纹饰精美，且盘底暗刻"二年试乙号样"款，明确烧制年代为雍正二年，为研究雍正早期粉彩瓷提供珍贵实物资料。

景德镇窑"二年试乙号样"款粉彩荷花纹盘藏于天津博物馆。

景德镇窑粉彩春夜宴桃李园图笔筒　清雍正年间（1723～1735年）文物。上海博物馆征集。

景德镇窑粉彩春夜宴桃李园图笔筒高15.3厘米，口径17.4厘米，足径17.1厘米。筒形直壁，玉璧形底足，内有青花6字楷书"大清雍正年制"款。外壁以粉彩绘春夜宴桃李园图。画中桃李芬芳，一派春意盎然，枝头悬挂灯笼，点出"夜宴"主题，案几上陈列美酒，童

子侍于前后，奉上温热佳酿，李白与诸堂弟举杯畅饮，吟诗作赋，信步赏花。人物或正襟危坐，或风雅潇洒，各具情态。

唐开元二十一年（733年）前后，李白作《春夜宴从弟桃花园序》，描绘与堂弟在春夜宴饮赋诗场景，情景与兰亭雅集颇为相似，是一次著名才子佳会。明清时期，这一题材深得文人喜爱，亦多为画家表现，仇英的《春夜宴桃李园图》便是其中名作。这一题材后被绘到瓷器上，而笔筒造型特征最适合构思手卷式图画。景德镇窑粉彩春夜宴桃李园图笔筒设色清艳华美，各种色彩柔丽明快，人物面部与各色衣纹皆浓淡相宜，深浅有致，颇具设色人物画效果，技法亦较康熙进步。雍正以后，粉彩渐渐取代五彩，成为釉上彩瓷主流。

景德镇窑粉彩春夜宴桃李园图笔筒藏于上海博物馆。

景德镇窑粉彩蝠桃纹橄榄瓶　清雍正年间（1723～1735年）文物。香港收藏家张永珍捐赠。2002年前，景德镇窑粉彩蝠桃纹橄榄瓶一直在美国驻以色列大使奥格登·里德母亲家族纽约豪宅中，在没有任何保护情况下，作为台灯使用长达40年。2002年，景德镇窑粉彩蝠桃纹橄榄瓶出现在香港苏富比拍卖图录中，引起诸多收藏家兴趣，其中包括张永珍。张永珍的父亲是民国时期著名文物鉴藏家张仲英，良好的家庭教育和鉴藏眼光使其深知景德镇窑粉彩蝠桃纹橄榄瓶价值。经一番激烈竞拍，最后以4150万港币拍得，创造当时清代瓷器拍卖最高纪录。后来，张永珍把景德镇窑粉彩蝠桃纹橄榄瓶捐赠上海博物馆。

景德镇窑粉彩蝠桃纹橄榄瓶高39.5厘米，

口径10厘米，腹径18.5厘米，足径12.3厘米。侈口细颈，溜肩鼓腹，胫部内收，底部略外撇，形同橄榄。胎质细腻，釉色莹润。瓶底有青花双圈"大清雍正年制"6字楷书款。白净外壁以粉彩绘桃枝两株，枝上绘寿桃八只，圆润饱满，色彩过渡自然。枝梢点缀桃花，花蕾含苞。桃叶施绿彩，正反阴阳，一浅一深。桃枝间绘一对飞舞蝙蝠。这种将蝙蝠与寿桃相结合的装饰图案在清代极为流行，取"福寿双全"之寓意。粉彩创烧于清代康熙晚期，是在五彩基础上，结合铜胎画珐琅艺术效果而发展起来。因所用彩料多为西方传入，又被称为"洋彩"。

景德镇窑粉彩蝙桃纹橄榄瓶藏于上海博物馆。

景德镇窑各色釉彩大瓶　清乾隆年间（1736～1795年）文物。故宫博物院旧藏。

景德镇窑各色釉彩大瓶高86.4厘米，口径27.4厘米，足径33厘米。洗口长颈，长圆腹，圈足外撇，颈两侧各置一螭耳。瓶身以多种彩料、釉料做装饰，从上到下纹饰达16层，各层彩、釉间用金彩圈线相隔。瓶口部饰金彩，紫地花卉纹粉彩、绿地花卉纹粉彩；颈部装饰为仿汝釉、青花缠枝花卉纹、松石绿釉；肩部装饰仿钧窑变釉、斗彩缠枝花卉纹；腹上部饰模印皮球花图案粉青釉；主题纹饰为腹部12幅长方形霁蓝地描金开光，内绘粉彩吉祥图案，其中6幅为写实图画，分别为"三阳开泰""吉庆有余""丹凤朝阳""太平有象""仙山琼

阁"和"博古九鼎"；另6幅为图案花卉，分别为锦地"卍"字、蝙蝠、如意、蟠螭、灵芝和花卉，寓意"万""福""如意""辟邪""长寿""富贵"。腹下部及足部依次饰哥釉、青花缠枝莲纹、绿地粉彩蕉叶纹、红地描金回纹、仿官釉、霁蓝釉描金。瓶内及圈足内施松石绿釉，外底中心署青花篆书"大清乾隆年制"3行6字款。

景德镇窑各色釉彩大瓶造型端庄雄伟，集多种釉、彩于一身，各种釉、彩均发色纯正，其烧造工艺繁复至极，因各种釉彩配方及烧成温度不尽相同，需按釉下、釉上及高温、低温不同要求，多次入窑烧制。只有在全面了解和掌握各种釉、彩化学性能情况下，才能烧制成功，因景德镇窑各色釉彩大瓶是当时瓷器施釉、填彩工艺技法总汇，故有"瓷母"之称。乾隆后，再无能力烧造这类瓷器，因而更显珍贵。

景德镇窑各色釉彩大瓶藏于故宫博物院。

景德镇窑豆青釉粉彩松竹梅纹竹节式笔筒 清乾隆年间（1736～1795年）文物。首都博物馆征集。

景德镇窑豆青釉粉彩松竹梅纹竹节式笔筒高10.8厘米，口径8.7厘米×5.9厘米。竹节式在豆青釉上用粉彩绘松枝和梅花，将雕塑与绘画结合，组成"岁寒三友"松竹梅题材。笔筒上有黑彩隶书题句"截竹为筒"、楷书"月缕无暇玉，风弹不调琴"、草书"风过碧天摇凤尾，雨余幽润洛龙孙"。题款为"丙子仲夏沐斋制"，丙子年为乾隆二十一年（1756年）。另有"翰墨""陶铸""赏心""芳铭"四方红彩图章。底部有红彩篆书"乾隆年制"4字款。

通过笔筒上"沐斋"及"陶铸"可知，笔筒为清代督陶官唐英制作。唐英，字俊公，又作隽公，自号蜗寄老人。官至内务府员外郎，值养心殿。雍正六年（1728年），奉命监督江西窑务。雍正十三年（1735年），内务府员外郎唐英奉旨调任管理淮安板闸关税务，乾隆元年（1736年）到任。乾隆四年（1739年），唐英淮安关任满，受命驻厂督陶，后又调江州钞关，监理陶政，直至乾隆二十一年（1756年）。唐英是中国陶瓷史上著名督陶官，在景德镇督陶期间，和工匠同食同宿三年，掌握瓷器烧造技术。据《陶成记事碑记》，唐英在景德镇御窑厂督陶期间，烧造仿古创新瓷器釉色57种，并总结出制瓷工艺流程《陶冶图编次》20条，后乾隆皇帝下令由宫廷画家画出来，即《陶冶图说》。唐英多才多艺、能诗善画，刻印，写剧本，著有《陶人心语》。唐英在督陶之余，也制作一些署唐英款瓷器。景德镇窑豆青釉粉彩松竹梅纹竹节式笔筒集诗、书、画、印、雕刻于一体，散发浓郁文人气息。

景德镇窑豆青釉粉彩松竹梅纹竹节式笔筒藏于首都博物馆。

景德镇窑粉彩象驮宝瓶瓷塑 清乾隆年间（1736～1795年）文物。故宫博物院南迁文物。1933年1月31日，山海关遭日寇进攻失陷后，故宫博物院理事会决定，将故宫部分文物分批运往上海。2月5日夜，故宫博物院第一批南运文物2118箱从神武门广场起运。至5月15日，运走文物五批，13427箱又64包。1936年，存上海文物分五批迁运至南京新库房。1951年后，留在南京文物陆续运回故宫博物院1万余箱，剩余2221箱留在南京库房。

景德镇窑粉彩象驮宝瓶瓷塑高27.2厘米，长25厘米。象四足直立，作回首状，双目微睁，长鼻卷曲，双耳下垂，象背上有黄色搭被，置元宝形鞍。鞍上有觚式瓶，无底，与中空的象身相连，寓意太平（瓶）有象。披搭、彩带、象毛、花觚均以粉彩描绘。故宫太极殿宝座两边花架上摆着一对与此完全相同瓷象。

清宫内务府造办处档案记载，乾隆曾多次传旨要唐英烧造各种瓷器，有的难以成功。传世乾隆时期的瓷塑作品，除太平有象之外，还有达摩、观音、巴儿狗、鸡形香薰、青蛙、鹦鹉等。

景德镇窑粉彩象驮宝瓶瓷塑藏于南京博物院。

景德镇窑粉彩职贡图瓶　清乾隆年间（1736～1795年）文物。1959年，故宫博物院南京分院调拨。

景德镇窑粉彩职贡图瓶高75.5厘米，口径25.7厘米，足径22.2厘米。长颈，螭耳，斜肩鼓腹，腹下渐收，圈足外撇。瓶里及底足施以绿釉，绿色浅淡略闪黄，表面有小皱纹。底部款识用红彩篆书"大清乾隆年制"6字款。瓶口用金彩勾画，以黄色为主线绘有一圈如意纹；颈部在红地上绘有缠枝莲纹，蝙蝠衔环双鱼纹，佛手等纹饰，寓意美好吉祥。景德镇窑粉彩职贡图瓶纹饰在色地上用金彩勾画轮廓，看上去如铜质珐琅彩器一般富丽堂皇，表现出乾隆时期粉彩瓷器绝佳风貌。腹部粉彩绘通景

式职贡图，构图丰满，层次分明，用笔工谨，设色艳丽。图中各国使臣着各式民族服装或手捧奇珍，或头顶佳果，或回首顾盼，或引驼前行，人物形象生动逼真。

乾隆时期，国势渐强，藩属之国年年进贡，岁岁来朝。所绘职贡图正是异域各国来朝进宝的真实写照。

景德镇窑粉彩职贡图瓶藏于景德镇陶瓷馆。

景德镇窑粉彩窑工制瓷图瓶 清嘉庆年间（1796～1820年）文物。山西博物院征集。

景德镇窑粉彩窑工制瓷图瓶高60.3厘米，口径22.2厘米，腹径24厘米。盘口，长颈，长圆腹，颈饰蟠螭形双耳，圈足。通体施白釉，白釉上以淡雅柔和粉彩，用9幅图绘制景德镇御窑厂瓷器生产过程，分别为采石、淘泥、镟坯、画坯、吹釉、满窑、烧窑、彩器、烧炉。由于瓶体局限，所绘内容仅为瓷器生产中几个主要环节。绘画者非常熟悉制瓷流程和工作环境，将工匠们采石运料、箩筛淘泥、研料画坯、投柴烧窑等繁忙而井然有序场景生动描绘出来。所绘人物达50人之多，对人物刻画惟妙惟肖，对工匠们劳作时肢体动作、专注神态、所穿服装、所使用工具都细腻表达。所绘东辕门、西辕门及山丘、亭阁、堂屋等较为写实，勾画出御窑厂"中为堂，后为轩、为寝，寝后为皁、为亭，堂之旁，为东西庑"建筑格局。

嘉庆帝登基之初，尊乾隆为太上皇，宫中御用官窑瓷器造型、图案、彩料以至窑工都继承前朝，质量并不逊于雍正、乾隆两朝，但因嘉庆皇帝在位仅24年，时间远远短于乾隆朝，流传于世的嘉庆朝瓷器尤其是精品比乾隆朝少得多。景德镇窑粉彩窑工制瓷图瓶造型秀丽，

层次清晰，笔墨细腻，真实再现御窑厂生产情况，是清代嘉庆粉彩瓷器中精品。

景德镇窑粉彩窑工制瓷图瓶藏于山西博物院。

景德镇窑黄地粉彩云龙纹镂空帽筒 清嘉庆年间（1796～1820年）文物。故宫博物院旧藏。

景德镇窑黄地粉彩云龙纹镂空帽筒高29.07厘米，口径12.5厘米，足径12厘米。帽筒直筒式，圈足。里施松石绿釉。外壁黄地粉彩祥云赶珠龙纹，绘6条穿行于云雾之中行龙追赶火珠，间饰6个海棠式镂空。底足松石绿釉矾红彩篆书"大清嘉庆年制"6字款。

帽筒俗称"官帽筒"，是清代官员在上朝前休息时置放花翎顶戴用。清初康熙、雍正、乾隆三朝，官员是把官帽放在一个圆形类似香熏器物上面，是帽筒雏形。直筒式帽筒创制于

嘉庆年间，兴起于咸丰年间，在同治、光绪年间流行，并进入寻常百姓家。随着清朝没落，光绪后期到民国初期，帽筒逐步演变为普通人家陈设器。粉彩透孔直筒形帽筒是嘉庆时新创佳器。"帽筒"制作工艺、制式、绘画等，包含中国一个世纪的民风民俗。配合帽筒陈设还有帽镜，以作正冠之用。由于"帽筒"同时具有实用性和陈设性，很快被民间广泛接受。

景德镇窑黄地粉彩云龙纹镂空帽筒藏于故宫博物院。

景德镇窑绿地粉彩墨彩花鸟图缸　清光绪年间（1875～1908年）文物。故宫博物院南迁文物。

景德镇窑绿地粉彩墨彩花鸟图缸高44.5厘米，口径42.5厘米，底径39厘米。丰肩，圆腹，下腹收敛，平底内凹。外壁口沿绘蓝彩回纹，腹部饰湖绿地黑白彩花鸟纹，喜鹊展翅于菊花、秋葵丛中。用笔精细，设色幽雅。口沿下红彩楷书"大雅斋"款，其右侧钤椭圆形红料双龙纹边框"天地一家春"阳文印章款。内壁施白釉。

大雅斋为懿贵妃（慈禧太后）在圆明园天地一家春画室，大雅斋瓷是慈禧太后专用瓷，多书有"大雅斋"和龙纹边框篆书款"天地一家春"。清代中后期，粉彩瓷器成为主流，与青花清新秀丽相比，有富丽华美之感。此缸用

于屋内养荷花或金鱼。根据清宫档案记载，这种尺寸缸仅生产4件。

景德镇窑绿地粉彩墨彩花鸟图缸藏于南京博物院。

程门浅绛彩山水渔舟瓷板画 清光绪年间（1875～1908年）文物。清江县博物馆旧藏。

程门浅绛彩山水渔舟瓷板画长40.8厘米，宽30.8厘米，厚1厘米。白釉上浅绛彩绘山水行舟图，行书题款"瘦壁横空，仿马和之画法，为湘浦三兄大人鉴正"，印"门""雪笠"。

此瓷板画出自晚清浅绛彩绘名家程门之手。程门（约1833～1908年），字松生，号雪笠，清末瓷画名家，浅绛彩第一大家，安徽黟县人，客景德镇画瓷。善行书，画尤精妙，凡山水、人物、花卉以至虫、鱼、鸟、兽兼擅。瓷板画集诗、书、画于一体，颇具文人气息。"瘦壁横空"出自唐代诗人李涉《春山三

揭来》中"瘦壁横空怪石危，山花斗日禽争水"，描绘一幅春山之景，可谓与瓷板画中山水辉映。"仿马和之画法"，取寄托之意。马和之，南宋画家。此画用笔起伏、线条粗细多变化，着色轻淡。

程门浅绛彩山水渔舟瓷板画藏于樟树市博物馆。

王少维浅绛彩山水图狮耳瓶 民国文物。1955年，景德镇陶瓷馆收购。

王少维浅绛彩山水图狮耳瓶高60.1厘米，口径14.8厘米，底径15.8厘米。长颈、丰肩，肩部两侧附狮形耳，弧形腹下收，浅圈足。口外壁绘回纹一周，其下饰描金弦纹与足部弦纹辉映，衔金环狮耳以炉钧釉装饰（炉钧釉为一种蓝绿紫相间低温釉）。瓶身通体以浅绛彩绘山水图，右侧峦峰高耸石上简绘一丛花草，近景陂陀丛树挺立，花树相映，绿荫隐现边茅亭，亭左侧留大片

空白，表现湖面一片平静浩渺；沿湖树木葱郁茂盛直至远处山峦，延绵而去；左侧狮耳下有朱方印"王氏"、白文"少维"。画面以淡赭、花青、淡绿、淡黄等色彩渲染山石、林木，淡雅柔和，生动自然。整个画面布局明朗，笔法流畅洒脱，设色清新，全图幽静恬淡，是当时文人雅士所崇尚的生活意境。

浅绛原是中国山水画中一种设色技巧，清代晚期景德镇画师将元代文人画家黄公望等用淡绿、淡赭等水墨彩料绘作国画，借鉴到陶瓷彩绘上后，"浅绛彩"便成专用名词。浅绛彩瓷兴起于清代晚期，至民国初期逐渐衰落。少维即王廷佐，安徽泾县人，生卒年不详，约活跃于同治至光绪（1862～1908年）年间，擅作浅绛山水、人物，以画猴著称，传世品极少。其曾在御窑厂供职，是浅绛彩画派先驱人物。浅绛彩少数创作者是有一定文化素养的画家，在笔墨、设色方面，追求近似国画小写意效果，强调诗、书、画、印相结合，表现出文人画意境。浅绛彩瓷历时虽短，但对彩瓷发展具有承上启下作用。

王少维浅绛彩山水图狮耳瓶藏于景德镇陶瓷馆。

广彩开光人物故事图大碗 清道光年间（1821～1850年）文物。2011年，香港征集。

广彩开光人物故事图大碗高16厘米，口径42厘米，底径22厘米。敞口，深腹，圈足。碗内外通体绘工笔人物，碗外壁口沿以小画卷式人物故事做边饰，其间椭圆形开光内，有花体英文字母"FB"纹章纹。腹部有两个金色云龙纹大开光，一个绘御前殿试情景，另一个则描绘帝王出行图，还在两个较小开光内，绘才子佳人故事。开光外，满饰彩色花鸟，点缀荔枝等岭南特色佳果。碗内绘庭院图，人物多为容貌秀美仕女。庭院中，树林旁一贵妇，在侍女簇拥下缓缓前行，留下两位侍女看管白马和辇车。前方一位衣着华丽妇人手持金色笏板，穿过庭院曲桥，前去拜见厅堂中贵妇。富丽堂皇厅堂中，一位贵妇怀抱如意端坐，两位侍女执扇侍奉左右。厅堂阶下左侧，仅见两名青年男子，其中一位手捧盖盘，似欲进献礼物给堂内贵妇。碗底缠枝花卉开光内，描绘四位男子，坐于亭中，悠然品茶情景。此碗描绘人物众多，且形象各异，栩栩如生，纹饰繁密，色彩绚丽，为道光年间广彩瓷精品。

广彩瓷是在景德镇窑已烧成白瓷胎上绘画，二次烧制而成釉上彩瓷。广彩以构图紧密，色彩浓艳，金碧辉煌为特色。创烧于康熙

年间，成熟于雍正、乾隆年间，发展于道光、光绪年间。广彩开光人物故事图大碗体形硕大。18～20世纪，欧洲人曾大量从广州订烧这类大碗，用于调制果酒。清道光后，广彩以大红、大绿、大金艳丽色调为特色，纹饰形成程式化开光样式，里外均满绘纹饰，基本不留白，色彩亮丽，人物纹饰全部为明装人物，表现热闹、喜庆生活场景。广彩开光人物故事图大碗满饰人物，彩绘技法采用广彩人物重要表现手法长行人物，并兼用折色人物。长行人物始于雍正年间，不再以墨线勾勒人物轮廓，仅勾描头部、肘部等关键部位，以彩料一笔写成。这种人物彩绘技法，成为广彩独有特色。广彩开光人物故事图大碗曾参加"丝路帆远——海上丝绸之路文物精品七省联展"全国巡回展出。

广彩开光人物故事图大碗藏于广东省博物馆。

广彩方罐形双耳花插 清光绪年间（1875～1908年）文物。1959年，广东省文物管理委员会拨交。

广彩方罐形双耳花插高25.5厘米，口径17.9厘米，底径16.5厘米。整体呈四方形倭角，盖有五个圆孔供插花之需。器身较大，四个面有开光，描绘花鸟、鲜果、蝴蝶等纹饰。开光外堆贴葡萄藤，藤间几只小松鼠，两侧对耳亦作葡萄藤蔓状。足部和盖面都满绘花卉纹，且有四幅小开光，开光内绘折枝花卉。

花插是用于插花器物，古代花器一种。早在魏晋时期，便用瓶养鲜花。明清时期，供插花用瓷花插多为瓶罐类。广彩瓷到清代道光至光绪时期达到繁盛阶段，绚丽华彩，金碧辉

煌，构图丰满。广彩方罐形双耳花插创作于光绪年间，装饰华美，繁而不乱。

广彩方罐形双耳花插藏于广东省博物馆。

景德镇窑绿地紫彩龙纹盘 清康熙年间（1662～1722年）文物。故宫博物院南迁文物。

景德镇窑绿地紫彩龙纹盘高6厘米，口径32厘米，足径23厘米。敞口，弧腹，圈足浅而内敛。内外均施低温绿釉，纹饰先锥刻龙珠纹再填紫彩。盘底为白釉，青花双圈"大清康熙

"年制"双行6字款。

绿地紫龙瓷器传世较少，为皇室日用器皿。据文献记载，清帝后妃中第五等级"贵人"用器有绿地紫龙瓷盘、碟、碗等。贵人是清代后宫嫔妃之一。据史籍载："清朝后宫，别置女官，一曰皇贵妃，二曰贵妃，三曰妃，四曰嫔，五曰贵人，六曰常在，七曰答应。"因此，绿地紫龙纹盘应为皇室后宫日用器皿。

景德镇窑绿地紫彩龙纹盘藏于南京博物院。

景德镇窑黑地绿彩缠枝花卉纹盖碗　清乾隆年间（1736～1795年）文物。故宫博物院旧藏。

景德镇窑黑地绿彩缠枝花卉纹盖碗高7.5厘米，口径9厘米，足径3.2厘米。碗敞口，深

腹，圈足。附伞形盖，盖顶置圈形抓纽。里施白釉，外壁以黑地绿彩缠枝花卉纹装饰，纹饰繁密。盖边沿及碗口沿均涂金彩，圈足及盖纽内亦施白釉，均属有青花花押款识。

黑地绿彩瓷创烧于清代雍正时期，传世品较为少见。此器为乾隆时期景德镇民窑制品。

景德镇窑黑地绿彩缠枝花卉纹盖碗藏于故宫博物院。

景德镇窑墨彩山水图笔筒　清雍正年间（1723～1735年）文物。上海博物馆征集。

景德镇窑墨彩山水图笔筒高13.2厘米，口径16.8厘米，足径16.7厘米。直筒形，浅圈足，玉璧形底，为雍正时期流行笔筒样式。器内外、玉璧形底心及底外周均施透明釉，底部仅留一圈涩胎，以备垫烧之用。器内底墨彩梅花和竹枝各一枝，外壁绘墨彩山水图。画面山峦错落有致，构图疏密得体，墨色浓淡分明，具有中国传统水墨画神韵。底心有"大清雍正年制"3行6字楷书款。

墨彩自康熙晚期出现后，至雍正朝颇为流行。其所用彩料有两种，一种进口，一种自炼，此类进口或自炼墨彩与传统黑彩不同，可

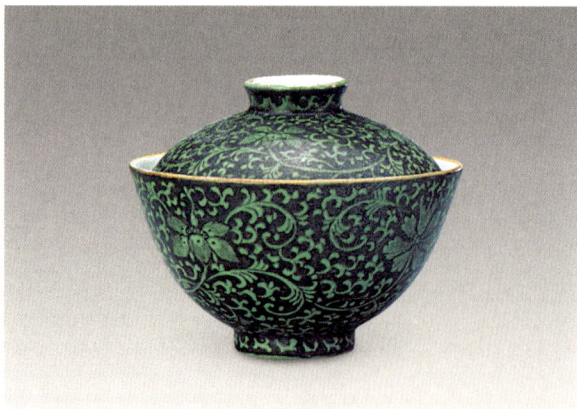

直接绘画，不需要再在其上罩透明釉或绿釉，犹如中国画中水墨画。进口墨彩多用于宫廷烧造珐琅彩器，自炼墨彩多使用于景德镇官窑器。墨彩画面具有文人画特色，格调高雅。以笔筒、碗、杯等制品为多见。器底多书双行或3行6字楷书款。由于墨彩具有浓郁中国画装饰风格，故此类品种自康熙朝出现后，深受文人雅士喜爱与外国人青睐，官窑、民窑都有烧造。此笔筒是雍正官窑器中典型之作。

景德镇窑墨彩山水图笔筒藏于上海博物馆。

景德镇窑红彩龙纹高足盖碗 清乾隆年间（1736～1795年）文物。清宫旧藏。1963年，

故宫博物院调拨。

景德镇窑红彩龙纹高足盖碗高20.3厘米，口径15.5厘米，底径4.3厘米。撇口弧壁，高圈足，附圆顶盖、天鸡纽，盖径小于碗口径，扣于碗口内。通体绘矾红彩双龙戏珠纹，盖内及碗心矾红双方栏"大清乾隆年制"3行6字篆书款。此器胎薄体轻、绘制细腻、红彩发色艳丽，为乾隆官窑佳品。

高足碗为佛前供器，乃"净水碗"。此碗修胎规整，具有典型乾隆官窑瓷器特征。矾红彩料是以青矾为原料，经煅烧、漂洗制成，是氧化铁为主要着色剂制成红料。

景德镇窑红彩龙纹高足盖碗藏于广东省博物馆。

景德镇窑仿木纹釉提桶 清雍正年间（1723～1735年）文物。上海博物馆征集。

景德镇窑仿木纹釉提桶通高35.2厘米，口径21厘米，底径14.6厘米。系仿木质提桶而成，敞口，圆腹，腹以下渐收，圈足，上有提

梁。通体施红褐色釉，釉上以深褐色彩描绘木纹及10块拼版接痕，腹、胫部凸起两道仿藤箍纹，提梁处有仿榫卯结构。造型、质地及工艺痕迹都酷似木制品，唯器底施透明釉，青花篆书"大清雍正年制"3行6字款。

仿木纹釉是雍正朝官窑新烧制瓷器品种。根据清宫造办处档案记载，雍正七年（1729年）正月二十九日，收到圆明园来帖，称当月二十六日太监王玉持来花梨木纹釉瓷桶一件，传旨着将瓷桶配做木架，送往西峰秀色陈设。由此可知，至迟在雍正六年（1728年），此类仿木纹釉提桶已烧制成功。雍正七年八月十二日，瓷桶配架完毕，由郎中海望持往圆明园。由档案可知，木桶纹理系仿花梨，从该桶颜色及木质纹理看，仿制相当成功。其装饰效果虽与唐宋绞胎、绞釉有某些相似之处，但工艺完全不同。绞胎是利用两种不同呈色胎土交融，使之产生不规则纹理，而仿木纹釉则是在坯胎上先施一层近似木色的红褐色釉作底色，入窑烧造后，再在其上以更深褐彩描绘木纹，入炉低温二次烧成。

景德镇窑仿木纹釉提桶藏于上海博物馆。

景德镇窑仿竹刻夔纹笔筒 清乾隆年间（1736～1795年）文物。上海博物馆征集。

景德镇窑仿竹刻夔纹笔筒高9.8厘米，口纵6厘米，口横7.2厘米，底纵5.9厘米，底横7厘米。系仿竹刻笔筒模制成型，器身用剔刻细小珠纹工艺表现竹节，用深姜黄色釉在略浅同色釉上描绘细密竹丝痕及毛竹孔，将竹枝质感表现得惟妙惟肖。并在三竹节上剔刻由夔龙组成带状凸纹。器底刻有"大清乾隆年制"3行6字篆书款。

清代雍正、乾隆时期，瓷器烧造技术达到高峰，器形釉色品种极为繁多，发展出仿玉石、古铜、漆器、螺钿、戗金、藤编、竹木等特种釉色。这些瓷仿制品工艺高超，巧思天成，不仅力求和各类工艺品造型一致，且与原物色泽、纹理也十分相像，能精准表达出各类工艺品原物质感。传世乾隆仿竹刻器多为小巧玲珑文房用具，如笔筒、臂搁等。这些文房用具大多根据日用竹刻缩小而成，形制精巧，是专为宫廷生产的一种文玩摆件。

景德镇窑仿竹刻夔纹笔筒藏于上海博物馆。

景德镇窑仿古铜彩牺耳尊 清乾隆年间（1736～1795年）文物。故宫博物院旧藏。

景德镇窑仿古铜彩牺耳尊高21.08厘米，口径13.2厘米，足径11.7厘米。尊侈口，收颈鼓腹，圈足外撇，肩对称贴塑牺耳。器形、釉色、纹饰均仿古青铜器式样，底部篆刻阳文"大清乾隆年制"3行6字款。

清代乾隆时期，象生瓷制作和仿各类工

艺品十分盛行，所仿古铜器、漆器、竹木牙角和玉石皆能得心应手，惟妙惟肖，可准确表现出各类工艺品原物色泽、质感，其造型也与原器无二。乾隆时期"仿古铜彩牺耳尊"是见于清唐英《陶成图画卷》里一件传世珍玩。唐英，清内务府员外郎，雍正六年（1728年）驻景德镇御窑厂协理窑务，乾隆二年至十九年（1737~1754年）督理御窑厂窑务，习惯称乾隆年间唐英督理景德镇御窑厂窑务时官窑为"唐窑"。景德镇窑仿古铜彩牺耳尊古朴典雅，色泽、金银镶嵌纹饰和锈斑都仿自战国古铜器。施彩以茶叶末釉为地，体现出古铜彩所特有沉着色调，并以错金、错银、错铜装饰效果，组成金碧辉煌金银彩饰，不但错金银效果明显，就连铜锈斑痕也丝毫不差显现出来，是不可多得"唐窑"精品。

景德镇窑仿古铜彩牺耳尊藏于故宫博物院。

景德镇窑蓝釉金彩梅花纹杯 元代文物。1964年，河北省保定市一处元代窑藏出土。5月21日，保定市建筑公司第一工程处第二工程队在保定市永华路南小学建筑施工，挖地基时在深约1米处发现一批古代瓷器，即报告保定

市文化局，并转告河北省博物馆。该馆派赵亘川会同河北省文物工作队到现场调查。清理发掘瓷器11件、绿松石山子2件、彩绘玻璃瓶1件以及玉片数十片。其中有蓝釉金彩瓷器3件，除景德镇窑蓝釉金彩梅花纹杯外，另两件是蓝釉金彩匜和蓝釉金彩盘。

景德镇窑蓝釉金彩梅花纹杯高4厘米，口径8厘米，足径3厘米。撇口，深腹，圈足。内外施蓝釉，釉上以金彩描绘纹饰，内底绘折枝花卉，外壁绘一折枝梅花和一弯新月。蓝釉深沉丰润，配以熠熠生辉金彩，装饰效果绮丽华贵，为元代景德镇蓝釉金彩瓷器代表之作。

研究者认为，窑藏主人是元代居住在保定汉军首领张氏家族。张氏家族是当时三朝重臣，在消灭南宋和元朝统一过程中战功显赫，屡次受到皇帝赏赐。这批瓷器应是当时赏赐给张家的宫廷酒器。后来，张氏家族因卷入继承皇位政治斗争而遭灭门，这批瓷器可能就是那时候被匆匆埋入地下的。另有专家认为，窑藏主人是元惠宗时期保定路达鲁花赤月鲁不花。据《元史·月鲁不花传》记载，月鲁不花为蒙古族人，元统元年（1333年）进士，在朝

中为官。至正十八年（1358年）以"廷官"吏部尚书兼职保定路达鲁花赤，指挥当地军民多次击退红巾军进攻，因退敌有功而得到朝廷嘉奖。

景德镇窑蓝釉金彩梅花纹杯藏于河北博物院。

景德镇窑霁蓝釉描金彩海晏河清尊　清乾隆年间（1736～1795年）文物。1959年，中国历史博物馆从北京古玩商何玉堂处购买景德镇窑霁蓝釉描金彩海晏河清尊两件，器形、釉色、纹饰皆相同。

景德镇窑霁蓝釉描金彩海晏河清尊高31.2厘米，口径24.8厘米，足径22.3厘米。圆口，卷唇，直颈，鼓腹，圈足，肩颈之间贴塑一对白色展翅剪尾燕子为耳。通体施霁蓝釉，口沿、颈、肩、腹用金彩描绘缠枝牡丹纹、蕉叶纹、如意纹，胫部饰粉彩凸雕莲瓣和联珠纹，底有青花篆书"大清乾隆年制"6字款。颈肩处海燕与"海晏"谐音，霁蓝色象征河清，蕴含海晏河清，四海承平之意。瓷器装饰发展到乾隆时期呈现出奢靡绮丽风气，一件器物上往往同时运用多种装饰技法，该尊集雕、贴、绘之大成，先高温烧制再施彩入炉低温烘烤，色如宝石，画工细腻，纹饰祥瑞，体现乾隆一朝

瓷器制作工艺成就。

"海晏河清"一词取自唐朝诗人薛逢《九日曲池游眺》一诗中："正当海晏河清日，便是修文偃武时。"唐朝郑锡《日中有王子赋》曰："河清海晏，时和岁丰。"意指大海风平浪静，黄河水流澄清，有歌颂天下太平的含义。清代皇家园林圆明园中"海晏堂"亦取名于此。海晏堂为欧式园林景观，为十一开间二层楼房，堂前有喷水池、意大利传教士郎世宁设计的十二生肖人身兽首铜像，每座铜像按照时辰自动喷水，蔚为奇观。海晏堂不仅外观设计巧妙，内部也十分豪华，殿内陈设有许多西方国家进奉西式钟表、玛瑙餐具、玻璃灯具等，海晏河清尊便是"海晏堂"中陈设品。

景德镇窑霁蓝釉描金彩海晏河清尊藏于中国国家博物馆。

景德镇窑霁蓝釉描金粉彩转心瓶　清乾隆年间（1736～1795年）文物。先放置清奉天行宫，随清帝东巡。1948年，古物陈列所将其南迁文物全数拨交中央博物院筹备处（南京博物院前身）。

景德镇窑霁蓝釉描金粉彩转心瓶高60.5厘米，口径20厘米，腹深52厘米。外壁以霁蓝釉为底色，再配用金彩，主题纹饰为"乾隆行围图"，由粉彩漏窗式景障、动态透雕人物近景、乾隆行围透雕人物和粉彩秋郊山野景观四部分组成，形象再现皇家行围大场面。人物及坐骑行头、马缰、旗帜等皆按照清乾隆时期《钦定皇朝礼器图式》中礼制安排。结构上由盖、颈、外瓶、内胆、夹层、底盘六部分装配而成。内胆底部固定在底座轴心上，内胆口沿上有插销口，瓶颈下端铜销可套入器中，使之

与内胆相连，转动瓶颈，便带动内胆围轴心旋转。圈足青花篆书"大清乾隆年制"印章款。

景德镇窑霁蓝釉描金粉彩转心瓶藏于南京博物院。

景德镇窑蓝釉描金银桃果纹瓶　清乾隆年间（1736～1795年）文物。上海博物院征集。

景德镇窑蓝釉描金银桃果纹瓶高23.35厘米，口径9.35厘米，底径15厘米。纽盖高耸、敞口，束颈，器腹扁圆，圈足。通体施高温蓝釉，其上用金彩、银彩描绘纹饰，瓶内与圈足内底均施淡绿釉，底有青花篆书写"大清乾隆年制"3行6字款，在一件器皿上，同时采用金彩和银彩装饰制品非常少见。

景德镇窑蓝釉描金银桃果纹瓶烧造工艺较

为复杂，需先在1200℃以上高温窑炉中烧成内透明釉外蓝釉器，然后再在器内与圈足内底施淡绿釉，于低温炉中二次烧成，再用金银彩绘纹饰，入炉中三次烧成。难能可贵的是，景德镇窑蓝釉描金银桃果纹瓶进贡朝廷后，即在内务府造办处配得银器座，座底有"大清乾隆癸

卯年造"楷书款，乾隆癸卯年即乾隆四十八年（1783年）。

景德镇窑蓝釉描金银桃果纹瓶藏于上海博物馆。

景德镇窑卵白釉堆花加彩盘　元代文物。上海博物馆征集。

景德镇窑卵白釉堆花加彩盘高4.3厘米，口径16.1厘米，足径5.5厘米。敞口弧腹，小圈足。盘内壁印缠枝莲纹，器身施卵白釉，釉面失透。底足不施釉，足面平切，外底心有乳突，具有明显元代造型特征。此盘特殊之处在卵白釉印花装饰基础上，增加釉上堆花描金装饰。堆花所用彩料有蓝、绿、褐、黄四色，盘内壁口沿装饰缠枝花卉一周，花瓣用褐色，叶子用绿色，节奏鲜明。在花卉轮廓内，填金彩，惜多有脱落。盘心以蓝色和褐色勾勒出菱花形开光，开光内书梵文"晔"字，"晔"字为密宗佛教中"种子字"，代表世界上一切佛尊菩萨。外口沿蓝彩勾勒边饰一周，褐彩点缀。外壁围绕圈足以褐色和蓝色勾勒莲瓣开光，开光内分别为轮、鱼、螺、花、犀角、银锭、双角、伞八样杂宝，内加金彩，整体装饰充满佛教元素。

堆花一般是用笔蘸取泥料在生坯上堆成各种突起花纹，但这件器物与普通堆花器物有所区别。一般堆花都在生坯上，属一次烧成。而这件彩盘堆花则是在已烧成卵白瓷上，属于二次烧成；一般堆花运用泥料，这件彩盘堆花运用彩料；这件盘堆花借鉴彩画装饰中沥粉（也有写作立粉）技法，是运用特制带管子彩料袋，在烧好卵白瓷表面上勾勒出纹饰轮廓，再根据需要进行描金，最后低温烧成。值得注意的是，卵白

南（江西第二电机厂）基建工地发现大型窖藏中出土。共出文物251件（含残破器物），其中瓷器244件，卵白釉瓷器40件，景德镇窑卵白釉戗金暗刻龙纹玉壶春瓶即其中一件。

釉瓷器产地为景德镇，但这类堆花工艺可能并非在景德镇完成。原因是，在景德镇历年窑址调查、考古发掘中，尚未发现一例这种堆花工艺标本；仔细观察可发现内壁釉上堆花覆盖一部分的釉下印花装饰。假设整个制作都是在景德镇完成，窑工似乎可以有更好构图选择，而不会出现这种装饰重叠现象。此类器物存世量较少，经检索已公开发表完整器不足十件。

景德镇窑卵白釉堆花加彩盘藏于上海博物馆。

景德镇窑卵白釉戗金暗刻龙纹玉壶春瓶

元代文物。1980年11月29日，江西省高安县城

景德镇窑卵白釉戗金暗刻龙纹玉壶春瓶高26.2厘米，口径7厘米，足径7.4厘米。喇叭形口，弧腹，圈足稍外撇。通体施卵白釉，釉色白中闪青。胎体轻盈，呈半脱胎状。瓶颈、腹部均有较明显接胎痕，近足端处作凸起弦纹一道，底足稍凸。该瓶采用戗金工艺，呈龙纹状，龙头朝上，龙身盘旋于瓶身至腹下部。瓷器镶金工艺多见于宋代，主要适用于芒口瓷之上，该瓶戗金龙工艺，一改宋元瓷器惯用包嵌手法，采用鎏金工艺戗在器物上。

景德镇窑卵白釉戗金暗刻龙纹玉壶春瓶藏于高安市博物馆。